# L'ENFANT PERDU

Du même auteur :

*Le Roi des mensonges*, Lattès, 2008.
*La Rivière rouge*, Lattès, 2009.

www.editions-jclattes.fr

# John Hart

# L'ENFANT PERDU

Roman

*Traduit de l'anglais (États-Unis)*
*par Sabine Boulongne*

JC Lattès

Titre de l'édition originale :
THE LAST CHILD
Publiée par Thomas Dunne Book pour Minotaur, un
département de Saint Martin's Publishing Group

ISBN : 978-2-7096-3416-8

*À Nancy et Billl Stanback, Annie et John Hart,*
*et Kay et Norde Wilson.*
*Parents, amis et conseillers dévoués.*

# Prologue

L'asphalte barrait le paysage telle une longue balafre noire, taillée au rasoir. La chaleur n'avait pas encore commencé à tordre l'air, mais le chauffeur savait que ça n'allait pas tarder. Cette clarté aveuglante, le chatoiement au loin, sous un ciel d'un bleu métallique. Il ajusta ses lunettes de soleil avant de jeter un coup d'œil au grand rétroviseur au-dessus du pare-brise. L'intérieur du bus s'y reflétait sur toute sa longueur de même que l'ensemble des passagers. En trente ans, il avait observé toutes sortes de gens : des jolies filles, des hommes brisés, des ivrognes, des fous, des femmes aux seins lourds avec leurs bébés rouges et ridés. Il était capable de flairer les ennuis à des kilomètres ; il savait qui allait bien et qui fuyait.

Il regarda le gosse, qui avait tout du fuyard.

Son nez pelait, mais sous le hâle, il avait ce teint cireux dû au manque de sommeil, à la malnutrition, ou aux deux. Ses pommettes saillaient sous sa peau tendue. Il était jeune, une dizaine d'années, chétif, des cheveux noirs, hirsutes. Une entaille en dents de scie, comme s'il se l'était faite lui-même. Du tissu effiloché pendait du col de sa chemise et des genoux de son jean. Ses souliers usés étaient presque percés. Il serrait contre lui un sac à dos bleu ; quoi qu'il contînt, ça ne pouvait pas être grand-chose.

Il était mignon, mais le plus frappant chez lui, c'étaient ses yeux. Grands, sombres, ils bougeaient constamment comme s'il avait une conscience aiguë des gens autour de lui, de cet étau d'humanité propre à un bus déglingué parcourant au petit matin les collines de sable de Caroline du Nord sous un soleil de plomb : une demi-douzaine d'ouvriers itinérants, une poignée de bagarreurs en rupture de ban qui faisaient l'effet d'anciens soldats, une ou deux familles, quelques vieux, et deux punks tatoués, affalés au fond.

Le gosse se tournait souvent vers l'homme assis de l'autre côté de l'allée centrale, une sorte de représentant de commerce aux cheveux plaqués, portant un costume chiffonné et des mocassins éculés. Le Noir qui tenait une bible froissée, une bouteille de soda calée entre les cuisses, attirait aussi son attention. Une vieille dame en robe parcheminée occupait le siège derrière l'enfant. Quand elle se pencha vers lui pour lui demander quelque chose, il secoua légèrement la tête et répondit poliment.

*Non, m'dame.*

Ses mots s'élevèrent comme un filet de fumée. La dame se radossa en tenant la chaîne de ses lunettes entre ses doigts veinés de bleu. Elle se tourna vers la fenêtre et ses verres s'embrasèrent pour s'obscurcir aussitôt que la route s'enfonça dans un bosquet de pins dont les ombres formaient des mares vertes sous les branches. La clarté envahit de nouveau le bus, et le conducteur en profita pour observer le passager au costume défraîchi. Pâle, il transpirait profusément, à croire qu'il avait la gueule de bois ; il avait de tout petits yeux et manifestait une nervosité qui agaçait le chauffeur. Toutes les deux ou trois minutes, il s'agitait sur son siège, croisait et décroisait les jambes, se penchant tour à tour en avant, en arrière. Il pianotait sur le genou de son pantalon mal coupé et avalait constamment sa salive tandis que son regard glissait vers l'enfant, s'en détournait à la hâte avant de se poser à nouveau sur lui longuement.

Le chauffeur en avait vu d'autres, mais il s'ingéniait à faire régner l'ordre dans son bus. Il ne tolérait ni ivrognerie, ni débauche, ni éclats de voix. Sa mère l'avait élevé ainsi quelque cinquante ans plus tôt ; il n'avait pas jugé bon de changer. Aussi avait-il l'œil sur le petit et sur l'homme en sueur aux traits tirés, au regard avide. Il le vit reluquer l'enfant et se plaquer contre le siège crasseux quand le couteau apparut.

Le gosse l'avait sorti de sa poche avec désinvolture, avait déplié la lame d'une chiquenaude. Il le garda un moment à la main, en pleine vue, avant de sortir une pomme de son sac et de la découper avec des gestes précis. L'odeur du fruit monta au-dessus des sièges tachés et du sol poussiéreux. Le chauffeur en huma la senteur forte et suave malgré la puanteur du diesel. Le garçon jeta un coup d'œil à la mine ahurie de l'homme au visage blême et luisant puis il replia la lame et remit le couteau dans sa poche.

Le chauffeur se détendit et fixa son attention sur la route quelques longues minutes, sans interruption. Le gosse lui disait quelque chose, mais l'impression fut passagère. Trente ans. Il enfonça sa lourde carcasse plus profondément dans son siège.

Il avait vu tellement de petits garçons.

Tant de fuyards.

Chaque fois que le conducteur posait son regard sur lui, le gosse le sentait. Il avait ce don, ce talent. Malgré les lunettes noires et la courbure du rétroviseur, il le savait. C'était le troisième trajet qu'il faisait dans ce bus en autant de semaines. Il changeait de place, s'habillait différemment, mais il se doutait que tôt ou tard quelqu'un allait lui demander ce qu'il faisait dans un autocar inter-États à sept heures du matin un jour d'école. La question viendrait sûrement du chauffeur.

Mais ça ne s'était pas encore produit.

Il se tourna vers la fenêtre en orientant ses épaules de manière à ce que personne d'autre ne tente d'engager la conversation avec lui. Il observa les reflets dans la vitre, les mouvements, les visages. Il pensait à des arbres géants, à des plumes brunes frangées de neige.

Le couteau formait une bosse dans sa poche.

Quarante minutes plus tard, le car s'arrêta brutalement à une petite station d'essence perdue au milieu de la grande bande de terre sablonneuse et brûlante, peuplée de pins et de broussailles. Le garçon remonta l'allée étroite et sauta de la dernière marche avant que le chauffeur n'ait le temps de lui signaler qu'il n'y avait rien dans le parking à part la dépanneuse, qu'aucune grande personne n'était là pour l'accueillir, un gosse de treize ans qui avait l'air d'en avoir dix. Il garda la tête tournée, de sorte que le soleil lui brûlait la nuque. Il jeta son sac sur le dos, un nuage de diesel s'éleva et le bus s'ébranla pour s'élancer vers le sud.

Dans la station d'essence, il y avait deux pompes, un long banc, ainsi qu'un vieil homme décharné, en bleu de travail taché de graisse. Il esquissa un signe de tête de derrière la vitre crasseuse sans sortir dans la chaleur. Le distributeur de boissons à l'ombre de l'unique bâtiment était si vieux qu'une pièce de cinquante cents suffisait. L'enfant plongea la main dans sa poche, en extirpa du bout des doigts cinq *dimes* tout minces et s'offrit un soda au raisin qui surgit de la glissière dans une bouteille en verre fraîche. Après en avoir fait sauter la capsule, il s'orienta dans la direction d'où le bus était venu et se mit en route le long du serpent noir et poussiéreux de la chaussée.

Cinq kilomètres et deux virages plus loin, la route rétrécissait et le bitume cédait la place à du gravier, un gravier de plus en plus épars. La pancarte n'avait pas changé depuis sa dernière visite ; elle était vieille, malmenée, la peinture écaillée laissant apparaître le bois en dessous : RÉSERVE DE RAPACES DU FLEUVE ALLIGATOR. Au-dessus des lettres, un aigle prenait son envol ; des plumes se dressaient sur ses ailes.

L'enfant cracha son chewing-gum dans sa main et le colla sur l'écriteau en passant.

Il lui fallut deux heures pour repérer un nid, deux heures de transpiration, de ronces, de moustiques si bien que sa peau vira au rouge vif. L'énorme enchevêtrement de brindilles se cachait parmi les hautes branches d'un pin d'Elliott qui montait tout droit du sol humide en bordure de la rivière. Le gosse en fit deux fois le tour sans trouver de plumes par terre. Des rais de soleil s'insinuaient dans la frondaison, et le ciel était d'un bleu si intense que ça faisait mal aux yeux. Le nid n'était qu'une petite masse noire.

L'enfant se débarrassa de son sac à dos et se mit à grimper, l'écorce rugueuse raclant sa peau brûlée. Sur ses gardes, il cherchait l'aigle du regard tout en menant à bien son ascension. Il en avait vu un empaillé au musée de Raleigh ; sa férocité l'avait marqué. Il avait des yeux de verre, des ailes d'un mètre cinquante d'envergure et des serres aussi longues que son index ; son bec à lui seul aurait pu arracher les oreilles d'un adulte.

L'enfant voulait juste une plume. Il adorerait en avoir une blanche, propre, de la queue, ou une rémige brune provenant d'une aile, mais il se contenterait de la plus petite plumute de la partie la plus tendre, ou d'un échantillon du duvet tout doux sous le creux de l'aile.

Ça n'avait pas d'importance.

La magie était la magie.

Plus il s'élevait, plus les branches ployaient sous lui. Le vent agitait l'arbre, et l'enfant avec lui. À chaque bourrasque, le cœur battant, les jointures blanchies, il plaquait son visage contre l'écorce. Le pin était le roi des arbres, si haut que même la rivière paraissait diminuée.

Il approchait du sommet. De près, le nid était aussi vaste qu'une table de salle à manger ; il devait peser dans les cent kilos. Vieux de plusieurs dizaines d'années d'existence, il empestait la pourriture, les vestiges de lapin, la merde. L'enfant s'ouvrit à l'odeur, à sa puissance. Il bougea une main, ancra un pied sur une branche grise érodée par le temps, dépouillée de son écorce. Sous lui, la pinède se déployait en rangs serrés jusqu'aux collines lointaines. La rivière se tordait, noire, étincelante comme du charbon. En se hissant au-dessus du nid, il aperçut les oisillons, au nombre de deux, marbrés, blottis dans le creux. Ils entrou-vrirent leurs becs, mendiant de la nourriture, et l'enfant perçut un son semblable au claquement de draps sur la corde à linge quand le vent se lève. Il risqua un coup d'œil au moment où l'aigle s'abattait d'un ciel parfait. L'espace d'un instant, l'enfant ne vit que des plumes, puis les ailes s'abaissèrent tandis que les serres se dressaient.

L'oiseau poussa un cri.

L'enfant leva les bras alors que les serres s'enfonçaient en lui. Et puis il tomba, et l'oiseau – aux yeux jaune vif, ses griffes plantées dans sa peau et sa chemise –, l'oiseau tomba avec lui.

À 3 h 47, un autocar s'engagea dans le parking de la même station-service, en direction du nord cette fois-ci. Un autre bus, un autre chauffeur. La porte s'ouvrit avec fracas et une poignée d'individus rhumatisants en émer-gèrent en traînant les pieds. Le conducteur était un His-panique mince, dans les vingt-cinq ans, l'air fatigué. Il jeta à peine un coup d'œil au gamin efflanqué qui se leva du banc et s'approcha de la porte en boitant. Il ne remarqua ni ses vêtements déchirés ni son air désespéré. Et si c'était bien du sang sur la main qui tendait le billet, il estima que ce n'était pas à lui de faire de commentaires à ce sujet.

Le gosse laissa tomber son billet. Il se hissa en haut des marches en s'efforçant de resserrer autour de lui les pans de sa chemise en lambeaux. Le sac qu'il portait était lourd, plein à craquer, et quelque chose de rouge tachait les cou-tures au fond. L'enfant dégageait une odeur de boue, de rivière, quelque chose de brut. Mais ça non plus ce n'était pas l'affaire du chauffeur. L'enfant s'enfonça dans les ténèbres du bus. Il se cogna contre le dossier d'un siège avant de poursuivre jusqu'au fond où il s'assit seul dans un coin. Il cala ses pieds sous lui en serrant son sac contre sa poitrine. Des entailles profondes entamaient ses chairs, il avait une plaie au cou, mais personne n'osait le regarder. Il étreignit son sac encore plus fort, sentant la chaleur qui persistait, le corps brisé tel un sac de brindilles. Il imagina les oisillons couverts de duvet, seuls dans le nid. Seuls et affamés.

L'enfant se balança dans la pénombre.

Il se balança dans la pénombre et versa des larmes chaudes, amères.

# 1.

Johnny avait vite appris la leçon. Si quelqu'un lui demandait pourquoi il était différent, pourquoi il se tenait si raide, pourquoi ses yeux donnaient l'impression d'avaler la lumière, c'est ce qu'il répondait. Il avait vite appris qu'il n'y avait pas d'endroit sûr, ni le jardin ni la cour de récré, ni la véranda de la maison ni la rue tranquille en lisière de la ville. Aucun lieu sûr, personne pour vous protéger.

L'enfance n'était qu'illusion.

Il était debout depuis une heure à attendre que les bruits de la nuit s'estompent, que le soleil se glisse assez près pour qu'on puisse dire que c'était le matin. On était lundi, il faisait encore sombre, mais Johnny dormait peu. Il se réveillait pour aller patrouiller devant des fenêtres obscures. Il secouait les serrures, explorait la rue vide et le chemin de terre qui ressemblait à de la craie quand la lune se levait. Il rentrait voir comment allait sa mère, sauf quand Ken était à la maison. Celui-ci avait mauvais caractère ; il portait une grosse bague en or qui laissait des meurtrissures parfaitement ovales. Autre leçon que Johnny avait apprise.

Il enfila un T-shirt et un jean effrangé, puis entrouvrit sa porte. De la lumière inondait l'étroit couloir ; l'air semblait entièrement consumé. Il sentit l'odeur de cigarettes et d'alcool, probablement du bourbon. L'espace d'un instant, il se rappela les effluves du matin jadis, ceux des œufs, du café, le parfum de l'après-rasage de son père.

C'était un bon souvenir, aussi l'enfouit-il en lui. Cela ne faisait que rendre les choses plus difficiles.

La moquette à longues mèches, toute raide, lui piquait les orteils. La porte de la chambre de sa mère pendait à l'oblique sur son chambranle ; elle était creuse, nue, une incohérence. La porte d'origine gisait, fracassée, dans le jardin, arrachée d'un coup de pied à ses charnières un mois plus tôt quand sa mère et Ken s'étaient écharpés un soir. Elle ne lui avait jamais précisé la cause de cette dispute, mais Johnny se doutait que cela avait quelque chose à voir avec lui. Un an plus tôt, Ken n'aurait jamais pu approcher une femme comme elle, et Johnny ne se privait pas de le lui faire sentir. Mais ça, c'était il y a un an. Une éternité.

Ils le connaissaient depuis des années ; c'est tout au moins ce qu'ils croyaient. Le père de Johnny était entrepreneur, et Ken faisait construire des quartiers entiers. Ils travaillaient bien ensemble parce que le père de Johnny était rapide et compétent, et Ken avait le bon sens de le respecter. Par conséquent, il s'était toujours montré agréable, attentionné, même après l'enlèvement, jusqu'au jour où le père de Johnny n'avait plus supporté le chagrin, la culpabilité. Après son départ, le respect envolé, Ken avait commencé à passer régulièrement à la maison. Désormais il y régnait en maître, maintenant la mère de Johnny dans la solitude et la dépendance, sous l'emprise de l'alcool et de drogues. Il lui disait ce qu'elle devait faire ; elle obéissait. *Fais cuire un steak. Va dans la chambre. Ferme la porte à clé.*

Johnny voyait tout ça de ses grands yeux noirs et se retrouvait souvent dans la cuisine la nuit, la main posée sur le long couteau dans son bloc en bois, à imaginer l'endroit tendre au creux du cou de Ken, à y penser intensément.

Cet homme était ni plus ni moins un prédateur et la mère de Johnny avait été réduite à néant. Les traits tirés, elle pesait moins de cinquante kilos, mais Johnny voyait bien la manière dont les hommes la regardaient, et à quel point Ken devenait possessif quand il lui arrivait de sortir de la maison. Malgré sa pâleur, elle avait un teint parfait qui mettait en valeur ses grands yeux profonds, meurtris. À trente-trois ans, elle ressemblait à un ange brun, fragile, éthéré, si tant est qu'une telle créature existât. Les hommes interrompaient toute activité dès qu'elle entrait dans une pièce. Ils la dévisageaient comme si sa peau diffusait de la lumière, comme si elle risquait à tout moment de léviter.

Elle n'en avait que faire. Même avant la disparition de sa fille, elle ne se souciait guère de son apparence. Jeans et T-shirts. Queues-de-cheval. Une touche de maquillage de temps à autre. Son monde était restreint, parfait ; elle aimait son mari et ses enfants, elle prenait soin de son jardin, faisait du bénévolat à l'église et fredonnait les jours de pluie. Rien de plus. Désormais il ne lui restait plus que le silence, le vide, la souffrance. Elle n'était plus que l'ombre d'elle-même, mais sa beauté subsistait. Johnny en était conscient, et chaque jour il maudissait la perfection dont elle était nantie si complètement. Eût-elle été laide, Ken n'aurait pas voulu d'elle. Si ses enfants avaient été vilains, la sœur de Johnny dormirait encore dans la chambre voisine de la sienne. Mais on aurait dit une poupée, quelque chose de pas tout à fait réel qu'il aurait fallu ranger dans un cabinet fermé à clé. C'était l'être le plus beau que Johnny eût jamais vu, et cela lui faisait horreur.

Horreur.

Ce qui prouvait à quel point sa vie avait changé.

Johnny ne quittait pas des yeux la porte de la chambre de sa mère. Ken était peut-être encore là ; ou peut-être pas. Il pressa l'oreille contre le bois en retenant son souffle. D'habitude il le savait, mais étant donné qu'il n'avait pas dormi pendant plusieurs jours, il avait fini par sombrer dans un sommeil profond. Un sommeil noir, figé. Intense. Il s'était réveillé en sursaut, comme s'il avait entendu une vitre se briser. À 3 heures du matin.

Incertain, il s'écarta de la porte, puis longea le couloir sur la pointe des pieds. Le néon de la salle de bains bourdonna quand il actionna l'interrupteur. L'armoire à pharmacie était ouverte. Xanax, Prozac, des bleus, des jaunes.

Il prit un flacon et lut l'étiquette : Vicodine. Un nouveau. Celui de Xanax était ouvert, il y avait des comprimés sur la tablette, et Johnny sentit la colère monter en lui. Le Xanax aidait Ken à se calmer après une nuit de bonnes choses.

C'était son expression.

*Les bonnes choses.*

Johnny reboucha le flacon et sortit de la salle de bains.

La maison était un vrai taudis ; elle ne leur appartenait pas. La leur était propre, en ordre, avec un toit neuf qu'il avait aidé à installer. Jour après jour pendant les vacances d'été, il avait grimpé à l'échelle pour passer des bardeaux à son père. Il portait les clous dans une ceinture à outils sur laquelle était gravé son nom. Une belle maison en pierre avec un jardin fait d'autre chose que de terre et de touffes de mauvaises herbes. Elle se situait à quelques kilomètres de là seulement, mais Johnny avait l'impression qu'elle se trouvait beaucoup plus loin, dans un autre quartier composé d'habitations soignées, entourées de verdure. Elle était ancrée dans sa mémoire, même si désormais elle appartenait à la banque. On avait donné des papiers à sa mère et planté un écriteau dans le jardin.

Cette baraque-ci faisait partie des logements loués par Ken. Parmi la centaine qu'il possédait, c'était probablement la pire, une bicoque merdique à la périphérie de la ville. La cuisine en métal vert était petite, avec du linoléum éraflé qui rebiquait dans les coins. Une unique ampoule brillait au-dessus du fourneau. Johnny tourna lentement en rond dans la pièce immonde : des mégots dans une soucoupe, des bouteilles vides, des petits verres. Sur la glace posée à plat sur la table, des vestiges de poudre blanche reflétaient la lumière. Cette vision lui glaça le sang. Un billet de cent dollars roulé traînait par terre. Il le ramassa, le lissa avec soin. Cela faisait une semaine qu'il n'avait pas mangé un repas correct, et Ken sniffait de la coke avec un billet de cent.

Il essuya le miroir avec un torchon humide avant de le raccrocher au mur. Son père se regardait dedans autrefois. Johnny le voyait encore nouer sa cravate de ses gros doigts raides. L'inéluctable cravate. Il ne mettait son costume que le dimanche pour aller à l'église, et quand il surprenait son fils en train de l'observer, il se sentait gêné. Johnny le remarquait bien : cette brusque rougeur au visage suivie d'un sourire insouciant.

— Heureusement que ta mère est là, disait-il, et en définitive c'était elle qui se chargeait de lui faire son nœud.

Les mains de son père au creux d'un dos gracile.

Le baiser et le clin d'œil qui venaient après.

Johnny essuya de nouveau la glace et l'ajusta jusqu'à ce qu'elle soit bien droite.

La porte d'entrée résista un peu. Il sortit dans l'obscurité humide du matin. Un lampadaire clignotait cinquante mètres plus bas dans la rue. Des phares franchirent la crête d'une lointaine colline.

La voiture de Ken avait disparu. Johnny se sentit honteusement soulagé. Ken habitait à l'autre bout de la ville dans une immense maison à la façade ravalée, avec de grandes baies et un garage pour quatre voitures. Johnny inspira à fond, pensa à sa mère penchée sur cette glace et se dit qu'elle n'était pas si mal barrée que ça. C'était l'affaire de Ken, pas la sienne. Il desserra les poings. L'air semblait comme nettoyé, il se força à se concentrer là-dessus. C'était un nouveau jour, des choses positives pouvaient se produire. Seulement sa mère avait des matins difficiles. Quand elle ouvrait les yeux, un bref instant s'écoulait avant qu'elle se souvienne qu'on n'avait jamais retrouvé son unique fille.

La sœur de Johnny.

Sa sœur jumelle.

Alyssa avait vu le jour trois minutes après lui, et ils se ressemblaient autant que le pouvaient de faux jumeaux. Ils avaient les mêmes cheveux, les mêmes traits, le même rire. C'était une fille, bien sûr, mais à cinq mètres, difficile de faire la distinction entre eux deux. Ils avaient une posture, une démarche identiques. Ils se réveillaient en même temps, presque tous les matins, chacun dans sa chambre. Leur mère soutenait que, petits, ils avaient un langage propre, mais Johnny n'en avait pas le souvenir. Il se rap-

pelait qu'il n'avait jamais été seul la plus grande partie de
sa vie ; un sentiment d'appartenance particulier qu'eux
seuls comprenaient. Mais Alyssa avait disparu, et tout le
reste avec elle. C'était la vérité, incontournable, qui avait
arraché ses entrailles à sa mère. Aussi Johnny faisait-il
de son mieux. Il vérifiait que les portes étaient fermées
et remettait de l'ordre. Ce matin-là, cela lui prit vingt
minutes. Puis il prépara le café et repensa au billet roulé.

Cent dollars.

De la nourriture et des habits.

Il inspecta les lieux une dernière fois. Les bouteilles,
disparues. De même que la drogue. Il ouvrit les fenêtres
pour aérer avant de jeter un coup d'œil dans le réfrigérateur. Le berlingot de lait cliqueta quand il le secoua. Un
seul œuf dans la boîte à œufs. Il fouilla le sac de sa mère.
Elle possédait neuf dollars et de la monnaie. Il laissa
l'argent et referma le sac. Il remplit un verre d'eau et sortit
deux aspirines d'un flacon, avant d'aller dans la chambre
de sa mère.

Les premières lueurs crues de l'aube se plaquaient
contre la vitre. Un renflement orange au-delà des arbres
noirs. Elle était allongée sur le côté, les cheveux dans la
figure. Revues et livres s'amoncelaient sur la table de chevet. Il fit de la place pour poser le verre et les aspirines
sur le bois éraflé. Il l'écouta respirer quelques secondes,
puis considéra le petit paquet d'argent que Ken avait laissé
près du lit. Quelques billets de vingt, un de cinquante.
Plusieurs centaines de dollars sans doute, froissés et
tachés.

Provenant d'une liasse, ils avaient été jetés là.

La voiture garée dans l'allée était vieille, un break acheté
par son père des années plus tôt. La carrosserie était propre ; Johnny vérifiait la pression des pneus toutes les
semaines, mais c'est tout ce qu'il savait faire. Le pot
d'échappement éructait de la fumée bleue quand il démarrait ; la vitre côté passager ne montait pas jusqu'en haut.
Il attendit que la fumée devienne blanche avant d'enclen-
cher la première et de descendre l'allée. Loin d'avoir son

permis, il inspecta prudemment la route avant de s'y engager. Il s'astreignait à conduire lentement en s'en tenant
aux petites routes. Le magasin le plus proche ne se trouvait qu'à quatre ou cinq kilomètres, mais c'était une
grande surface située sur une route importante, où on
risquait de le reconnaître. Johnny fit cinq kilomètres de
plus pour se rendre dans une petite épicerie. Il gâchait de
l'essence et les produits seraient plus chers, mais il n'avait
pas vraiment le choix. Les services sociaux étaient déjà
venus deux fois.

La voiture se fondit parmi celles déjà garées dans le
parking, de vieux modèles américains pour la plupart.
Une berline foncée y pénétra derrière lui et s'arrêta près
de l'entrée. L'éclat du soleil faisait briller le pare-brise ; le
conducteur sans visage resta assis au volant. Johnny le
garda à l'œil tandis qu'il se dirigeait vers le magasin.

Il avait peur des hommes seuls dans des véhicules en
stationnement.

Le chariot zigzagua dans l'allée qu'il remonta avant d'en
descendre une autre. Juste le strict nécessaire, se dit-il ·
du lait, du jus d'orange, du bacon, des œufs, du pain de
mie, des fruits. Il racheta de l'aspirine pour sa mère. Le
jus de tomates aussi semblait lui faire du bien.

Le flic l'arrêta au bout de l'allée huit. Grand, baraqué,
il avait des yeux bruns trop doux par rapport aux lignes
qui marquaient son visage et l'angle buté de sa mâchoire.
Les mains dans les poches, il n'avait pas de chariot, et
d'après son expression, une sorte de patience résignée,
Johnny comprit d'emblée qu'il l'avait suivi.

Il eut envie de prendre ses jambes à son cou.

— Salut, Johnny, dit-il. Comment ça va ?

Il avait les cheveux plus longs que dans le souvenir de
l'enfant, du même brun que ses yeux. Touffus, ils rebi-
quaient au-dessus du col ; quelques fils argentés avaient
apparu aux tempes. Son visage s'était aminci, révélant que
lui aussi avait eu une année difficile. En dépit de sa grande
taille, il semblait diminué, hagard, mais comme la quasi-
totalité du monde avait cet aspect-là, Johnny n'était pas

trop sûr. L'agent avait un ton grave, inquiet. Cela rappelait tellement de mauvais souvenirs que l'espace d'un instant, l'enfant fut dans l'incapacité de bouger ou de parler. L'homme se rapprocha, arborant cette mine pensive que Johnny avait vue si souvent, cet air plein d'une douce sollicitude. Une partie de lui avait envie d'aimer ce mec, de lui faire confiance. Mais c'était tout de même lui qui avait laissé Alyssa disparaître. C'était lui qui l'avait perdue.

— Ça va, répondit-il. Je tiens le coup, vous savez.

Le flic consulta sa montre, puis il passa en revue la tenue malpropre de Johnny, ses cheveux hirsutes. Il était 6 h 40 du matin, un jour d'école.

— Des nouvelles de ton père ?

— Non, répondit Johnny en s'efforçant de dissimuler sa honte soudaine. Rien.

— Je suis désolé.

Quelques secondes s'écoulèrent sans que le policier ne fasse un mouvement. Son regard brun resta imperturbable. De près, il semblait aussi imposant et calme que la première fois qu'il était venu chez Johnny. Mais cette pensée lui rappela encore d'autres choses, aussi l'enfant fixat-il son attention sur l'épais poignet du policier, ses ongles propres, coupés court.

— Ma mère a reçu une lettre une fois, reprit-il d'une voix éraillée. Apparemment il était à Chicago, il irait peut-être en Californie, ajouta-t-il avant un temps d'arrêt, son regard passant de la main au sol. Il reviendra.

Il avait dit ça avec conviction. Le flic hocha la tête avant de se détourner. Spencer Merrimon était parti deux semaines après l'enlèvement de sa fille. La douleur et la culpabilité avaient eu raison de lui. Sa femme ne lui avait jamais pardonné de ne pas être allé chercher la petite qui ne se serait pas trouvée seule dehors à la tombée de la nuit s'il avait fait ce qu'il devait faire.

— Ce n'était pas sa faute, dit Johnny.

— Je n'ai jamais dit ça.

— Il travaillait. Il n'a pas vu l'heure passer. Ce n'était pas sa faute.

— Nous commettons tous des erreurs, fiston. Tous autant que nous sommes. Ton père est un homme bon. Ne mets jamais ça en doute.

— Je ne le mets pas en doute, riposta Johnny avec un brusque ressentiment dans la voix.

— Ça pourrait se comprendre.

— Je ferai jamais ça.

Johnny se sentit pâlir. Il n'arrivait pas à se rappeler la dernière fois où il avait autant parlé à un adulte. Mais ce policier n'était pas comme les autres. Carrément vieux, dans les quarante ans, il prenait toujours son temps. Quelque chose de chaleureux émanait de son visage, une gentillesse qui n'avait rien de factice ou de forcé pour inspirer confiance à un gosse. Il vous fixait du regard. En un sens, Johnny avait espéré qu'il faisait suffisamment bien son boulot pour rectifier la situation. Mais un an s'était écoulé, et on n'avait toujours pas retrouvé sa sœur. Johnny devait se préoccuper du présent, et pour l'heure, ce flic n'était pas son ami.

Il y avait les services sociaux, à l'affût du moindre prétexte. Et puis ce qu'il fabriquait en catimini, les endroits où il se rendait quand il n'allait pas en classe, les risques qu'il prenait quand il sortait en douce après minuit. Si le flic savait tout ça, il serait contraint d'intervenir. Les familles d'accueil. Les tribunaux.

S'il en avait les moyens, il l'empêcherait d'agir.

— Comment va ta maman ? demanda le policier, le regard ardent, la main posée sur le chariot.

— Elle est crevée. À cause de son lupus, vous savez. Elle se fatigue vite.

— La dernière fois que je suis tombé sur toi ici, tu as dit qu'elle avait la maladie de Lyme, rétorqua l'homme en fronçant les sourcils.

Il avait raison.

— Non, j'ai dit qu'elle avait un lupus.

Les traits du flic s'adoucirent ; il lâcha le chariot.

— Il y a des gens qui veulent t'aider, tu sais. Qui comprennent.

Johnny sentit la colère l'envahir. Personne ne comprenait et personne ne proposait de les aider. Jamais.

— Elle est juste naze. Au bout du rouleau.

Devant ce mensonge, l'homme détourna le regard, mais la tristesse se lisait encore sur son visage. Johnny vit ses yeux se poser sur le flacon d'aspirine, le jus de tomates. À la manière dont ils s'y attardèrent, on se doutait qu'il en savait plus long que la plupart des gens sur les alcooliques et les drogués.

— Tu n'es pas le seul à souffrir, Johnny. Tu n'es pas seul.

— Suffisamment seul comme ça.

Le flic poussa un profond soupir. Il sortit une carte de la poche de sa chemise et y nota un numéro au dos. Puis il la tendit à l'enfant.

— Si tu as besoin de quoi que ce soit. (Il avait l'air déterminé.) Jour et nuit. Je suis sérieux.

Johnny jeta un coup d'œil à la carte avant de la glisser dans la poche de son jean.

— On s'en sort, dit-il en pivotant le chariot.

— Si jamais il te frappe à nouveau... poursuivit le flic, une main sur l'épaule de Johnny, qui se crispa. Toi ou ta mère...

— On s'en sort, répéta Johnny avec un haussement d'épaules pour chasser la main. Je maîtrise.

Il contourna le flic, terrifié à l'idée que ce dernier allait l'arrêter de nouveau, lui poser d'autres questions ou appeler une de ces femmes à la mine revêche des services sociaux.

Quand le chariot racla le comptoir à la caisse, la grosse femme sur son tabouret usé fit la grimace. Elle était nouvelle. Johnny remarqua son air perplexe. Il avait treize ans et en faisait nettement moins. Il sortit le billet de cent de sa poche et le posa sur le tapis roulant.

— Pourriez-vous vous dépêcher, s'il vous plaît ?

Elle fit claquer son chewing-gum en fronçant les sourcils.

— Du calme, mon petit chat. Ça vient.

Le flic traînait cinq mètres derrière lui, mais Johnny sentait sa présence, ses yeux rivés sur lui tandis que la grosse enregistrait ses achats. Il dut s'obliger à respirer. Au bout d'une minute, le flic le dépassa.

— Garde cette carte, dit-il.

— D'accord, répondit Johnny, sans parvenir à croiser son regard.

— Ça fait toujours plaisir de te voir, Johnny, ajouta l'agent, un sourire contraint aux lèvres.

Hors du magasin, il était encore visible à travers la large vitrine. Il dépassa le break avant de revenir rôder à proximité. Il jeta un coup d'œil dedans, fit le tour du véhicule pour vérifier la plaque d'immatriculation. Apparemment satisfait, il regagna sa berline et s'installa au volant, dans l'ombre.

Et là, il attendit.

En tendant le bras pour prendre sa monnaie dans la main moite de la caissière, Johnny tenta de ralentir les battements de son cœur.

Le flic s'appelait Clyde Lafayette Hunt. Inspecteur Hunt. C'est ce qu'indiquait sa carte. Johnny en avait toute une collection dans un tiroir, dissimulée sous ses chaussettes et une photo de son père. De temps à autre, il songeait au numéro qui figurait sur cette carte, et puis des visions d'orphelinats et de familles d'accueil l'assaillaient. Il pensait à sa sœur disparue, au tuyau en plomb qu'il cachait entre son lit et le mur qui laissait passer de l'air froid. Il était probablement sincère. C'était sans doute un type bien. Mais Johnny ne pouvait pas le regarder sans se souvenir d'Alyssa, et ce genre de pensée exigeait de la concentration. Il fallait qu'il l'imagine vivante, souriante, et non pas dans une cave au sol en terre battue ou sur la banquette arrière d'une voiture. Elle avait douze ans la dernière fois qu'il l'avait vue. Douze ans, des cheveux noirs, coupés court à la garçonne. Le seul type qui avait été témoin de la scène avait affirmé qu'elle avait marché droit vers la voiture, tout sourire, quand la portière s'était ouverte.

Tout sourire, jusqu'à ce que quelqu'un l'empoigne.

Johnny entendait constamment cette expression. *Tout sourire*. Comme si elle s'était imprimée dans sa tête, un enregistrement dont il ne parvenait pas à se débarrasser. Mais la nuit, il voyait son visage. Il la voyait regarder par-dessus son épaule tandis que les maisons rapetissaient. Il voyait l'inquiétude grandir et puis il la voyait hurler.

Il se rendit compte que la caissière le dévisageait, qu'il avait toujours la main tendue, pleine d'argent, alors que ses courses étaient emballées. Elle avait un sourcil levé tandis que sa mâchoire continuait à mastiquer le chewing-gum.

— Tu as besoin d'autre chose, mon lapin ?

Johnny sursauta. Il fourra les billets dans sa poche.

— Non, répondit-il, j'ai besoin de rien d'autre.

Elle porta son attention au-delà de lui, vers le gérant du magasin derrière une cloison basse en verre. Johnny suivit son regard avant de ramasser ses achats. Elle haussa les épaules et il sortit sous un ciel qui s'était éclairci entre-temps. Il garda les yeux fixés sur la voiture de sa mère en faisant mine d'ignorer l'inspecteur. Les sacs grinçaient en se frottant les uns contre les autres. Le lait glouglouttait, lourd, du côté droit. Il posa les courses sur la banquette arrière puis hésita. Le flic l'observait d'une voiture qui dépassait de la rangée, à moins de dix mètres. Quand Johnny se redressa, il lui fit signe.

— Je sais conduire.

— Je n'en doute pas.

Cette réponse surprit l'enfant. Hunt avait l'air de sourire.

— Je suis conscient que tu es un dur à cuire, ajouta-t-il, et son sourire s'effaça. Je sais que tu peux encaisser à peu près tout, mais la loi est la loi. Je ne peux pas te laisser conduire.

— Je ne peux pas laisser la voiture ici, répliqua Johnny en se redressant de toute sa taille. On n'en a pas d'autre.

— Je te raccompagne.

Johnny ne dit rien. Il se demandait si ça sentait encore le bourbon à la maison. S'il avait bien rangé tous les flacons de médicaments.

— J'essaie de t'aider, fiston, déclara le policier avant de marquer un temps d'arrêt. Les gens sont comme ça, tu sais.

— Quels gens ? lâcha le gosse d'un ton plein d'amertume.

— Ce n'est pas grave. Pas de souci. Donne-moi juste ton adresse.

— Vous savez très bien où j'habite. Je vous vois passer de temps en temps en ralentissant, alors ne faites pas semblant de ne pas savoir.

Hunt perçut sa méfiance.

— Je ne cherche pas à te piéger, petit. J'ai besoin de l'adresse exacte pour qu'on envoie une voiture de patrouille me prendre là-bas. Il va falloir qu'on me reconduise à ma voiture.

— Pourquoi est-ce que vous passez aussi souvent ? demanda Johnny, méfiant.

— Je te l'ai dit, Johnny. Il y a des gens qui veulent t'aider.

L'enfant n'était pas certain de le croire, mais il débita son adresse et le vit envoyer un message pour qu'on vienne le chercher.

— Allons-y.

Hunt descendit de son véhicule banalisé et s'approcha du break. Johnny ouvrit la portière et l'inspecteur se glissa derrière **le** volant. L'enfant attacha sa ceinture, puis se figea. Ils restèrent tous les deux immobiles un long moment.

— Je suis désolé pour ta sœur, dit finalement le policier. Je suis navré de ne pas avoir pu la ramener à la maison. Tu le sais, n'est-ce pas ?

Johnny regardait droit devant lui, les mains serrées sur ses genoux au point que ses jointures avaient blanchi. Le soleil qui s'était hissé au-dessus des arbres dardait ses rayons à travers le pare-brise.

— Tu pourrais dire quelque chose ? demanda Hunt.

— Ça faisait un an hier, répondit-il finalement en se tournant vers lui, d'une voix blanche, conscient d'avoir l'air d'un petit môme. Vous le savez ?

— Oui, dit-il, l'air mal à l'aise, je le sais.

— Vous pourriez démarrer ? pria Johnny en regardant ailleurs. S'il vous plaît.

Le moteur gronda et un nuage de fumée bleue passa devant sa vitre.

— D'accord, Johnny, d'accord.

Hunt enclencha la première. Ils roulèrent en silence jusqu'aux faubourgs de la ville. Pas un mot, mais Johnny le *sentait*. Une odeur de savon, d'huile de graissage, des relents de tabac froid aussi peut-être, émanant de ses habits. Il conduisait comme son père, vite mais prudemment, fixant tour à tour la route et le rétroviseur. Il serra les lèvres quand ils approchèrent de la maison, et Johnny songea, une dernière fois, qu'il avait dit qu'il ramènerait Alyssa. Il y avait un an de cela. Il l'avait promis.

Une voiture de police les attendait dans l'allée. Johnny descendit et alla ouvrir la portière arrière pour prendre les courses.

— Je peux te donner un coup de main, dit Hunt.

Johnny se borna à le dévisager. Qu'est-ce qu'il lui voulait ? Il avait perdu Alyssa.

— Ça va aller, bougonna-t-il.

L'inspecteur soutint son regard jusqu'au moment où il fut évident qu'il n'avait rien à dire.

— Tiens-toi à carreau, ajouta-t-il pour finir.

Johnny le regarda se glisser dans l'autre véhicule. Ses sacs à la main, il resta planté au milieu de l'allée poussiéreuse tandis que la voiture rejoignait la route en marche arrière. Il ne répondit pas au geste de l'inspecteur. Il vit l'auto grimper sur la colline au loin avant de disparaître. Il attendit que son cœur se calme, puis il rentra les commissions.

Ses achats avaient l'air minable sur le comptoir de la cuisine, mais ils représentaient bien plus à ses yeux : une victoire. Il rangea tout, lança le café, cassa un œuf dans une poêle. Une flamme bleue surgit autour de la rondelle de fer. Il regarda blanchir le pourtour de l'œuf qu'il souleva avec soin et déposa sur une assiette en carton. Le téléphone sonna alors qu'il attrapait une serviette. Il reconnut le numéro sur l'écran d'affichage et répondit avant la seconde sonnerie. Le gosse au bout du fil avait une voix rauque. Il avait treize ans, lui aussi, mais il fumait et buvait comme une grande personne.

— T'as séché aujourd'hui ? On traîne ensemble ?

Johnny jeta un rapide coup d'œil dans le couloir avant de répondre à voix basse :

— Salut, Jack.

— J'suis allé inspecter quelques maisons du côté ouest. Sale zone. Vraiment *hard*. Y'a plein d'anciens taulards dans le coin. C'est logique quand on y pense.

C'était l'éternelle rengaine. Jack savait pertinemment ce que Johnny fabriquait quand il n'allait pas en classe ou qu'il allait se promener en douce la nuit. Il avait envie de l'aider parce que c'était un brave et mauvais garçon à la fois. Ça l'amusait. Ça l'excitait. Il en allait tout autrement pour Johnny.

— C'est pas un jeu, dit-il.

— Tu connais le proverbe à propos du cheval donné, mec. Je propose de t'aider gratos. Tu devrais être content.

— Désolé, Jack, lâcha Johnny avec un soupir. Sale matinée.

— Ta mère ?

La gorge serrée, Johnny hocha la tête. Jack était son dernier ami, le seul qui ne le traite pas comme s'il était une sorte de monstre pitoyable. Ils avaient des choses en commun en plus. De petite taille, comme lui, il avait aussi sa part de problèmes.

— Faudrait quand même que j'y aille aujourd'hui.

— On a le devoir d'histoire à rendre. Tu l'as fait ?

— Je l'ai rendu la semaine dernière.

— Sans déconner ! J'ai même pas commencé.

Johnny haussa les épaules même si personne ne pouvait le voir. Jack était systématiquement en retard, mais les profs ne lui disaient jamais rien. La mère de Johnny l'avait traité de vaurien un jour ; c'était approprié. Il volait des cigarettes dans la salle des profs et se mettait du gel sur les cheveux le vendredi. Il buvait bien trop pour son âge et mentait comme un pro. Mais il savait garder un secret et surveillait vos arrières le cas échéant. Il était *cool*, et sincère quand il en avait envie. L'espace d'un instant, Johnny se sentit de meilleure humeur ; et puis les événements de la matinée lui retombèrent dessus.

L'inspecteur Hunt.

La liasse de billets graisseux sur le lit de sa mère.

— Faut que j'y aille, dit-il.

— Tu veux qu'on sèche ensemble ?

— Faut que j'y aille.

Il raccrocha. Il avait blessé son ami, mais il n'y pouvait rien. Il alla s'asseoir sur le perron avec son assiette et mangea son œuf accompagné de trois morceaux de pain et d'un verre de lait. Il avait encore faim quand il eut fini, mais le déjeuner n'était plus que dans quatre heures et demie.

Il pouvait attendre.

Après avoir préparé un café au lait, il s'achemina dans le couloir obscur jusqu'à la chambre de sa mère. L'eau avait disparu ; l'aspirine aussi. Son visage était dégagé, un rayon de soleil lui barrait les yeux. Johnny posa la tasse sur la table de nuit et ouvrit une fenêtre. De l'air frais entra à flots du côté ombragé de la maison. Il observa sa mère. Elle semblait plus pâle, plus fatiguée, plus jeune aussi et perdue. Elle ne se réveillerait pas pour le café, mais il tenait à ce qu'elle en ait un sous la main au cas où. Pour qu'elle sache.

Il s'apprêtait à s'en retourner quand elle gémit dans son sommeil. Un mouvement convulsif violent l'agita. Elle marmonna quelque chose, ses jambes se raidirent à deux reprises et puis elle se redressa en sursaut, les yeux écarquillés, l'air terrifié.

— Nom de Dieu ! s'exclama-t-elle. Nom de Dieu !

Johnny était juste devant elle, mais elle ne l'avait pas vue. Ce qui l'avait effrayée, quoi que ce soit, continuait à avoir emprise sur elle. Il se pencha vers elle, lui assura que ce n'était qu'un mauvais rêve, et en une seconde, elle parut le reconnaître. Elle leva la main vers son visage.

— Alyssa, dit-elle, et il y avait une interrogation dans sa voix.

Johnny sentit venir la tempête.

— C'est Johnny, dit-il.

— Johnny ?

Elle cligna des paupières et brusquement, la réalité du quotidien s'imposa à elle. Son regard désespéré chavira, elle écarta la main et s'enroula à nouveau dans les couvertures.

Johnny lui accorda quelques instants, mais elle ne rouvrit pas les yeux.

— Ça va ? demanda-t-il finalement.

— J'ai fait un cauchemar.

— Il y a du café. Tu veux un petit déjeuner ?

— Bon sang !

Elle écarta les draps et se rua hors de la chambre. Sans regarder derrière elle. Johnny entendit claquer la porte de la salle de bains.

Il sortit de la maison et s'assit sur le perron. Cinq minutes plus tard, le car scolaire se rangeait le long de l'accotement. Il ne se leva pas, il ne broncha pas. Le car finit par s'en aller.

Sa mère mit près d'une heure à s'habiller et à le rejoindre sur le perron. Elle s'assit à côté de lui en nouant ses bras minces autour de ses jambes. Son sourire n'avait rien de convaincant ; Johnny se souvenait qu'autrefois il illuminait toute une pièce.

— Je suis désolée, dit-elle en lui flanquant un petit coup d'épaule.

Johnny leva les yeux vers la route. Elle le secoua à nouveau légèrement.

— Désolée. Tu entends... Excuse-moi.

Il ne savait pas quoi dire, incapable de s'expliquer l'effet que cela lui faisait de savoir qu'elle avait mal en le regardant. Il haussa les épaules.

— C'est pas grave.

Il sentit qu'elle cherchait les mots justes. Là encore, elle échoua.

— Tu as raté le car, dit-elle.

— Ça n'a pas d'importance.

— Ça en a pour l'école.

— J'ai des bonnes notes. Ils en ont rien à faire que je sois là ou pas.

— Tu vois toujours le conseiller d'orientation ?

Il la considéra d'un œil impitoyable.

— Pas depuis six mois.

— Oh !

Il reporta son attention sur la route malgré le regard de sa mère fixé sur lui. Autrefois, elle était au courant de tout. Ils discutaient. Quand elle brisa le silence, elle avait une drôle de voix.

— Il ne reviendra pas.

— Comment ? s'exclama Johnny en se tournant vers elle.

— Tu n'arrêtes pas de regarder la route. Constamment, comme si tu t'attendais à tout moment à le voir apparaître au sommet de la colline.

Johnny ouvrit la bouche pour protester, mais elle lui coupa la parole.

— Ça n'arrivera pas.

— Tu n'en sais rien.

— J'essaie juste...

— Tu n'en sais rien du tout !

Johnny se retrouva debout sans s'en rendre compte. Il avait les poings serrés pour la deuxième fois de la matinée, et quelque chose de chaud faisait pression contre les cloisons de sa poitrine. Sa mère se pencha en arrière, les bras toujours croisés en dessous des genoux. Son regard s'éteignit. Johnny savait à quoi s'attendre. Elle tendit une main, sans l'atteindre.

— Il nous a quittés, Johnny. Tu n'y es pour rien.

Elle fit mine de se lever. Sa bouche s'adoucit et une expression mêlant souffrance et compréhension s'installa sur son visage, celle que les adultes arborent face à des enfants qui ne saisissent pas vraiment le mode de fonctionnement du monde. Mais Johnny comprenait. Il connaissait l'expression en question et elle lui faisait horreur.

— Tu n'aurais jamais dû lui dire ce que tu lui as dit.

— Johnny...

— Ce n'est pas de sa faute si on l'a enlevée. Tu n'aurais jamais dû dire ça.

Elle fit mine de se rapprocher de lui. Il l'ignora.

— Il est parti à cause de toi.

Elle se figea. Le sourire compatissant s'évapora.

— *C'était* sa faute, répliqua-t-elle d'un ton glacial. Entièrement la sienne. À présent, elle n'est plus là et il ne me reste rien.

Johnny sentit des tremblements naître à l'arrière de ses cuisses. En l'espace de quelques secondes, il se mit à frissonner de la tête aux pieds. C'était une vieille querelle qui les déchirait l'un et l'autre.

— Tu prends toujours son parti, lança sa mère en se redressant avant de disparaître dans la maison, loin du monde et de la place que son dernier enfant y occupait.

Johnny fixa la porte déteinte, puis ses mains, qui tremblaient toujours. Ravalant son émotion, il se rassit et contempla la poussière agitée par le vent au bord de la route. Il pensa aux paroles de sa mère avant de lever les yeux vers la colline. Elle n'avait rien d'attirant avec cette bordure de forêt effilochée, émaillée de petites bicoques, d'allées de terre battue et de lignes télégraphiques qui ployaient entre les poteaux, d'un noir intense sur le ciel tout neuf. Elle n'avait rien de spécial, mais il la considéra un long moment. Jusqu'à ce qu'il ait mal au cou. Et puis il rentra à son tour pour voir comment allait sa mère.

# 2.

Le flacon de Vicodine était ouvert sur la tablette de la salle de bains. Sa mère avait fermé sa porte. Johnny l'entrouvrit, vit dans l'obscurité qu'elle gisait immobile sous les couvertures. Le son rauque de sa respiration venait troubler un profond silence. Il referma la porte et gagna sa chambre.

Sous son lit, il cachait une valise en cuir toute craquelée, aux charnières ternies, noirâtres. Malgré une courroie cassée, il l'avait conservée précieusement parce qu'elle avait appartenu à son arrière-arrière-grand-père. Elle était grande, carrée, avec un monogramme décoloré qu'il arrivait encore à déchiffrer en l'inclinant d'une certaine manière. *JPM*, John Pendleton Merrimon. Les mêmes initiales que lui.

Il tira la valise pour la poser sur le lit et défit la boucle restante. Le couvercle bascula et se posa de guingois contre le mur. Une dizaine de photos tapissaient l'intérieur du rabat. La plupart représentaient sa sœur, mais il y en avait deux d'elle et lui ensemble – des jumeaux arborant le même sourire. Il en effleura une avant de regarder les autres, celles de son père. Spencer Merrimon était un homme robuste aux dents carrées, souriant, un bâtisseur aux mains usées. Un homme serein et sûr de lui, fort d'une certitude morale qui avait toujours incité Johnny à se féliciter d'être son fils. Il lui avait appris tant de choses : à conduire, à garder la tête haute, à prendre les bonnes décisions. Il lui avait expliqué comment marchait le monde, ce en quoi il fallait croire, en quoi avoir foi : la famille, Dieu, la communauté. Tout ce que Johnny savait sur ce que cela signifiait d'être un homme, il le tenait de son père.

Jusqu'au moment où il avait fichu le camp.

À présent, il devait tout remettre en cause, tous les principes qu'on lui avait inculqués avec tant de conviction. Dieu n'en avait que faire des gens qui souffraient. Des petites gens. La justice n'existait pas, pas plus que les châtiments ou la communauté. On ne s'entraidait pas entre voisins ; les bons n'hériteraient pas de la terre. Tout ça, c'étaient des conneries. Ni l'église, ni la police, ni sa mère n'étaient en mesure de rectifier la situation. Personne n'en avait le pouvoir. Durant toute une année, Johnny avait vécu une nouvelle dure réalité : il ne pouvait compter que sur lui-même.

C'était comme ça et pas autrement. Ce qui était bétonné un jour se changeait en sable le lendemain. La force était une illusion. La foi ne voulait strictement rien dire. Et alors ? Alors un froid brouillard humide avait investi son univers jadis radieux. Ainsi allait la vie. Le nouvel ordre. Il ne pouvait se fier à rien, hormis à lui-même. C'est ainsi qu'il faisait son chemin, sans regarder en arrière.

Il examina les photos de son père : affublé de lunettes de soleil, souriant au volant d'une camionnette ; perché au sommet d'un toit, sa ceinture à outils pendant d'un côté. Une force émanait de lui : la mâchoire, les épaules, les épais favoris. Johnny chercha un reflet de ses propres traits, mais il se savait trop délicat, trop clair de peau. Il ne donnait pas cette impression de puissance, mais ce n'était qu'une apparence.

Il *était* fort.

Il se le dit intérieurement : *je serai fort*.

Le reste était plus difficile à admettre, aussi ignora-t-il la petite voix dans sa tête, la voix d'enfant. Il serra les dents et caressa les photos une dernière fois. Puis il ferma les yeux. Quand il les rouvrit, l'émotion était passée.

Il ne se sentait plus seul.

La valise contenait toutes les choses qui devaient le plus manquer à Alyssa, tout ce qu'elle voudrait quand elle rentrerait à la maison. Il les sortit une à une : son journal – qu'il n'avait pas lu –, deux peluches qu'elle possédait depuis toujours, trois albums de photos, ses annuaires scolaires, ses CD préférés, un coffret renfermant les petits mots que ses copines lui passaient en classe et qu'elle conservait comme un trésor.

Sa mère l'avait interrogé à plusieurs reprises sur le contenu de cette valise, mais il valait mieux ne rien lui dire. Quand elle faisait un mauvais cocktail de médicaments, tout pouvait arriver. Elle jetterait des choses ou les brûlerait dans le jardin, plantée là comme un zombie à hurler que les souvenirs faisaient atrocement mal. C'est le sort qu'avaient subi les autres photos de son père et les objets sacrés qui peuplaient auparavant la chambre de sa sœur. Ils s'étaient évaporés dans la nuit, consumés par les orages que sa mère laissait éclater.

Dans le fond de la valise, il y avait un dossier vert contenant un petit tas de cartes d'état-major et une photo d'Alyssa. Johnny mit le cliché de côté et étala les cartes. L'une d'elles, à grande échelle, représentait le comté tel qu'il se nichait à l'est de la Caroline du Nord, pas tout à fait dans les collines de sable, ni vraiment dans le Piedmont ni dans les plaines inondables. À deux heures de Raleigh, et une heure environ du littoral. La partie septentrionale du comté était sauvage : des forêts, des marécages et un massif de granite d'une cinquantaine de kilomètres de long où l'on creusait jadis des tunnels en quête d'or. Le fleuve venu du nord coupait le comté en deux et passait à quelques kilomètres de la ville. À l'ouest, la terre noire convenait parfaitement à la vigne et aux cultures ; à l'est s'étendaient des collines sablonneuses coiffées de terrains de golf prisés. Plus loin, un long chapelet de petites bourgades pauvres qui survivaient bon an, mal an. Johnny en avait traversé quelques-unes ; il se souvenait de caniveaux envahis de mauvaises herbes, d'usines et de magasins fermés de vins et de spiritueux, d'hommes abattus assis à l'ombre buvant dans des bouteilles dissimulées dans des sacs en papier brun. Quatre-vingts kilomètres après la dernière de ces villes-fantômes, on atteignait Wilmington et l'océan Atlantique. La Caroline du Sud était une terre étrangère au-delà du bord du papier.

Johnny rangea la grande carte dans la chemise. Les autres étaient des plans de la ville. Des traits à l'encre rouge marquaient certaines rues, les petits X correspondant à des adresses spécifiques. Il avait gribouillé des notes dans les marges. Certains quartiers étaient intacts ; d'autres avaient été entièrement rayés. Il considéra la partie ouest de la ville en se demandant de quel quartier Jack avait parlé. Il faudrait lui poser la question. Plus tard.

Il étudia encore le plan quelques secondes avant de le plier et de le mettre de côté. Les affaires d'Alyssa retournèrent dans la valise, la valise retourna sous le lit. Il prit la grande photo et glissa un stylo rouge dans une poche arrière de son jean.

Il avait franchi le seuil de la maison, sur le point de fermer la porte à clé quand la camionnette s'engagea dans l'allée. La peinture du capot s'écaillait par pans ; l'aile avant droite, défoncée, était toute rouillée. Quand le véhicule dérapa en trépidant, Johnny éprouva une sorte de désarroi. Il tourna le dos pour rouler la carte et la glissa dans la poche qui contenait déjà le stylo. Il garda la photo à la main pour ne pas la froisser. Quand la camionnette s'immobilisa, il entrevit du bleu à travers le pare-brise ; puis la vitre descendit. Le visage derrière était bouffi et d'une pâleur singulière.

— Monte, fit le conducteur.

Johnny descendit les marches du perron et traversa la petite parcelle de gazon clairsemé. Il s'arrêta avant d'atteindre la bordure de l'allée.

— Qu'est-ce que tu fais là, Steve ?

— Oncle Steve.

— Tu n'es pas mon oncle.

La portière s'ouvrit en grinçant. L'homme sortit du véhicule. Il portait une combinaison bleue garnie d'un insigne doré sur l'épaule droite. Un gros ceinturon noir.

— Je suis le cousin de ton père, c'est assez proche. En plus, tu m'appelles oncle Steve depuis l'âge de trois ans.

— Oncle, c'est synonyme de famille, ça veut dire qu'on s'entraide. Ça fait six semaines qu'on ne t'a pas vu et avant ça, ça faisait un mois. Où étais-tu passé ?

Steve glissa ses pouces sous sa ceinture en faisant crisser le vinyle.

— Ta mère traîne avec des richards maintenant, Johnny. Elle a trouvé le bon filon. Logée gratis. Pas besoin de bosser. Écoute, fiston, je ne peux rien faire pour elle que son jules saurait cent fois mieux faire. Il est propriétaire du centre commercial, des cinémas. La moitié de la ville lui appartient, pour l'amour de Dieu ! Il n'a pas besoin de gens comme moi dans les pattes.

— Dans les pattes ? répéta Johnny, incrédule.

— Ce n'est pas...

— Tu as peur de lui ! lança Johnny d'un ton écœuré.

— Il signe mon chèque et celui de quatre cents autres gars. S'il faisait du mal à ta mère ou quelque chose comme ça, ça serait différent. Mais il l'aide, pas vrai ? Alors pourquoi est-ce que je viendrais l'embêter ? Ton père comprendrait ça.

— Tu serais pas en retard pour prendre ton poste au centre commercial ? demanda Johnny en détournant les yeux.

— Si, alors grouille-toi.

Johnny ne broncha pas.

— Qu'est-ce que tu fabriques ici, oncle Steve ?

— Ta mère a appelé pour me demander de t'emmener à l'école. Elle m'a dit que tu avais raté le bus.

— J'irai pas à l'école.

— Oh que si !

— Certainement pas.

— Bon sang, Johnny ! Pourquoi faut-il que tu compliques toujours les choses ? Monte dans la voiture et que ça saute !

— Tu n'as qu'à lui dire que tu m'as emmené et on en reste là.

— Je lui ai promis de le faire, alors je t'embarque. Je ne bougerai pas d'ici avant que tu sois monté dans la camionnette. Je t'y forcerai s'il le faut.

— T'es pas flic, Steve, riposta Johnny d'un ton méprisant. T'es juste un agent de sécurité. Tu ne peux pas me forcer à quoi que ce soit.

— Et merde ! beugla Steve. Attends-moi ici.

Quand il contourna Johnny, quelque chose de métallique tinta à sa ceinture. Son uniforme bien amidonné crissait entre ses jambes.

— Tu vas où ?

— Parler à ta mère.

— Elle dort.

— Je vais la réveiller dans ce cas. Ne bouge pas d'ici. Je plaisante pas.

L'instant d'après, il avait disparu dans la bicoque qui empestait l'alcool et le détergent. Johnny regarda la porte se fermer avec un déclic, puis son attention se porta sur son vélo. Il pouvait l'enfourcher et disparaître avant le retour de l'oncle Steve, mais quelqu'un de fort ne ferait pas ça. Alors il sortit la carte de sa poche et la lissa contre son torse. Il prit une grande inspiration avant d'entrer à son tour dans la maison pour affronter le problème.

Le silence y régnait, il faisait toujours aussi sombre. Johnny gagna le couloir et se figea. La porte de sa mère était grande ouverte. L'oncle Steve se tenait sur le seuil, immobile. Johnny l'observa une seconde, mais Steve resta silencieux, inerte. En approchant, l'enfant entrevit une étroite portion de la chambre. Sa mère dormait toujours, à plat dos, un bras sur les yeux. Les couvertures étaient rabattues jusqu'à sa taille. Elle était nue, et l'oncle Steve continuait à la regarder fixement. Alors Johnny comprit.

— Qu'est-ce que tu fous ! s'écria-t-il, avant de répéter plus fort. Qu'est-ce que tu fous, Steve ?

Pris sur le fait, l'oncle Steve tressaillit. Il brandit les mains en écartant les doigts.

— Ce n'est pas ce que tu penses.

Mais Johnny ne l'écoutait pas. Il fit cinq pas rapides et ferma la porte. Sa mère n'avait pas bougé. Johnny sentit le feu lui monter aux yeux en calant son dos contre le chambranle.

— T'es un malade, Steve. C'est ma mère.

Il regarda autour de lui comme s'il cherchait un bâton ou une batte, mais il n'y avait rien.

— C'est quoi, ton problème ?

Un rare désespoir transparut dans le regard de l'oncle Steve.

— J'ai juste ouvert la porte. Sans arrière-pensée, je te jure, Johnny. Je suis pas comme ça. Je suis pas ce genre de mec. Je le jure devant Dieu.

Une sueur graisseuse faisait luire son visage. Il était si terrifié, c'en était pitoyable. Johnny avait envie de lui flanquer un coup de pied dans les couilles. Il aurait voulu le plaquer à terre et aller chercher le tuyau caché derrière son lit pour lui aplatir les roubignoles. Mais il pensa à la photo d'Alyssa, à tout ce qu'il lui restait encore à faire. Et puis il avait appris sa leçon cette année. Il savait que les émotions devaient passer en dernier. Il reprit la parole calmement, d'un ton glacial. Il avait des choses à faire et Steve allait l'aider.

— Tu lui diras que tu m'as emmené à l'école, fit-il avant de se rapprocher encore en hochant la tête. Si elle te demande, c'est ce que tu lui diras.

— Et tu ne cafteras pas ?

— Pas si tu fais ce que je te demande.

— Tu le jures ?

— Vas-y, oncle Steve. Va travailler.

Steve se glissa à côté de lui, les mains toujours levées.

— J'ai fait ça sans penser à mal.

Johnny n'avait rien d'autre à ajouter. Après avoir fermé la porte d'entrée, il déploya la carte sur le comptoir de la cuisine. Le stylo rouge lui glissait entre les doigts. Il passa la paume de sa main sur le papier froissé avant de poser l'index sur le quartier qu'il avait exploré ces trois dernières semaines.

Il choisit une rue au hasard.

# 3.

L'inspecteur Hunt était assis à une table encombrée dans son petit bureau. Des dossiers débordaient du haut des meubles de rangement et des chaises inutilisées. Des tasses à café sales, des mémos dont il n'avait jamais pris connaissance. Il était 9 h 45. Un vrai capharnaüm, mais il n'avait pas la force de s'en occuper. Il se frotta énergiquement le visage et les yeux au point de voir des étoiles et des petites zébrures blanches. Ses joues étaient rêches, mal rasées. Il savait qu'il faisait nettement son âge. Quarante et un ans. Il avait tellement maigri que ses costumes pendaient lamentablement sur lui. Voilà six mois qu'il n'était pas allé à la gym ni au stand de tir. Le plus souvent, il ne mangeait qu'une fois par jour, mais rien de tout ça n'avait la moindre importance.

Il avait ouvert devant lui la copie du dossier d'Alyssa Merrimon qu'il gardait au travail ; un double écorné était enfermé dans le tiroir de son bureau à la maison. Il en parcourut méthodiquement les pages sans sauter un mot : rapports, interviews, résumés. Alyssa le dévisageait depuis l'agrandissement de sa photo d'école. Des cheveux noirs, comme son frère. Même structure osseuse, mêmes yeux sombres. Un sourire énigmatique. Délicate, à l'image de sa mère. Quelque chose d'éthéré que Hunt avait cherché à définir en vain. L'inclinaison des paupières peut-être ? Les oreilles bien collées, la peau de porcelaine ? L'innocence ? C'est l'élément auquel Hunt revenait le plus souvent. La fillette donnait l'impression de n'avoir jamais eu une pensée impure de sa vie, ni accompli la moindre mauvaise action.

Comme sa mère, son frère. Ils avaient tous ce trait, à un degré ou un autre ; mais pas aussi marqué que la petite.

Il se frictionna une nouvelle fois la figure.

Il était trop impliqué, il le savait, mais cette affaire l'obnubilait. Un coup d'œil dans son bureau rendait compte de son effondrement. D'autres affaires réclamaient son attention. D'autres gens. Des gens en chair et en os qui souffraient tout autant que les Merrimon ; mais ces cas-là lui paraissaient dérisoires, sans qu'il sût pourquoi. La fillette s'était même immiscée dans ses rêves. Elle portait la même tenue que le jour de sa disparition : un short jaune délavé, un haut blanc. Elle était toute pâle. Des cheveux courts. Quarante kilos. Ça lui tombait dessus sans prévenir. Le rêve démarrait plein pot comme un coup de canon, en couleurs, avec le son. Quelque chose attirait l'enfant dans la pénombre sous les arbres, la traînait sur un tapis de feuilles pourries et chaudes. Elle avait la main tendue, la bouche ouverte. Des dents très blanches. Il s'élançait pour lui attraper la main, en vain, et elle hurlait tandis que de longs doigts l'emportaient vers un lieu obscur, sans fond.

Il se réveillait couvert de sueur en agitant les bras comme s'il fouillait parmi les feuilles. Ce cauchemar le hantait deux ou trois nuits par semaine. Toujours le même. Il s'extirpait du lit vers les 3 heures du matin, tout tremblant, l'esprit alerte. Il allait se passer de l'eau froide sur le visage en plongeant longuement son regard dans des yeux injectés de sang puis descendait s'absorber dans le dossier pendant les heures qui restaient avant que son fils se réveille et que le jour pose à son tour de longs doigts sur sa peau.

Ce rêve était devenu son enfer personnel, le dossier, un rituel, une religion qui le dévorait vivant.

— Bonjour.

Il tressaillit, leva les yeux. John Yoakum, son partenaire et ami, se tenait sur le seuil.

— Salut, John.

Yoakum avait soixante-trois ans, des cheveux bruns clairsemés, une barbichette striée de blanc. En excellente forme physique bien qu'efflanqué, il était d'une intelligence redoutable et d'un cynisme sans nom. Ils faisaient équipe depuis quatre ans et avaient collaboré sur une douzaine de grosses affaires. Hunt l'aimait bien. Discret, futé, il manifestait aussi une rare perspicacité dans un secteur qui en exigeait beaucoup. Il faisait des heures supplémentaires quand cela s'avérait nécessaire et protégeait les arrières de son coéquipier. S'il était un peu sombre, un peu renfermé, Hunt n'allait pas s'en plaindre.

— J'aimerais vivre la nuit à laquelle tu dois une mine pareille, dit John en secouant la tête.

— Ça m'étonnerait.

Le sourire disparut.

— Je sais, Clyde, reprit Yoakum d'un ton brusque. Je me fichais de toi. J'ai un appel que tu auras peut-être envie de prendre, ajouta-t-il en esquissant un geste par-dessus son épaule.

— Ah ouais ! Pourquoi ça ?

— Parce qu'il est question de Johnny Merrimon.

— T'es sérieux ?

— Une dame qui veut parler à un policier. Je lui ai dit que j'étais le seul vrai policier de permanence aujourd'hui. Mais une loque humaine, ouais, on a ça aussi en rayon. Un obsessionnel compulsif qui ressemblait à un flic autrefois, ça aussi, je pouvais lui fournir. Les deux à la fois, en fait.

— Quelle ligne, petit con ?

Yoakum lui montra ses belles dents en porcelaine.

— La trois, répondit-il avant de s'en retourner d'un air suffisant.

Hunt souleva le combiné et enfonça la touche qui clignotait.

— Ici l'inspecteur Hunt.

Il y eut d'abord un silence, puis une voix de femme se fit entendre. Elle paraissait âgée.

— Inspecteur ? Je ne suis pas sûre d'avoir besoin d'un inspecteur. Ce n'est pas si important que ça. J'ai juste pensé qu'il fallait que quelqu'un soit au courant.

— Ce n'est pas grave, madame. Puis-je avoir votre nom, s'il vous plaît ?

— Louisa Merle, comme l'oiseau.

La voix concordait.

— Quel est le problème, madame Merle ?

— C'est au sujet de ce pauvre garçon. Vous savez, celui qui a perdu sa sœur.

— Johnny Merrimon.

— C'est ça. Le pauvre enfant... soupira-t-elle en laissant sa phrase en suspens un instant, avant de se ressaisir. Il était chez moi il y a quelques minutes.

— Avec une photo de sa sœur, l'interrompit Hunt.

— Euh... oui. Comment le savez-vous ?

Hunt ignora sa question.

— Pourrais-je avoir votre adresse, s'il vous plaît ?

— Il n'a pas d'ennuis, dites-moi ? Il a suffisamment souffert à mon avis. C'est juste que c'est un jour d'école et j'ai trouvé bouleversant de voir la photo de la petite comme ça, surtout qu'il lui ressemble encore comme deux gouttes d'eau, à croire qu'il n'a pas grandi du tout. Et puis toutes ces questions qu'il pose, comme si j'avais peut-être quelque chose à voir là-dedans.

L'inspecteur Hunt pensa au gamin sur lequel il était tombé à l'épicerie. Les yeux profonds. La lassitude.

— Madame Merle...

— Oui.

— Il me faut vraiment cette adresse.


Hunt découvrit Johnny Merrimon à un pâté de maisons de chez Louisa Merle. Il était assis au bord du trottoir, les pieds dans le caniveau. La sueur imprégnait sa chemise et lui plaquait les cheveux sur le front. Un vélo déglingué gisait à proximité, à moitié sur la pelouse d'un quidam. Penché sur une carte qui lui couvrait les genoux comme une couverture, il mâchonnait un stylo. Totalement absorbé, il leva le nez quand l'inspecteur claqua la portière de sa voiture. Il eut l'air d'un animal effarouché, mais se ressaisit. Hunt perçut l'instant où le gamin l'identifia, puis il lut de la détermination dans son regard, et quelque chose de plus profond.

Une acceptation.

Puis une lueur fourbe.

Il évalua la distance qui les séparait, comme s'il envisageait de sauter sur sa bicyclette dans l'espoir de s'échapper. Il risqua un coup d'œil vers les bois voisins, mais Hunt se rapprocha et le gamin se recroquevilla sur lui-même.

— Salut, inspecteur.

Hunt ôta ses lunettes de soleil. Son ombre se dessina aux pieds de l'enfant.

— Salut, Johnny.

L'enfant entreprit de replier sa carte.

— Je sais ce que vous allez me dire, alors ne vous en donnez pas la peine.

— Puis-je voir cette carte ? demanda Hunt en tendant la main.

Johnny se figea, et l'expression d'animal traqué réapparut. Il parcourut la longue rue des yeux avant de reporter son attention sur le plan.

— On m'en a parlé, vois-tu, poursuivit l'inspecteur. Je n'y ai pas cru au départ, mais des gens m'ont mis au courant. Il fixait intensément le gamin. Ça fait combien de fois maintenant, Johnny ? Combien de fois en a-t-on discuté ? Quatre ? Cinq ?

— Sept.

Sa voix montait à peine du caniveau. Les doigts sur la carte avaient blanchi.

— Je te la rendrai.

L'enfant leva vers lui son regard noir brillant, et la lueur fourbe se dissipa. Ce n'était qu'un gosse. Il avait peur.

— Promis ?

Il semblait si petit.

— Je le jure.

Johnny tendit la carte et les doigts de Hunt se refermèrent dessus. L'usure l'avait rendue toute lisse ; **il** y avait
des lignes blanches dans les plis. Hunt s'assit au bord du
trottoir, à côté de l'enfant, et déploya la carte. Elle était
grande, de l'encre violette sur du papier blanc. C'était un
plan cadastral comportant des noms et les adresses cor-
respondantes ; il ne couvrait qu'une portion de la ville, un
millier de propriétés environ dont près de la moitié avaient
été rayées à l'encre rouge.

— Où as-tu déniché ça ?

— Chez un inspecteur des impôts. Elles coûtent pas
cher.

— Tu les as toutes ? Celles de tout le comté ?

Johnny hocha la tête.

— Et les marques rouges ? s'enquit Hunt.

— Les maisons que j'ai explorées. Les gens à qui j'ai
parlé.

Hunt en resta comme deux ronds de flan. Il n'arrivait
pas à imaginer les heures passées, tout le terrain couvert
sur un vélo déglingué.

— Et les astérisques ?

— Des hommes célibataires qui vivent seuls. Ceux qui
me filent les jetons.

Hunt replia la carte et la rendit à l'enfant.

— As-tu annoté d'autres cartes ?

— Certaines.

— Il faut que ça s'arrête.

— Mais...

— Non, Johnny. Il faut que tu cesses ce manège. Ce
sont des citoyens. Nous avons reçu des plaintes.

— J'enfreins aucune loi ! répliqua Johnny en se levant.

— Tu sèches, fiston. Tu devrais être à l'école à l'heure
qu'il est. C'est dangereux en plus. Tu ignores qui vit dans
ces maisons.

Il donna une chiquenaude à la carte ; son doigt claqua
contre le papier et Johnny l'écarta.

— Je ne peux pas perdre un autre gosse.

— Je suis capable de prendre soin de moi.

— Tu m'as déjà dit ça ce matin.

Johnny détourna les yeux. Hunt étudia la courbe de sa petite mâchoire, les muscles qui faisaient saillie sous la peau tendue. Il aperçut une petite plume attachée à une ficelle autour de son cou. Elle brillait d'un éclat gris-blanc contre son T-shirt délavé. Hunt la désigna pour faire diversion.

— Qu'est-ce que c'est que ça ?

Johnny porta la main à sa gorge et glissa la plume sous son T-shirt.

— C'est une plumule.

— Une plumule ?

— Ça porte bonheur.

Hunt vit blanchir les jointures des doigts du gamin et puis il avisa une autre plume pendue au guidon du vélo. Plus grande, presque toute brune.

— Et celle-là ? demanda-t-il en pointant le doigt. Faucon ? Chouette ?

Le visage de l'enfant ne laissait rien paraître. Il serra les lèvres.

— Celle-là aussi, elle porte bonheur ?

— Non. (Johnny marqua un temps d'arrêt, détourna le regard.) Ça, c'est différent.

— Johnny...

— Vous avez vu aux infos la semaine dernière ? Ils ont retrouvé cette fille qui avait été enlevée au Colorado. Vous voyez de qui je parle ?

— Oui, je vois.

— Elle avait disparu depuis un an et on l'a retrouvée à trois pâtés de maisons de chez elle. Pendant tout ce temps, elle était à moins d'un kilomètre de sa famille, enfermée dans un trou creusé dans le mur d'une cave. Emmurée avec juste un seau et un matelas.

— Johnny...

— Ils ont montré des images à la télé. Un seau. Une bougie. Un matelas dégueulasse. La pièce faisait moins d'un mètre cinquante de haut. N'empêche qu'elle était encore vivante.

— C'est un cas exceptionnel, Johnny.

— Ils le sont tous.

Quand le gosse lui fit face à nouveau, son regard s'était encore assombri.

— Ça peut être un voisin ou un ami, quelqu'un que l'enfant connaît, une maison devant laquelle il passait tous les jours. Quand on les retrouve, c'est toujours tout près. Même quand ils sont morts, c'est tout près.

— Ce n'est pas toujours vrai.

— Mais parfois, si. Parfois, c'est le cas.

— Parfois, répéta Hunt d'une voix douce en se dressant à son tour.

— Ce n'est pas parce que vous avez baissé les bras que je dois en faire autant.

À la vue de ce gamin, de cette conviction désespérée qu'il manifestait, Hunt se sentit envahi d'une profonde tristesse. On lui confiait généralement les plus grosses affaires et pour cette raison, il s'était focalisé sur la disparition d'Alyssa. Il avait trimé plus que tous ses collègues réunis dans l'espoir de ramener la petite chez elle. Il y avait consacré des mois entiers au point de perdre contact avec sa famille jusqu'au jour où sa femme, poussée à bout, avait finalement décidé de le quitter. Tout ça pour quoi ? Alyssa s'était volatilisée ; ils auraient de la chance de retrouver ses restes. Peu importait ce qui s'était passé au Colorado. Il connaissait les statistiques : la plupart avaient cessé de vivre à la fin du premier jour. Mais cette idée ne lui facilitait pas les choses. Il espérait encore la ramener à sa famille. D'une manière ou d'une autre.

— Le dossier est toujours ouvert, Johnny. Personne n'a baissé les bras.

Johnny ramassa son vélo. Il roula la carte et la fourra dans sa poche arrière.

— Faut que j'y aille.

La main de l'inspecteur se posa fermement sur le guidon. Il sentit la rouille et la chaleur du soleil sous sa paume.

— Je t'ai fichu la paix jusqu'à présent. Ce n'est plus possible. Il faut que tu mettes fin à tout ça.

Johnny tira sur la bicyclette mais elle lui résista.

— Je suis capable de prendre soin de moi-même.

Hunt ne l'avait jamais entendu parler d'une voix si forte.

— Justement, ce n'est pas à toi de le faire, Johnny. C'est à ta mère que cela incombe et, pour être franc, je ne suis pas sûre qu'elle soit en mesure de se prendre en charge elle-même et encore moins un gosse de treize ans.

— Pensez ce que vous voulez, vous n'en savez rien.

L'inspecteur soutint son regard une longue seconde. De farouche, il devint apeuré, et Hunt comprit à quel point l'enfant avait besoin de se raccrocher à l'espoir. Mais le monde n'était pas tendre pour les enfants, et eu égard à Johnny Merrimon, il avait atteint la limite.

— Si tu soulèves ton T-shirt maintenant, combien de bleus est-ce que je verrai ?

— Je suis capable de prendre soin de moi-même.

Cette formule avait quelque chose d'automatique et de faible, aussi Hunt baissa-t-il la voix d'un cran.

— Je ne peux rien faire si tu refuses de me parler.

Johnny redressa les épaules, puis il lâcha la bicyclette.

— Je vais y aller à pied, annonça-t-il en tournant les talons.

— Johnny.

Le gosse continua à marcher.

— Johnny !

Lorsqu'il s'arrêta, Hunt le rejoignit avec le vélo. Les rayons cliquetaient à chaque tour de roue. Johnny saisit le guidon quand Hunt lui tendit la bicyclette.

— Ma carte de visite, tu l'as toujours ?

L'enfant hocha la tête. Hunt poussa un long soupir. Il n'arrivait pas vraiment à expliquer ses affinités avec ce garçon. Peut-être percevait-il quelque chose de particulier en lui. Sans doute était-il sensible à sa souffrance plus qu'il ne le devrait.

— Garde-la sur toi, d'accord ? Tu peux m'appeler quand tu veux.

— D'accord.

— Je ne veux pas entendre dire que tu as remis ça.

Johnny ne répondit rien.

— Tu vas directement à l'école ?

Silence.

Hunt leva les yeux vers le ciel limpide, d'un bleu intense, puis il les reporta sur le gosse. Ses cheveux étaient noirs, humides. Il serrait les dents.

— Fais attention à toi, Johnny.

## 4.

Les gens étaient bizarres. Le flic avait raison là-dessus. Johnny avait regardé au-dessus de plus de barrières et à travers plus de fenêtres qu'il n'aurait su le dire. Il avait frappé aux portes à toute heure du jour et de la nuit et vu des choses étranges. Des choses que les gens faisaient quand ils se croyaient seuls, convaincus que personne ne les voyait. Des gosses qui sniffaient de la dope, des vieux qui mangeaient de la nourriture tombée par terre. Un pasteur en slip, sans visage, avait hurlé contre sa femme en pleurs. Ce n'était pas normal. Mais Johnny n'était pas idiot. Il savait que les fous pouvaient ressembler à n'importe qui. Aussi faisait-il profil bas. Il laçait soigneusement ses souliers et gardait un couteau dans la poche.

Il était sur ses gardes.

Il était futé.

Il s'abstint de se retourner avant d'avoir parcouru au moins deux cents mètres. Lorsqu'il jeta finalement un coup d'œil par-dessus son épaule, Hunt était toujours sur la route. Une tache lointaine à proximité d'une voiture foncée et d'un pan d'herbe verte. Le flic resta immobile un instant, puis il leva le bras et agita lentement la main. Johnny accéléra l'allure en prenant soin de ne plus regarder derrière lui.

Hunt lui faisait peur. Comment savait-il tout ce qu'il savait ?

*Cinq.*
Ce chiffre lui vint tout à coup à l'esprit.
*Cinq ecchymoses.*
Il pédala plus vite si bien que sa chemise lui collait au dos comme une deuxième peau. Il fonça jusqu'à la périphérie nord de la ville, l'endroit où la rivière s'élargissait après le pont au point qu'il n'y avait presque plus de courant. Il descendit sur la berge à vélo avant de l'abandonner. Son pouls battait dans ses oreilles ; ses lèvres avaient un goût de sel. Ses yeux le piquaient ; il les essuya du revers de sa manche crasseuse. Autrefois il venait pêcher là avec son père. Il savait où trouver les perches et les poissons-chats géants qui rasaient la vase à un mètre cinquante de profondeur, mais ça n'avait pas d'importance. Il ne pêchait plus, mais il venait là quand même.
C'était son coin à lui.
Il s'assit dans la poussière pour défaire ses lacets. Ses doigts tremblaient inexplicablement. Il se déchaussa, frotta la plume contre sa joue avant de l'envelopper dans sa chemise. Le soleil lui brûlait la peau. Il contempla les bleus qui couvraient ses côtes du côté gauche ; le plus volumineux avait la taille et la forme d'un gros genou d'adulte. Johnny se rappela la manière dont Ken l'avait maintenu à terre avec ce genou en faisant peser tout son poids sur lui chaque fois qu'il tentait de se dégager.
Il roula des épaules en essayant d'oublier ce genou sur sa poitrine, ce doigt sur sa figure.
*Tu vas faire ce que je te dis de faire, bordel de merde...*
Une main grande ouverte le gifle à toute volée, sur une joue, puis sur l'autre. Sa mère gît évanouie dans la pièce du fond.
*Petit con...*
Une autre claque, plus forte.
*Où est ton paternel à l'heure qu'il est ?*
L'hématome avait jauni autour et viré au vert au milieu. Ça faisait mal quand il tâtait avec un doigt. La peau blanchissait l'espace d'une seconde, formant un autre ovale

parfait, mais la couleur revenait vite. Il se frotta encore les yeux pour chasser le sel. En s'approchant de la rivière, il trébucha. Quand il entra dans l'eau, la vase s'insinua entre ses orteils. Il plongea et l'eau tiède se referma au-dessus de lui. Elle l'enveloppa, excluant le monde en le portant sans effort en aval.

Il passa deux heures dans l'eau, trop perturbé par l'inspecteur Hunt pour se risquer à poursuivre ses recherches, trop indécis à propos de l'école pour que cela vaille le coup qu'il y aille. Il traversa la rivière dans un sens puis dans l'autre, fit des plongeons du haut de rochers plats chauffés par le soleil. Du bois qui flottait formait des amas argentés ; le vent léchait la surface. À la fin de la matinée, épuisé, il s'allongea sur un rocher à vingt mètres du pont, à l'abri des regards derrière un saule qui laissait traîner de longs brins dans l'eau noire. Les voitures faisaient bourdonner le pont. Un petit caillou cliqueta contre la pierre près de sa tête. Il se redressa ; un autre l'atteignit à l'épaule. Il regarda autour de lui mais ne vit personne. Un troisième projectile lui effleura la jambe. Assez gros pour faire un peu mal.

— Jettes-en encore un et t'es mort !

Silence.

— Je sais que c'est toi, Jack.

Un éclat de rire retentit, et Jack surgit de la lisière du bois. Il portait un jean coupé et des tennis crasseuses. Sa chemise d'un blanc jaunâtre s'ornait d'une effigie d'Elvis en silhouette. Il avait un sac à dos et tenait une poignée de cailloux dans la main. Un rictus déformait sa bouche. Il avait les cheveux plaqués en arrière. Johnny avait oublié qu'on était vendredi.

— T'avais qu'à pas sécher sans moi.

Il approcha. Un petit garçon aux cheveux blonds, aux yeux bruns, avec un bras salement amoché. Le droit était normal, l'autre, atrophié, rabougri, passait difficilement inaperçu. Comme si on avait cloué le bras d'un môme de six ans à un gamin deux fois plus âgé.

— T'es fâché ? demanda Johnny.

— Ouais.

— T'as droit de me taper une fois gratos pour qu'on soit quittes.

— *Trois* fois, renchérit Jack sans se départir de son sourire narquois.

— Trois fois avec ton bras de fille.

— Deux fois avec le bon.

Jack serra son poing droit et son sourire s'évanouit.

— Pas le droit de faire la grimace.

Quand il se rapprocha, Johnny plia son bras et le serra contre son flanc. Jack écarta les jambes, leva le poing.

— Ça va faire mal.

— Vas-y, mauviette.

Jack le frappa au bras à deux reprises. Il tapa de toutes ses forces et quand il s'écarta, il paraissait satisfait.

— C'est bien fait pour toi !

Johnny allongea le bras, lança un caillou que Jack esquiva.

— Comment tu savais que je serais là ?

— Pas besoin d'être un génie !

— Comment ça se fait que t'as mis autant de temps alors ?

Jack s'assit sur le rocher à côté de lui. Il se débarrassa de son sac à dos et ôta sa chemise. La peau brûlée par le soleil, il pelait des épaules. Une croix en argent pendait à une fine chaîne en acier autour de son cou. Elle tourbillonna quand il ouvrit son sac et lança un clin d'œil au soleil.

— J'ai dû passer à la maison chercher des provisions. Papa était encore là.

— Il t'a pas vu, si ?

Le père de Jack était un flic sérieux, plutôt vache. Johnny l'évitait comme la peste.

— Tu me prends pour un con ou quoi ?

La bonne main de Jack disparut dans le sac.

— Elle est encore fraîche, dit-il en sortant une canette de bière qu'il tendit à Johnny avant d'en extirper une autre.

— Tu voles de la bière, déclara Johnny en secouant la tête. Tu vas brûler en enfer.

Jack lui décocha ce même sourire railleur.

— Dieu pardonne les petits péchés.

— Ce n'est pas ce que dit ta mère.

— Ma mère est à deux doigts de donner dans le lavage de pieds et la manipulation de serpents, mec ! aboya Jack plus qu'il ne rit. Tu le sais. Elle prie pour mon âme comme si les flammes allaient me dévorer d'un instant à l'autre. Elle le fait à la maison comme en public.

— N'importe quoi !

— La fois où je me suis fait pincer en train de tricher, tu te rappelles ?

C'était trois mois plus tôt. Johnny s'en souvenait.

— Ouais. En cours d'histoire.

— On était convoqués par le principal, d'accord. Avant qu'on discute, elle l'a obligé à me mettre à genoux pour implorer le Seigneur de me montrer le chemin.

— Qu'est-ce que tu racontes !

— Je te jure. Il était mort de trouille. Tu aurais dû voir sa tronche, toute plissée, un œil louchant en dehors pour voir s'il la regardait pendant qu'il faisait son cirque, raconta Jack en décapsulant la canette avec un haussement d'épaules. Je le comprends en même temps. Elle a pété un câble et fait tout ce qu'elle peut pour m'entraîner avec elle. La semaine dernière elle a fait venir le pasteur pour qu'il prie pour moi.

— Pourquoi ?

— De peur que je me tripote.

— Je le crois pas.

— La vie est une blague, commenta Jack, mais il ne souriait plus.

Sa mère était dévote à faire peur, une évangéliste qui ne faisait pas de quartier. Elle le harcelait constamment en le menaçant de damnation. Il se défendait, mais ça l'ébranlait quand même.

Johnny décapsula sa canette à son tour.

— Elle sait que ton père boit toujours ?

— Elle a dit que le Seigneur désapprouvait, alors papa a installé un frigidaire à bière dans le garage. Il y met aussi ses bouteilles d'alcool. Ça a réglé le problème apparemment.

Jack engloutit une lampée de bière, Johnny but une gorgée.

— Elle est dégueulasse, cette bière, Jack.

— Fais pas ton difficile, mec. Ne m'oblige pas à te tabasser de nouveau.

Jack éclusa sa canette puis il la rangea dans son sac et en sortit une autre.

— T'as fait ton devoir d'histoire ?

— Qu'est-ce que je t'ai dit à propos des petits péchés ?

— Il est où, ton vélo ? s'enquit Johnny avec un coup d'œil derrière son ami.

— J'en sais rien.

— Comment ça, t'en sais rien ?

— J'avais pas envie de le prendre.

— C'est un Trek à six cents dollars.

Jack détourna les yeux en haussant les épaules.

— L'ancien me manque toujours, c'est tout.

— Toujours pas de nouvelles, hein ?

— On a dû me le voler. Je le retrouverai jamais.

La force des sentiments, pensa Johnny. Le vieux vélo de Jack était d'un jaune pisseux, équipé de trois vitesses et d'un siège en forme de banane. Il avait déjà quinze ans quand son père l'avait acheté d'occasion. Cela faisait un bout de temps qu'il s'était volatilisé.

— T'as pris le train en marche ?

Le regard de Johnny glissa vers le bras atrophié de son ami. En tombant de l'arrière d'un pick-up à quatre ans, Jack s'était cassé le bras qui s'était avéré avoir un os creux. Il avait subi une opération destinée à le combler de moelle de vache, mais le chirurgien ne devait pas être trop à son affaire car le bras n'avait plus vraiment grandi après ce coup-là. Les doigts ne fonctionnaient pas bien et tout le membre était faiblard. Johnny le charriait à ce sujet parce que ça donnait l'impression qu'ils s'en fichaient l'un et l'autre. Mais c'était du pipeau. Jack était sensible en définitive. Le coup d'œil de son ami ne lui avait pas échappé.

— Tu crois que je suis pas capable de sauter dans un train en marche ? bougonna-t-il, furibard.

— Je pensais juste à l'autre gamin, tu sais.

Ils connaissaient tous les deux l'histoire : un collégien de quatorze ans avait lâché prise alors qu'il tentait de sauter dans un train en marche. Il avait glissé sous les roues et avait perdu les deux jambes : une au niveau de la cuisse, l'autre au-dessous du genou. Cet accident faisait office d'avertissement pour des mômes comme Jack.

— C'était une lavette.

Jack fouilla dans une des poches extérieures de son sac et en sortit un paquet de cigarettes mentholées. Il en extirpa une avec sa mauvaise main et la serra entre deux mini-doigts tout en actionnant un briquet de l'autre main. Après avoir avalé la fumée, il essaya de faire un rond de fumée.

— Ton père achète des clopes merdiques en plus.

Jack leva les yeux vers le ciel limpide en tirant une autre taffe. La cigarette paraissait étrangement grande dans sa menotte.

— T'en veux une ?

— Pourquoi pas.

Jack lui en tendit une et le laissa l'allumer avec le bout de la sienne. Johnny tira une bouffée et toussa. Jack pouffa de rire.

— T'es vraiment pas un fumeur.

Johnny expédia la cigarette dans l'eau. Il cracha dans la poussière.

— Merdiques, répéta-t-il.

En relevant les yeux, il vit que Jack scrutait les bleus qu'il avait sur le torse.

— C'est nouveau, commenta-t-il.

— Pas tant que ça, répondit Johnny en suivant du regard un morceau de bois que le courant emportait au-delà de leur rocher. Raconte-moi encore.

— Qu'est-ce que tu veux que je te raconte ?

— L'histoire de la camionnette.

— Nom d'un chien, Johnny ! Pour foutre en l'air la bonne humeur, tu es le roi ! Combien de fois faut-il qu'on ressasse cette histoire ? Rien n'a changé depuis la dernière fois. Ou la fois d'avant.

— Vas-y, raconte.

Jack avala la fumée en se détournant de son ami.

— C'était juste une camionnette.

— De quelle couleur ?

— Tu le sais très bien.

— De quelle couleur ?

— Blanche, répondit Jack après un soupir.

— Était-elle cabossée ? Y avait-il des éraflures ? Te souviens-tu d'autres détails ?

— Ça fait un an, Johnny.

— Quoi d'autre ?

— Fais chier à la fin, vieux ! Elle était blanche. Blanche. Je te l'ai dit. Je l'ai dit aux flics.

Johnny attendit. Jack finit par se calmer.

— C'était une camionnette blanche toute simple, reprit-il. Comme celle d'un peintre en bâtiment.

— Tu ne m'avais jamais dit ça avant.

— Bien sûr que si.

— Non. Tu me l'avais décrite : blanche, pas de fenêtres à l'arrière. Tu ne m'avais jamais dit que ça ressemblait à une camionnette de peintre. Pourquoi tu le dirais maintenant ? Y avait-il des éclaboussures de peinture sur le côté ?

— Non.

— Des échelles sur le toit ? Une galerie pour les ranger ?

Jack finit sa cigarette et jeta le mégot dans l'eau.

— C'était juste une camionnette, Johnny. Elle était à deux cents mètres quand c'est arrivé. J'étais même pas sûr que c'était cette bagnole-là avant d'apprendre qu'elle avait disparu. Je revenais de la bibliothèque, comme elle. On était toute une bande ce jour-là. J'ai vu la camionnette franchir le sommet de la colline et s'arrêter. Une main est apparue à la fenêtre et elle s'est approchée. Elle n'avait pas l'air d'avoir peur ou quoi que ce soit. Elle s'est avancée sans hésiter. (Jack marqua une pause.) Et puis la portière s'est ouverte et quelqu'un l'a empoignée. Un Blanc. Il portait une chemise noire. Je te l'ai déjà dit cent fois. La portière s'est refermée et ils ont filé. Ça n'a pas pris plus de dix secondes du début jusqu'à la fin. Je ne vois pas ce dont je pourrais me souvenir d'autre.

Johnny baissa les yeux, flanqua un coup de pied dans un caillou.

— Désolé, vieux. J'aurais bien voulu faire quelque chose, mais je n'ai rien fait. Ça n'avait même pas l'air réel.

Johnny se leva sans quitter la rivière du regard. Au bout d'une minute, il hocha la tête.

— File-moi une autre canette.

Ils burent de la bière et nagèrent. Jack fuma encore.

— Tu veux qu'on aille inspecter quelques maisons ? s'enquit-il une heure plus tard.

Johnny fit des ricochets avec un galet puis il secoua la tête. Jack appréciait le côté ludique de la chose, le risque. Il aimait bien s'introduire en douce dans des endroits et voir des choses que les gamins n'étaient pas censés voir. Une question d'adrénaline.

— Pas aujourd'hui, répondit Johnny.

Jack s'approcha du vélo de son copain ; la carte était calée entre les rayons de la roue avant. Il l'en extirpa pour la brandir.

— Et ça ? lança-t-il.

Johnny le regarda et résolut de lui raconter sa rencontre avec l'inspecteur Hunt.

— Il me lâche plus.

Jack trouvait qu'il n'y avait pas de quoi en faire un fromage.

— C'est rien qu'un flic.

— Ton père aussi, il l'est.

— Ouais. N'empêche que je vole de la bière dans son réfrigérateur. Qu'est-ce que t'en conclus ?

Jack cracha dans la poussière, signe de dégoût universel.

— Allez ! On bouge. Tu te sentiras mieux après. On le sait tous les deux. Je ne peux pas rester là toute la journée à rien foutre.

— Pas question.

— Comme tu veux, répliqua Jack.

En remettant la carte entre deux rayons, il vit la plume qui pendait à une corde nouée autour du support de la selle. Il la prit dans sa main.

— Hé, c'est quoi ?

— C'est rien, répondit Johnny en le dévisageant.

Jack lissa la plume entre ses doigts. La lumière la faisait scintiller sur les bords. Il l'inclina pour qu'elle brille davantage.

— C'est cool, dit-il.

— Laisse ça tranquille.

Jack vit les épaules de son ami se raidir. Il lâcha la plume qui oscilla sur sa corde.

— Pas la peine de t'énerver. C'était juste une question.

Johnny détendit son poing. Jack était Jack. Il n'avait pas de mauvaises intentions.

— J'ai entendu dire que ton frère a opté pour l'équipe de base-ball de la fac de Clemson.

— Ah ouais ?

— Ils en ont parlé aux nouvelles.

Jack ramassa un caillou, le fit rouler de sa mauvaise main dans la bonne.

— Les dénicheurs de talents étaient déjà après lui. Il a battu un record la semaine dernière.

— Quel record ?

— Celui des *home runs*.

— Au niveau de l'école ?

— De l'État, rectifia Jack en secouant la tête.

— Ton vieux doit être vachement fier de lui.

— Son fils va être célèbre.

Le sourire de Jack paraissait sincère, mais Johnny remarqua qu'il serrait son mauvais bras contre ses côtes.

— Évidemment qu'il est fier.

Ils se remirent à boire. Le soleil se hissa plus haut dans le ciel, mais la clarté parut faiblir. L'air rafraîchit, comme si la rivière elle-même s'était refroidie. Johnny éclusa la moitié de sa troisième bière avant de poser la canette.

Jack était ivre.

Ils ne parlèrent plus de son frère.

Il était midi quand ils entendirent la voiture rétrograder sur la route. Elle s'arrêta avant le pont puis bifurqua vers l'ancienne piste forestière qui menait au talus au-dessus d'eux. Merde ! Jack planqua les canettes. Johnny enfila sa chemise pour cacher ses bleus et Jack feignit de l'ignorer. C'était un vieux débat entre eux : le dire ou ne pas le dire.

Un pare-choc s'enfonçait à travers les mauvaises herbes qui avaient poussé entre les ornières du sentier. Johnny vit que c'était un pick-up, rutilant. Les chromes reflétaient l'éclat du soleil ; le pare-brise étincelait. Quand le véhicule s'arrêta, le moteur monta en régime avant de s'éteindre. Trois portières s'ouvrirent. Jack se dressa sur la pointe des pieds.

Des jeans. Des bottes. Des bras puissants. Johnny repéra tout ça tandis que les passagers du pick-up convergeaient vers la langue de terre à l'endroit où la berge s'écartait de l'eau. Il les avait déjà vus dans le coin. Des lycéens. Dix-sept ou dix-huit ans. Presque des adultes. L'un d'eux avait un flacon de bourbon à la main. Ils fumaient tous les trois. Leurs regards se posèrent sur Johnny et l'un d'eux, un grand blond avec une tache de naissance dans le cou, flanqua un coup de coude au conducteur.

— Mate-moi ça, lança-t-il. Des collégiens pédés.

L'autre ne broncha pas. Celui qui avait apporté le bourbon en but une rasade.

— Va te faire foutre, Wayne ! beugla Jack.

Tache de naissance cessa de rire.

— Évidemment que je sais qui vous êtes, ajouta Jack.

Le conducteur plaqua le dos de sa main contre la poitrine de Tache de naissance. Il était grand, bien bâti, le genre beau gosse. Il enveloppa Wayne d'un regard glacial puis désigna Jack du doigt.

— C'est le frangin de Gerald Cross, alors respect !

Wayne fit la grimace.

— Ce petit connard ? Je le crois pas !

Il fit un pas en avant et se pencha au-dessus de l'escarpement.

— Ton frère aurait dû signer avec Carolina, lança-t-il. Dis-lui de ma part que Clemson, c'est pour les mauviettes !

— C'est là que t'iras alors ? intervint Johnny.

Le conducteur s'esclaffa. De même que celui qui s'enfilait du bourbon. Le visage de Wayne s'assombrit, mais l'autre s'interposa, lui coupant le sifflet.

— Toi aussi, je te connais, dit-il, s'adressant à Johnny avant de tirer sur sa cigarette. Désolé pour ta sœur.

— Attends une minute, s'exclama Wayne en pointant le doigt. C'est lui ?

— Ouais, c'est lui.

À ces mots, sans émotion apparente, Johnny se sentit blêmir.

— Moi je te connais pas, riposta-t-il.

— C'est le fils de Hunt, l'informa Jack en lui effleurant le bras. Le flic. Il s'appelle Allen. Il est en terminale.

En relevant les yeux, Johnny perçut la ressemblance. Pas la même coiffure, mais une stature similaire. Le même regard doux.

— C'est notre coin à nous, protesta-t-il. On était là en premier.

Le fils de Hunt se pencha à son tour, manifestement insensible à ce ton hargneux.

— Ça faisait un bout de temps que je t'avais pas vu, dit-il à l'adresse de Jack.

— Je vois pas pourquoi tu m'aurais vu, répliqua ce dernier. On n'a rien à se dire. Gerald non plus, d'ailleurs.

— Il est copain avec ton frère ?

— Il l'*était*.

— Je l'étais, répéta Allen en se redressant, sans une trace d'émotion dans la voix. On va trouver un autre endroit.

Il pivota sur ses talons, puis se figea.

— Dis bonjour à ton frangin de ma part, ajouta-t-il.

— T'as qu'à le faire toi-même.

Allen marqua un temps d'arrêt ; un sourire glissa sur ses lèvres. Il fit signe à ses amis de le suivre avant de remonter dans la camionnette et de démarrer le moteur. Ils firent marche arrière sur le chemin et disparurent. Il n'y eut plus que la rivière, le vent.

— C'est ça, le fils de Hunt ? demanda Johnny.

— Ouais, acquiesça Jack en crachant par terre.

— Y'a un problème entre ton frère et lui ?

— Une fille, répondit Jack en levant les yeux sur la rivière. C'est du passé.

Leur humeur s'assombrit après ça. Ils attrapèrent une couleuvre qu'ils libérèrent, rabotèrent du bois de flottage avec leurs couteaux. Peine perdue. Johnny n'avait plus envie de parler et Jack le sentait. Si bien que lorsqu'un sifflement au loin annonça le train de marchandises venant du sud, Jack s'empressa d'enfiler ses chaussures et de rassembler ses affaires.

— Je me casse.

— T'es sûr ?

— À moins que t'aies envie de me ramener en ville sur ton guidon.

Johnny le suivit en haut du talus.

— Tu veux qu'on se voie tout à l'heure ? demanda Jack. Qu'on se regarde un film ? Qu'on fasse un jeu vidéo ?

Le sifflement retentit à nouveau, plus près.

— Tu ferais bien d'y aller, dit Johnny.

— T'as qu'à m'appeler plus tard.

Johnny attendit qu'il soit parti pour déballer sa plume et glisser le cordon autour de son cou. Il plongea les mains dans la rivière, se passa de l'eau sur la figure puis lissa l'autre plume pendue à son vélo. L'eau la fit scintiller et elle glissa entre ses doigts. Nette, fraîche. Parfaite.

Johnny fit encore quelques ricochets, puis il retourna s'allonger sur le rocher. Le soleil était chaud, l'air l'enveloppait et il finit par s'assoupir. Il se réveilla en sursaut. L'après-midi était déjà avancé : il devait être 5 heures, 5 heures et demie. Des nuages noirs s'amoncelaient à l'horizon. La brise charriait une odeur de pluie.

Il sauta au bas du rocher pour récupérer ses chaussures. Il les tenait à la main quand il perçut la plainte d'un petit moteur qui approchait à vive allure, venant du nord. La plainte se changea en cri. Une moto roulant à tombeau ouvert. Elle avait presque atteint le pont quand Johnny entendit un autre moteur. Plus gros, lancé à plein régime. En tendant le cou, il apercevait la butée en béton, et au-delà, un pan de feuilles et le ciel qui avait pris des nuances cendrées. Le pont se mit à vibrer, Johnny n'avait jamais entendu un véhicule s'y engager à une vitesse pareille.

Ils étaient au milieu du pont quand la collision se produisit. Johnny vit une pluie d'étincelles, le toit d'une voiture, une moto qui fit un tonneau avant que son passager passe par-dessus le parapet. Une jambe était pliée selon un angle impossible, les bras faisaient des moulinets : c'était une aberration, un moulin à vent qui beuglait avec une voix d'homme.

Il atterrit à ses pieds avec un bruit sourd et des craquements d'os. C'était un homme vêtu d'un pantalon marron et d'une chemise maculés de boue. Il avait un bras tordu dans le dos, tout de travers, et son torse semblait défoncé. Il avait les yeux ouverts. Des yeux d'un bleu incroyable.

Des freins grincèrent sur la route. En se rapprochant du blessé, Johnny vit la peau tout arrachée sur un côté du visage et l'œil droit qui commençait à se remplir de sang. L'autre œil s'arrima à l'enfant comme s'il pouvait le sauver.

Plus loin sur la route, le gros moteur rugit. Des pneus crissèrent, en marche arrière. Quand la voiture remonta sur le pont, Johnny sentit les vibrations.

— Il revient, bredouilla le blessé.

— Ne vous inquiétez pas, dit Johnny. On va vous aider.

Il s'agenouilla. L'homme tendit la main ; l'enfant s'en saisit.

— Ça va aller.

Mais l'homme ignora ses paroles. Avec une force déconcertante, il l'attira plus près de lui.

— Je l'ai trouvée.

Johnny concentra son attention sur ses lèvres.

— Qui ça ?

— La fille qu'on a enlevée.

Une onde de choc parcourut Johnny. Le corps de la victime se raidit et du sang jaillit de sa bouche, sur la chemise de l'enfant. Johnny s'en rendit à peine compte.

— Qui ça ? répéta-t-il, puis plus fort : Qui ?

— Je l'ai trouvée...

Au-dessus d'eux, le gros moteur tournait au ralenti. Le blessé leva les yeux, visiblement terrifié. Il attira Johnny encore plus près au point que ce dernier sentit l'odeur du sang et des organes broyés. Les yeux se plissèrent, et Johnny ne perçut qu'un seul mot. Un murmure.

— Cours...

— Quoi ?

L'homme le tenait avec une poigne de fer. Johnny entendit le gros moteur gronder, cracher et puis quelque chose qui faisait songer à de l'acier sur du béton. La main l'agrippait si fort que les ongles s'enfonçaient dans sa peau.

— Pour l'amour du ciel...

Le corps se crispa à nouveau. La colonne vertébrale se bloqua, le bras cassé se tordit.

— Cours...

En baissant les yeux, Johnny vit un talon s'enfoncer dans la terre et quelque chose fit tilt dans son esprit.

*Ce n'était pas un accident.*

Il se tourna vers le pont. Il entrevit une forme en mouvement : une tête, une épaule, quelqu'un contournant l'avant de la voiture. C'était un homme-fantôme, une silhouette découpée. Il sentit le sang sur ses mains, gluant, refroidissant.

*Pas un accident.*

L'homme eut une nouvelle convulsion, sa tête cognant la terre, le talon de sa chaussure battant la poussière. Pour dégager sa main, Johnny dût la secouer de toutes ses forces. Du bruit sur le pont. Un mouvement. La peur était comme un couteau qui s'enfonçait profondément au tréfonds de son être. Il n'avait jamais eu aussi peur de sa vie,

même pas le jour où il avait découvert à son réveil que
son père était parti, ni celui où sa mère s'était trouvée mal,
quand Ken avait eu cette drôle de lueur dans le regard.

Il était terrorisé.

Paralysé.

Il fit brusquement volte-face et s'élança à toutes jambes
le long de la rivière, sur la piste forestière. Il courut jusqu'à
ce que sa gorge se ferme, jusqu'à ce que son cœur tente
de s'arracher à sa poitrine. Il courut à en perdre haleine,
la peur au ventre. Il courut jusqu'à ce que le géant noir
monstrueux surgisse des ombres et l'empoigne.

Alors il hurla.

# 5.

Levi Freemantle portait un fardeau précieux sur son épaule. Une lourde boîte, doublement enveloppée dans du plastique noir maintenu par un ruban adhésif argenté. Rares auraient été les hommes capables de la transporter aussi loin, mais Levi ne ressemblait pas aux autres hommes. Il ignorait l'existence même de la douleur qu'un tel poids provoquait. Il restait bien sur le sentier et remuait les lèvres quand des mots lui venaient à l'esprit. Dans sa tête, il écoutait la voix de Dieu et suivait la rivière, comme sa maman le lui avait enseigné quand il était petit. La rivière était la rivière, immuable, et Levi avait emprunté peut-être cent fois le chemin qui la longeait. Même s'il ne savait pas vraiment compter.

Mais cent, ça faisait beaucoup.

Il l'avait emprunté une multitude de fois.

Levi aperçut le petit Blanc avant de l'entendre. Il se dirigeait droit vers lui, cavalant à fond de train sur la piste comme si le diable était à ses trousses, avide de dévorer des petits Blancs. Il avait la tête enfoncée entre ses frêles épaules, le visage violacé, bondissant au-dessus des pierres et des ornières pour éviter les branches qui cherchaient à lui cingler la figure. Pas une seule fois il ne regarda derrière lui, mais on aurait dit un animal traqué.

Levi l'aurait bien laissé passer, mais il ne voyait nulle part où se cacher. Il y avait bien la rivière, les arbres, mais il mesurait plus de deux mètres et pesait dans les cent

cinquante kilos. Des gens armés le cherchaient. Des policiers avec des ceinturons étincelants en métal, des gardiens aux sourires méchants, munis de matraques. Alors
Levi demanda à Dieu ce qu'il devait faire et Dieu lui
ordonna d'attraper le garçon au vol. Ne lui fais pas de mal,
lui recommanda-t-il. Attrape-le, c'est tout.

— Vraiment ? chuchota Levi, mais Dieu ne répondit
pas.

Alors Levi haussa les épaules, puis il s'écarta de l'arbre
et tendit un bras puissant pour saisir le gamin au passage.
L'enfant brailla, mais Levi le retint, aussi délicatement que
possible. Il fut surpris quand Dieu lui indiqua ce qu'il lui
fallait dire.

— Dieu a dit…, commença-t-il.

Mais il ne parlait pas assez vite. Le gamin mordit un de
ses doigts jusqu'à ce que la peau éclate comme un raisin.
Ses dents s'enfoncèrent jusqu'à l'os, et le sang se mit à
battre violemment. Ça faisait mal, vraiment mal. Levi flanqua le gosse à terre. Il eut honte de le faire, un peu comme
s'il avait laissé tomber Dieu.

Mais ça faisait affreusement mal.

L'enfant se releva d'un bond et détala comme un lapin
sans que Levi songe un seul instant à le poursuivre. Impossible de courir avec cette lourde boîte sur son épaule ; il
ne pouvait pas l'abandonner non plus. Même pas une
minute. Alors il tint son doigt ensanglanté en priant pour
qu'il cesse de le faire tant souffrir. La douleur lui faisait
penser à sa femme, et c'était alors encore bien pire. Il
pressa sa main autour de son doigt sanguinolent et tendit
l'oreille, à l'affût de la voix de Dieu. Quand Il se manifesta
finalement, Il lui laissa entendre que ce serait peut-être
bien de savoir ce que le garçon fuyait.

Levi haussa ses immenses épaules.

— Dieu dit et Levi agit.

C'était drôle.

Il lui fallut vingt minutes pour atteindre le pont. Le sang
noir répandu sur les rochers n'avait rien à faire là, et Levi
dressa à nouveau l'oreille avant de poser son fardeau à
terre et de s'extraire de dessous le saule. Il voulait que

quelqu'un lui dise que faire, mais Dieu s'était tu. Un doigt
de vent chaud se posa sur sa joue et un éclair zébra le ciel
à l'ouest. L'air charriait une odeur sèche qui montait de
la poussière sous le pont et semblait chargé d'électricité
statique.

Levi crut entendre une voix provenant de la rivière. Il
inclina la tête et écouta une minute entière avant de décider que ce n'était que le courant. Ou un serpent dans
l'herbe. Ou une carpe parmi les roseaux au bord de l'eau.

Pas Dieu non plus.

Quand Dieu s'exprima à nouveau, Levi sentit de l'air
froid s'amasser au-dessus de lui ; il eut la sensation d'être
en paix, même si tout le mal qu'il avait fait lui revint à
l'esprit.

Ça ne pouvait pas être Dieu.

Il se planta devant le corps. Sa tête ne fonctionnait pas
bien. Ce n'était pas qu'il avait peur – même s'il sentait des
petits ongles pointus s'enfoncer dans sa nuque. Il était
triste pour l'homme tordu. Tout défoncé, saignant de partout. Ça n'allait pas. Pas plus que cette immobilité, et les
yeux ouverts, tout plats.

Levi se balança d'un pied à l'autre. Il frotta les cicatrices
qu'il avait sur le visage du côté droit, où on aurait dit que
la peau avait fondu. Il ne savait pas quoi faire, alors il
s'assit en attendant que Dieu le lui dise.

Dieu saurait que faire.

Il le savait toujours

# 6.

Johnny s'engagea dans sa rue au moment où le soleil se couchait, où la lumière virait au violet. Les bruits de la nuit montaient des bois. Il boitait, endolori, mais son esprit vibrait d'espoir. Il brûlait d'espoir.

*Je l'ai trouvée.*

*Qui ça ?*

*La fille qui a été enlevée.*

Johnny ressassait sans arrêt ces mots, cherchant une raison de douter de l'émotion qui transcendait la douleur irradiant de ses pieds. Douze kilomètres, couverts presque entièrement au pas de course, et le tout sans chaussures. Il avait les pieds en piteux état, surtout le droit, entaillé par une bouteille cassée cinq kilomètres après que le croquemitaine avec sa boîte noire se fut jeté sur lui. Johnny avait encore dans la bouche le goût de son sang, de la poussière dont le géant était couvert. Il s'efforça de ne pas trop y penser. Il pensa plutôt à sa sœur, à sa mère.

Le sommet de l'avant-dernière colline était balayé par un vent humide. Il vit des lumières clairsemées le long de la route. Des fenêtres. Des maisons. Elles paraissaient petites sous le ciel violet, agglutinées là où la forêt noire les calait contre le mince ruban noir de la route. Encore un kilomètre, se dit-il. Une autre colline.

Il fallait que sa mère sache ce qu'il avait entendu.

Il commença à dévaler la pente sans entendre la voiture qui se hissait sur la crête derrière lui. Il imaginait l'effet que la nouvelle ferait à sa mère. Ça l'inciterait à se lever. À arrêter les comprimés. Ce serait peut-être un tout nouveau départ. Eux deux, et puis Alyssa.

Son père reviendrait.

Ils récupéreraient leur ancienne maison.

La lueur des phares s'abattit sur lui ; il s'écarta de la chaussée. Son ombre flotta vers la gauche, puis s'estompa quand la voiture arriva à sa hauteur et s'arrêta. Johnny sentit la peur l'aiguillonner avant de reconnaître la voiture de Ken. Une grande Cadillac blanche avec des ailerons pointus et *Escalade* écrit en lettres d'or. Ken baissa sa vitre. Il était presque assez hâlé pour que les poches qu'il avait sous les yeux passent inaperçues.

— Où étais-tu passé, nom d'un chien ?

À bout de souffle, Johnny secoua la tête.

— Monte dans la voiture, Johnny. Tout de suite.

— Je ne... balbutia l'enfant, plié en deux.

Ken mit le levier de vitesses au point mort et ouvrit brusquement sa portière.

— Je t'interdis de me répondre, petit morveux. Monte. Ta mère est très inquiète. Toute la ville est sens dessus dessous.

Il descendit de voiture. Il était grand, corpulent, informe comme seuls les hommes d'âge mûr pouvaient l'être dans l'esprit de Johnny. Il avait une montre en or, des cheveux clairsemés et des rides d'expression qui n'avaient rien à faire là.

— Pourquoi est-ce qu'elle s'inquiète ? demanda Johnny, qui avait du mal à parler.

— Monte, je te dis. Dépêche-toi, aboya Ken en agitant sa grosse main.

Johnny grimpa dans la Cadillac et se glissa sur le siège en cuir doux. Quand Ken enclencha la première, Johnny repensa au mort.

*Je l'ai trouvée.*

La maison brillait de mille feux comme un sapin de Noël. Des lumières dedans, dehors, des voitures de police rangées en épi dans l'allée diffusant des faisceaux bleus dans le jardin. Des flics en uniforme faisaient le planton sous un ciel de plus en plus sombre. Johnny vit des armes, des radios, des matraques noires, lisses, pendues à des anneaux en métal.

— Qu'est-ce qui se passe ?

Ken ouvrit sa portière, puis il posa la main sur la nuque de l'enfant. Ses doigts s'enfoncèrent dans les fines couches de muscle, et Johnny roula des épaules.

— Ça fait mal !

— Pas autant que ça devrait.

Il le tira sur la banquette pour le sortir de la voiture. Puis il le lâcha en décochant un sourire étincelant aux flics.

— Je l'ai trouvé, annonça-t-il.

Ils s'immobilisèrent dans l'allée au moment où la mère de Johnny apparaissait sur le perron. Elle portait un jean et une chemise marron délavée, couleur de lait chocolaté. L'oncle Steve surgit derrière elle. Johnny fit un pas de plus et sa mère dégringola les marches, les cheveux hirsutes, le regard humide et fou.

— Oh mon Dieu ! Où étais-tu passé ? bredouilla-t-elle en l'enlaçant.

Johnny ne comprenait pas. Il lui arrivait souvent de rentrer après la tombée de la nuit. La plupart du temps, elle ne savait même pas s'il était au lit ou non. Par-dessus l'épaule de sa mère, il vit un policier prendre sa radio.

— Allô, le central. Veuillez informer l'inspecteur Hunt que nous avons localisé Johnny Merrimon. Il est chez lui.

Une voix vibrante de parasites accusa réception du message. Quelques secondes plus tard, la radio siffla de nouveau.

— L'inspecteur Hunt est en route pour vous rejoindre.

— Bien reçu.

Johnny sentit l'étreinte de sa mère se relâcher. Elle l'écarta et se mit brusquement à trembler.

— Ne refais jamais ça ! Jamais ! Tu m'entends ? Dis-moi que oui ! Dis-le-moi ! s'écria-t-elle en le saisissant à nouveau. Seigneur, Johnny ! J'étais tellement inquiète.

Tour à tour secoué et comprimé, Johnny était tellement déboussolé qu'il n'arrivait plus à parler. Des flics descendirent du perron à leur tour, et Johnny vit le regard implorant que l'oncle Steve lui adressait. Il comprit.

— L'école a appelé ?

Sa mère hocha la tête contre son cou.

— Ils ont fait boucler l'établissement juste après le déjeuner. Ils ont appelé ici pour dire qu'ils n'arrivaient pas à te trouver, alors j'ai téléphoné à l'oncle Steve. Il a dit qu'il t'avait déposé là-bas. Il l'a juré. Et puis tu n'es pas rentré et j'ai pensé...

Johnny se libéra de son étreinte.

— Boucler. Pourquoi ?

— Oh, Johnny..., geignit sa mère en lui caressant la joue. (Ses doigts brûlants tremblaient.) Ça a recommencé.

— Quoi donc ?

— Une autre petite fille a été enlevée. Ils pensent que ça s'est passé à l'école même. Une élève de cinquième. Tiffany Shore.

Johnny cilla.

— Tiffany. Je la connais, dit-il sans réfléchir.

— Moi aussi.

Sa mère n'ajouta rien, mais Johnny savait ce qu'elle pensait. Tiffany Shore avait le même âge qu'Alyssa quand elle avait disparu. Il secoua la tête en pensant aux paroles du mourant. Quand il avait dit : *Je l'ai trouvée*, il parlait de sa sœur, d'Alyssa. Pas de Tiffany. Pas d'une autre fille.

— Ce n'est pas possible, dit Johnny, mais sa mère hocha la tête en pleurant et Johnny sentit son espoir s'envoler, se réduire en cendres. Ce n'est pas possible, répéta-t-il.

Sa mère se balança sur ses talons, en quête des mots justes, mais un des flics s'avança avant qu'elle ait le temps de les trouver.

— Fiston, dit-il, et Johnny leva les yeux, c'est du sang sur ta chemise ?

# 7.

Levi attendit près du corps brisé tandis que le soleil sombrait à l'horizon. Les mouches l'embêtaient et il avait tellement mal au doigt qu'il se demanda si Dieu le mettait à l'épreuve. Il était allé à l'église et savait que le Seigneur faisait ce genre de choses. Pourtant Levi n'avait rien de spécial. Il était balayeur. Le monde le déconcertait. Mais depuis sept jours, la voix de Dieu ne l'avait pas quitté. Elle lui parvenait comme un chuchotement, et c'était un réconfort quand ce monde si obscur basculait. Une semaine de murmures laissait un énorme trou dans la tête d'un homme quand cela prenait fin, et Levi se demandait pourquoi Dieu s'était tu. En cavale, il était assis dans la poussière à trois mètres d'un mort. Cela faisait sept jours qu'il errait.

*J'ai bâti le monde en sept jours.*

La voix déferla en lui comme une vague, mais ce n'était pas la même. Elle surgit, vacillante, se dissipa, et la pensée lui parut incomplète. Il retint son souffle, la tête inclinée, mais la voix ne revint pas. Levi savait qu'il n'était pas intelligent – sa femme le lui avait dit –, mais il n'était pas stupide non plus. Détenus et cadavres faisaient mauvais effet ensemble. La route était juste au-dessus de sa tête. Alors Levi décida que Dieu devrait attendre.

Juste cette fois-ci.

Il s'agenouilla près du mort pour fouiller ses poches. Il trouva un portefeuille et prit l'argent parce qu'il avait faim.

Il supplia Dieu de lui pardonner, après quoi il abandonna le portefeuille par terre et redressa le corps. Il tira le bras cassé de derrière son dos et croisa ses mains sur sa poitrine. Il plongea un doigt dans le sang poisseux et traça une croix sur le front lisse et pâle. Ensuite il lui ferma les yeux et pria Dieu de prendre l'âme du défunt.

Prenez-la.

Et occupez-vous d'elle.

En se redressant, il vit quelque chose de blanc.

Dans la main du mort, un bout de tissu dépassait entre deux doigts. Il vint facilement quand Levi tira dessus. Clair, déchiqueté, on aurait dit un lambeau de chemise. Long comme une chaussure de bébé, déteint, sale, avec une étiquette cousue dessus. Comme Levi ne savait pas lire, les lettres ne lui disaient rien, mais le tissu était à peu près blanc et juste de la bonne taille. Il l'entortilla autour de son doigt ensanglanté et le noua en serrant avec les dents.

À l'ombre du saule, il s'agenouilla près de son lourd fardeau enveloppé de plastique. Il glissa une main massive dessus avant de le hisser sur son épaule. N'importe quel autre homme l'aurait trouvé pesant ; rien que l'idée avait de quoi oppresser. Mais il n'en était pas ainsi pour Levi. Il était fort ; il avait un but. Et quand le plastique frênit contre son oreille, il entendit la voix de Dieu. Il lui dit qu'il avait bien fait et lui suggéra de continuer son chemin.

Levi était parti depuis cinquante minutes quand les flics débarquèrent.

L'inspecteur Hunt se gara sur le pont. Si loin de la ville, il n'y avait ni lampadaires ni habitations. Le ciel était noir. Juste une ligne d'un violet profond à l'horizon côté ouest. Des nuages menaçants pesaient au-dessus de lui, et un éclair jaillit à deux reprises avant que le coup de tonnerre retentisse. Plusieurs voitures de police, phares allumés, se rangèrent derrière la sienne. Des projecteurs éclairèrent brusquement le pont. Hunt se tourna vers Johnny, assis sur la banquette arrière avec sa mère. Leurs visages étaient dans la pénombre, mais des mèches de cheveux se détachaient dans la clarté projetée par les véhicules garés derrière eux.

— Ça va ? demanda-t-il. C'est là, Johnny ?

Pas de réponse. La mère de l'enfant l'attira contre elle. Johnny avala sa salive.

— Oui. De ce côté-ci du pont. Juste en dessous.

— Répète-moi encore ce qu'il a dit. Mot pour mot.

— « Je l'ai trouvée, la fille qui a été enlevée », répondit Johnny d'une voix sans timbre.

— C'est tout ?

— Il m'a dit de filer. Il parlait du type dans la voiture.

Hunt hocha la tête. Ils avaient déjà ressassé ça six ou sept fois.

— Rien d'autre qui ait pu t'inciter à penser qu'il parlait de ta sœur ? Il n'a pas prononcé son nom, il ne l'a pas décrite ou quoi que ce soit ?

— Il parlait d'Alyssa.

— Johnny !

— J'en suis sûr !

Johnny baissa la tête dans la lumière crue, aveuglante. Hunt eut envie de poser la main sur son épaule, de lui assurer que tout irait bien. Mais sa mission ne consistait pas à réparer tout ce qui était cassé, même s'il aurait bien voulu. Il jeta un coup d'œil à Katherine Merrimon assise là, immobile, si frêle, qu'il ressentit le besoin de la toucher elle aussi. Mais ces sentiments-là étaient complexes. Elle était belle, douce, meurtrie, mais c'était une victime, et certaines règles s'imposaient. Hunt s'obligea à se concentrer sur l'affaire, et il avait un ton ferme quand il reprit la parole.

— Les chances sont minces, Johnny. Tu dois t'y préparer. Ça fait un an. Il parlait probablement de Tiffany Shore.

Johnny secoua la tête. Quand sa mère parla à son tour, on aurait dit une enfant elle aussi.

— Je connais Tiffany, dit-elle.

Elle l'avait déjà dit deux fois, mais personne ne releva. Johnny cligna des yeux et entrevit la fillette disparue. Petite, blonde, elle avait des yeux verts, une cicatrice sur la main gauche, et rabâchait constamment une blague stupide. À propos de trois singes, d'un éléphant et d'un bouchon. Elle était gentille. Elle l'avait toujours été.

— L'homme sur le pont, reprit Hunt. Pourrais-tu l'identifier ?

— C'était juste une silhouette. Je n'ai pas vu son visage.

— Et la voiture ?

— Non plus. Je vous l'ai déjà dit.

Hunt observait ses collègues qui jetaient des ombres sur la paroi en béton brut du pont en sortant de leurs véhicules.

— Ne bougez pas, lança-t-il de mauvaise humeur à Johnny et sa mère. Restez dans la voiture.

Il sortit à son tour en claquant la portière derrière lui et s'imprégna de la scène. L'air lourd, moite, charriait l'odeur de la rivière. L'obscurité régnait derrière le pont. Hunt jeta un coup d'œil en direction du nord comme s'il pouvait voir la vaste étendue de paysage brut qui couvrait le comté de Raven : les forêts rocailleuses, et au pied des collines, les cinquante kilomètres de marécages que vomissait la rivière. Une goutte de pluie froide lui frôla la joue ; il fit signe au policier le plus proche.

— Installez un projecteur sur le côté, dit-il. Par là en bas.

Hunt s'approcha de la butée tandis que l'homme sortait une lampe de sa voiture. Elle projeta un faisceau de lumière qui découpa des formes déchiquetées lorsque le flic s'approchait du parapet. Quand il l'orienta vers la berge, elle éclaira le corps allongé par terre.

Le vélo de Johnny Merrimon était couché à deux mètres de lui.

*Seigneur !*

*Le gosse avait raison.*

Hunt sentit ses hommes s'activer autour de lui. Il disposait de quatre policiers outre l'équipe d'enquête criminelle prête à intervenir. Il perçut un crépitement staccato sur le pare-brise ; des gouttes s'écrasèrent sur son crâne. La pluie commençait à tomber dru.

— Couvrez le corps avec une bâche. Remuez-vous. Je veux une autre bâche sur le parapet, juste là, lança-t-il en pensant aux traces de peinture et aux éclats de verre qui scintillaient sur la chaussée. Il devrait y avoir une moto quelque part par là. Trouvez-la. Que quelqu'un demande qu'on nous apporte une tente.

Un coup de tonnerre retentit ; il leva les yeux au ciel.

— On va se faire rincer.

Dans la voiture, Johnny perçut l'instant où sa mère se mit à trembler. D'abord les bras, et puis les épaules.

— Maman ?

Elle l'ignora et entreprit de fouiller son sac. Comme il faisait sombre dans le bas de la voiture, elle le souleva de manière à ce que la lueur des phares l'éclaire. Johnny entrevit un de ses yeux quand elle pencha la tête, puis il entendit le cliquetis de comprimés dans un flacon en plastique. Elle en versa quelques-uns dans le creux de sa main, rejeta la tête en arrière et les avala sans eau. Elle laissa le sac retomber dans les ténèbres, et s'adossa contre le siège. Quand elle brisa le silence, sa voix était dénuée de toute émotion.

— Ne refais jamais ça.

— Sécher, tu veux dire ?

— Non.

Un silence malaisé. Johnny sentit sa poitrine se glacer.

— Ne me donne pas de faux espoirs, dit-elle en détournant la tête. Ne me refais jamais ce coup-là.

Ils réussirent à monter la tente avant que le ciel se déchaîne. Elle cliquetait, violemment secouée, quand Hunt s'accroupit près du corps. La toile claquait si fort qu'il était obligé de hurler pour se faire entendre. Deux policiers tenaient des lampes : un technicien spécialiste de scènes de crime et le médecin légiste s'agenouillèrent de l'autre côté.

— L'eau va bientôt passer dessous, lança un homme derrière Hunt.

Cela ne faisait aucun doute. À la fin du printemps, les orages arrivaient brutalement et se dissipaient tout aussi vite en laissant parfois des torrents dans leur sillage. Pas de veine.

Hunt examina le visage couvert de sang, puis l'éclat d'os à l'endroit où le bras était plié à angle droit. Les vêtements de la victime étaient maculés d'une crasse verdâtre, incrustée dans le tissu et les semelles de ses chaussures. Elle exhalait une odeur, quelque chose d'organique, qui couvrait les relents de la rivière et de la mort.

— Que pouvons-nous déterminer ? demanda-t-il au médecin.

— Il est en bonne forme physique. Musclé. La trentaine, je dirais. L'un de vos hommes là-bas a son portefeuille.

Hunt se tourna vers l'inspecteur Cross qui tenait le portefeuille en question, rangé dans un sac à mise sous scellés en plastique. Cross était un gars costaud dont le visage large paraissait strié de rides sous l'éclairage blafard. Il avait trente-huit ans et cela faisait plus de dix ans qu'il avait intégré la police. Il s'était taillé une réputation de chef de patrouille intraitable, manifestant un grand courage dans le feu de l'action. Moins de six mois plus tôt, on l'avait promu au rang d'inspecteur.

— D'après son permis de conduire, il s'appelle David Wilson, dit-il en tendant le portefeuille à Hunt. Donneur d'organes. Pas de verres correcteurs. Il vit dans un quartier chic. Il avait une carte de bibliothèque sur lui ainsi que tout un tas de notes de restaurants, certains à Raleigh, d'autres de Wilmington. Pas d'alliance. Ni de liquide. Deux cartes de crédit, toujours dans le portefeuille.

Hunt considéra l'objet.

— Vous l'avez touché ?

— Oui.

— C'est moi qui dirige cette enquête, Cross. Vous comprenez ? riposta Hunt d'une voix crispée, maîtrisée de force.

— Oui, chef, acquiesça Cross, redressant les épaules.

— Vous êtes nouveau dans ce secteur, j'en suis conscient. Mais mon rôle d'inspecteur en chef sous-entend que je suis responsable. On attrape le meurtrier ou pas. On trouve la fille ou pas, continua-t-il en enveloppant Cross d'un regard féroce, un doigt brandi. Quelle que soit l'issue de cette affaire, je dois vivre avec. Nuit après nuit, c'est moi qui trinque. Pigé ?

— Oui, chef.

— Ne touchez jamais les pièces à conviction sans mon accord sur mes scènes de crime. Si vous recommencez, je vous casse la gueule.

— J'essayais juste de me rendre utile.

— Sortez de cette tente.

Hunt tremblait de rage. S'il perdait une autre fille...

Cross s'en alla, la queue entre les jambes. Hunt s'obligea à inspirer à fond, puis il reporta son attention sur le mort. Il portait juste un T-shirt gris, qui empestait la transpiration, le sang, cette crasse verdâtre. Une ceinture marron, quelconque, avec une boucle en cuivre tout éraflé. Un pantalon en gros coton usé. L'un des yeux était partiellement ouvert ; il semblait plat et morne dans la clarté.

— Il fait une chaleur épouvantable sous cette tente.

Le médecin légiste s'appelait Trenton Moore. Petit, chétif, il avait une épaisse tignasse, des pores dilatés et zozotait, surtout quand il parlait fort. Il était jeune, rusé et fabuleux à la barre, en dépit du zézaiement.

— Je pense qu'il fait de la varappe.

— Je vous demande pardon.

— Regardez ses mains.

Hunt les examina. Elles présentaient des cals et des égratignures. Les ongles étaient bien coupés, mais sales ; ils auraient pu être ceux d'un ouvrier du bâtiment.

— Et alors ?

— Vous voyez ce cal ? demanda le docteur en redressant un doigt.

Hunt scruta le bout du doigt, l'épais coussinet de peau dure. Moore aplatit les autres doigts qui montraient tous le même durillon.

— À l'université, je partageais ma chambre avec un grimpeur. Il faisait des tractions en se tenant à la porte du bout des doigts. Il nous arrivait de discuter pendant qu'il restait pendu là. Un dingue ! Tenez, palpez-moi ça.

Le médecin orienta la main vers Hunt qui effleura le cal. On aurait dit du cuir à chaussure.

— Mon coloc avait les bouts de doigt comme ça. La musculature du haut du corps correspond. Des avant-bras surdéveloppés. Des cicatrices sur les mains. Évidemment, ce ne sont que des conjectures pour le moment. Je ne peux rien affirmer tant qu'il ne sera pas passé sur le billard.

Hunt étudia le placement des mains, croisées sur la poitrine du mort. Les jambes droites, côte à côte.

— Quelqu'un l'a déplacé, dit-il.

— C'est possible. Nous ne serons sûrs de rien avant l'autopsie.

Hunt plissa le front. Il désigna le corps.

— Vous ne pensez tout de même pas qu'il a atterri dans cette position, si ?

Le médecin grimaça un sourire. Tout à coup, il avait l'air d'avoir vingt-cinq ans.

— Je plaisantais, inspecteur. Histoire d'alléger l'atmosphère.

— Eh bien, abstenez-vous, répliqua Hunt avant d'indiquer le bras cassé et la jambe tordue. À votre avis, ces fractures se sont-elles produites quand la voiture l'a heurté ou quand il est passé par-dessus le parapet ?

— Sommes-nous certains que la collision a eu lieu sur le pont ?

— Sa moto a été déplacée après l'impact, ça ne fait aucun doute. Quelqu'un l'a poussée en bas du talus. On a jeté quelques branches arrachées à un arbre dessus. Quelqu'un aurait fini par la dénicher. Des traces de peinture sur le pont correspondant à la couleur du réservoir. Je présume que l'analyse chimique confirmera. Et puis il y a le gamin. Il a tout vu.

— Il est là ? s'enquit le médecin.

— J'ai envoyé un collègue le raccompagner chez lui, l'informa Hunt en secouant la tête. Avec sa mère. Ils n'ont pas besoin d'être là pour ça.

— Quel âge a-t-il ?

— Treize ans.

— On peut lui faire confiance ?

Hunt réfléchit à la question.

— Je n'en sais rien. Je pense que oui. Il n'est pas bête. Un peu perturbé, mais intelligent.

— Quel créneau horaire a-t-il indiqué ?

— Il a dit qu'il a vu le corps passer par-dessus le parapet il y a deux heures, peut-être deux heures et demie.

— C'est compatible. Pas encore de lividité.

Il reporta son attention sur le corps en se penchant au-dessus du visage. Il désigna la croix ensanglantée sur le front.

— On voit pas ça tous les jours.

— Qu'en pensez-vous ?

— Mon job, c'est les cadavres, pas les mobiles. Il y a du sang sur les paupières. On ferait peut-être bien de prendre une empreinte.

— Ça vous inspire quoi ?

— C'est juste une intuition. La bonne taille, la forme ad hoc.

Le docteur Moore haussa encore une fois les épaules.

— Le meurtrier, qui qu'il soit, ne brille pas par son intelligence, à mon avis.

Quand Hunt émergea de la tente, la pluie imprégna aussitôt ses vêtements, ses cheveux. Il considéra le pont en essayant d'imaginer le froissement de métal, l'arc décrit par le corps et l'effet que cela avait dû faire à l'enfant choisi par le destin pour être témoin de la scène. Il s'accroupit près du vélo de Johnny, jeté à l'écart lorsqu'on avait dressé la tente. Il produisit un bruit de succion quand il l'extirpa de la boue. De l'eau brune dégoulina du métal couvert de taches de rouille. Hunt porta la bicyclette à l'abri sous le pont. Une poignée de policiers s'y étaient réfugiés, certains une cigarette à la main ; seul l'un d'eux paraissait très préoccupé. Cross. Il se tenait à une petite distance des autres, une torche dans une main, la carte de Johnny Merrimon dans l'autre.

Hunt s'approcha de lui, toujours contrarié par l'histoire du portefeuille, mais Cross prit la parole en premier.

— Je suis désolé, dit-il, et son expression le confirmait.

Hunt pensa à l'année qui s'était écoulée depuis qu'il avait perdu Alyssa, aux cauchemars, à toute cette futilité. Ce n'était pas juste de s'en prendre à Cross. Fraîchement arrivé dans l'équipe, il n'avait pas encore connu ces nuits de ténèbres. Hunt se força à sourire. Ce n'était pas grand-chose, mais il ne pouvait pas faire mieux.

— Où avez-vous trouvé ça ? demanda-t-il en désignant la carte.

Cross avait la mâchoire carrée, les cheveux en brosse. Il baissa la carte et braqua sa torche dans la direction de la rivière.

— Sur le vélo du gosse, dit-il en tressaillant. Ce n'est pas une pièce à conviction, si ?

C'était le cas, mais Hunt s'obligea à se détendre.

— Il faudra me la donner.

— Pas de problème.

Hunt fit mine de s'en aller, mais Cross l'arrêta au passage.

— Inspecteur...

Hunt s'immobilisa, fit volte-face. Cross paraissait très grand dans la pénombre. La peau olivâtre, le regard intense.

— Écoutez, dit-il. Ça n'a probablement rien à voir, mais je pense que vous devriez être au courant. Vous connaissez mon fils ?

— Gerald ? Le joueur de base-ball ? Oui, je le connais.

Cross fit la moue.

— Non, pas Gerald. L'autre. Jack. Le cadet.

— Non, je ne le connais pas.

— Eh bien, il traînait par ici aujourd'hui avec le fils Merrimon. Lui aussi il a séché l'école. Mais notez bien qu'il était parti depuis longtemps quand l'accident a eu lieu. J'ai reçu un coup de fil de l'école lorsqu'ils ont fermé les portes et j'ai trouvé mon gosse à la maison en train de regarder des dessins animés.

Hunt médita la chose une seconde.

— Faut-il que je lui parle ?

— Il n'est au courant de rien, mais rien ne vous empêche de le faire si vous le souhaitez.

— Je ne crois pas que ce soit nécessaire.

— Tant mieux. Parce qu'il m'a dit que votre fils était ici lui aussi.

— Ça m'étonnerait.

— Vers l'heure du déjeuner. Avec une bande de copains, déclara Cross sans ciller. J'ai juste pensé qu'il fallait que vous le sachiez.

— Et Jack est certain...

— Mon fils est paresseux, pas idiot.

— Entendu, Cross. Merci.

Hunt se détourna, mais Cross l'arrêta à nouveau.

— Écoutez, à propos de choses nécessaires... Le gars qui a agressé le petit Merrimon, le Noir avec le visage plein de cicatrices.

— Oui ?

— Vous estimez qu'il n'a rien à voir avec ce qui s'est passé ici ? Avec la victime ? Pas vrai ?

— Avec ce meurtre, vous voulez dire ?

— Oui, c'est ça.

— Non, dit Hunt. Je ne vois pas comment ce serait possible. Il était à plus d'un kilomètre en aval quand c'est arrivé.

— En êtes-vous sûr ?

— Où voulez-vous en venir, Cross ?

— Nous partons du principe que trois hommes sont entrés en contact avec Johnny Merrimon. La victime, Wilson, le conducteur de la voiture qui a expédié ce dernier par-dessus le parapet, et le grand Noir au visage balafré. C'est bien ça ?

— C'est la théorie sur laquelle nous nous basons, effectivement.

— Seulement le gosse n'a pas vu le conducteur. Il a entrevu une ombre, mais il est incapable de l'identifier, il ne peut pas dire s'il s'agissait du Noir ou non. (Cross brandit la carte.) Il s'agit d'un plan de cadastre de ce coin-ci de la ville. Une carte détaillée. Les rues, les quartiers. Mais là, en haut à droite, juste au bord, c'est la rivière et ça, précisa-t-il en pointant le doigt, c'est l'endroit où nous nous trouvons. Vous voyez le pont ?

— Oui.

— Maintenant suivez le cours de la rivière.

Hunt comprit sur-le-champ. Juste au sud du pont, la rivière faisait une boucle serrée ; elle s'enroulait autour d'un étroit doigt de terre de plus d'un kilomètre de long sur moins de trois cents mètres de large. Hunt sentit une pointe de colère monter en lui, non pas contre Cross, mais contre lui-même.

— La piste suit la berge, dit-il.

— Si le petit Merrimon est resté sur le chemin, il lui a fallu couvrir une bonne distance pour arriver à l'endroit où il s'est fait attraper, disons dix ou quinze minutes à fond de train. (Cross tapota la carte du bout du doigt.) Mais si je quitte le sentier et si je marche à travers champs, là, je peux y être en cinq minutes.

— En coupant à travers bois, c'est près.

— Vraiment près.

Hunt porta son regard sur la tente, floue sous la pluie battante. La victime avait été fauchée sur le pont, écrasée.

— Et si David Wilson avait été tué parce qu'il savait quelque chose...

— À propos de la gamine qui a disparu...

Hunt se mordit la lèvre.

— L'homme qui l'a tué voudrait que Johnny disparaisse lui aussi. Et s'il connaissait le trajet de la rivière...

— Il pouvait traverser ici et attendre le gosse. Johnny a couru pendant douze, quinze minutes. Le meurtrier s'est borné à marcher cinq minutes, et il était là quand Johnny s'est pointé.

— Bon sang ! s'exclama Hunt en se redressant. Message radio à toutes les patrouilles. Je veux qu'on lance un avis de recherche concernant un grand Noir, entre quarante et soixante ans, le visage couvert de cicatrices du côté droit du visage. Sa voiture aura subi des dommages visibles, probablement sur l'aile avant gauche. Informez le central qu'il est recherché dans le cadre du meurtre de David

Wilson, mais qu'il se pourrait qu'il soit également lié à l'enlèvement de Tiffany Shore. Prudence en cas d'arrestation. Nous avons besoin de l'interroger. Envoyez ce message sur-le-champ.

Cross sortit sa radio et s'exécuta.

Une nouvelle vague de colère submergea Hunt pendant qu'il attendait. L'année qui venait de s'écouler l'avait tant miné qu'il s'était relâché. Il aurait dû constater lui-même la sinuosité de la rivière – cette boucle – au lieu de l'apprendre de la bouche d'un inspecteur en herbe. Mais il avait agi. La seule chose qui comptait, c'était la fille. Il fallait qu'il agisse. Il retrouva son calme pour s'absorber dans son enquête. Tiffany avait disparu depuis moins d'un jour. Huit heures, presque neuf. Cette fois-ci, il ramènerait la gamine chez elle. Il le jura en serrant les poings.

Cette fois-ci, ce serait différent.

En portant son regard sur le vélo de Johnny, il entendit la voix du garçon dans sa tête.

*Promis ?*

Il tendit la main vers la longue plume brune pendue à la selle. Elle était tout abîmée, terne, rugueuse entre ses doigts. Il la lissa.

*Promis.*

Cross, derrière lui, éteignit sa radio.

— C'est fait, informa-t-il Hunt qui hocha la tête. Qu'est-ce que c'est ? ajouta Cross.

Hunt laissa la plume retomber contre la corde qui la maintenait en place. Elle oscilla, puis se plaqua contre le métal humide.

— Rien, répondit-il. Juste une plume.

Cross se rapprocha et la souleva.

— C'est une plume d'aigle.

— Comment le savez-vous ?

— Je suis né dans les montagnes, dit Cross en haussant les épaules, l'air embarrassé. Ma grand-mère est à moitié cherokee. Elle était fascinée par toutes ces histoires de totem.

— Des histoires de totem ?

— Les rituels, les plantes sacrées, vous voyez ce que je veux dire. La rivière pour la pureté. Les serpents pour la sagesse. Ce genre de choses. J'ai toujours pensé que c'étaient des conneries.

— Totems ? répéta Hunt.

— Oui. C'est de la bonne magie, ajouta Cross en désignant la plume.

— Quel genre de magie ?

— La force. Le pouvoir.

Un éclair zébra le ciel. Cross lâcha la plume.

— Seuls les chefs portent des plumes d'aigle.

# 8.

À l'arrière de la voiture de patrouille, Katherine Merrimon s'était affalée contre l'épaule de son fils. Sa tête roulait dans les virages, rebondissait quand les pneus franchissaient des nids-de-poule. La rivière était derrière eux, tout comme le mort et ce qui restait de la foi de Johnny en la sagesse des policiers. Hunt n'avait pas voulu admettre qu'il pouvait encore s'agir d'Alyssa, et cela avait mis l'enfant hors de lui.

*Peut-être !*

Il avait dit ça d'une voix forte, et l'avait répété quand le regard de l'inspecteur s'était troublé.

*Peut-être que si !*

Mais Hunt était occupé, et il avait son propre point de vue sur la question. Il s'était lassé de l'insistance de Johnny et avait coupé court à toute discussion en leur intimant l'ordre de rentrer chez eux.

*Ne te mêle pas de ça*, avait-il dit. *Ce n'est pas ton problème.*

Il se trompait. Johnny le sentait en son for intérieur. C'était bel et bien *son* problème.

La voiture de police se gara devant la maison. La pluie tambourinait sur le toit métallique. Johnny examina la façade, le petit jardin boueux, faiblement éclairé. Des ombres bougeaient à l'intérieur. La voiture de Ken était rangée dans l'allée, ainsi que celle de l'oncle Steve. Les médicaments avaient eu raison de sa mère. Les yeux fermés, elle produisait de petits bruits. Johnny hésita. Le policier se retourna dans son siège, le visage déformé par la cloison en verre maculée d'empreintes de main et de crachats séchés.

— Elle tient le coup ? demanda-t-il.

Johnny hocha la tête.

— Bon, nous y voilà, p'tit, déclara l'agent, l'air hésitant, le regard rivé sur la mère. Va-t-il lui falloir de l'aide ?

— Ça va aller, objecta l'enfant, automatiquement sur la défensive.

— Descendez dans ce cas.

Johnny secoua l'épaule de sa mère. Sa tête tomba en avant ; il secoua un peu plus fort. Dès qu'elle ouvrit les yeux, il lui pressa le bras.

— Il faut qu'on sorte, dit-il. On est à la maison.

— À la maison, répéta-t-elle.

— Oui. Allons-y.

Quand il ouvrit sa portière, le bruit de la pluie d'un cliquetis métallique se changea en un rugissement sourd. Des trombes d'eau s'abattaient sur la terre détrempée et les branches affaissées. De l'air chaud s'engouffra dans la voiture.

— N'oublie pas ton sac, dit-il.

Il l'aida à sortir de la voiture et fonça se mettre à l'abri sous la véranda pendant que le véhicule faisait marche arrière dans la boue jusqu'à ce que ses roues adhèrent au bitume lisse. Il était sous le porche quand il se rendit compte que sa mère ne l'avait pas suivi. Elle était restée plantée sous la pluie, le visage tourné vers le ciel, paumes levées. Son sac gisait dans la boue. La pluie l'enveloppait de noir.

Johnny la rejoignit en pataugeant, fouetté par le déluge qui tombait de si haut.

— Maman ? appela-t-il en lui prenant le bras. Viens, rentrons.

Elle garda les yeux fermés, mais répondit d'une voix trop faible pour être audible.

— Comment ? demanda Johnny.

— Je veux partir.

— Maman...

Il ramassa son sac, lui serra fort le bras.

— Rentre. Tout de suite.

On croirait entendre Ken, songea-t-il. Mais cette fois-ci elle le suivit.

Dedans, les lumières brillaient d'un éclat sulfureux. L'oncle Steve était installé à la table de la cuisine devant une rangée de canettes de bière. Ken arpentait la pièce, un verre de bourbon entre ses gros doigts. Quand Johnny entra, précédant sa mère, ils levèrent les yeux tous les deux.

— C'est pas trop tôt ! lança Ken. Le culot qu'il a eu, ce flic prétentieux, de m'interdire de venir. De me dire que je n'avais qu'à rentrer chez moi ou attendre ici avec lui, brailla-t-il avec mépris en désignant d'un geste l'oncle Steve qui rentra la tête dans ses épaules. Je vais en toucher un mot à quelqu'un. Il devrait pourtant savoir qui je suis.

— Il sait qui tu es. Il n'en a rien à faire, c'est tout !

Johnny laissa échapper ces mots avant d'avoir réfléchi. Ken se figea, le dévisagea, et Johnny sut que la situation pouvait aller dans un sens comme dans l'autre. Et puis sa mère entra derrière lui, l'air hagard, trempée jusqu'aux os ; ses habits lui collaient à la peau. Johnny lui prit le bras sous le regard perçant de Ken.

— Viens, dit ce dernier. Je vais t'emmener dans ta chambre.

— Je m'en charge.

Alors que Ken faisait un pas vers eux, Johnny sentit comme un déclic.

— Non, dit-il. Bas les pattes, Ken ! Elle n'a pas besoin de toi maintenant. Il faut juste qu'elle aille au lit. Elle a besoin de dormir tranquillement sans que personne l'embête.

— L'embête... répéta Ken en s'empourprant.

Johnny pensa brièvement au canif dans sa poche. Il s'interposa entre sa mère et Ken. Les secondes passèrent jusqu'à ce que ce dernier se résolve à sourire, dévoilant des dents régulières d'une blancheur éclatante.

— Katherine, reprit-il en se tournant vers elle. Dis à ton fils qu'il n'y a pas de problème.

— Il n'y a pas de problème, Johnny.

Ces mots venaient de loin, très loin. Elle vacilla un peu avant d'ajouter :

— Je vais bien.

Puis elle tourna le dos de son fils et se dirigea vers le petit couloir obscur en traînant les pieds.

— Allons nous coucher.

Elle posa une main sur le mur, s'arrêta trois longues secondes, et Johnny vit son visage ruisseler. Quand elle se retourna, elle n'avait plus qu'un filet de voix.

— Rentre chez toi, Steve.

Ken la suivit au bout du couloir, jeta un coup d'œil par-dessus son épaule avant de fermer la porte. Johnny ne l'entendit pas pousser le loquet, mais il sut que c'était chose faite. Il eut envie de flanquer son poing dans le mur. À la place, il considéra l'oncle Steve en train de rassembler ses canettes en silence ; il les jeta à la poubelle et prit ses clés, un énorme trousseau qui permettait d'ouvrir toutes les portes du centre commercial. Un paradis pour tout autre enfant, mais rien que du métal aux yeux de Johnny. Steve s'arrêta sur le seuil. L'air inquiet, il regarda Johnny bizarrement. Il posa un bras sur le montant de la porte.

— C'est comme ça que ça se passe ? demanda-t-il en ouvrant sa paume en un geste qui englobait l'enfant et le couloir menant à la chambre fermée.

— À peu de chose près.

— Merde alors ! (Steve hocha la tête, ce qu'il se bornait toujours à faire, pensa Johnny.) Pour ce matin...

— Quoi ?

— C'est juste qu'elle est vraiment jolie. Je te remercie de n'avoir rien dit.

Mais Johnny n'avait plus la force de parler non plus. Il alla dans sa chambre et s'assit au bord de son lit. Il fixa le réveil sur la table de nuit en regardant la minuscule aiguille trotter. Il compta les secondes jusqu'à ce que la tête de lit de l'autre côté du couloir entame ses cognements impies. Puis il se mit en quête des clés de sa mère.

*Quatre-vingt-quatorze*, pensa-t-il avant de verrouiller la porte d'entrée derrière lui.

*Quatre-vingt-quatorze secondes.*

Il pataugea dans la boue jusqu'à la voiture de sa mère et démarra. Au bout de l'allée, il ouvrit la portière et se pencha pour ramasser une pierre de la taille d'une balle de tennis.

Il s'éloigna de la maison en conduisant prudemment. Le pare-brise était tout embué ; un seul phare marchait. Il voyait la chaussée mouillée, vaguement le fossé. Il essuya la vitre avec la main et chercha des yeux l'embranchement qui le mènerait dans les quartiers chics de la ville.

Au moment de s'engager dans la rue de Ken, il ralentit. Les maisons se dressaient dans la nuit, en retrait sur d'immenses pelouses. Les longues allées serpentaient sur l'herbe veloutée. Des portails métalliques gardaient les entrées, d'un noir si profond qu'il semblait glacial. Johnny éteignit les phares quand les pneus crissèrent contre le bord du trottoir. Il laissa le moteur tourner. Cela ne lui prendrait qu'une seconde.

Le caillou dans sa main ferait parfaitement l'affaire.

# 9.

Hunt fonçait sur d'étroites routes mouillées. À cinq kilomètres derrière lui, sur la scène du crime, le médecin légiste s'occupait d'emballer le corps. Il avait laissé ses hommes sur les lieux. La situation avait changé après que Cross lui eut montré la carte. Des fragments du puzzle avaient bougé, dans son esprit, les possibilités. Il pensait maintenant que si David Wilson avait été tué, c'était parce qu'il avait d'une manière ou d'une autre trouvé Tiffany Shore.

*Je l'ai trouvée*, avait-il dit au garçon, et cela lui avait coûté la vie.

Mais où l'avait-il trouvée ? Comment ? Dans quelles circonstances ? Et surtout, qui lui avait fait la peau ? Hunt avait concentré son attention sur la voiture qui l'avait renversé, le conducteur du véhicule en question. Si cela lui avait paru la chose à faire, la courbe de la rivière contrecarrait cette logique. Il avait supposé que trois hommes étaient présents sur le pont ou aux abords au moment de la collision. Wilson, maintenant décédé, le conducteur de la voiture qui avait causé sa mort et un Noir, à trois kilomètres en aval. Il était contraint de remettre sa thèse en cause à présent. Peut-être le géant de Johnny ne s'était-il pas simplement trouvé au mauvais endroit au mauvais moment. Peut-être était-il au volant du véhicule qui avait tué David Wilson. Ou peut-être pas.

Deux hommes ou trois ?

*Nom d'un chien !*

Il fallait qu'il parle à Johnny, et tout de suite. Sans perdre une seconde. Il avait de nouvelles questions à lui poser. Il contacta le central par radio pour prier le planton de le mettre en relation avec l'unité de patrouille chargée de raccompagner Johnny et Katherine chez eux. Jetant un coup d'œil à sa montre, il jura en attendant que la liaison s'établisse. Il y avait presque dix heures que Tiffany avait disparu, et les statistiques étaient d'une froide précision comme seuls les chiffres peuvent l'être. Rares étaient les personnes disparues que l'on retrouvait après le premier jour. C'était comme ça, et pas autrement.

Rapidité.

Tout était une question de rapidité.

*Je l'ai trouvée.*

Il devait interroger Johnny sur ce qu'il avait vu sur le pont, sur l'homme au visage couvert de cicatrices. Il fallait qu'il sache s'il s'agissait d'un seul et même individu. Fini les spéculations, les théories. Des faits.

— Vous avez la liaison, lui annonça l'homme au bout du fil.

Une seconde voix grésilla sur la ligne. Hunt s'identifia et demanda au policier où se trouvait Johnny.

— Je viens de partir de chez lui. Il était dans l'allée la dernière fois que je l'ai vu.

— Ça fait combien de temps exactement ?

Une pause.

— Vingt minutes.

— Vingt minutes. Entendu.

Hunt raccrocha. Il lui en faudrait cinq de plus pour atteindre la maison. *Allez, allez.* Il accéléra au point que la voiture parut s'alléger sous lui, avalant à une vitesse périlleuse la chaussée noire luisante.

Plus de trois heures s'étaient écoulées depuis que la moto avait été percutée. Celui qui avait renversé David Wilson, qui qu'il soit, pouvait être n'importe où à ce stade, hors du comté, de l'État, même si Hunt en doutait. C'était risqué de couvrir de la distance avec un enfant kidnappé. Dès l'alerte enlèvement lancée, le public était aux aguets.

Une fois qu'ils avaient fait main basse sur l'enfant, la plupart de ces pervers tendaient à se terrer quelque part. Johnny Merrimon avait raison là-dessus. Et si certains rapts étaient méticuleusement organisés, le plus souvent, c'était une question d'opportunité. Un enfant laissé dans la voiture ou sans surveillance dans un magasin bondé. Un gosse marchant seul.

Comme Alyssa Merrimon.

Elle rentrait chez elle à la tombée de la nuit, seule sur une route déserte. Personne ne pouvait savoir qu'elle se trouverait là. Impossible de planifier son coup en l'occurrence. Idem pour Tiffany Shore. Elle s'était attardée près du parking après la sonnerie de la cloche. Une question d'opportunité. Et de désir.

Hunt freina à un feu rouge, puis tourna à gauche sans s'arrêter et sentit les roues arrière patiner. Il redressa, rectifia sa position sur le siège. Il pensa au Mal et à la bosse dure que faisait son arme de service dans son holster sous son aisselle.

À l'annonce de l'enlèvement de Tiffany, ça avait été le branle-bas de combat. Il avait envoyé des voitures de patrouille vérifier où se trouvaient tous les délinquants sexuels avérés. La majorité d'entre eux avaient peu de chances d'être impliqués – des voyeurs, des exhibitionnistes –, mais il y avait tout de même un grand nombre d'individus reconnus coupables de viols, de sévices sexuels infligés à des enfants ou d'autres actes odieux. Hunt avait sélectionné les pires cas : des êtres dérangés, sadiques, capables de tout. Ces hommes ne surmontaient jamais le mal qui les gouvernait. Il n'y avait ni remède, ni rémission. Pour ces enfoirés-là, ce n'était qu'une question de temps, aussi Hunt les avait-il constamment à l'œil. Il savait où ils habitaient, quel véhicule ils possédaient ; ils connaissaient leurs habitudes, leurs prédilections. Il avait examiné leurs photos, parlé aux victimes, vu les cicatrices de ses propres yeux. Aucun de ces salopards ne devrait être en liberté.

Ni maintenant ni jamais.

On savait où la plupart d'entre eux crêchaient ; ils avaient été interrogés. Ils avaient presque tous accepté que l'on fouille leur domicile ; ces perquisitions n'avaient rien donné. Ceux qui avaient refusé étaient sous surveillance permanente, et Hunt recevait régulièrement des rapports : ce qu'ils mangeaient, à quelle heure, s'ils étaient seuls ou en quelle compagnie. Il savait ce qu'ils faisaient à tout instant. S'ils étaient réveillés ou endormis. Chez eux ou en déplacement. Hunt répondait à tous les appels et maintenait ses hommes sur le qui-vive tandis qu'ils continuaient à passer tous les suspects au crible.

Hunt les passa en revue dans sa tête. Aucun ne mesurait plus de deux mètres. Personne n'avait des cicatrices sur la figure telles que Johnny les avait décrites. Si Cross avait vu juste, cela voulait dire qu'ils avaient un nouveau client, quelqu'un qui ne figurait pas dans l'équation. S'il se trompait...

Les possibilités étaient infinies.

Hunt sortit une photo de Tiffany Shore de la poche de sa veste. Il y jeta un coup d'œil. La mère, folle d'angoisse, la lui avait donnée quelques heures plus tôt. C'était une photo d'école ; une Tiffany souriante, sûre d'elle. Il chercha des points communs avec Alyssa, mais n'en trouva pas le moindre. Alyssa avait les cheveux foncés, des traits délicats ; elle paraissait toute jeune, chétive, innocente, avec ce même regard sombre que son frère. Tiffany pour sa part avait des lèvres voluptueuses, un nez parfait, des cheveux comme de la soie blonde. La photo montrait un cou gracieux, une poitrine naissante, un sourire entendu qui laissait entrevoir la femme qu'elle serait peut-être un jour. Les deux fillettes ne semblaient pas avoir grand-chose en commun, et pourtant.

Elles étaient toutes les deux innocentes et relevaient de sa responsabilité.

*La sienne.*

*Celle de personne d'autre.*

Cette pensée le hantait toujours quand son portable retentit. Il jeta un coup d'œil à l'écran. Le grand chef. Son patron. Il laissa sonner quatre fois, puis répondit en sachant pertinemment qu'il n'aurait pas dû.

— Où êtes-vous ?

Il ne perdait pas de temps ! Alyssa s'était volatilisée depuis moins de douze mois, et ils avaient une autre disparue sur les bras. Il avait subi des pressions lui-même, Hunt n'était pas sans le savoir : la famille de Tiffany, la municipalité, la presse.

— Je me dirige vers le domicile de Katherine Merrimon. J'y serai dans quelques minutes.

— Je vous ai chargé de diriger cette enquête. Vous devriez être chez David Wilson à l'heure qu'il est ou sur la scène du crime. Faut-il que je vous mette les points sur les « i » ?

— Non.

— Si nous partons de l'hypothèse que Wilson a trouvé Tiffany Shore – et c'est le cas, nous devrions passer son emploi du temps au peigne fin. Où est-il allé ? À qui a-t-il parlé ? Les activités qu'il a pu avoir aujourd'hui, les lieux où il aurait pu croiser Tiffany...

— Je sais, l'interrompit Hunt. J'ai envoyé Yoakum chez lui. Je dois l'y rejoindre d'ici peu, mais j'ai autre chose à faire en priorité.

— Je ne suis pas sûr d'aimer la raison pour laquelle vous vous rendez chez Katherine Merrimon...

Hunt perçut le doute dans sa voix, la défiance soudaine.

— Son fils détient peut-être des informations.

Hunt imagina son chef dans son bureau, entouré de ses larbins, de la sueur d'obèse tachant sa chemise. Il avait une voix de politicien.

— J'ai besoin de savoir que vous êtes sur le coup, Hunt. Êtes-vous sur le coup ?

— C'est une question absurde.

Hunt comprenait les suspicions de son patron, mais il était incapable de lui dissimuler sa colère. Il passait du temps sur l'affaire Merrimon. Et alors ? Peut-être sentait-il mieux les choses que la plupart de ses collègues. C'était une enquête importante, même si le chef ne le voyait pas de cet œil-là. Pas du tout. Il savait pertinemment que Hunt restait debout toutes les nuits jusqu'à 3 heures du matin, qu'il s'était pointé à l'aube un dimanche pour consulter des données qu'il avait déjà analysées des centaines de fois, qu'il harcelait les juges pour obtenir des mandats d'arrêt qui n'aboutissaient jamais à rien, qu'il faisait des heures supplémentaires, y compris à ses frais, qu'il ponctionnait à ses collègues des ressources qui auraient dû être attribuées à d'autres affaires. Il le regardait se tuer à la tâche. Il voyait son teint blême, la perte de poids, les yeux las, les piles de dossiers amoncelées par terre dans son bureau. Et puis il y avait autre chose.

Des rumeurs.

— Ce n'est pas une question, Hunt. C'est un ordre.

Hunt serra les dents, à peine capable de parler à cause de l'émotion qu'il réprimait. Il avait la responsabilité de grosses enquêtes. Il était inspecteur principal. C'était son boulot, sa vie.

— Je vous l'ai dit, je suis sur le coup.

Il entendit un soupir sur la ligne, puis une voix étouffée en fond sonore. Quand le chef reprit la parole, ses propos étaient sans équivoque.

— Je n'ai que faire des considérations personnelles, Hunt. Surtout dans cette affaire.

Hunt fixa un point droit devant lui.

— Compris. Pas de considérations personnelles.

— Il est question de Tiffany Shore. De sa famille. Pas d'Alyssa Merrimon. Ni de son frère. Ni de sa mère. Est-ce clair ?

— Comme de l'eau de roche.

Après une longue pause, le chef reprit d'une voix où transparaissait une pointe de regret.

— Les considérations personnelles vous font foutre à la porte, Clyde. Ça peut vous valoir une expulsion de mon service sans autre forme de procès. Ne m'obligez pas à faire ça.

— Je n'ai pas besoin d'un sermon.

Il s'abstint d'ajouter : *Pas de la part d'un gros flic politicard.*

— Vous avez déjà perdu votre femme. Vous n'allez pas perdre votre job en plus.

En jetant un coup d'œil dans le rétroviseur, Hunt vit la rage briller dans son regard. Il inspira à fond.

— Je vous demande juste de ne pas venir vous fourrer dans mes pattes, reprit-il d'un ton qui se voulait posé. Faites-moi un peu confiance.

— Ça fait un an que vous brûlez la chandelle de la confiance ! Elle est presque entièrement consumée. Quand les journaux paraîtront demain soir, je veux une photo de Tiffany Shore sur les genoux de sa mère. En première page. C'est comme ça qu'on conserve nos emplois.

Un silence.

Redoutant que sa voix le trahisse, Hunt se garda de le rompre.

— Arrangez-vous pour me servir une fin heureuse, Clyde. Faites ça pour moi et je ferai comme si vous étiez le même flic qu'il y a un an.

Sur ce le patron raccrocha.

Hunt flanqua un coup de poing dans le toit de sa voiture, puis il s'engagea dans l'allée des Merrimon. Il remarqua tout de suite que le break avait disparu. Quand il frappa, la porte vibra comme si la maison était creuse. En jetant un coup d'œil par la petite fenêtre, il vit Ken Holloway surgir du couloir sombre. Il portait des chaussures cirées sous un pantalon légèrement froissé dans lequel il était en train de rentrer sa chemise. Il enfila une ceinture en croco, puis s'arrêta devant la glace pour se lisser les cheveux et vérifier qu'il n'avait rien entre les dents. Un revolver pendait dans sa main droite.

— Police, monsieur Holloway ! Posez cette arme et ouvrez la porte.

Ken sursauta, réalisant tout à coup qu'on pouvait le voir par la fenêtre. Un sourire condescendant anima son visage.

— Quelle police ?

— L'inspecteur Clyde Hunt. J'ai besoin de parler à Johnny.

Le sourire disparut.

— Puis-je voir votre insigne ?

Hunt pressa son badge contre la vitre avant de s'écarter de la porte en portant la main sur la crosse de son arme de service. Holloway faisait des dons aux bonnes œuvres.

Il appartenait à des conseils d'administration et jouait au golf avec les huiles locales.

Mais Hunt l'avait percé à jour. À force de surveiller Katherine et Johnny toute une année. Des rencontres fortuites, comme celle qui avait eu lieu à l'épicerie, les propos échangés et les non-dits, un boitement ou un bleu, le regard éloquent de l'enfant quand il croyait jouer les durs. Hunt avait cherché à en savoir plus, mais Katherine était ailleurs la plupart du temps, dans les nuages, et Johnny avait peur. Hunt n'avait rien de concret.

Mais il savait.

Il recula encore d'un pas de manière à se trouver à un mètre de la porte. La masse obscure du buste d'Holloway était visible derrière l'étroite fenêtre. Il était hâlé, bien en chair. Un torse imposant, une taille épaisse. Son visage apparut derrière la vitre.

— C'est le milieu de la nuit, inspecteur.

— Il est à peine 9 heures, monsieur Holloway. Un enfant a été enlevé. Ouvrez-moi, s'il vous plaît.

La clé tourna dans la serrure et la porte s'entrouvrit. Des plis striaient la face charnue d'Holloway, mais Hunt vit des gouttelettes à la racine des cheveux laissées par un peigne. Il avait les mains vides.

— Je ne vois pas ce que Johnny a à voir avec la disparition de Tiffany Shore.

— Pourriez-vous vous écarter de la porte, s'il vous plaît ? lança Hunt d'un ton professionnel, c'est-à-dire sec.

Il aurait préféré descendre Ken Holloway plutôt que de le regarder en face.

— Très bien.

Ken ouvrit la porte en grand et se retourna en se tapotant les cuisses.

En entrant, Hunt jeta des coups d'œil à droite et à gauche jusqu'à ce qu'il avise le revolver, un calibre 38, en acier. Il était posé sur la télévision, le canon orienté vers le mur.

— Je l'ai déclaré, dit Holloway.

— Je n'en doute pas. J'ai besoin de parler à Johnny.

— À propos de ce qui s'est passé aujourd'hui ?

Des relents d'alcool flottaient dans l'air.

— Ça vous intéresse vraiment ?

Holloway eut un rictus.

— Un instant, dit Holloway avec un rictus avant de hausser la voix. Johnny !

Pas de réponse. Il appela de nouveau, puis jura entre ses dents en disparaissant dans le couloir. Hunt entendit une porte s'ouvrir, puis se refermer en claquant. Ken revint seul.

— Il n'est pas là.

— Où est-il ?

— Aucune idée.

— Il a treize ans, répliqua Hunt d'une voix vibrante de colère. Il fait nuit, il pleut. La voiture n'est plus là et vous ne savez pas où il est ? J'appelle ça de la négligence.

— D'après la loi, inspecteur, c'est le problème de la mère. Je suis un invité dans cette maison.

Ils échangèrent un long regard. Hunt fit un pas en avant. Holloway était fourbe, baratineur, complaisant, mais seulement lorsque cela servait ses intérêts. Certains édifices universitaires portaient peut-être son nom, mais Hunt ne put lui dissimuler son aversion.

— Vous devriez vous méfier avec moi, bougonna-t-il.

— Est-ce une menace ? demanda Holloway, et Hunt s'abstint de répondre. Vous ne savez pas qui je suis.

— S'il arrive quelque chose à ce gosse...

— Comment vous appelez-vous déjà ? fit Holloway en souriant froidement. Je dois voir le maire et l'administrateur municipal demain. Je ne voudrais pas écorcher votre nom.

Hunt le lui épela avant d'enchaîner :

— À propos de l'enfant...

— C'est un délinquant. Qu'est-ce que vous voulez que j'y fasse ? Ce n'est ni mon fils ni ma responsabilité. Voudriez-vous que j'aille chercher sa mère ? J'arriverai peut-être à la réveiller. Elle ne saura pas où il est, mais je la traînerai ici si ça peut vous faire plaisir.

Hunt admirait Katherine Merrimon depuis leur toute première rencontre. Petite, mais pleine de vie, elle avait manifesté beaucoup de courage et de foi lors de circonstances insoutenables. Elle était restée forte jusqu'au jour où elle n'avait plus pu tenir, stade auquel l'effondrement avait été total. Était-ce le chagrin ou la culpabilité ? En tout état de cause, elle était perdue désormais, tragiquement à la dérive dans une sorte d'horreur que peu de parents pouvaient s'imaginer. La pensée de cette femme aux mains d'un profiteur tel que Ken Holloway était déjà pénible. La voir traînée hors de son lit par cet individu aurait été bien pire encore. Un avilissement.

— Je le trouverai moi-même, déclara Hunt en se dirigeant vers la porte.

— Nous n'en avons pas fini, inspecteur.

— Je ne vous le fais pas dire, riposta-t-il.

Il avait la main sur la poignée de la porte quand le portable d'Holloway sonna. Il s'attarda un instant le temps que ce dernier réponde en lui tournant le dos.

— Vous êtes sûr ? Très bien. Oui, appelez la police. Je serai là dans dix minutes.

Après avoir raccroché, il fit face à Hunt.

— C'était ma compagnie d'alarme. Si vous tenez toujours à trouver Johnny, commencez donc par aller faire un tour chez moi.

— Pourquoi dites-vous ça ?

— Parce que ce petit couillon vient de balancer une pierre dans une des fenêtres de ma façade.

— Comment savez-vous que c'est lui ?

— C'est toujours lui, déclara Holloway en prenant ses clés.

— Toujours ?

— C'est la cinquième fois, bordel de merde !

Johnny roulait dans des rues sombres. La pluie dessinait des traits de mercure sur le pare-brise. Les parents de Tiffany Shore étaient des gens friqués ; ils habitaient à trois rues de chez Ken Holloway. Il était allé à une fête chez eux un jour. Il ralentit puis s'arrêta à une centaine de mètres de leur maison. Il y avait des voitures de police, et des ombres se mouvaient derrière les rideaux. Johnny scruta longuement le pavillon, puis il regarda les voisins de part et d'autre. Une lumière chaude se déversait de leurs intérieurs, et dans l'obscurité de la rue, Johnny se sentit très seul parce que personne d'autre ne savait. Personne ne pouvait comprendre ce qui se passait derrière les murs de chez Tiffany, ce que sa famille endurait : la peur, la colère, la lente fuite de l'espoir et la fin de tout un univers.

Personne ne savait ce qu'il savait.

*Sauf ses parents à elle*, pensa-t-il. *Eux savaient.*

Assis au volant de sa voiture, Hunt regarda Holloway sortir de chez les Merrimon. Avant de monter dans son véhicule, ce dernier lui décocha un regard glacial qu'il fut heureux de lui rendre. Le gros moteur s'anima et l'*Escalade* bascula sur la route. Hunt écouta la pluie qui tambourinait sur son toit en regardant la lumière se répandre des fenêtres de la maison. Katherine y dormait toujours ; il l'imaginait enfouie sous les couvertures, la courbe de son dos tourné face aux ténèbres.

Il alluma son ordinateur portable et tapa le nom de Johnny. Ken avait porté plainte à plusieurs reprises, mais aucune interpellation n'était consignée. Pas de mandats d'arrêt. Quel que soit l'avis d'Holloway sur l'implication de Johnny dans les actes de vandalisme dont sa demeure avait fait l'objet, il n'avait pas la moindre preuve.

Hunt songea au motif qui avait pu pousser l'enfant à briser les vitres d'Holloway à coups de pierre. Une seule explication paraissait logique. Johnny voulait le chasser de chez lui, l'éloigner de sa mère, et il avait trouvé la solution pour que ça marche à tous les coups. Un homme comme Holloway ne laisserait jamais sa demeure sans surveillance. Certainement pas toute la nuit.

Cinq fois, et jamais pris ! Hunt secoua la tête en réprimant un sourire.

Décidément, ce gosse lui plaisait bien.

Il resta encore deux minutes dans sa voiture à parcourir le dossier de Tiffany Shore. Il était mince. Il savait ce qu'elle portait la dernière fois qu'on l'avait vue. Il avait une liste de signes distinctifs : une tache de naissance de la taille d'une petite pièce sur l'omoplate droite, la trace encore rose laissée par un hameçon qu'elle s'était planté dans le mollet gauche. Elle avait douze ans, elle était blonde. Pas de soins dentaires importants, ni de cicatrices. Il connaissait sa taille, son poids, sa date de naissance. Elle avait un téléphone portable, mais les archives n'indi-quaient aucun appel sortant depuis la veille. Il n'avait guère d'éléments à sa disposition. Il y avait bien cette bande d'enfants qui l'avaient entendu crier mais qui n'arri-vaient pas à se mettre d'accord sur la couleur du véhicule dans lequel on l'avait embarquée de force. Il avait égale-ment interrogé ses amis proches. Autant qu'ils le sachent, Tiffany n'avait pas de petit ami secret, ni de problèmes à la maison. Elle avait de bonnes notes, elle aimait beau-coup les chevaux et avait peut-être embrassé un garçon une fois. Une gamine normale.

Il griffonna une note sur le dossier : *Tiffany et Alyssa étaient-elles copines ?* Elles connaissaient peut-être toutes les deux un gars peu fréquentable.

Hunt pensa aux données qui lui manquaient. Il n'avait pas le signalement du ravisseur, ni la moindre indication sur la voiture. Aucune activité suspecte rapportée. En gros, il n'avait rien. Les seuls éléments dont il disposait, c'était Johnny Merrimon et ce que David Wilson lui avait dit avant de mourir. Il prétendait avoir trouvé la fille qu'on avait kidnappée. Où ça ? Comment l'avait-il trouvée ? En vie ? Celui qui avait percuté Wilson sur la route avait agi sciemment. Mais était-ce le géant de Johnny Merrimon, comme Cross le supposait ? Ou quelqu'un d'autre ?

Il fallait à tout prix qu'il trouve le gosse.

Il appela le commissariat, l'un de ses adjoints répondit.

— Ici, Hunt. Où en est-on ?

— Rien de bien fameux. Myers et Holiday sont toujours chez les parents de Tiffany.

— Ils tiennent le coup ? l'interrompit Hunt.

— Leur médecin est là. La maman, vous savez... Ils l'ont mise sous sédatifs.

— Du nouveau concernant le portable de Tiffany ?

— Rien. Pas plus par GPS.

— Yoakum a-t-il passé au crible l'emploi du temps de David Wilson ?

— Il est à son domicile.

— Avons-nous déjà des informations à ce sujet ?

— On sait juste que Wilson enseignait à l'université. La biologie, quelque chose comme ça.

— Les empreintes ?

— Nous en avons relevé une de pouce sur la paupière de la victime. On est en train de l'analyser. On ne devrait pas tarder à être fixé.

— Des volontaires ?

— Plus d'une centaine jusqu'à présent. On s'efforce d'organiser ça pour démarrer au plus vite. D'ici six heures, ils devraient arpenter la campagne.

Un silence s'ensuivit. Les deux hommes pensaient la même chose : *le comté est sacrément vaste.*

— Il nous faut plus de monde que ça, reprit Hunt. Faites appel aux églises, aux associations. Nous avions une centaine d'étudiants quand Alyssa Merrimon a disparu. Contactez le recteur. Il est sympa. Voyez s'il peut nous planifier quelque chose. Par ailleurs, je veux que l'on prospecte à nouveau à l'école de Tiffany demain. Envoyez les agents les moins intimidants. Des jeunes. Des femmes. Vous connaissez le topo. Je ne voudrais pas passer à côté de quelque chose pour l'unique raison qu'un gamin a peur de nous parler.

— Compris. Qu'est-ce que je peux faire d'autre ?

— Donnez-moi une seconde, dit Hunt en faisant apparaître le registre d'immatriculation de Katherine Merrimon sur son écran. Notez ça et faites circuler l'information.

Il indiqua la marque du véhicule, le modèle, le numéro de la plaque minéralogique.

— Le gosse a pris la voiture de sa mère. C'est une vieille guimbarde. Elle ne devrait pas être difficile à repérer. Commencez vos recherches dans Tate Street, chez Ken Holloway. Je doute qu'il y soit encore, mais ça vaut le coup de vérifier. Si quelqu'un voit cette voiture, il faut

m'en avertir sur-le-champ. Arrêtez-le et mettez-le en garde
à vue. Appelez-moi aussitôt.

— Je m'en occupe.

— Bon. Donnez-moi l'adresse de David Wilson.

Hunt tendit la main vers son stylo, mais un mouvement
sur le perron des Merrimon attira son attention. Un bras
pâle apparut.

*Qu'est-ce que c'était que cette histoire ?*

Il entendit un cri, étouffé par la pluie. Ses doigts trou-
vèrent le bouton des phares, et des faisceaux lumineux
fendirent la pluie.

— Nom de Dieu !

— Inspecteur...

— Faut que j'y aille, dit-il.

— Mais...

Il raccrocha. La main sur la portière, il jura à nouveau
alors que la pluie lui cinglait le visage.

— Nom de Dieu !

Mais un autre cri noya ses paroles.

# 10.

Johnny traversa la ville de part en part en s'en tenant aux petites rues. Jack habitait dans un quartier de maisonnettes entourées de jardins bien entretenus, un endroit où flics, épiciers et livreurs pullulaient. Des balançoires sur les pelouses, des jouets éparpillés. Par beau temps, les enfants jouaient à chat dans la rue. Les voitures bizarres faisaient tache dans le secteur, aussi Johnny se gara-t-il deux pâtés de maisons plus loin et fit-il le reste du trajet à pied sous la pluie. La lumière brillait dans la chambre de Jack. En jetant un coup d'œil par-dessus le rebord de la fenêtre, Johnny l'aperçut. Vautré sur son lit, au milieu d'une foison de bandes dessinées, il lisait en se grattant.

Johnny était sur le point de taper au carreau quand la porte de la chambre s'ouvrit, livrant passage à Gerald. Grand, musclé, il portait un jean et une casquette de l'université de Clemson à l'envers, mais pas de chemise. Il dit quelque chose qui mit son frère en rogne car ce dernier fit voler une bande dessinée avant de le flanquer à la porte en fermant à clé derrière lui.

Lorsque Johnny tapota la vitre, son ami leva les yeux. Il tambourina à nouveau ; Jack traversa la pièce. La fenêtre monta de quelques centimètres. Jack s'agenouilla devant l'ouverture.

— Bon sang, Johnny ! Est-ce que ça va ? On m'a raconté ce qui s'est passé. Merde ! J'arrive pas à croire que j'ai loupé ça. Un vrai mort en chair et en os !

Johnny jeta un coup d'œil à la porte par-dessus l'épaule de Jack.

— Je peux entrer ?

— C'est pas une bonne idée, répondit Jack, l'air tout honteux. T'es au courant pour la fermeture du collège, non ? Tiffany Shore ?

— Je suis au courant.

— Le bahut a appelé mon père quand ils ont vu qu'ils arrivaient pas à me trouver.

— Ma mère aussi, ils l'ont appelée.

— Ah ouais. Eh ben, il m'a chopé avec la bière et j'étais encore bourré. Je suis dans la mouise jusqu'au cou. Maman est à l'église en train de prier pour Tiffany et la survie de mon âme, expliqua-t-il en levant les yeux au ciel avant de pointer le pouce vers la porte. C'est Tête de nœud qui gère. Il est censé m'avoir à l'œil.

Jack se rapprocha de l'entrebâillement.

— Mais ce macchabée... ça devait être quelque chose. Qu'est-ce qui va se passer maintenant ? J'ai entendu mon père dire certains trucs. Avait-il vraiment quelque chose à voir avec Tiffany ?

— Ou avec ma sœur.

— Ça, j'en doute.

— Ça pourrait être elle.

— Ça fait un an, Johnny. Faut être réaliste. Les chances sont...

— Ne me parle pas des chances...

Jack hésita.

— Tu vas y aller, pas vrai ?

— Il le faut.

Jack secoua la tête, la mine grave.

— Ne fais pas ça, mec. Une nuit pareille, je te conseille de pas traîner. Tous les flics de la ville sont en maraude. Le coupable, qui qu'il soit, doit être sur le qui-vive.

— Tiffany a été enlevée aujourd'hui. Il est encore tôt. C'est là que les gens commettent des erreurs.

— Où est-ce que tu vas ?

— Tu le sais très bien.

— Ne fais pas ça, vieux. Je suis sérieux. J'ai un mauvais pressentiment.

Johnny ne se laissa pas fléchir.

— Je veux que tu viennes avec moi.

Jack jeta un coup d'œil derrière lui. La porte était toujours fermée.

— J'ai besoin d'aide, ajouta Johnny en posant la main sur le rebord de la fenêtre

— Je n'ai jamais été d'accord pour aller dans ce coin-là. Je te l'ai toujours dit, et tu le sais.

— Cette fois-ci, c'est différent.

— Tu vas te faire tuer. Un cinglé va te tomber dessus, et il va te liquider.

Jack blêmit, suppliant son ami de tout son être.

— Fais pas ça.

— J'ai pété un câble, Jack ! s'écria Johnny, les yeux tournés vers les alentours plongés dans les ténèbres.

— Comment ça ?

— Le type a atterri à mes pieds. J'ai entendu ses os craquer. Il y avait du sang partout. Un de ses yeux était sur le point de lui sortir de la tête.

— Arrête ! Vraiment ?

— Il savait où elle était. Tu comprends ? Celui qui l'a percuté a fait exprès pour qu'il ne puisse rien dire. (Johnny brandit le poing.) J'y étais !

— Et alors ?

— J'ai eu la trouille. J'ai foutu le camp.

— Tu as foutu le camp. Et alors ! À ta place je serais déjà en Virginie à l'heure qu'il est.

Johnny ne l'entendit pas. Il poursuivit son récit comme s'il avait encore la scène devant les yeux.

— Le gars a contourné la voiture. J'ai entendu un bruit métallique, comme s'il traînait un tuyau. Le gros moteur rugissait. Et le type, la vache, il était en train de se chier dessus tellement il avait la trouille. Il m'a dit de filer.

— Ben tu vois ! C'est lui qui t'a dit de le faire.

— Tu ne comprends donc pas ? Il savait où elle était et je me suis barré ! C'est ma sœur, putain ! Ma jumelle !

— N'y va pas, Johnny.

— Il faut que je règle ça.

Le visage de Johnny s'encadra dans l'entrebâillement.

— Ça doit être ce soir. C'est maintenant ou jamais, Jack. Je peux rectifier la situation, mais je ne suis pas sûr de pouvoir le faire tout seul. J'ai besoin que tu viennes avec moi.

Jack s'agita en jetant un coup d'œil désespéré en direction de la porte close.

— Me demande pas ça, Johnny, je peux pas. Pas ce soir.

— Qu'est-ce que tu as à la fin, Jack ? s'énerva Johnny en reculant, déçu.Tout à l'heure, tu n'avais qu'une seule idée en tête : aller explorer. Tu crevais d'impatience de jouer les hors-la-loi.

— Mais on ne joue plus là, si ? répondit Jack d'un ton suppliant. C'est arrivé pour de vrai. Ça vient juste de se passer. Imagine que tu trouves le type...Tu vas te faire trucider, nom de Dieu !

— Il faut agir tout de suite. Sans perdre une minute.

— Johnny...

— On y va et on revient, Jack.

— Écoute, mec...

Inutile de faire un dessin.

Johnny avait compris. Cinq sur cinq.

— Laisse tomber, dit-il avant de disparaître.

Katherine Merrimon trébucha en descendant la dernière marche du perron et s'élança sous la pluie. Pliée en deux, elle courut dans le jardin en titubant. Johnny ! Ses lèvres pâles, roses, brillaient. Elle était pieds nus, les yeux écarquillés, les paupières dilatées. Butant une seconde fois, elle s'affala dans la boue. Son T-shirt trop grand lui descendait jusqu'aux genoux ; en l'espace de quelques secondes, il fut trempé. Ses jambes maculées de boue luisaient.

Elle était terrifiée, probablement sous l'emprise de drogues, aussi Hunt agit-il avec prudence. Il avait assisté à des crises de nerfs, et ce qu'il avait sous les yeux y ressemblait, comme si elle était sur le point de perdre le contrôle. Il brandit les mains.

— Madame Merrimon.

— Johnny !

Le visage levé sous le déluge. En plein délire.

Hunt devina que le nouvel enlèvement avait gratté la surface de la misérable tombe sous laquelle elle avait enfoui ses pensées sinistres relatives au sort de sa fille. Elle s'était réveillée dans une maison vide, dans un lit vide.

— Madame Merrimon, répéta-t-il doucement.

Elle leva les yeux et malgré la lumière qui inondait son visage, son regard demeura sombre, démesuré.

— Où est mon fils ?

Hunt s'agenouilla et posa les mains sur ses épaules.

— Ça va aller, dit-il. Tout va s'arranger.

Elle se calma pendant une seconde ; puis son visage se fissura et elle reprit la parole d'une voix si basse qu'il l'entendit à peine.

— Où est Alyssa ? demanda-t-elle, mais Hunt n'avait pas de réponse à lui donner.

Il vit le chagrin l'engloutir, la brisant à la taille. Elle étala les mains sur le sol, enfonça les doigts dans la terre molle.

— Faites que ça s'arrête, chuchota-t-elle.

Hunt savait ce qu'il lui restait à faire. Elle avait besoin d'aide. Il fallait lui retirer Johnny et le placer dans un environnement stable. Il devait appeler les services sociaux sur-le-champ ; il en avait la conviction. Mais une autre certitude s'imposa à lui : en lui prenant son fils, il achèverait de la détruire, et ça, ce n'était pas possible. Elle se balançait dans la boue.

— Faites que ça s'arrête.

— Katherine...

— Mes bébés...

Hunt s'assit sur ses talons, posa une main sur l'épaule de la jeune femme.

— Faites-moi confiance, dit-il.

Quand elle leva vers lui des yeux torturés, hagards, il répéta son nom encore une fois, puis il lui prit le bras pour l'aider à se relever.

Vingt minutes plus tard, il avait cessé de pleuvoir. Une voiture de police pénétra dans l'allée. Hunt entrevit une lueur blonde sous le gyrophare clignotant, puis l'agent Laura Taylor se diriger vers le porche. Elle approchait de la trentaine. Un visage étroit sur un corps solide. Elle avait eu le béguin pour lui jadis, mais c'était de l'histoire ancienne. Depuis elle s'était entichée d'un coureur automobile de la NASCAR qui habitait à Charlotte. Le type ne la connaissait ni d'Ève ni d'Adam, mais ça ne la gênait pas outre mesure. L'obstination était une vertu, selon l'agent Taylor.

Elle gravit les marches d'un pas lourd.

— Vous m'avez l'air en forme, Hunt, dit-elle en fronçant les sourcils.

— Que voulez-vous dire ?

— Habits trempés. De la boue sur votre veste. Vous faites quoi maintenant ? Du surf ?

— Du surf ?

Il se toucha les cheveux. Dégoulinants, ils pendaient sous son col.

— Je peux vous les couper si vous voulez.

— Ne vous donnez pas cette peine.

— À vous de voir.

Elle le contourna pour aller jeter un coup d'œil par la porte ouverte.

— Vous étiez plutôt vague au téléphone.

Taylor était très à cheval sur le règlement, mais Hunt l'avait choisie pour une raison précise. En dépit de tout, le métier qu'elle exerçait, les consignes, sa rigueur, elle avait le cœur tendre. Il savait qu'elle agirait pour le mieux.

— J'ai juste besoin que vous la surveilliez, dit-il. Pour être sûr qu'elle ne fasse pas de bêtises.

— C'est si grave que ça ?

— Elle est au lit, calme pour le moment. Mais elle a pris quelque chose, des comprimés probablement. Elle a perdu les pédales. Ça pourrait se reproduire. Mais c'est une femme bien, et demain est un autre jour. J'estime qu'elle mérite qu'on lui laisse une chance.

Taylor l'observait par-dessus son épaule. Elle n'avait pas l'air convaincue.

— Les gens disent qu'elle est dans un sale état.

— Comment ça ?

— Pas la peine de monter sur vos grands chevaux !

— Mais pas du tout !

— À d'autres ! s'exclama-t-elle avec un sourire et des yeux pétillants. Regardez-vous. Les lèvres blêmes, le cou crispé. On dirait que je parle de votre mère. Ou de votre femme.

— Comment ça, dans un sale état ? répéta Hunt en baissant d'un ton, s'obligeant à se détendre.

Taylor haussa les épaules d'un air indifférent en désignant l'intérieur de la maison.

— Elle s'est pointée à l'école un jour pour chercher sa fille. Quatre mois après l'enlèvement. On lui a dit qu'Alyssa n'était pas là, mais elle voulait pas lever le camp. Elle a exigé de la voir. Lorsqu'ils ont tenté de lui expliquer la situation, elle s'est mise à hurler. C'est parti en vrille au point que la conseillère pédagogique a dû la reconduire au portail. Elle est restée assise trois heures dans sa voiture, en pleurs. Et vous connaissez l'agent Daniels ?

— Le nouveau ?

— Il est intervenu chez elle il y a six semaines de ça environ – elle nous avait appelés au sujet d'une tentative d'effraction – pour la trouver endormie dans sa vieille baraque, recroquevillée sur le canapé. En position fœtale, a-t-il précisé.

Taylor leva les yeux vers la façade délabrée.

— Dans un sale état, réitéra-t-elle.

Hunt se retint de répondre pendant de longues secondes et, quand il se lança, il fit de son mieux pour qu'elle comprenne.

— Avez-vous des enfants, Laura ?

— Vous savez très bien que non, affirma-t-elle en dévoilant une rangée de petites dents. Ça ferait entrave à mon travail.

— Dans ce cas, fiez-vous à moi. Elle mérite un répit.

Taylor soutint son regard et il sut qu'elle était en train d'évaluer la situation. Elle était policière, pas baby-sitter et la requête de l'inspecteur n'avait rien à voir avec la procédure habituelle.

— Il faut que quelqu'un reste là au cas où son fils reviendrait. C'est réglo, dit-il.

— Et pour le reste ?

— Assurez-vous juste qu'elle ne va pas errer Dieu sait où et qu'elle ne prend plus de médocs.

— Vous risquez d'avoir chaud aux fesses avec cette histoire, Hunt, et vous me demandez d'exposer moi aussi mon postérieur joliment galbé.

— J'en suis conscient.

— Si elle va si mal que ça – alcool, pilules, quoi que ce soit –, le gosse devrait être placé. Imaginez qu'il lui arrive quelque chose parce que vous avez refusé de prendre des dispositions...

— C'est un risque que je suis prêt à courir.

L'inquiétude se lisait sur le visage de la jeune policière tandis qu'elle regardait la pluie tomber.

— Des rumeurs circulent. À propos d'elle et de vous.

— Elles sont infondées.

— Vraiment ? fit-elle, sceptique.

— C'est une victime, répondit-il sans se laisser démonter. Et puis elle est mariée. Je n'ai aucun intérêt dans cette affaire en dehors de considérations professionnelles.

— Je pense que vous mentez.

— Peut-être, reconnut-il, mais pas à vous.

Taylor pianota du bout des doigts sur le ceinturon en vinyle qui supportait son arme, ses menottes, son Mace.

— C'est profond, ce que vous dites là, Hunt. Tellement profond que c'est carrément féminin, ajouta-t-elle sur un ton plutôt gentil.

— Vous voulez bien m'aider ?

— Je suis votre amie. Ne m'entraînez pas dans un truc sordide.

— C'est une femme bien et elle a perdu son enfant. Ça s'arrête là. Johnny Merrimon, reprit-il après une longue pause. Sauriez-vous le reconnaître ?

— Si un gamin se pointe, je supposerais que c'est lui.

— Je vous suis très reconnaissant.

Il tourna les talons. Elle l'arrêta au passage.

— Ce doit être quelqu'un de spécial.

Hunt hésita, mais il n'avait aucune raison de lui raconter des sornettes.

— Ils le sont tous les deux, dit-il. Son fils et elle.

— Sans vouloir les dénigrer, qu'ont-ils de si particulier ?

Hunt songea à Johnny, à la sensibilité qu'il manifestait vis-à-vis de la vulnérabilité de sa mère qu'il s'ingéniait à protéger quand personne d'autre ne s'en souciait. Il le revit achetant des provisions à 6 heures du matin, l'imagina en train de casser une vitre chez Ken Holloway, non pas une fois mais cinq fois, juste pour l'éloigner de sa mère.

— Je les voyais de temps en temps en ville avant que tout ça arrive. Ils étaient toujours ensemble, tous les quatre. À l'église. Au parc. Aux concerts en plein air. Ils formaient une belle famille.

Il haussa les épaules, et ils surent tous les deux qu'il y avait de nombreux non-dits entre eux.

— Je n'aime pas les tragédies.

Taylor rit froidement.

— Qu'est-ce qu'il y a ?

— Vous êtes flic, dit-elle. Tout est tragédie dans la vie d'un flic.

— Peut-être.

— Peut-être ! fit-elle d'un ton incrédule. Ben voyons !

Cent mètres plus bas dans la rue, dans une allée sombre, Johnny regarda la voiture de l'inspecteur sortir de chez lui. Il baissa la tête au moment où elle passa rapidement, mais il y avait un autre véhicule stationné à l'endroit où sa mère se garait d'habitude. Il avait vu les deux voitures juste à temps, la berline de Hunt, celle de la police avec son gyrophare éteint sur le toit. En se rongeant un ongle, il sentit le goût de la terre. Il voulait juste s'assurer que sa mère allait bien. Vite fait. Mais ces flics...

*Bon sang !*

Un vieux couple vivait dans la maison devant laquelle il s'était rangé. Quand il faisait chaud, le mari s'installait dans la véranda et fumait des cigarettes qu'il roulait à la main en regardant sa femme jardiner dans sa robe d'intérieur fendue sur le devant qui dévoilait davantage de peau blanche et de veines bleues qu'un corps devrait en avoir, de l'avis de Johnny. Ils lui faisaient toujours un signe en souriant quand il passait à vélo, de leurs mains et dents tachées.

Il sortit de la voiture et claqua la portière. Il entendit des bruissements, de l'eau tomber goutte à goutte, le coassement de grenouilles dans les arbres et puis un chuintement de pneus alors qu'une autre voiture descendait la colline en projetant l'éclat de ses phares sur le petit pavillon. Plié en deux, il longea à la hâte la maison avant de traverser les jardins qui séparaient la rue où il s'était garé de chez lui. Il passa devant des cabanes qui sentaient l'herbe coupée et la pourriture, un trampoline dangereusement bancal dont les ressorts étaient rouillés, se faufila sous des cordes à linge, escalada des barrières, entr'aperçut des voisins qu'il connaissait à peine.

En approchant de la fenêtre de sa mère, il ralentit le pas. Sa lampe jetait un halo jaune. Il releva la tête et la vit assise au bord du lit. Maculée de boue, le visage ruisselant de larmes, elle était affaissée sur elle-même comme si une corde vitale avait été sectionnée. Elle tenait une photographie encadrée, et ses lèvres bougèrent lorsqu'elle posa un doigt sur le sous-verre en se voûtant encore sous le coup d'un fardeau invisible. Pourtant Johnny n'éprouva pas la moindre compassion. Il fut saisi d'un brusque accès de colère. Elle se comportait comme si Alyssa était partie pour toujours, comme s'il ne restait aucun espoir.

Elle était si faible.

Seulement, quand le cadre s'inclina, il se rendit compte que ce n'était pas une photo de sa sœur qui avait mis sa mère dans cet état-là.

C'était une photo de son père.

Il s'accroupit sous le rebord de la fenêtre. Elle était censée les avoir brûlées. Il se souvenait de cet après-midi ensoleillé où elle avait fait un feu dans le jardin, de l'odeur âcre des clichés carbonisés, réduits à néant. Il revoyait la scène comme si c'était la veille, le moment où il avait chipé trois photos qu'elle avait en main et couru frénétiquement en rond tandis qu'elle vacillait, en larmes, le suppliant de les lui rendre. Il savait parfaitement où se trouvaient ces trois photos : la première dans son tiroir à chaussettes, et les deux autres dans la valise qu'il gardait pour Alyssa.

Celle que sa mère tenait était différente. Elle représentait son père jeune, le regard pétillant, les lèvres entrouvertes. En costume-cravate. On aurait dit une star de cinéma.

L'image devint floue dans son esprit. Johnny se sécha les yeux puis il se fraya un chemin dans le jardin broussailleux jusqu'à la limite des arbres. Il s'enfonça dans l'obscurité en s'efforçant de chasser la vision de sa mère avec cette photo. Elle le rendait triste, et la tristesse l'affaiblissait.

Il cracha par terre.

Ce n'était pas une nuit pour les faibles.

Un petit sentier le mena sous d'autres arbres qui égratignaient le ciel nocturne, au dais si vaste, si dense qu'il conférait un nouveau sens au mot *ténèbres*. Au-delà du vieux bosquet s'étendait une plantation de tabac en friche. Les grands arbres disparurent. Du sumac vénéneux rampait sur la terre nue ; le laiteron montait plus haut que lui. Au bout de cent mètres, il enjamba un ruisseau gonflé, tout brun. Les églantiers lui griffaient les bras. En approchant de la vieille grange, il s'immobilisa, tendit l'oreille. Un jour, il y avait trouvé deux garçons plus vieux que lui en train de fumer du haschich. Ça faisait des mois, mais il n'avait jamais oublié comme ils lui avaient couru après. Il prit appui d'une main sur le mur de la grange. Les rondins équarris étaient usés par le temps, la plupart des joints avaient fini par s'effriter, mais la structure restait solide. Johnny colla l'œil contre un interstice et inspecta l'intérieur. Nuit noire. Silence. Il se dirigea vers la porte.

Une fois dedans, il grimpa sur un vieux seau et tendit la main au-dessus du linteau. Il lui fallut toute la longueur du bras, mais il le sentit, là où il l'avait laissé. Le sac sortit avec un bruit de frottement et une pluie de crottes de souris. Il était bleu, moisi, toujours taché de brun-rouge le long des coutures du fond. Johnny en huma l'odeur, des relents de terre, d'oiseau, de plantes mortes. Il retourna dehors et se laissa tomber à terre, conscient de respirer par à-coups. Il scruta les fourrés alentour et tendit à nouveau l'oreille.

Et puis il alla chercher du bois sec dans la grange et fit un feu.

Un gros.

# 11.

Hunt s'engagea dans l'allée de David Wilson alors qu'un vent puissant s'attaquait aux derniers nuages d'orage. Des petites portions du monde avaient viré au blanc argenté : une flaque dans l'allée bétonnée, des perles sur le capot de sa voiture. La rue aboutissait derrière une bâtisse quelconque qui marquait la limite du campus. Les maisons proprettes abritaient les familles des enseignants et quelques étudiants dont les parents étaient suffisamment nantis pour payer le loyer. Les jardins étaient étroits, les arbres hauts et amples. De fines bandes vertes incrustaient les joints du vieux trottoir en béton. Des mauvaises herbes. De la mousse. L'air sentait la végétation en pleine croissance.

La pluie qui contraignait les voisins à rester chez eux rendait aussi discrète la présence policière, mais Hunt nota quelques curieux qui ne tarderaient pas à disparaître. Un peu plus bas dans la rue, un homme faisait le pied de grue au bord du trottoir ; un sac en plastique dans la main, il regardait droit devant lui. En face, une cigarette scintillait dans l'obscurité. Hunt jura entre ses dents en se dirigeant vers la porte. C'était une petite maison de style Tudor aux poutres patinées, serties dans la brique sombre. Une bande de gazon la séparait de sa voisine ; à l'arrière, un double garage indépendant. Hunt aperçut Yoakum à travers une fenêtre sans rideaux ; il frappa.

Dedans, le parquet était rayé, à cause d'un usage prolongé et d'un manque de soin. À droite, un escalier avec une rampe lisse. La cuisine se trouvait au fond. Il entrevit de l'acier inoxydable et du lino blanc étincelant sous un éclairage blafard. Un policier en uniforme dans le salon lui fit un signe de tête qu'il lui rendit. Un autre se retourna, puis un troisième. Aucun ne le regarda dans les yeux, mais il comprit.

Tout cela lui semblait très familier.

David Wilson était enseignant, et son logis s'en ressentait : du bois sombre, de la brique exposée, une odeur entre tabac frais et vieux haschich. Yoakum surgit de la salle à manger et se fendit d'un sourire superficiel et futile.

— Je ne suis pas porteur de bonnes nouvelles, dit-il.

Hunt étudiait l'intérieur de Wilson.

— Commence par le commencement.

— La baraque appartient à l'université. Wilson y logeait gratuitement depuis trois ans.

— Sympa !

En poursuivant son examen, Hunt remarqua les coups d'œil furtifs de ses collègues. Yoakum s'en aperçut aussi. Il baissa la voix.

— Ils se font du souci pour toi.

— Du souci ?

— Ne le prends pas mal, dit Yoakum, l'air gêné. Ils s'inquiètent parce qu'ils t'aiment bien.

— À cause de cette affaire ?

— Alyssa, c'était il y a un an hier. Personne n'a oublié.

Hunt regarda autour de lui, les yeux plissés, les lèvres serrées. Yoakum haussa les épaules, le regard troublé, préoccupé lui aussi.

— Contente-toi de me parler de David Wilson, reprit Hunt.

— Il dirige le département de biologie. Un homme respecté, d'après ce que j'en sais. Il a beaucoup publié. Les gosses l'admirent, l'administration aussi.

— Tu leur as clairement signifié qu'il n'était pas suspect ? Je ne voudrais pas salir la réputation de quelqu'un pour rien.

— Témoin oculaire, je leur ai dit. Il a vu quelque chose qui a causé sa perte.

— Bon. Qu'est-ce que tu sais d'autre sur ce David Wilson ?

— Tu peux commencer par là.

Yoakum franchit un tapis d'Orient probablement plus vieux que la maison, entraînant son coéquipier vers un mur orné de photographies encadrées qui représentaient toutes à peu près la même chose. David Wilson en compagnie d'une jolie femme, différente chaque fois.

— Célibataire ? lança Hunt.

— À toi de me le dire. Des pièces de moteur sur la table de la salle à manger. Des steaks et de la bière au frigo. Pas grand-chose d'autre. Dix-sept préservatifs dans le tiroir de la table de nuit.

— Tu les as comptés ?

— J'utilise la même marque.

— Une pointe d'humour !

— Tu crois que je plaisante, là ?

— Un indice quelconque sur le lieu ou la manière dont il aurait pu croiser Tiffany Shore ?

— S'il y en a un méga quelque part dans cette maison, je n'ai pas encore mis la main dessus. À mon avis, si vraiment il a trouvé la gamine, c'est un hasard.

— Bon, reprenons. Nous savons qu'il vivait ici depuis trois ans, que c'était un sportif, un homme intelligent et qu'il gagnait bien sa vie.

— Un sportif ?

— Le médecin légiste pense qu'il faisait peut-être de la varappe.

— Futé, ce Trenton Moore !

— Ah ouais ?

— Suis-moi, fit Yoakum en traversant la cuisine en direction d'une porte étroite qui donnait sur l'arrière de la maison. Quand il l'ouvrit, un souffle d'air chaud s'engouffra dans la pièce.

— Il faut passer par le jardin pour aller dans le garage.

Ils s'avancèrent dans l'herbe mouillée, éclaboussée d'argent par la lune. Une clôture abritait des regards l'essentiel du terrain. Le garage se dressait, carré, trapu, dans l'angle du fond. En brique, comme la maison, il était assez large pour abriter au moins deux voitures. Yoakum entra le premier et alluma.

— Jette un coup d'œil à ça.

Des canoës comblaient l'espace sous le toit pointu. Des taches d'huile jonchaient le sol en ciment terne. Deux murs étaient tapissés de panneaux à chevilles d'où pendait tout un équipement d'alpinisme : mousquetons, pitons, rouleaux de corde, lampes frontales, casques.

— Pas de doute. C'est un grimpeur.

— Aux grolles franchement ridicules ! souligna Yoakum si bien que Hunt se retourna.

C'étaient des chaussures montantes, en cuir, avec des semelles en caoutchouc noires, lisses, incurvées devant et sur les côtés. Il y en avait trois paires pendues à des chevilles distinctes. Hunt en prit une.

— Une forte adhérence, commenta-t-il. Pour une bonne accroche sur les parois.

Yoakum désigna les embarcations.

— Le gars n'avait pas peur de l'eau non plus.

— Des kayaks. Celui-ci, c'est pour la haute mer, expliqua-t-il en pointant un doigt vers le plus long. Et celui-là, pour les rivières, ajouta-t-il en montrant le plus petit.

— Il n'a pas de voiture à son nom, souligna Yoakum.

— Mais il y a des taches d'huile par terre.

Hunt attrapa les clés pendues à un clou près de la porte. Du plastique noir moulé du côté le plus épais.

— Un trousseau de rechange, je suppose. Une Toyota.

Il examina les traces de pneus sur le béton.

— Un châssis long. Une camionnette peut-être, ou une Land Cruiser. Renseigne-toi auprès de la fac. Elle est peut-être immatriculée au nom du département de biologie.

— Nous avons bien trouvé une remorque au nom de David Wilson.

— Pour sa moto tout-terrain, probablement, celle qu'il conduisait au moment de la collision n'était pas autorisée sur la voie publique. Il l'a probablement emmenée sur une remorque. La question est de savoir ce qu'il faisait dans ce coin perdu du comté. Ce qu'il y fichait et où il était, précisément.

En sortant du garage, ils tirèrent la porte derrière eux avant de regagner la maison.

— C'est sauvage là-haut. Rien que des bois. Des sentiers dans tous les sens.

— L'endroit rêvé pour faire du tout-terrain.

— Tu penses que sa voiture est encore là-bas quelque part ? s'enquit Yoakum.

Ils gravirent les marches menant à la porte de derrière, entrèrent et traversèrent la cuisine en sens inverse.

— Forcément.

Hunt se représenta mentalement le comté. Ils se trouvaient à cent soixante kilomètres du chef-lieu, à une centaine de la côte. En ville, il y avait beaucoup d'argent : des industries, du tourisme, des terrains de golf, alors que la région septentrionale était sauvage, couverte de marécages, de gorges encaissées, de forêts profondes et de crêtes granitiques. Si David Wilson faisait de la moto dans ce coin, sa voiture pouvait se trouver n'importe où : sur une petite route, un sentier qui ne figurait pas sur les cartes, dans un champ. Absolument n'importe où.

— Il faut dépêcher des unités sur place, déclara Hunt en faisant défiler des chiffres dans sa tête. Disons quatre véhicules de patrouille. Envoie-les sur-le-champ.

— Il fait nuit noire !

— Illico ! insista Hunt. Et transmets le numéro d'immatriculation de la remorque à la police de la route.

Yoakum claqua des doigts. Un policier surgit aussitôt.

— Assurez-vous que la police de l'État a le numéro de la plaque de Wilson. Dites-leur que c'est en relation avec l'affaire Shore. Ils ont déjà reçu l'avis de recherche.

Quand l'agent s'éclipsa pour aller téléphoner, Yoakum se tourna vers Hunt.

— Et maintenant, qu'est-ce qu'on fait ?

Hunt déambula lentement dans la pièce tout en scrutant la collection de photos de David Wilson en compagnie de ses conquêtes.

— La chambre. La cave. Le grenier. Trouve-moi quelque chose.

# 12.

Levi avançait prudemment dans la boue, sur les rochers glissants. La rivière projetait des fragments de lumière qui lui rappelaient son enfance. Ils suivaient un motif, comme le kaléidoscope que son papa lui avait offert l'année où le cancer l'avait emporté. Le sentier grimpait et Levi se servait de sa main libre pour s'agripper aux racines et aux arbrisseaux afin de se hisser sur la terre argileuse. Il y enfonçait les côtés de ses chaussures pour qu'elles accrochent. Parvenu sur le plateau, il s'arrêta pour reprendre son souffle. Quand il se remit en marche, les lumières de l'eau clignotaient à travers les saules, les frênes, les gommiers et les pins aux longs doigts. Quand ce fut la nuit pour de bon, il vit les visages. Il vit sa femme rire de lui et puis cesser brusquement, ses traits virant au noir rougeâtre, luisant. Il vit l'homme qui l'accompagnait, et sa figure à lui aussi se déformer, rubiconde, de travers, plate sur un côté.

Et puis les bruits.

Levi essaya d'arrêter de penser, il avait envie d'évacuer ces visions de sa tête, de se faire couler de l'eau dans une oreille et de la faire ressortir, toute sale, de l'autre. Il voulait se vider, faire de la place pour quand Dieu lui parlerait. Il était heureux alors, même si c'était toujours le même mot répété encore et encore. Même si un unique nom résonnait dans son crâne comme une cloche d'église.

*Sofia.*

Il l'entendit à nouveau.

*Son nom.*

Il continua à marcher et sentit de l'eau chaude sur ses joues. Il lui fallut un kilomètre pour comprendre qu'il pleurait. Et alors ! Personne ne pouvait le voir ici, ni sa femme ni ses voisins, aucun de ceux qui se payaient sa tête lorsque les gens disaient des choses qu'il ne comprenait ou riaient de le voir si abattu quand il trouvait des animaux morts sur le bas-côté de la route. Il laissa les larmes couler, il prêta l'oreille à Dieu et laissa les larmes brûler son visage déformé.

Il essaya de se rappeler quand il avait dormi pour la dernière fois. En vain. La semaine qui venait de s'écouler n'était qu'un chapelet d'images floues. Creuser la terre. Marcher.

Cette chose qu'il avait faite...

Cette chose.

Il ferma les yeux, il était si fatigué, et quand son pied se déroba sous lui, il s'affala dans l'argile gluante. Il atterrit sur le dos et dévala la berge, sur des cailloux qui lui entaillèrent cruellement la chair. Il se cogna la tête contre quelque chose de dur et, dans une explosion de lumière, la douleur irradia dans son flanc. Elle le transperça, brute, en dents de scie, atroce. Il sentit quelque chose se briser, un tiraillement violent, et se rendit compte que sa boîte avait disparu. Ses bras battirent l'air, touchèrent du plastique, et puis il réalisa qu'elle glissait au loin.

Elle était dans la rivière.

Doux Jésus, elle avait disparu dans les ténèbres !

Il regarda fixement l'eau noire émaillée de scintillements lumineux et serra ses gros poings.

Il ne savait pas nager.

Après une seconde d'inquiétude, il sauta dans la rivière avant même que Dieu le lui ordonne. Il atterrit bras et jambes écartés et sentit de l'eau sale lui entrer dans la bouche. Il cracha quand il refit surface et replongea en claquant la surface des deux mains, l'eau froide coulant rapidement entre ses doigts. Il se débattit, manqua de s'étouffer, effrayé à l'idée de mourir, puis il se rendit compte que lorsqu'il se tenait debout, l'eau lui arrivait à la poitrine. Alors il se dressa et s'élança vers l'amont, arrachant des fragments de lumière au passage, jusqu'à ce qu'il trouve sa boîte en train de tournoyer paresseusement derrière un arbre couché.

Il la ramena péniblement au bord et se hissa sur la rive, ignorant la douleur qui s'ingéniait à entraver ses mouvements. Et là il repensa à sa femme.

*Elle n'aurait pas dû faire ce qu'elle avait fait.*

Endolori de la tête aux pieds, il enlaça sa boîte. Quelque chose dans son corps ne tournait pas rond.

*Elle n'aurait pas dû faire ça.*

Il finit par s'endormir en gémissant, blotti contre son fardeau, tandis que des mouvements convulsifs agitaient ses membres de géant.

# 13.

— Que dalle !

Hunt était dans la cave basse de plafond de David Wilson. John Yoakum, à côté de lui, rentrait les épaules. Deux
ampoules pendaient à des douilles tachées de rouille visées
dans des solives nues. Une chaudière noire se tapissait,
toute froide, dans un coin au fond. Quand Hunt racla le
sol du pied, un nuage de moisissure monta. Ça sentait la
terre et le béton humide.

— À quoi t'attendais-tu ? dit Yoakum.

Hunt examina le vide sanitaire qui s'étendait sous la
salle de séjour à l'arrière de la maison.

— À un coup de chance. Pour une fois.

— Ça n'existe pas. Ni la chance ni la malchance.

— Va dire ça à Tiffany !

Quinze heures s'étaient écoulées depuis qu'un individu
non identifié avait embarqué la fillette de force dans sa
voiture, et ils n'étaient pas plus avancés. Ils avaient passé
la maison au peigne fin, ainsi que le jardin, sans que ça
donne quoi que ce soit. Hunt abattit la paume de sa main
sur le bois brut de l'escalier de la cave, soulevant un autre
nuage de poussière.

— Il faut que j'aille voir comment va mon fils, dit-il.
J'ai oublié de le prévenir que je serai en retard.

— Tu n'as qu'à l'appeler.

— Il ne répondra pas.

— À ce point-là !

— Je ne veux pas en parler.

— Qu'est-ce que tu veux que je fasse ?

Hunt désigna le haut des marches.

— Évacue la maison. Ferme tout. Je te retrouve au commissariat dans une demi-heure.

— Et une fois là-bas ?

— On creuse. On prie pour que la chance nous sourie. (Hunt planta un doigt dans la joue de Yoakum.) Ne t'avise pas de le dire !

— Quoi ? s'exclama Yoakum en levant les deux mains.

— Pas un seul mot !

Dehors, Hunt trouva une foule de voisins rassemblés sur le trottoir. Deux policiers en uniforme les tenaient à distance, mais il dut se frayer un passage à travers la foule pour atteindre sa voiture. Il y était presque quand un homme mince à la mine courroucée l'aborda.

— Est-ce en rapport avec Tiffany Shore ? On ne veut rien nous dire !

Hunt le contourna, mais avec un geste vers la maison de Wilson, le gaillard haussa le ton.

— Ce type est-il impliqué ?

Hunt faillit s'arrêter, mais il se ravisa.

Rien de ce qu'il pourrait dire n'arrangerait les choses.

Dans la voiture, il mit la climatisation à fond avant de s'éloigner de la cohue. Il fallait qu'il rentre chez lui pour s'assurer que son fils allait bien, qu'il se passe un peu d'eau sur la figure. Mais en définitive, il se retrouva à la périphérie de la ville, puis au sommet du long versant qui menait tout droit chez Katherine Merrimon. L'agent Taylor ouvrit la porte avant qu'il ait le temps de frapper. Elle avait les traits tirés, les lèvres pincées. Hunt remarqua sa main posée sur l'étui de son arme de service. En voyant qui c'était, elle se détendit, puis elle sortit sur le perron en refermant la porte derrière elle.

— A-t-il donné signe de vie ?

— Le gamin ? Non. Mais cet enfoiré de Ken Holloway, oui !

— Y'a un problème ?

— Il est venu chercher Johnny. Il était furax, rouge comme une tomate, et n'arrêtait pas de parler d'un piano foutu. Un Steinman, un Steinbeck, quelque chose comme ça.

— Steinway.

— Oui, c'est ça. La pierre qui a fait voler la vitre en éclats a aussi endommagé le piano. Ça coûte cher, un piano comme ça, à mon avis, ajouta-t-elle en souriant.

Quelque chose tirailla les commissures des lèvres de Hunt.

— C'est possible. Vous a-t-il donné du fil à retordre ?

— Et comment ! Je l'empêche d'entrer, il se met à brailler pour appeler la mère du gamin. Je lui dis de se calmer, il commence à me raconter qu'il peut me faire virer. (Hunt sentit qu'elle était folle de rage.) Je vais vous dire un truc, si le gosse avait été là, il aurait passé un mauvais quart d'heure.

— Ça fait combien de temps ? demanda Hunt en jetant un coup d'œil dans la rue.

— Une heure environ. Il a dit qu'il allait revenir avec son avocat.

— Sérieux ?

— Il voulait à tout prix entrer dans la maison.

— S'il revient et s'il vous cherche des noises, bouclez-le.

— Ah ouais ?

— Je ne vais pas le laisser intimider mon témoin ni perturber mon enquête.

— Et c'est l'unique raison ?

Hunt se mordit la lèvre en se retournant pour regarder la maison. Il sentait l'odeur de pourri des larmiers et des bardeaux, vit les stores déchirés, les vitres fêlées. Il se souvint de la maison où habitait Katherine à l'époque où Alyssa lui avait été arrachée, revit ses yeux sombres et la foi pathétique qu'elle avait en un Dieu censé lui ramener son enfant. Elle priait souvent près d'une fenêtre face au sud où la lumière sur sa peau parfaite était d'une telle pureté qu'elle avait l'air d'un ange. Et Ken Holloway avait été là tout du long, prodiguant sourires, argent, soutien. Cela avait duré un mois. Après l'avoir réduite à néant, il s'était abattu sur elle comme un vautour. Elle était accro à présent. Hunt avait une idée assez claire de l'origine de son addiction.

— Je hais ce mec, marmonna-t-il tandis que son regard allait se perdre au loin. Au point que je pourrais le flinguer.

— Je n'ai rien entendu, prétendit Taylor en détournant les yeux.

Hunt sentit ses épaules se lever, le sang lui monter aux joues.

— Oubliez ce que je viens de dire.

Taylor le dévisagea.

— Vous êtes sûr ?

— Oui.

— Vous tenez le choc ?

— Oui. Je tiens le choc.

— Tant mieux, fit-elle en hochant la tête.

— Dites-moi que je rêve, lança Hunt, les yeux levés vers la route.

L'Escalade blanche de Ken Holloway ralentit au coin de la rue. Une roue s'enfonça dans la rigole au moment où elle s'engageait dans l'allée. La voiture cala, puis le moteur rugit, libérant le pneu d'une secousse. Il avait laissé une balafre d'un noir luisant sur le bas-côté. Des touffes d'herbe boueuse pendaient du châssis du côté droit. À travers le pare-brise, Hunt aperçut le visage d'Holloway, congestionné, mâchoire crispée. À côté de lui était assis un homme à la mine résignée que Hunt se souvenait d'avoir vu une ou deux fois au tribunal, un avocat plutôt talentueux. Son visage brillait, pâle, ruisselant de sueur. En ouvrant sa portière, il regarda autour de lui avec dégoût : la maison, la gadoue, les flics. Hunt n'avait jamais vu quelqu'un sortir d'un véhicule avant autant de circonspection.

Il descendit dans le jardin, Taylor sur ses talons. Holloway portait une chemise rose rentrée dans son jean neuf et une paire de bottes qui coûtaient plus cher que le calibre de Hunt. Il était massif, plus de cent kilos. Dans sa rage, il paraissait encore plus imposant et menaçant tandis qu'il approchait dans la boue en traînant son avocat dans son sillage.

— Dites-leur. (Il brandit un doigt en faisant danser son bracelet en cuivre sur son poignet.) Dites-leur comment ça marche.

Le juriste tirailla sur sa veste. Il avait la peau bien briquée, des ongles parfaits, la voix qui allait avec son allure.

— Je ne sais même pas pourquoi je suis là. Je vous ai déjà expliqué....

— Vous êtes mon avocat, l'interrompit Holloway. Vous êtes sous contrat. Alors dites-leur.

Le regard de l'homme passa d'Holloway aux policiers. Il rectifia ses manchettes comme s'il était au tribunal.

— M. Holloway est le propriétaire des lieux. Il souhaite avoir accès à sa propriété.

— Il l'exige, coupa Holloway. C'est chez moi.

— La dernière fois que je suis venu, répondit Hunt sans se départir de son calme, vous m'avez dit que vous étiez un invité dans cette maison.

— Vous jouez sur les mots, là. Cette maison m'appartient.

— Mais Katherine Merrimon en est légalement la locataire.

— M. Holloway lui fait payer un dollar par mois, intervint l'avocat. On ne peut pas vraiment parler de location.

— Un loyer, c'est un loyer, répliqua Hunt en le toisant du regard. Vous le savez aussi bien que moi.

— Il n'empêche qu'il a le droit d'inspecter les lieux.

— À une heure raisonnable en en avisant les occupants au préalable, corrigea l'agent Taylor. Pas au beau milieu de la nuit. Libre à lui de contacter Mme Merrimon, s'il le souhaite.

— Elle ne répond pas au téléphone, souligna l'avocat.

Holloway fit un pas en avant.

— Je veux voir le gosse. Il a endommagé un bien précieux et doit répondre de son acte. Je veux juste lui parler.

— Vraiment ? s'exclama Hunt sans pouvoir dissimuler son aversion.

— Bien sûr. Quoi d'autre ?

— Si je vous disais qu'il n'est pas là ? rétorqua Hunt.

Il s'avança à son tour jusqu'à ce qu'une vingtaine de centimètres à peine séparent les deux hommes. Il savait qu'Holloway sortait facilement de ses gonds. Il le savait *pertinemment*. Il voulait le voir à l'œuvre à présent.

Il y tenait plus que tout.

Holloway plissa les yeux, et Hunt entrevit une première fissure dans sa carapace. L'homme ne supportait pas qu'on le défie, aussi Hunt se rapprocha-t-il encore un peu. Il s'ingénia à faire passer dans son regard tout le mépris qu'il éprouvait pour cette crapule et le vit mordre à l'hameçon. À la dernière seconde, l'avocat se rendit compte de ce qui était sur le point de se produire.

— Monsieur Holloway…

— Avez-vous une idée de qui je suis ? brailla ce dernier en plantant un doigt dans la poitrine du policier.

Il n'en fallut pas davantage. En un mouvement souple, contenu, Hunt lui agrippa le poignet et le fit pivoter sur lui-même en lui calant la main entre les omoplates. Holloway fit un pas en avant pour soulager la pression. Profitant de l'élan, Hunt l'escorta ainsi jusqu'à l'Escalade et le plaqua à plat ventre sur le capot.

— Vous venez d'agresser un policier, monsieur Holloway. Devant témoins.

— Ce n'était pas une agression.

— Demandez à votre avocat.

Holloway prit appui d'une main sur la carrosserie pour tenter de se redresser. Hunt dut se coucher sur lui.

— Et ça, c'est un refus d'obtempérer, ajouta-t-il.

Il sortit ses menottes, en fixa une autour d'un poignet épais en pressant fort sur le métal jusqu'au déclic. Holloway beugla tandis que Hunt faisait passer son autre main derrière son dos. Il pesa de tout son poids pour le maintenir sur le capot, puis boucla l'autre menotte.

— Ce sont des charges sérieuses, monsieur Holloway. Votre avocat vous expliquera ça plus tard.

Il le redressa de force. L'arrogance s'était envolée, mais la rage éclatait sur son visage.

— Vous ne pouvez rien faire contre moi, pesta-t-il.

Hunt saisit la chaîne des menottes et l'entraîna sans ménagements jusqu'à la voiture de Taylor. Il ouvrit la portière et posa une main sur la tête d'Holloway.

— Ça n'a rien de personnel, dit-il en le fourrant sur la banquette arrière.

Il croisa le regard de Taylor. Il n'y avait ni amusement ni ironie dans sa voix.

— Agent Taylor, auriez-vous la bonté de conduire M. Holloway au poste et de vous occuper de lui ?

Taylor ne tiqua pas, bien qu'incapable de masquer ses sentiments.

— Oui, chef.

Hunt les regarda tous partir : le visage rubicond d'Holloway collé contre la vitre de la voiture de police, l'avocat efféminé derrière le volant en cuir de la grosse Cadillac. Ils gravirent la colline puis disparurent de sa vue. Un problème à régler le lendemain. Sa colère s'évapora, dissipée par une étincelle de satisfaction. Il resta seul dans le jardin à penser à Katherine, et puis il gagna la maison. Il alla coller l'oreille contre sa porte, les doigts plaqués sur le bois poncé, et, l'espace d'une seconde, il s'imagina entrant dans la chambre. Elle serait là, pâle, toute menue, inerte sur le lit, mais elle sourirait, et sa main s'élèverait tel un filet de fumée.

Cet instant lui fit l'effet d'un kilomètre de sable chaud, mais cela se limita à ça, un instant. Une illusion. Il était le flic qui n'avait pas réussi à ramener sa fille à la maison. Il ne pouvait rien y changer, pas plus qu'elle ne pouvait l'oublier. Ce serait injuste de le lui demander.

Il laissa retomber sa main et se dirigea vers la chambre de Johnny. La porte était ouverte ; une petite lampe projetait un cercle jaune sur le lit fait avec soin. Cette chambre ne ressemblait en rien à celle d'un garçon. Quasi vide. Ni jeux ni jouets, pas la moindre affiche. Un livre ouvert reposait à plat sur le lit. Il y en avait d'autres sur la commode – une longue rangée calée entre deux briques. Il vit aussi une photo de Katherine, trois d'Alyssa. Il prit celle qu'il avait à portée de main. Un petit sourire énigmatique flottait sur les lèvres de la fillette. Une mèche noire cou-

vrait son œil gauche, mais le droit brillait d'un vif éclat.
On aurait dit qu'elle savait quelque chose de spécial, à
croire qu'elle attendait que quelqu'un l'interroge, qu'elle
en brûlait d'impatience. Johnny paraissait terne, compassé
en regard de toute cette énergie. Hunt se demanda s'il en
avait toujours été ainsi. Ou s'il avait simplement changé.
*Simplement.*

Hunt secoua la tête tant ce terme lui paraissait absurde.
Il n'y avait rien de *simple* chez le garçon que Johnny était
devenu. Cela sautait aux yeux : dans ses agissements, ses
attitudes, cette chambre aux murs vides, y compris dans
les livres qu'il possédait. Ce n'étaient pas des bouquins pour
enfants. Il y était question d'histoire, de religions anciennes,
de quêtes visionnaires, des rites de chasse des Indiens des
Plaines. Il y avait un recueil de près de deux kilos sur les
druides. Deux autres sur la religion des Cherokee. Ainsi que
des ouvrages de la bibliothèque, marqués d'étiquettes
blanches, carrées au dos. En examinant celui posé sur le
lit, Hunt se rendit compte que Johnny l'avait emprunté
quatorze fois de suite. Sans jamais le rapporter en retard.
Pas une seule fois. Hunt l'imagina sur son vélo, couvrant
les quinze kilomètres aller et retour pour présenter sa carte
et signer là où on lui disait de le faire.

Il lut le titre – *Une histoire illustrée du comté de Raven* –
puis regarda la page où il était resté ouvert. À droite, une
lithographie en noir et blanc représentait un vieil homme
tiré à quatre épingles. Une barbe blanchâtre couvrait le
devant de son col. Des yeux pareils à des éclats de silex.
La légende indiquait : John Pendleton Merrimon, médecin
et abolitionniste. 1858. L'ancêtre de Johnny, comprit
Hunt. Il ressemblait vaguement au père de l'enfant, mais
pas du tout à Johnny.

Hunt feuilleta l'ouvrage puis le reposa sur le lit. Il ne
s'était pas aperçu de la présence de Katherine sur le seuil
avant de se retourner. Vêtue d'une chemise qui laissait voir
toute la longueur de ses jambes, elle donnait l'impression
de flotter, une main à plat contre le mur, ses épaules formant comme des petites ellipses dans l'air. Ses yeux étaient
des plaies ouvertes, sa voix d'un calme déconcertant.

— Rends-moi un service, Johnny, dit-elle, une paume orientée de manière à refléter la lumière jaune. Dis à Alyssa que j'ai besoin de lui parler quand elle rentrera.

— Katherine... commença Hunt avant de s'interrompre, hésitant.

— Ne discute pas, Johnny. Elle devrait être à la maison à cette heure-ci.

Elle se détourna en faisant glisser sa main le long du mur et referma la porte derrière elle. Des ressorts de lit grincèrent, puis le silence se propagea en ondes dans la maison.

Avant de s'en aller, Hunt alluma les lumières et vérifia que les portes étaient bien fermées. Dans le jardin, il essaya de réfléchir posément. Restaient le problème de Tiffany Shore et de ses parents anéantis, et un géant au visage de cire qui s'était peut-être, ou peut-être pas, volatilisé entre-temps. Il y avait aussi le fait qu'il n'était toujours pas rentré voir son fils, Ken Holloway et puis Johnny, quelque part là dehors en train de faire Dieu sait quoi. Hunt ressentit tout cela comme un tourbillon, un poids énorme, mais il chassa ces pensées de son esprit pour s'octroyer un moment supplémentaire. Ce ne serait toujours qu'un moment, aussi se l'appropria-t-il égoïstement. Debout sous la voûte du ciel couleur d'encre, il pensa à Katherine Merrimon, à son regard meurtri, au vide en elle.

Plus rien d'autre ne semblait avoir d'importance.

## 14.

À moins d'un kilomètre de là, le feu que Johnny avait allumé dessinait des cercles orange dans les ténèbres en envoyant des étincelles au ciel. Johnny était accroupi à côté, pieds nus, sans chemise. Des sillons jaunes ondulaient avec la sueur sur son torse, et de la suie maculait son visage où il avait traîné ses doigts noircis des joues à la mâchoire. Sur le mur de la grange derrière lui, son ombre voûtée se profilait en géant. Il tendit la main vers le sac bleu qui sentait le sang d'oiseau, la moisissure et l'herbe sèche. Les boucles étaient corrodées, raides sous ses doigts ; une des sangles avait commencé à pourrir. Il sortit un tas de feuilles froissées, couvertes d'écriture des deux côtés. Il ne chercha pas à lire les mots. Ce serait pour plus tard. Il mit les pages par terre et posa dessus un caillou de la taille d'un œuf de caille en guise de poids.

Vinrent ensuite une lanière en cuir foncé d'où pendaient une queue de serpent couverte d'écailles et un crâne de vipère cuivrée. La queue, il l'avait achetée à un camarade d'école. La vipère, il l'avait zigouillée lui-même. Il avait passé quatre jours dans les bois à en chercher une pour finalement la trouver en train de prendre le soleil sur une vieille boîte de conserve à cent mètres de la porte arrière de chez lui. Le sort en avait décidé ainsi, s'était-il dit. Ce serpent voulait se faire attraper. Il l'avait tué avec une branche de peuplier de Virginie, et lui avait coupé la tête avec le couteau dont son père lui avait fait cadeau pour ses dix ans.

Une deuxième lanière s'agrémentait de cinq plumes d'aigle, deux fois plus grandes que celle qu'il avait pendue à son vélo : trois rémiges brun doré et deux parfaitement blanches avec des extrémités dures, pointues, aussi épaisses que son index. Elles sentaient encore l'oiseau, et trois d'entre elles étaient frangées de sang séché : du sang d'aigle, son sang.

Il ferma les yeux avant de glisser les deux lanières sur sa tête. Les plumes bruissèrent. La queue de serpent cliqueta contre sa peau.

Il sortit alors la bible.

Une bible noire, toute écornée. Son nom était gravé sur la couverture, en lettres dorées. Il s'agissait d'un cadeau qu'un pasteur baptiste lui avait offert dans un coffret garni de satin en lui précisant que les mots contenus à l'intérieur étaient un don de Dieu.

*Un don, jeune homme.*

*Dites-le avec moi.*

Le même pasteur était venu après l'enlèvement d'Alyssa. D'un ton assuré, il avait affirmé à Johnny que Dieu aimait toujours ses enfants, que la seule chose à faire, c'était de prier. Prie avec suffisamment de conviction, avait-il dit, et le Seigneur la ramènera à la maison. C'est ce que Johnny avait fait. Il avait prié de toutes ses forces, de toute son âme. Il avait promis sa vie à Dieu s'il la faisait revenir.

Promis.

Il se rappelait les longues nuits de prière, le bout des doigts de sa mère, chauds sur son bras, comme des petites pièces de monnaie. Il se souvenait de sa voix, qui manifestait l'ultime énergie qu'il verrait jamais chez elle.

*Prie avec moi, Johnny.*

Une foi avide, désespérée.

*Prie pour ta sœur.*

Lorsque le pasteur était revenu, les ongles polis, son gros visage luisant, il avait déclaré à Johnny qu'il n'avait pas prié assez fort.

— Fais mieux que ça. Il faut que tu y croies davantage.

Johnny remua les pieds sur la terre humide, se rapprocha du feu. Quand il déchira la couverture de la Bible, l'éclat des flammes inonda d'or les lettres de son nom. Il sentit une bouffée de terreur superstitieuse, mais il posa la couverture du livre sur le feu et la regarda brûler. Il ne la quitta pas des yeux jusqu'à ce qu'elle soit réduite en cendres puis, d'une main, il souleva le sac et en vida le contenu par terre. Une pluie de feuilles séchées, des bouts de branches, des brindilles en petits fagots. Du cèdre, du pin, de l'épicéa, du laurier.

Un visage d'enfant gravé dans de l'écorce de bouleau.

Un ruban rouge ayant appartenu à Alyssa.

Il l'attacha autour de son poignet, puis son regard passa des petits fagots à la bible qu'il tenait toujours. Il la souleva, la posa à terre, et les pages se dressèrent dans la chaleur comme si elle savait qu'elles aussi étaient destinées à brûler.

Cette vision lui procura une sombre satisfaction.

Il avait besoin de dieux plus anciens.

Ce besoin avait surgi des mois plus tôt, au moment d'une prière. C'était l'hiver, la chaudière était en panne, pas de chauffage dans la maison. Le froid réduisait ses mots en fumée tandis qu'il implorait le Seigneur pour que sa sœur rentre à la maison. Il s'était réveillé à 4 heures du matin, des lames d'air glacial frôlant son dos nu, et il avait prié pour sa mère. Pour qu'elle arrête les cachets, pour que son père lui revienne. Il avait prié pour que Ken Holloway connaisse une mort lente et douloureuse. C'est ce qui l'avait soutenu, ces pensées de salut, du passé, ces appels intenses à la vengeance.

Une heure plus tard, alors que le soleil embrasait un horizon lointain, Ken avait tabassé sa mère pour des raisons que Johnny n'avait jamais comprises. Lorsqu'il avait tenté de s'interposer, l'autre lui avait fait sa fête à son tour. C'est là que tout avait commencé : impuissance et sang, des prières vaines et un livre à la tranche dorée qui parlait d'humilité et de soumission.

Rien de tout ça ne lui avait donné des forces.
Rien ne lui conférait la moindre puissance.

Il posa un brin de cèdre sur le feu, puis du pin, de
l'épicéa, du laurier. Tout près des flammes, il se laissa
envelopper par la fumée. Ses yeux se remplirent de larmes,
ses poumons le brûlaient, mais il aspira cette fumée avant
de l'expirer, vers le ciel et la terre d'abord, puis dans la
direction des quatre horizons invisibles. Il en prit en coupe
dans ses mains et se la passa sur la figure. Il répéta les
mots qu'il avait appris dans le livre, puis il écrasa des baies
de genièvre entre ses mains et se macula la poitrine de
jus. Il fourra de la bistorte dans ses poches, prit l'image
de l'enfant gravée sur l'écorce de bouleau et la mit dans
le feu à son tour. Elle s'embrasa en une étoile de flammes
et de fumée blanche, et Johnny ne détourna pas les yeux
avant qu'elle aussi soit montée au ciel. Enfin il jeta le reste
de la bible de son enfance dans le brasier.
En une fraction de seconde, il aurait pu tout reprendre,
rattraper le livre avec des doigts avides et rentrer chez lui
en restant le petit garçon fragile de sa mère. Mais il laissa
passer ce moment. Les pages rebiquèrent, une rose noire
se déploya et ce fut tout.
Il était prêt.

Le break était toujours devant la maison du couple âgé
qui habitait un peu plus bas dans la rue. Johnny l'aperçut
en coupant à travers le jardin du voisin. L'odeur de la
fumée imprégnait encore sa peau humide, noire de jus de
genièvre et de cendres. Après avoir escaladé une barrière,
il se retrouva près d'un carré de terre retournée, parsemé
de jeunes pousses fragiles. Il s'élança vers la voiture mais
se figea quand une fenêtre derrière la maison s'illumina
brusquement. La vieille dame était là, ses mains pareilles
à des feuilles veinées posées, immobiles, sur le plateau
jaune autour de l'évier de la salle de bains. Elle pencha la
tête et ses larmes suivirent un sillon, puis un autre. Bientôt
son mari apparut derrière elle ; il lui effleura la nuque en

lui parlant doucement à l'oreille. L'espace d'un instant, quelque chose de plus léger, comme un sourire, passa sur son visage. Elle s'adossa contre le torse fragile du vieil homme et ils restèrent figés ainsi. Paisibles.

En touchant son propre torse, Johnny sentit la sueur, la cendre, les battements de son cœur. Il se demanda pourquoi la vieille dame pleurait et ce que son mari lui avait murmuré pour provoquer ce sourire fugace. Il songea à son père, qui savait toujours quoi faire, quoi dire. Tandis qu'il observait le vieux couple, une boule amère se logea dans sa gorge, mais il l'anéantit par la seule force de sa volonté. L'espace d'une seconde, un sourire dévoila ses dents blanches, puis il rampa sous la fenêtre et disparut.

Ils ne l'avaient pas vu.

Il se faisait rarement repérer.

Le break sentait le vieux. Calé contre le cuir raide du siège, Johnny cambra le dos et plongea une main dans sa poche. Les feuilles étaient froissées, tassées ; elles exhalaient des odeurs de feu, de résine de pin. Il les lissa sur sa cuisse avant d'allumer sa lampe de poche. Il avait écrit lui-même les noms et les adresses. Des notes et des dates étaient griffonnées dans les marges.

Six hommes. Six adresses. Des délinquants sexuels reconnus. De sinistres individus. Ils le terrifiaient, mais moins d'une journée s'était écoulée depuis que Tiffany Shore avait été enlevée, et le coupable avait probablement kidnappé Alyssa aussi. C'étaient les pires qu'il avait pu trouver, et il avait bien cherché. Il connaissait leurs habitudes, leurs métiers, les programmes qu'ils regardaient à la télé et l'heure à laquelle ils allaient se coucher. Si l'un d'eux avait modifié sa routine, Johnny l'aurait su.

Il chassa sa peur et saisit la clé de contact. Dans le rétroviseur, il vit ses paupières noires, les lignes rouges autour des yeux. Il était intouchable, un guerrier !

Le moteur tourna ; il enclencha la première.

*Un chef indien sur le sentier de la guerre.*

# 15.

Hunt appela Yoakum de la voiture. C'était le milieu de la nuit. Personne sur les routes nettoyées par la pluie.

Deux sonneries. Puis une troisième.

Après un moment de faiblesse passager, il avait réprimé ses pensées concernant Katherine Merrimon. Il s'était attardé moins d'une minute dans son jardin, mais ne s'en sentait pas moins coupable. Tiffany n'avait toujours pas été retrouvée, aussi concentra-t-il toute son énergie sur l'enquête. Les questions posées, les initiatives prises. À côté de quoi étaient-ils passés ? Que pouvait-on faire de plus ?

Encore une sonnerie.

*Allez, Yoakum !*

Quand il répondit, ce dernier commença par s'excuser.

— C'est de la folie ici, déclara-t-il, parlant du commissariat.

— Explique-moi ce qui se passe.

— On s'occupe de ce que tu nous as demandé de faire.

— Résume-moi le topo.

— L'empreinte relevée sur la paupière de David Wilson est en cours d'analyse. Aucun résultat pour le moment, mais il est encore tôt. Quatre voitures sont en train de ratisser les petites routes à la recherche de la Land Cruiser de Wilson qui est effectivement immatriculée au nom de l'université. Nous avons dressé une liste des parents et amis de la victime, incluant toute personne susceptible de nous dire où il aurait pu se trouver aujourd'hui, ce qu'il aurait pu faire. Nous avons déjà interrogé ses collègues, mais ça n'a rien donné. Il reste une poignée de délinquants sexuels reconnus que nous n'avons pas réussi à localiser, mais nous avons mis des unités sur le coup. Deux de nos clients ne sont pas en ville apparemment. Maisons fermées. Pas de lumière. Des journaux entassés sur le palier. L'un d'eux serait sous les verrous à Wilmington ; je devrais en avoir la confirmation d'ici peu. Deux agents auxiliaires sont chargés d'organiser la patrouille de recherche pour demain matin....

— Donne-moi des détails à ce sujet.

— Nous allons suivre le même processus que pour Alyssa Merrimon, conformément à tes instructions. C'était logique alors, ça l'est toujours. Nous avons juste besoin d'effectifs supplémentaires. Écoute, Clyde, tu sais aussi bien que moi ce qu'il en est, poursuivit Yoakum après un temps d'arrêt. C'est toi qui as donné les ordres. Pourquoi ne rentres-tu pas dormir un peu ? Il est quoi, 2 heures du matin ? Tu es allé voir ton fils ?

Silence.

— Seigneur, Hunt ! Tu lui as téléphoné au moins ?

— Je te rejoins tout de suite.

— Je te parle en ami là ! Tu devrais rentrer chez toi. Te reposer.

— Tu plaisantes ou quoi ?

— Pas vraiment non. Tu étais déjà vanné ce matin et je doute que ça se soit arrangé depuis. Pour le moment, c'est du travail de routine. On peut se passer de toi pour ça. Va dormir. J'ai besoin de toi en pleine forme demain. Tiffany a besoin que tu sois en forme.

Hunt prêta l'oreille au chuintement des pneus sur la chaussée. Des arbres noirs se profilaient à la périphérie de ses phares.

— Peut-être une heure, marmonna-t-il.

— Voire deux, répondit Yoakum. Allez, sois fou ! Va pour trois heures. Je t'appelle s'il y a du nouveau.

— D'accord.

Hunt était sur le point de raccrocher quand Yoakum ajouta :

— Écoute, Clyde, tu es fort. Dans ce boulot, je veux dire. Mais il faut que tu gardes les idées claires.

— Qu'essaies-tu de me dire ?

Yoakum poussa un soupir qui en disait long.

— Ne te disperse pas, mec.

Sur ce, il raccrocha, et Hunt fit demi-tour pour rentrer chez lui. Il savait pertinemment qu'il n'arriverait pas à dormir, mais Yoakum avait raison. Il fallait qu'il essaie. Et puis son fils...

Bon sang !

C'était une autre histoire.

Il se gara dans l'allée et coupa le moteur. Tout était silencieux dans le quartier si bien qu'il entendit la musique avant même d'ouvrir la porte. Des battements étouffés. La plainte d'instruments à cordes puissants. Il entra, monta les marches, frôlant le papier peint lisse de l'épaule. Il frappa chez son fils avant d'entrer même s'il y avait peu de chances qu'il l'entende.

Sa première vision fut celle d'une peau claire, un léger mouvement, l'éclat de cheveux blonds presque blancs et des yeux qui ressemblaient trop aux siens. Allen aurait dix-huit ans dans deux semaines. Il était grand, musclé. Bon élève durant presque toute sa scolarité. Un gentil garçon. Mais tout avait basculé la dernière année. Il était devenu irrespectueux, intolérant. Assis au bord du lit, il portait un short jaune, des chaussettes de sport et un T-shirt où on pouvait lire LES BONBONS, C'EST BON, MAIS AVEC LE SEXE, PAS DE CARIES. Il avait une revue automobile à la main et tapait du pied au rythme des beuglements de la musique.

Hunt traversa la pièce pour éteindre le son. Son fils leva les yeux et, à cet instant, Hunt entrevit ce qui pouvait aisément passer pour de la haine.

— Tu pourrais pas frapper ?

— Je l'ai fait.

Allen reporta son attention sur son magazine en tournant une page.

— Qu'est-ce que tu veux ?

— Tu es au courant de ce qui est arrivé aujourd'hui ?

— Oui. Mais pas par toi, merci. Je l'ai su comme tout le monde.

— Étais-tu là-bas ? À la rivière ? demanda Hunt en s'avançant dans la pièce, avant un silence, tandis qu'une autre page tournait. Tu as encore séché ? On en avait pourtant parlé.

— Laisse-moi tranquille, tu veux.

Hunt avait un étranger devant lui.

— Laisse-moi tranquille.

Hunt hésita. Allen se leva. Ses muscles tressaillirent et roulèrent sous sa peau. Hunt sentit la moutarde lui monter au nez. Il y avait tant de défiance dans la posture de son garçon. Mais cette impression ne dura guère plus de quelques secondes. En cillant des yeux, il revit son fils tel qu'il était il n'y avait pas si longtemps. Un gosse maladroit, curieux, naïf, plein d'enthousiasme. Un gosse qui se levait à 6 heures du matin pour préparer lui-même son petit déjeuner, qui fabriquait des cerfs-volants avec du balsa et du papier d'emballage. Hunt se détendit.

— Je serai en bas. Il faut qu'on parle, alors prends le temps de réfléchir quelques minutes à ce que tu vas me dire.

Allen l'ignora. Il remit la musique qui suivit son père jusque dans la cuisine. Hunt s'assit sur une chaise près de la table et appela Yoakum.

— Du nouveau ?

— On vient juste de se parler, non ?

— Oui. Et je voudrais savoir s'il y a eu du changement depuis.

— Rien. Comment va ton fils ?

Hunt tendit la main vers une bouteille de scotch.

— Je crois qu'il a envie de me tuer.

— Lui faut-il un alibi ? Dans ce cas qu'il m'appelle.

Hunt versa deux doigts de whisky dans un verre.

— Ce qu'il lui faut, c'est sa mère. Je n'arrive plus à communiquer avec lui. (Il avala une gorgée.) Il aurait dû partir avec elle.

— Il n'a pas eu le choix, Clyde. Elle a fichu le camp et je n'ai pas le souvenir qu'elle l'ait invité à l'accompagner.

— J'aurais pu le leur imposer.

— Il se serait défilé.

— Il écoute du grunge et il est prêt à en découdre avec son propre père.

— Du grunge. Que quelqu'un appelle les infos !

— Très drôle !

— Reste chez toi, reprit Yoakum. Prends soin de ton gamin.

— L'heure tourne, John. Je serai là dans dix minutes.

— Tu ne vas pas recommencer.

— Recommencer quoi ? s'exclama Hunt, de la colère dans la voix, que Yoakum perçut aussi.

— Tu n'as pas encore assez perdu comme ça, Clyde ? Franchement !

— Qu'est-ce que tu entends par là ?

— Pour l'amour du ciel, vieux ! Fais passer ton fils en premier pour changer !

Sans laisser le temps à Hunt de rétorquer quelque chose de caustique, de blessant, John raccrocha brutalement. Hunt reposa le combiné, but une autre gorgée de scotch, versa le reste dans l'évier. John s'efforçait de faire au mieux. Hunt en était conscient, aussi résolut-il d'analyser vraiment le problème. Il était accro à son travail, mais cela ne s'arrêtait pas là. Dans la pénombre tranquille de la cuisine, il reconnut, pour une fois, qu'il ne se décarcassait pas pour son gosse. Il l'aimait, bien sûr, mais il n'appréciait pas son attitude, ses choix, ses convictions.

Allen avait changé.

Il alla rincer son verre, et quand il se retourna, son fils se tenait sur le seuil. Ils échangèrent un long regard, mais le gamin fut le premier à détourner les yeux.

— Bon, j'ai séché. Et alors ?

— C'est interdit par la loi, pour commencer.

— Tu ne pourrais pas décrocher de temps en temps ? Faut vraiment que tu sois flic en permanence ? Tu ne pourrais pas être un papa normal ?

— Les papas normaux se fichent que leurs gosses sèchent l'école ?

— Tu vois très bien ce que je veux dire, rétorqua Allen en regardant ailleurs.

— Un homme a trouvé la mort sur le pont. Tu le sais. Il a été tué tout près de l'endroit où tu traînais.

— Des heures après que je suis passé par là.

— Et s'il t'était arrivé quelque chose ? Qu'est-ce que j'aurais dit à ta mère ?

— Il ne m'est rien arrivé, alors t'inquiète.

— Tu as vu Johnny Merrimon là-bas ? Jack Cross ?

— Tu le sais très bien, sinon tu ne me poserais pas la question. C'est comme ça que les flics s'y prennent, non ? Pour interroger les suspects.

— En dehors d'aujourd'hui, vois-tu Johnny Merrimon de temps en temps ?

— Il est au collège. Je suis en terminale.

— Je sais. Mais t'arrive-t-il de le croiser ? De discuter avec lui ?

— Personne ne lui parle. Il est zarbi.

Hunt se redressa, un tison de colère dans le creux entre les yeux.

— Zarbi, comment ?

— Il dit jamais rien. Il a un regard mort. Il est un peu dérangé. Les jumeaux, tu sais. Comment peut-on encaisser un truc pareil ?

— Et Tiffany Shore ? demanda Hunt. Tu la connais ?

Son fils lui fit face brusquement en le dévisageant d'un œil implacable.

— Ça s'arrête jamais avec toi, hein ?

— Quoi donc ?

— Ton foutu boulot, répliqua Allen d'une voix stridente. Ton boulot de merde !

— Allen...

— J'en ai marre d'entendre parler d'Alyssa, de Johnny, de cette *tragédie*. Je n'en peux plus de te voir plonger dans ce dossier nuit après nuit, les yeux rivés sur sa photo. (Il brandit le doigt dans la direction du bureau de son père où une copie du dossier Merrimon avait élu domicile, dans le tiroir du haut fermé à clé.) J'en ai marre de voir ton regard se brouiller, de parler dans le vide parce que tu ne m'écoutes pas. De t'entendre faire les cent pas en marmonnant à 3 heures du matin. Marre de ta culpabilité, des plats tout préparés, d'être obligé de faire ma lessive moi-même. C'est à cause de ton obsession que maman est partie.

— Attends une minute.

— C'est bien le mot qui convient, non ? *Obsession*.

— Ta mère comprenait les exigences de mon travail.

— Je ne parle pas de ton travail. Je te parle de ce que tu ramènes à la maison tous les soirs. De la mère de Johnny qui t'obnubile.

Hunt sentit son pouls s'accélérer.

— C'est à cause de ça qu'elle est partie.

— Tu te trompes.

— Elle a foutu le camp parce que tu ne penses plus qu'à cette femme !

Hunt fit un pas en avant, conscient qu'il serrait le poing droit. Son fils s'en aperçut aussi et brandit les deux mains. Il redressa les épaules et Hunt se rendit compte qu'il était assez costaud pour se mesurer à lui.

— Tu veux frapper ? (Allen frotta le dos de son poing contre le coin de sa bouche.) Vas-y. Te prive pas. Je te mets au défi de le faire.

Hunt recula, desserra les doigts.

— Il n'est pas question de frapper qui que ce soit.

— La seule chose qui t'intéresse, c'est cette famille. Alyssa, Johnny. Cette bonne femme. Et maintenant il y a Tiffany Shore et ça va recommencer.

— Ces gosses...

— Je sais *tout* sur ces gosses ! Je n'entends parler que de ça ! Ça ne s'arrêtera jamais.

— C'est mon job.

— Et moi, je suis juste ton fils, riposta Allen d'une voix contenue même si ces paroles étaient explosives.

Ils se dévisagèrent, le père et le fils, lorsque le portable de Hunt vibra dans le silence. C'était Yoakum. Hunt leva un doigt.

— Il faut que je réponde, dit-il en ouvrant le clapet. Y'a intérêt à ce que ça en vaille la peine.

— Nous avons analysé l'empreinte relevée sur la paupière de David Wilson.

— Vous avez pu l'identifier ?

— Oui, mais c'est encore mieux que ça !

— Comment ça ?

— Tu ne vas pas le croire.

Hunt jeta un coup d'œil à sa montre, puis il se tourna vers son fils. En soutenant son regard, il prononça des mots qui lui firent horreur.

— Je serai là dans dix minutes.

Il éteignit son portable, leva une main.

— Allen...

Mais ce dernier avait déjà tourné les talons. Il montait l'escalier à pas lourds et claqua la porte de sa chambre. Hunt regarda fixement le plafond en marmonnant un juron, puis il sortit de la maison alors que le volume de la musique s'intensifiait sur la même chanson de dingue qu'avait remise son fils.

# 16.

Le commissariat se situait dans une petite rue du centre-ville. Deux étages, en brique rouge, fonctionnel. Hunt franchit le seuil en trombe et trouva Yoakum au premier, penché sur une carte.

— Explique-moi tout.

— L'empreinte est sans équivoque. Il s'agit de Levi Freemantle. Quarante-trois ans. De race noire. Deux mètres quatre. Cent cinquante kilos.

— La vache ! Moi qui croyais que le gosse avait exagéré.

— Non. C'est bel et bien un géant.

— Pourquoi ce nom me dit-il quelque chose ?

— Freemantle ? demanda Yoakum en s'adossant à sa chaise. Jamais entendu parler avant ce soir.

— On a une photo ?

— Rien dans les registres d'immatriculation. Il n'a pas de permis de conduire. Ni carte de crédit, ni compte en banque. Je n'ai rien trouvé en tout cas.

— David Wilson a été renversé par une voiture.

— Freemantle a peut-être passé son permis dans un autre État. À moins qu'il n'en ait tout simplement rien à foutre.

— Que savons-nous d'autre à son sujet ?

— Il apparaît dans nos fichiers il y a quelques années, expliqua Yoakum en feuilletant ses papiers. Rien avant cela. Pas d'arrestations. Pas de coordonnées bancaires. On n'a rien trouvé non plus auprès des services téléphoniques ou d'électricité. Un vrai fantôme. Il dépendait probablement d'une autre juridiction. Depuis lors, nous avons plusieurs interpellations, une poignée d'inculpations. Il a fait de la taule, mais rien de sérieux. Un mois ici, deux mois là. Mais écoute ça : il a fui un job d'utilité publique il y a une semaine.

— Un prisonnier évadé ? Pourquoi n'en ai-je pas entendu parler ?

— C'était dans le journal de la semaine dernière, en page neuf. Vu qu'il s'agit d'un non-violent, il ne fait pas partie des priorités. Il n'était pas considéré comme une menace. De plus, il relève du comté.

— Quel genre de job ?

— Sécurité minimale. Des travaux sur une petite route en rase campagne. Ramassage d'ordures. Déblayage des mauvaises herbes. Il a filé dans les bois.

— Incroyable.

Yoakum sourit, dévoilant des dents si lisses et si blanches qu'on les aurait dit peintes.

— Prêt pour le scoop ?

— Quoi encore ?

— Il a fait plusieurs passages derrière les barreaux, d'accord. De courtes durées. Il a notamment été relaxé trois jours avant l'enlèvement d'Alyssa Merrimon.

— Tu me fais marcher, John, fit Hunt en tressaillant.

— Nous avons une adresse. C'est dans le coin.

— Un mandat de perquisition ?

— J'ai envoyé Cross secouer le juge.

— A-t-il donné son accord ?

— Il le fera.

— Tu en es sûr ?

— La gamine est blanche. Ses parents sont riches. (Yoakum haussa les épaules.) C'est juste une question de temps.

Hunt regarda autour de lui dans la salle, passant les visages de ses collègues en revue.

— Allons, Yoakum. Tu ne peux pas dire des trucs comme ça. On en a déjà parlé.

— Le monde est ce qu'il est, reprit-il d'un ton étonnamment dur. Injuste, tragique, truffé de scandales. Ce n'est pas à moi que tu dois t'en prendre.

— Un de ces jours, tu vas avoir des problèmes avec les propos que tu tiens. Tu ferais mieux de la boucler.

Yoakum se borna à détourner les yeux en mâchant son chewing-gum. Hunt entreprit d'analyser les éléments dont il disposait. Levi Freemantle vivait dans Huron Street avec Ronda Jeffries, une Blanche âgée de trente-deux ans. Hunt entra son nom dans l'ordinateur. Appréhendée à deux reprises pour racolage. Pas de mises en examen. Arrêtée lors d'une descente de police pour possession de narcotiques de type A. Inculpée. Purgé sept mois sur une condamnation de dix-huit pour bonne conduite. Une inculpation pour attentat à la pudeur. Voie de fait simple.

— Ronda Jeffries, lança-t-il. Quelles sont ses relations avec Freemantle ?

— Ils ont la même adresse, c'est tout ce qu'on sait. Ils sont peut-être colocataires. Ou plus.

Hunt étudia le relevé des arrestations de Levi Freemantle. Il paraissait incomplet.

— Ce ne sont que des babioles. Intrusion dans une propriété privée. Délit d'intention. Vol à l'étalage, pour l'amour du ciel ! Rien de violent. Ni de sexuel.

— C'est ce que c'est.

La liste ressemblait à des milliers d'autres, banale au point que Hunt avait l'impression de connaître le zigoto par cœur. Mais deux mètres quatre et cent cinquante kilos, ça ne s'oubliait pas facilement. Il vérifia une nouvelle fois les dates, confirmant ainsi que Levi Freemantle avait recouvré la liberté trois jours avant l'enlèvement d'Alyssa Merrimon. Plus récemment, il avait faussé compagnie à une bande de détenus employés à des travaux routiers une semaine avant la disparition de Tiffany Shore. Si c'était une coïncidence, elle était de taille. Et puis il y avait David Wilson qui, avant de rendre l'âme, avait affirmé avoir trouvé la petite disparue. On avait retrouvé une empreinte de Freemantle sur lui. La description fournie par Johnny concordait. Le créneau horaire aussi. La courbe de la rivière.

— Appelle Cross, ordonna Hunt en reposant ses papiers. Qu'on sache où on en est.

— Il sait ce qu'il a à faire.

— Appelle-le, John.

Yoakum composa le numéro de portable de Cross et lui demanda combien de temps il faudrait encore pour obtenir le mandat de perquisition.

— Il dit qu'il n'en sait rien, annonça-t-il d'une voix blanche après avoir raccroché. Le juge ne veut pas qu'on lui mette la pression.

— Bon sang ! fit Hunt en se levant. Allons faire un tour.

Yoakum saisit sa veste au vol et l'enfila à la hâte en courant après Hunt.

— On ne va tout de même pas entrer sans mandat ?

— Ce serait bête !

— Tu ne m'as pas répondu là.

Hunt dévalait déjà bruyamment les marches dures, creuses. Yoakum haussa la voix.

— Nom de Dieu, Clyde ! Ce n'est pas une réponse !


Huron Street bifurquait à gauche d'une des principales artères de la ville pour aller mourir dans un quartier mal famé à six kilomètres du centre. Cette portion de la ville se situait à proximité du contrefort des collines sablonneuses, comme la végétation et la température ambiante en témoignaient. Le sable amplifiait la chaleur. Les arbres grandissaient moins dans un sol pauvre. L'étroite rue était bordée de jardins poussiéreux envahis de mauvaises herbes où des chiens tiraient sur leurs grosses chaînes. Hunt connaissait suffisamment bien le coin pour prendre la chose au sérieux. Deux ans plus tôt, il s'était occupé d'un meurtre qui avait eu lieu à trois blocs du début de la rue : une femme poignardée à mort dans sa baignoire. Il s'était avéré que son fils avait fait le coup parce qu'elle avait refusé de lui prêter de l'argent. Elle était morte pour cinquante dollars.

Des durs à cuire.

Un quartier glauque.

Il tourna à gauche et ralentit un peu plus loin. Il éteignit ses phares et s'arrêta après avoir roulé sur une bouteille cassée. La chaussée s'étendait devant lui telle une rivière de ténèbres et de pauvreté allant mourir au pied d'une voie ferrée argentée qui menait à des contrées plus clémentes. Une petite lumière bleue filtrait à travers les rideaux d'une bicoque sur sa gauche. Des criquets stridulaient dans les herbes.

— Ce n'est pas une bonne idée, dit Yoakum.

— Dernier pâté de maisons à droite, répondit Hunt en levant le menton.

Yoakum tourna brusquement la tête. Il scruta la rue obscure en pinçant les lèvres.

— Nom de Dieu !

Hunt examina lui aussi les alentours. Il vit des jardins mornes entrecoupés d'allées de terre, un matelas au bord de la route, des canapés dans les vérandas. Des carcasses de voitures. Même le ciel paraissait plus lourd que de raison.

Deux maisons plus loin, un pitbull marchait latéralement au bout de sa chaîne en les lorgnant.

— Ça me fout les boules, marmonna Yoakum.

— Avançons un peu.

— Pour quoi faire ?

— Je veux voir s'il y a une voiture devant chez Freemantle. Ou de la lumière aux fenêtres.

Hunt passa la première sans rallumer les phares. Ils couvrirent une dizaine de mètres ; le pitbull cessa ses va-et-vient. Yoakum se colla contre son siège.

— Vraiment pas une bonne idée, marmonna-t-il à l'instant où le chien s'élançait aussi loin que sa chaîne le lui permettait en aboyant avec une telle rogne qu'on aurait dit qu'il était dans la voiture.

Des chaînes cliquetèrent à droite et à gauche dans la rue tandis que d'autres molosses se joignaient à lui. Des lumières s'allumèrent dans deux maisons.

— Je dirais même franchement mauvaise, concéda Hunt.

Il passa la marche arrière. Dès qu'il eut franchi l'angle de la rue, il réenclencha la première.

— Ça risque de poser un problème, reprit Yoakum au bout d'une minute de silence.

— Les chiens ?

— Il va nous entendre approcher à quatre cents mètres.

— Peut-être pas, objecta Hunt en consultant sa montre.

— Comment ça ?

— Fais-moi confiance.

Yoakum regarda par la fenêtre pendant que Hunt prenait son portable et composait le numéro de Cross. Ce dernier répondit à la première sonnerie.

— J'ai besoin de ce mandat, aboya-t-il. J'en ai besoin dans vingt minutes.

— C'est ce foutu juge, répondit Cross, à l'évidence frustré. Ça fait trois fois qu'il relit l'assignation.

— Quoi ? Le document est clair comme de l'eau de roche. Y'a largement de quoi confondre le suspect là-dedans. Mettez-lui la pression.

— J'ai déjà essayé.

— C'est qui, ce juge ? insista Hunt, et Cross lui précisa le nom de l'intéressé. Passez-le-moi.

— Il ne voudra pas vous parler.

— Faites-le quand même.

Hunt attendit. Yoakum regardait toujours ailleurs.

— Tu as l'intention de faire pression sur ce juge ?

— Je vais le menacer.

La voix du juge se fit entendre au bout du fil.

— Ça ne se fait pas du tout ce que vous faites là, inspecteur.

— Un problème avec le mandat ? demanda Hunt.

— J'ai votre demande et je prendrai ma décision lorsque j'aurai eu tout loisir de...

— Une gamine de douze ans meurt parce qu'un juge traîne pour signer un mandat d'arrêt, l'interrompit Hunt. C'est le titre que vous lirez en première page si on arrive trop tard. J'ai des relations au journal, des gens qui me sont redevables. Vous pouvez compter sur moi pour qu'il en soit ainsi.

— Vous n'oseriez pas.

— Vous verrez, nom d'un chien !

Trente minutes plus tard, l'équipe d'intervention se rassemblait dans un parking désert derrière une banque du quartier. Ils avaient leur mandat d'arrêt. Il était 3 h 10 du matin, il faisait nuit noire, tout était tranquille. Au-dessus d'eux, un lampaire grésilla avant de s'éteindre avec un claquement sonore. Cinq hommes, six y compris Hunt. Il enfila un gilet pare-balles, s'assura que le Velcro adhérait, vérifia son calibre une seconde fois. Yoakum le rejoignit à l'arrière de la camionnette bleu foncé arborant un petit écusson doré sur la portière.

— Tu es prêt ?

— On devrait attendre, répondit Yoakum d'un ton inquiet.

— Pas question.

— Intervenir de nuit, c'est un risque inutile. On ne connaît pas la maison, la rue est hostile. On sera à quatre pâtés de maisons quand il entendra déjà les chiens.

— On donne l'assaut.

— Tu vas faire des victimes pour rien, l'avertit Yoakum en secouant la tête.

— Tous les hommes ici présents savent à quoi ils se sont engagés. On n'est pas des scouts.

— Et tu n'as pas affaire à un juge mollasson qui t'a pris à rebrousse-poil. On est dans la rue là. Tu t'apprêtes à mettre en danger de bons flics alors que quelques heures pourraient faire toute la différence. Le patron est à l'affût du moindre prétexte pour te botter le cul. Tu lui ferais un cadeau en ramenant un blessé. Sois raisonnable, Clyde. Pour une fois. Mesure le contexte, bon sang !

Hunt saisit son coéquipier par le bras. Il serra fort au point de sentir l'os.

— Et si c'était *ta* fille ? *Ta* sœur ? Le contexte, c'est ça, et il faut se concentrer là-dessus.

Hunt le lâcha et fit mine de se détourner, mais Yoakum n'en avait pas fini avec lui.

— Tu fonctionnes à l'émotion, mon vieux.

Hunt observa son ami, des yeux noirs dans la nuit, un visage blême, crispé.

— N'essaie pas de me mettre des bâtons dans les roues, John. Je vais trouver cette gamine et je vais la trouver vivante.

— S'il y a des victimes, tu ne pourras t'en prendre qu'à toi.

— Je peux t'en dire autant si elle meurt pendant qu'on glande dans ce parking. Bon, tu as fini ?

Les traits de Yoakum se figèrent en une expression déterminée. Il hocha la tête en faisant craquer ses jointures.

— J'en ai assez de parler pour ne rien dire de toute façon.

Hunt claqua des doigts. Les autres se regroupèrent autour de lui : Yoakum, Cross et trois policiers en tenue de protection.

— Voici la cible, montra Hunt sur une mauvaise copie d'une photo sortie d'un vieux dossier. Il a d'importantes cicatrices du côté droit du visage. Le gosse qui l'a identifié a dit que ça avait un aspect fondu, comme de la cire. Il mesure plus de deux mètres et pèse cent cinquante kilos. Je doute qu'on trouve plusieurs gus correspondant à cette description. Ça ne devrait pas être sorcier.

Quelques petits rires nerveux. Hunt enchaîna sans prendre la peine de réagir.

— C'est le dernier pâté de maisons avant la voie ferrée, la dernière maison sur la droite. Elle est en retrait par rapport à la route ; il y a un terrain vague derrière, entre les rails et une résidence occupée. Je veux que ces trois flancs soient couverts avant qu'on entre. La plupart des lampadaires sont pétés. Il va faire sombre. Les jardins sont plats, couverts d'herbes mortes, sauf qu'il y a des racines et des détritus. Faites attention où vous mettez les pieds. Dès que la camionnette s'arrête, Yoakum se déploie en premier avec vous deux, précisa Hunt en désignant deux hommes. Vous couvrez l'arrière et les côtés au cas où il tente de filer. Je prends le reste de l'équipe et j'entre par-devant. Cross se charge de défoncer la porte, mais c'est moi qui fais irruption en premier. Ce type est un colosse, alors n'y allez pas par quatre chemins. Plaquez-le au sol sans perdre une seconde. La fille est peut-être planquée quelque part, alors ne dégainez pas trop vite. Il nous le faut vivant, on a besoin qu'il se mette à table.

— Et pour les chiens, on fait comment ? l'interrompit Yoakum.

Hunt jeta un coup d'œil à sa montre.

— On s'en fout.

Il rouvrit la portière arrière de la camionnette ; l'un des policiers en tenue se glissa au volant. À l'intérieur, ça sentait l'huile de graissage et la sueur. Les hommes étaient tassés, épaule contre épaule.

— Ça me fout les boules, marmonna Yoakum, et deux des hommes sourirent.

C'était son leitmotiv.

Le chauffeur démarra et le véhicule braqua à fond avant de se glisser dans la rue déserte. À travers la vitre arrière, la chaussée était si noire et si luisante qu'on aurait dit de l'obsidienne.

— Arrêtez-vous un pâté de maisons avant le tournant, lança Hunt. Il y a une petite épicerie. Elle est fermée.

Quatre-vingt-dix secondes plus tard, la camionnette s'engagea au ralenti dans un parking vide et s'immobilisa brutalement à trois mètres d'une benne rouillée. Hunt jeta un coup d'œil à sa montre.

— Trois minutes, dit-il.

— Pourquoi attendre ? s'enquit Yoakum.

— Trois minutes, répéta Hunt, l'ignorant.

Les poings se serrèrent, puis se détendirent. Les hommes fixaient leurs chaussures. Cross tripotait la lourde masse.

— Visez la serrure, lança Hunt. Et puis dégagez.

Cross hocha la tête. Deux minutes plus tard, Yoakum lui flanqua un coup de coude.

— Du grunge, hein ?

— Ce n'est pas le moment, John.

Une autre minute passa. La première rumeur du train déferla comme une vague, si mince qu'elle en était transparente.

— Tu as senti ça ? s'enquit Yoakum.

Hunt jeta des regards autour de lui dans l'espace obscur.

— On va pouvoir y aller, annonça-t-il en tapotant l'épaule du conducteur. À mon signal.

L'homme hocha la tête, et l'air de la nuit commença à enfler. Un grondement approchait du sud, de plus en plus profond, de plus en plus intense. La vibration s'amplifia en un déluge sonore, et l'un des policiers tressaillit quand le coup de sifflet retentit.

— Tu es carrément génial, lança Yoakum.

— Allez-y ! lança Hunt, une main sur l'épaule du conducteur.

La camionnette sortit en trombe du parking, tourna à gauche à deux reprises pour s'engager en plein milieu de Huron Street et dévaler la rue tandis que les chiens bondissaient en hurlant, s'étouffant à demi avec leurs colliers raides. Ils furent sur place en un rien de temps. Hunt vit une voiture dans l'allée, une fenêtre éclairée. La camionnette s'immobilisa brutalement. Les portières s'ouvrirent en grand, déversant sa cargaison de policiers. Yoakum et ses hommes s'élancèrent vers les côtés de la maison, l'arme au poing, leurs bottes noires disparaissant sur la terre sombre si bien qu'ils avaient presque l'air de flotter.

À dix mètres de là, le train déchirait la nuit tel un coup de tonnerre faisant trembler la terre. Hunt donna une seconde au chauffeur pour rattraper les autres, puis il s'élança, sentant l'air lui écorcher la gorge. Cross le rejoignit et ils franchirent à longues enjambées le jardin poussiéreux envahi d'herbes sèches avant de grimper sur le porche qui ploya sous leur poids. Hunt désigna l'espace entre la poignée de la porte et l'encadrement, puis il recula, sa torche dans une main, son calibre dans l'autre. Il esquissa un signe de tête et n'entendit même pas la masse s'abattre. Elle fit voler la porte en éclats – une explosion de bois sec et un éclat de métal brillant, torturé. Le fourgon de queue passa en un éclair, accompagné de la succion du vide, puis le vacarme allant s'amenuisant, Hunt franchit le seuil.

Une lampe brillait au-dessus d'un fauteuil aux coussins déchirés. Quelque chose de fluorescent au fond d'un couloir propageait une lumière blanche. Hunt jeta un coup d'œil à droite, puis orienta son arme vers la gauche. Des ouvertures dans le mur laissaient entrevoir des chambres sombres, du mobilier fantomatique. Quelque chose siffla à gauche, des parasites provenant d'une enceinte ; les cognements d'une aiguille à la fin d'un long sillon en vinyle. Hunt s'écarta ; Cross entra à son tour, ainsi que le chauffeur. Il faisait chaud dans la pièce confinée. À part des ombres qui dansaient sur les murs couleur tabac, rien ne bougeait.

Hunt la flaira le premier, une odeur d'huile brûlée qui lui emplit les sinus. Cross chercha son regard tandis que l'autre homme se raidissait en enfouissant son nez dans le creux de son bras.

— Doucement ! chuchota Hunt.

Il pointa l'index vers la pièce obscure à sa gauche pour leur indiquer la direction à prendre. Après quoi il braqua sa torche vers le couloir, marqua le pas à l'entrée avant de s'enfoncer dans le noir. L'espace étroit paraissait plus long qu'il n'aurait dû l'être. Devant lui, un faisceau de lumière blanche découpait un triangle net sur la moquette.

— Police ! lança Hunt. Nous avons un mandat.

Silence. Aucun mouvement. En avançant encore, il atteignit la cuisine sur sa droite. Un long tube blanc clignotait au-dessus d'un évier rempli d'assiettes. Une bouteille d'alcool vide traînait et une fenêtre ouverte avait un store déchiré. Il fit volte-face, s'enfonça davantage dans les ténèbres et c'est alors qu'il vit la trace de sang sur une plaque de plâtre. Il pénétra dans une pièce, y orienta sa lampe. Une nuée de mouches s'éleva des cadavres.

La femme était blanche, la trentaine. Peut-être Ronda Jeffries. Difficile à dire parce qu'il lui manquait les trois quarts de la figure. Elle portait de la lingerie fine, maculée de sang. Un sein dépassait ; une peau plus grise que blanche. Elle avait le visage écrabouillé, la mâchoire brisée en deux endroits, voire plus ; l'œil gauche faisait saillie d'une orbite fracassée. Son torse s'étendait vers le couloir, les jambes près du lit. Elle avait un bras au-dessus de la tête ; sur cette main-là, deux doigts étaient à l'évidence cassés.

L'homme noir n'était pas aussi horriblement défiguré. De son vivant, il avait dû être imposant ; plus maintenant. Il était comme ratatiné. Des gaz lui gonflaient l'estomac si bien que ses membres paraissaient curieusement étriqués. Il avait le crâne défoncé du côté droit de sorte que son visage avait un air mou, inachevé. Il était nu, avachi dans un gros fauteuil comme s'il avait simplement décidé de s'asseoir.

Hunt tendit la main vers l'interrupteur pour allumer le plafonnier. Ce fut encore pire, la violence plus complète. Hunt sentit ses collègues approcher derrière lui.

— Personne n'entre, cria-t-il.

Il s'agenouilla près du corps de la femme en faisant attention où il mettait les pieds et l'examina de bas en haut. Elle s'était fait faire les ongles des orteils : des perles en acrylique incrustées dans le vernis rouge vif. Elle avait des cals sous les pieds. Les jambes rasées jusqu'aux genoux. De faux ongles de près de deux centimètres de long lui faisaient des doigts pointus. Pas de cicatrices ni de tatouages visibles. Elle devait avoir à peu près trente-deux ans.

Hunt opéra de la même manière avec l'autre cadavre en s'accroupissant près de la chaise. De race noire. La quarantaine. Costaud. Environ un mètre quatre-vingt-dix. De vieilles cicatrices chirurgicales aux deux genoux. Pas de bijoux. Des plombages en or. Une barbe de deux jours.

Hunt se releva. D'un coup d'œil, il repéra des bottes de travail près du placard, un jean, un boxer en satin couleur pomme caramélisée. Il trouva le bloc de parpaing près du lit.

— Yoakum, lança-t-il en l'invitant d'un geste à approcher.

Quand il l'eut rejoint, Hunt lui désigna l'objet dont un côté était maculé de sang coagulé.

— Je pense qu'il s'agit de l'arme du crime.

— Ça m'en a tout l'air.

Hunt se redressa.

— Une minute.

Il contourna les pieds du mort et enjamba le bras de la femme. Ses collègues se pressaient sur le seuil, mais il les ignora. Il s'agenouilla près de la porte et fit glisser ses doigts sur la moquette où des empreintes parallèles correspondaient à la longueur du parpaing. En se relevant, il se retrouva nez à nez avec Cross.

— Qu'est-ce que je peux faire ? demanda ce dernier.

— Bouclez le périmètre. Le jardin. La rue. Convoquez les experts en scène de crime et le médecin légiste, répondit Hunt en se frottant la figure. Et trouvez-moi un Coca Light. (Il rattrapa Cross par la manche au moment où il s'apprêtait à partir.) Pas dans le frigo de cette maison. Et dégagez le passage.

En regardant le couloir se vider, Hunt sentit la présence de Yoakum derrière lui. Il se retourna. Avec cette scène de mort et de violence en toile de fond, il avait l'air congestionné, et bien vivant.

— Il est encore tôt, je sais, mais je ne pense pas que c'était prémédité, ajouta Hunt à voix basse en portant son regard derrière lui.

— Pourquoi dis-tu ça ?

Hunt pointa le doigt vers le bas de la porte.

— Ces marques sur la moquette. Ce parpaing servait de butoir apparemment. Les assassins qui prévoient leur coup apportent généralement une arme avec eux.

— Certes, mais le gars savait peut-être que le parpaing serait là.

— C'est trop tôt pour dire quoi que ce soit, reconnut Hunt. Tu as raison.

— Bon alors, qu'est-ce qu'on fait ?

Hunt désigna la pièce, paume ouverte.

— Boucle-moi ça jusqu'à ce que les experts arrivent. Inspecte la rue. Fais venir un chien déterreur de cadavres, au cas où.

Il s'interrompit brusquement en se tournant vers le couloir.

— Putain !

Le juron venait de ses entrailles, comme une explosion. Il flanqua son poing dans le mur avant de se ruer dans le salon. Quand Yoakum le rejoignit, il avait les deux mains pressées contre l'encadrement de la porte d'entrée. Son front produisit un bruit sourd et puissant lorsqu'il heurta le bois.

— Bon sang ! s'écria-t-il en se cognant la tête un peu plus fort.

— Si tu tiens vraiment à saigner, intervint Yoakum, il y a de meilleures méthodes.

Hunt se retourna, s'adossa à la porte défoncée. Il savait que ses émotions se lisaient sur son visage.

— Ce n'est pas juste.

— Un crime n'est jamais juste.

— Elle était censée être là, John.

Soudain il eut besoin d'air frais. Il ouvrit la porte à la volée, jetant des mots par-dessus son épaule avec une sorte de haine.

— C'était censé s'arrêter aujourd'hui.

— Tiffany ?

— Tout. Absolument tout.

Yoakum ne saisit pas tout de suite, et puis finalement il comprit.

*L'enfer que Hunt vivait.*
*Ce qu'était l'existence pour lui.*

# 17.

Le vieux break avança en roue libre avant de s'arrêter sur un croissant de route noire. La chaussée était déserte, un ruban obscur, isolé, au-delà du périmètre de la ville. Une parenthèse dans la forêt silencieuse. Johnny scruta la maison dont une des fenêtres était faiblement éclairée. Deux semaines s'étaient écoulées depuis la dernière fois qu'il était venu, mais les mêmes bagnoles rouillaient sous les mêmes arbres, la même bière tenait en équilibre sur la boîte aux lettres.

La maison en elle-même était à peine visible : une lueur jaune, un ensemble d'angles qui n'avaient pas l'air dans l'axe. La décharge située à un kilomètre de là diffusait dans l'air un poison putride, doucereux. Les corbeaux s'amassaient aux abords pendant la journée et une carabine pétaradait quand le gardien des lieux se déchaînait sur des rats ou des canettes. La nuit, les criquets lançaient des appels et parfois, sans raison, ils sombraient dans le silence. Comme si le monde fermait la bouche subitement. Johnny se figeait toujours dans ce silence, l'air autour de lui rafraîchissait et devenait léger. Johnny rêvait de cette sensation plus qu'il n'était prêt à l'admettre, mais il continuait quand même à venir.

À minuit. À l'aube.

Six fois.

Une douzaine.

Burton Jarvis figurait sur sa liste parce qu'il était réci-
diviste. C'était le mot le plus compliqué que Johnny
connaissait ; cela voulait dire *sale malade ayant toutes les
chances de remettre ça*. C'était un délinquant sexuel qui
gagnait sa croûte en empaillant des cerfs sauvagement
abattus et en trimballant des détritus dans une remorque
à plateau. Son surnom était Jar, comme dans : « Vise un
peu la taille de ce foutu cerf, Jar. Tu crois que t'es capable
d'en empailler un aussi gros ? »

Jar n'avait pas d'amis dans le sens où Johnny l'entendait, mais une poignée d'hommes venaient le voir de
temps en temps. Ils échangeaient des DVD d'une main
crasseuse à l'autre et parlaient de la Thaïlande qui restait
le meilleur endroit pour baiser. Ces gars-là, Johnny les
avait débusqués aussi. Il savait où ils vivaient, où ils travaillaient.

Ils étaient sur la liste.

L'un d'eux venait plus souvent que les autres. Parfois il
avait un fusil, mais pas toujours. Grand, sec, sur le retour,
il avait des yeux brillants, avides, et de longs doigts. Jar
et lui buvaient de l'alcool à même la même bouteille et
parlaient de trucs qu'ils avaient faits près d'un village au
Vietnam. Leurs regards se troublaient quand ils parlaient
d'une fille qu'ils appelaient « Petite Jaune ». Ils avaient
passé trois jours avec elle dans une cahute bombardée,
remplie des cadavres de sa famille.

— Petite Jaune, disaient-ils en secouant la tête tout en
éclusant la bouteille. Sacrément dommage.

Leurs rires n'avaient rien d'agréable.

Il avait fallu deux visites pour que Johnny commence à
avoir des soupçons à propos de la remise derrière la bicoque. Invisible de la route et de la maison, elle se situait
au bout d'un chemin étroit sous des arbres denses. Les
murs étaient en parpaings, les fenêtres condamnées et
bourrées d'isolant rose et de plastique noir. Johnny n'arrivait pas à voir à l'intérieur. Aucune lumière n'y brillait
jamais. La serrure faisait la moitié de la taille de sa tête.

Ce fut là qu'il alla en premier.

À la remise.

# 18.

À 6 heures du matin, les corps avaient été mis sous housses. Hunt était sur le porche quand les civières franchirent bruyamment la porte avec les sacs en vinyle d'un noir luisant, déplacé. Il considéra la rue et le jardin, incolores sous un ciel sombre. Le soleil n'allait pas tarder à poindre. Une lueur grise s'amassait au-dessus des arbres, derrière la voie ferrée. À l'est, le ciel laissait supposer un soupçon de renouveau. Il y avait des voitures de police dans tous les sens qui bloquaient la rue, certaines rangées en épi le long du trottoir. La fourgonnette du médecin légiste était à la lisière du jardin, grande ouverte à l'arrière. Une poignée de journalistes se massaient derrière le ruban jaune, mais c'était les voisins que Hunt observait avec la plus grande attention. La rue n'était qu'une étroite bande ; les maisons se tassaient les unes contre les autres, à peine séparées par des terrains miniatures. Quelqu'un savait forcément quelque chose. L'inspecteur scrutait les visages, son regard s'attardant tour à tour sur un vieil homme blanc vêtu d'une chemise jaunie, un petit Noir aux yeux fuyants, arborant les couleurs de son gang et des nippes faites maison. Puis il étudia une femme au visage large, aux seins pendants, qui tenait un enfant dans chaque bras. Elle habitait à côté mais affirmait ne rien savoir.

*Rien entendu.*

Des yeux pleins de haine.

*Rien vu.*

L'un des maîtres-chiens surgit sur le côté de la maison. Couvert de crasse, les traits tirés. Le chien, un bâtard noir, se pressait contre sa cuisse. Il regarda passer les sacs à viande sans broncher, la langue pendante. Son maître secoua la tête.

— Rien dans le vide sanitaire ni dans le jardin. S'il y a un autre corps, il est ailleurs.

— Vous en êtes sûr ? demanda Hunt.

— Absolument.

Il tapota la tête de l'animal du plat de la main.

Hunt éprouva une sorte de soulagement même s'il répugnait à accorder trop de foi à cette sensation. Le fait qu'on n'ait pas trouvé Tiffany Shore ne prouvait pas qu'elle était encore en vie. En outre, il restait viscéralement marqué par les corps derrière lui.

— Y a-t-il un risque qu'ils aient mis votre chien sur une fausse piste ? demanda-t-il en désignant les housses mortuaires.

— Impossible.

Hunt hocha la tête.

— Entendu, Mike. Merci.

L'homme fit claquer sa langue. Le chien lui emboîta le pas.

Rien. Ils n'avaient rien. Hunt songea à ce que Johnny Merrimon lui avait dit à propos de la fille qu'on avait retrouvée au Colorado : emmurée dans un trou creusé dans le mur de la cave, séquestrée toute une année avec juste un matelas, un seau et une bougie. Le dégoût était comme un organe dans ses entrailles. Plus il y pensait, plus il se mettait à bouillonner. Il essaya d'imaginer ce qu'il aurait fait s'il avait été le flic qui l'avait découverte. Ce qu'il aurait fait en premier : l'aurait-il soulevée de ce matelas souillé ou aurait-il commencé par vider son chargeur dans la gueule du salopard ? Il se demanda s'il en serait capable, oublier dix-sept ans de services et appuyer sur la détente.

*Peut-être.*

*Plus que peut-être.*

Il regarda Trenton Moore arrimer les corps à l'arrière de sa fourgonnette. Le médecin légiste avait l'air dans le même état d'esprit que lui : abattu, épuisé, tendu comme une corde de violon. En remontant sur le porche, Hunt flaira des relents de café et de formaldéhyde, une odeur de morgue.

— Désolé de vous en rajouter deux autres aussi vite, dit-il.

— J'allais vous appeler de toute façon, répondit Moore en balayant sa remarque d'un geste de la main. J'ai un rapport préliminaire sur David Wilson.

— Vous n'avez pas perdu votre temps.

— Qu'est-ce que vous voulez que je vous dise ? J'adore mon boulot !

Hunt se dirigea vers l'extrémité du porche, à l'écart de la porte et du passage. Moore le suivit.

— Dites-moi tout.

— Il était vivant quand il est passé par-dessus le parapet. C'est ce qu'a dit le gosse, et mes analyses concordent. Vous avez vu la plupart des lésions les plus évidentes. Jambe et bras cassés ; fractures multiples, en fait. Vous aurez tous les détails dans le rapport définitif. Abrasions sévères dues au contact avec le béton et le sol. Fracture de l'orbite du côté gauche. Sept côtes écrasées, toutes du côté gauche. Traumatisme important des organes internes, hémorragie interne, un poumon perforé. Mais rien de tout ça ne l'a tué.

— Expliquez-vous.

— J'ai découvert une importante contusion au niveau de la gorge, poursuivit Moore en désignant son cou, juste au-dessus de la clavicule. Le larynx était broyé, ainsi que l'œsophage. Un poids colossal s'est exercé de manière à endommager les voies respiratoires jusqu'à l'obstruction totale. (Un temps d'arrêt.) Il est mort asphyxié, inspecteur.

— Mais il était vivant quand Johnny l'a quitté. Il respirait encore, il pouvait parler.

— La contusion au niveau de la gorge a une forme. Une forme extrêmement floue, visible uniquement au microscope et pas assez clairement pour qu'on puisse faire une empreinte ou la comparer à quoi que ce soit, mais cela ne fait aucun doute.

— Une forme ?

— La forme d'un pied, déclara Moore, l'air peiné.

Hunt sentit de la sueur froide lui couler dans le cou.

— Quelqu'un lui a marché dessus, inspecteur. Quelqu'un s'est tenu debout sur sa gorge jusqu'à ce que mort s'ensuive.

Le rapport de Moore changea la tonalité de la matinée pour Hunt. Il sous-entendait une brutalité plus glaçante encore, inexplicablement plus cruelle, plus personnelle.

Il retourna dans la maison, perturbé, en colère. Les corps n'étaient plus là, mais l'aube noire semblait encore plus sombre. À 6 h 25, son portable sonna. C'était son fils. Hunt tressaillit en reconnaissant le numéro. Avec tous ces événements, il n'avait pas pensé à lui. Pas une seule fois.

— Salut, Allen.

— Tu n'es pas rentré.

Il sortit sur le porche, et, les yeux vers le ciel gris et plat, il se représenta le visage de son fils.

— Je sais, dit-il. Je suis désolé.

— Tu seras là pour le petit déjeuner ?

Son sentiment de culpabilité ne fit que s'accroître. Allen essayait d'arranger les choses entre eux.

— Je ne peux pas.

Un long silence.

— Évidemment que non.

Ses doigts se resserrèrent autour du téléphone. Il sentit son fils lui échapper sans savoir comment éviter ça.

— Écoute, fiston. À propos d'hier soir...

— Ouais.

— Je ne t'aurais jamais frappé.

Il entendit un soupir au bout de la ligne, puis Allen raccrocha. *Merde.* Hunt rempocha son téléphone et reporta son attention sur les badauds. Ils regardaient la fourgonnette avec une sinistre fascination. Tous sauf un. Un vieil homme à la chemise tachée, debout sur les rails, tenant son pantalon en lambeaux d'une main. Il avait les yeux tombants au point qu'on voyait de la peau rouge au-dessous, et sa main tremblait sous l'effet d'une paralysie agitante tandis qu'il tirait sur une cigarette mouillée. Il fixa Hunt, puis lui fit un signe d'un doigt crochu.

— Yoakum, s'exclama Hunt, et ce dernier passa la tête par l'entrebâillement de la porte. Je reviens.

Il désigna l'homme sur la voie. Yoakum passa en revue sa silhouette décatie.

— Tu as besoin de renforts ?

— Va te faire foutre, Yoakum.

Le remblai s'effritait sous ses pieds quand il monta sur la voie ferrée. Un filet de fumée s'enroulait autour de la base du nez du vieil homme, couleur lie-de-vin. De près, il vit que la paralysie l'affectait pratiquement de la tête aux pieds. Il mesurait dans les un mètre soixante-cinq, il avait le dos voûté et penchait vers la droite comme si sa jambe de ce côté-là était plus courte. Ses cheveux blancs se dressaient dans la brise. Il tendit la main et, au son de sa voix, Hunt pensa à des gâteaux secs.

— Je peux avoir un dollar ?

En étudiant cette main, Hunt vit le tatouage décoloré sur son dos.

— Que diriez-vous de cinq ?

Le vieillard regarda le billet sortir du portefeuille, s'en empara et le glissa aussitôt dans sa poche. Il lécha ses lèvres blêmes et porta son attention vers le bas du talus de l'autre côté des rails. En suivant son regard, Hunt avisa une bâche verte déchirée, jetée dans les broussailles derrière un buisson de kudzu. Elle se fondait dans la végétation, presque invisible. Il vit un tas de canettes vides, une couronne de terre noircie. L'homme était un sans-abri.

Une peur vive jaillit dans ses yeux. La tension ajouta des plis dans ses joues creusées.

— Pas de problème, le rassura Hunt. Ne vous inquiétez pas.

Il sortit un autre billet et le vieil homme se mit à glousser en dodelinant de la tête, un son râpeux qui se termina en une toux sèche. Quelque chose de marron atterrit sur un rail luisant. Hunt dut détourner les yeux, et ce fut là qu'il aperçut les bouteilles éparpillées au pied du remblai. Du mauvais vin, des petites bières, quelques flasques de bourbon bon marché.

— Avez-vous vu ce qui s'est passé là-bas ? demanda Hunt en désignant la maison.

L'homme eut l'air absent, puis perdu, effrayé. Il s'écarta, mais Hunt le rattrapa par le bras.

— Vous m'avez fait signe, monsieur, dit-il d'une voix douce. Vous vous souvenez ?

Le vieillard se mit à se balancer d'un pied sur l'autre, les doigts courbés, jaunes au bout.

— Elle... elle... elle aimait bien se balader nue. (Il pointa l'index vers la fenêtre de la salle de bains.) Elle se moquait de moi, ajouta-t-il en clignant d'un œil. Sale... salope !

— Vous parlez de Ronda Jeffries ? demanda Hunt d'un ton prudent.

Le menton de l'homme se crispa violemment, mais il ne semblait pas avoir compris la question.

— Ça va ? s'enquit Hunt.

— J'suis le roi du monde, pas vrai ? s'écria-t-il en levant les deux bras.

Il fit mine de s'en aller, mais Hunt posa deux doigts sur son épaule osseuse.

— Pouvez-vous me dire ce qui s'est passé ?

Le vieillard ferma l'œil gauche.

— J'ai juste vu la pelle, répondit-il, en équilibre sur un pied pour se gratter le mollet du bout de sa chaussure. Il a été chercher une pelle. Dans la remise, là.

— Vous voulez dire Levi Freemantle ? Un Noir de cent cinquante kilos.

Hunt orienta son regard vers la remise. Quand il se retourna, l'expression du vieil homme était redevenue vague.

— Vous disiez ?

— Qu'est-ce que vous me voulez ? bougonna le sans-abri en agitant la main comme s'il chassait des mouches de son visage. Je vous connais pas.

Sur ce, il tourna les talons et s'éloigna sur les rails en traînant les pieds. Il se retourna juste une fois avant de taper sur d'autres mouches imaginaires.

Hunt soupira.

— Cross, cria-t-il en lui faisant signe de le rejoindre en haut du talus.

— Oui, chef ?

Cross apparut sur la voie ferrée.

— Allez me le chercher. Il a peut-être vu quelque chose. Voyez ce que vous pouvez en tirer, mais allez-y mollo. Quand vous en aurez fini, appelez les services sociaux et l'hôpital des anciens combattants. Faites-les venir pour qu'ils lui donnent un coup de main.

— L'hôpital des anciens combattants ?

Hunt désigna le dos de sa main droite.

— Il a un tatouage. USN. La marine de guerre. C'est un marin. Traitez-le avec respect.

— Entendu, chef.

Quand Hunt regagna le porche, Yoakum passa à nouveau la tête par l'entrebâillement de la porte.

— Je crois qu'il faudrait que tu voies ça.

— Quoi donc ?

— Tu te souviens de la chambre vide dans le coin sud-ouest ?

— La chambre à coucher ?

Hunt se la figura mentalement. C'était une petite pièce totalement dépouillée. Un store jaune. Des marques de scotch sur le mur. Elle n'était remarquable que par son vide.

— Oui, et alors ?

— Viens jeter un coup d'œil, le pria Yoakum d'une voix plus basse.

Hunt le suivit dans la maison. Il se fraya un chemin entre les experts en train de récolter des empreintes et un photographe en gilet pare-balles. Deux flics en uniforme lui libérèrent le passage alors qu'il approchait de la chambre.

— C'est dans le placard.

Yoakum ouvrit la porte du placard et actionna l'interrupteur. La lumière jaillit, emplissant l'espace, et les murs parurent plus blancs qu'ils ne l'étaient en réalité. L'image dessinée avec des pastels sur la paroi du fond, haute de deux mètres, était puérile et déformée. Un homme esquissé en noir, avec des lèvres rouges, un ample pantalon violet et d'énormes doigts en bâtonnets. Des yeux bruns parfaitement ronds, comme si on les avait tracés avec le fond d'un bocal à conserve. Une série de lignes sinueuses du côté droit du visage, sans rien de menaçant. Il serrait une petite fille contre sa poitrine et agitait l'autre main, comme s'il saluait un ami au loin. La fillette avait des yeux ovales et un ruban dans les cheveux, une petite tache rose perdue contre le torse imposant de l'homme. Elle portait une jupe jaune et levait elle aussi la main. Son sourire était une balafre rouge.

— Qu'est-ce que c'est que ça ?

— J'ai eu la même réaction que toi.

— Pas d'autres dessins ? demanda Hunt en parcourant le reste de la pièce du regard.

— Non.

— Quelqu'un sait forcément quelque chose.

— On a interrogé tout le quartier, mais dans cette rue, personne ne veut parler aux flics.

— Y a-t-il le moindre indice qu'une gamine ait été séquestrée dans cette maison ?

— La pièce a été nettoyée, précisa Yoakum. C'est bizarre en soi. Le reste de la baraque est immonde.

Hunt observa les murs nus et remarqua les endroits où on avait arraché le scotch. Les marques étaient à l'oblique, comme pour maintenir des feuilles de papier aux angles. En commençant dans un coin, il longea lentement chaque côté. Il examina attentivement le parpaing taché, le sol. Il repéra des traces de pastel sur les murs, mais pas d'autre dessin. Des gribouillis ici et là et des petites lignes nettes, comme si quelqu'un avait tracé le bord d'une feuille. Il jeta un coup d'œil derrière le store jaune, puis se pencha pour ramasser quelque chose au fond de la pièce. Il le saisit par les bords, et Yoakum s'approcha.

— Un bouton ?

— Ça vient d'une peluche, affirma Hunt, les yeux plissés, en penchant l'objet.

— Comment ?

Hunt scruta le bouton d'encore plus près.

— Je crois bien que c'est un œil. Donne-moi un sac.

Yoakum lui en tendit un. Hunt y glissa l'œil en plastique et le scella.

— Je veux qu'on passe cette pièce au peigne fin, lança Hunt en se redressant.

— Où vas-tu ?

— J'en ai marre de toute cette merde.

Il sortit comme un ouragan de la maison et dévala les marches du perron. Les gens traînaient toujours dans le coin, par petits groupes, fascinés par la vision de policiers qui ne représentaient pas vraiment une menace. Devant leur complaisance et leur manque de considération, Hunt sentit sa colère se changer en rage.

— Je veux parler à quelqu'un qui sait ce qui s'est passé dans cette maison, lança-t-il en forçant la voix pour se faire entendre.

Tout le monde se figea, chaque visage devenant subitement atone. Il avait vu ça des millions de fois.

— Des gens sont morts. Une fillette a disparu. Quelqu'un peut-il me dire ce qui s'est passé dans cette foutue baraque ?

Son regard croisa celui de la femme en rogne qui portait un enfant sur chaque hanche. Il concentra son attention sur elle parce qu'elle était mère de famille et qu'elle habitait dans la maison voisine.

— Le moindre indice pourrait nous aider.

La femme le dévisageait froidement. Hunt balaya la foule des yeux ; il perçut l'animosité, la méfiance.

— Une gamine a disparu !

Mais il était flic dans un quartier qui n'aimait pas ces gens-là. À l'angle du perron, il avisa une boîte de peinture avec une étiquette délavée, le couvercle collé par la rouille. Avec une violence qui le surprit, il flanqua un coup de pied dedans. Elle décrivit un arc de cercle dans le jardin et explosa par terre en une éructation grise. Il fixa un moment les éclaboussures et, quand il releva les yeux, il vit son patron au bord du trottoir. Tout juste arrivé, il n'avait pas encore coupé le moteur. Les bras croisés et la mine renfrognée, il se tenait derrière la portière ouverte, les yeux rivés sur lui. Ils se regardèrent une longue seconde dans les yeux, puis il secoua la tête. Lentement. D'un air résigné.

Hunt compta jusqu'à deux avant de se diriger vers la porte ouverte.

L'odeur de la mort déferla sur lui.

# 19.

Burton Jarvis quitta la remise à 6 h 20. Shooté à la tequila et au speed, il n'avait pas fermé l'œil de la nuit, et un fusible cramait derrière ses yeux, quelque chose de chaud, d'éclatant. Comme de la peur. Il était furax, insatisfait et plein d'amers regrets qui n'avaient rien à voir avec le bien ou le mal. Il réfléchissait aux notions de risques et de conséquences, aux choses qu'il n'aurait probablement pas dû faire. Pour lesquelles il risquait de se faire pincer.

*Mais tout de même...*

Il chancela dans l'espace gris et humide sous les arbres, sentant l'entaille d'un sourire se dessiner sur son visage.

*Mais tout de même...*

Le sourire s'estompa tandis qu'il s'affairait sur la grosse serrure, et mourut sur ses lèvres quand la sueur jaillit de ses pores. Il descendit en titubant le chemin de la remise jusqu'à la maison. Ses globes oculaires le chatouillaient ; on aurait dit que quelqu'un lui avait versé de la cire dans les sinus.

Il n'était pas un gars sympa. Il en était conscient, mais il n'en avait rien à faire. En fait, il éprouvait une fierté perverse à regarder les jeunes mamans traîner leurs mômes dans la circulation rien que pour éviter de le croiser sur le trottoir. Après neuf arrestations et treize années passées en taule, satisfaire ses besoins était devenu sa religion. Il avait soixante-huit ans, les cheveux en bataille, deux dents branlantes et des yeux glauques. Trois packs par jour lui permettaient de garder la ligne. La drogue et l'alcool lui évitaient la prison ; ça émoussait les angles en atténuant la pression dans les recoins où son cerveau aimait vagabonder. Avec assez de dope, il arrivait à tenir le coup la journée.

La plupart du temps.

Il occupait une bicoque délabrée sur deux cent cinquante mètres de terrain à la périphérie de la ville. La route qui serpentait devant chez lui conduisait au site d'enfouissement des déchets. Dans le jardin de devant, il avait des arbres, un peu de terre, une Pontiac vieille de dix-neuf ans et un camion qui crachait de la fumée noire. Derrière la maison s'entassaient des tonneaux remplis de bouteilles vides près d'un fossé bourré de détritus.

Et puis il avait la remise, tout au bout du terrain, dans un bosquet si dense qu'il aurait pu l'avoir planté rien que dans ce but : cacher la remise. Elle ne figurait ni dans le cadastre ni sur aucune carte. Pas de permis de construire. Juste la cabane, trois kilomètres de bois et puis la rivière.

Le gosse, il l'avait déjà vu bien sûr : un éclat lumineux à la fenêtre, une tache de couleur dans les broussailles. Il n'avait pas la moindre idée de ce qu'il voulait, ce petit morveux, mais il avait failli le choper une fois. Après l'avoir aperçu à la vitre de derrière, il s'était glissé dehors par la porte d'entrée et s'était approché de lui sans bruit. Il avait agrippé une poignée de cheveux, mais le gosse s'était libéré avant qu'il puisse mieux le tenir. Il lui avait couru après pendant un demi-kilomètre avant que ses poumons se rebellent. Il se souvenait bien de ce moment, lorsqu'il s'était retrouvé à genoux par terre à hurler avec le peu de souffle qui lui restait.

— Si tu reviens traîner par ici, je te tuerai ! Je te jure, je te tuerai !

Pourtant le môme était revenu, deux fois, à sa connaissance. Mais Jar ne s'attendait pas à le voir en plein jour.

C'est la voiture qui avait attiré son attention en premier. Elle était garée au bord de la route, les roues gauches pratiquement dans le fossé. En apercevant un pan de chrome terne à travers les arbres, il était sorti sur le porche. Il portait juste un vieux caleçon lâche autour des jambes, mais il n'en avait rien à foutre. La rue était déserte, le voisin le plus proche à trois cents mètres. Des voitures passaient de temps à autre en direction de la décharge, des jeunes faisaient la course dans le coin avec des bagnoles bruyantes, mais ça s'arrêtait à peu près là. C'était son petit bout de paradis. Il y faisait ce qu'il voulait. Il était tôt en plus. Le soleil n'était pas encore passé au-dessus des arbres.

Qu'est-ce que cette caisse foutait devant *sa* maison ?

La plupart des gens savaient pourtant à quoi s'en tenir.

Il attrapa la batte posée contre le montant de sa porte, à l'intérieur. Elle était toute cabossée et éraflée depuis le jour où il avait défoncé la télé à cause d'un joueur qui avait lâché la balle à la fin d'un match du championnat. Sur la dernière marche, il chancela, le bas du dos endolori par quelques piqûres d'aiguilles. Les arbres s'inclinaient vers lui sur son passage. Une branche lui flanqua une baffe, lui égratignant la joue.

*Foutu arbre de mes deux !*

Il faillit s'étaler en le frappant avec sa batte.

C'était un vieux break jaune avec des panneaux en faux bois. Les pneus étaient lisses ; des bourrelets de feutre jaillissaient de deux fenêtres. Aucun passager apparemment. Jar s'arrêta au bout de son allée en terre et braqua ses yeux chassieux sur la route, dans un sens puis dans l'autre. Personne en vue. Rien sur la route à part le break. Le bitume était chaud et lisse, la batte toute bosselée et pleine d'éclats. Elle lui éraflait la jambe et lui plantait des échardes dans le cuir. Il s'arrêta pour regarder et vit des petits points de sang aussi vifs qu'un bonbon sur la peau blanche glabre de son mollet.

*Foutue batte de mes deux !*

Les vitres de la voiture étaient ouvertes, le gosse recroquevillé sur la banquette avant. Il portait un jean crasseux, des tennis en lambeaux, des plumes ou quelque chose comme ça autour du cou. Bizarre. Il avait le torse et les épaules nus et badigeonnés d'un truc qui ressemblait à de la suie. Jar reconnut le visage qu'il avait vu à sa fenêtre, anguleux, barbouillé, une petite gueule de vaurien. Il dormait, allongé sur le côté. Jar sentait déjà ses doigts autour de ce cou maigrichon.

C'était bien le gamin en question. Le chenapan qui l'obligeait à ne dormir que d'une oreille une nuit sur deux. Jar jeta un rapide coup d'œil de part et d'autre dans la rue avant de reporter son attention dans la voiture. Il avisa des jumelles par terre, une bouteille d'eau à moitié vide et un foutu appareil photo. À quoi ça pouvait bien lui servir, bordel ! Le gosse tenait un couteau à la main, un canif, ouvert.

Jar se serait bidonné, mais il était trop occupé à calculer son coup.

*Personne en vue. Trente secondes pour sortir le môme de la voiture, une minute pour le traîner jusqu'à la maison.*

*C'était faisable.*

Seulement il était ivre, flagada, lessivé ; et les gens comme lui ne s'en sortaient pas très bien en prison. Et puis il y avait la voiture. Il allait falloir qu'il s'en débarrasse rapidement, sans laisser de traces. Si le gamin se débattait, ça risquait de mal tourner. Jar avait le sang chaud ; il n'allait pas le nier. Quelqu'un, un gars en balade, risquait de débarquer sur la route. Vu le virage qu'il y avait juste avant sa maison, les voitures pouvaient surgir subitement. Si on le voyait en train de sortir l'enfant de la bagnole de force, à tous les coups on appellerait les flics. Et les flics étaient déjà sur les dents à cause de la gamine disparue.

Sans compter que la chance ne vous souriait pas éternellement.

Une bataille faisait rage dans l'esprit de Jar. C'était bien le gosse, et il savait quelque chose. Forcément. Sinon, pourquoi est-ce qu'il se pointerait sans arrêt ? Rien que de le voir, Jarvis en avait des démangeaisons. Il y avait quelque chose chez ce môme...

Mais Jar avait une bonne petite vie. Il avait de l'alcool, de l'espace, et de longues nuits pour se remémorer des temps meilleurs. Il avait sa cabane, trois bons kilomètres de bois déserts, et des occasions se présentaient de temps en temps.

*Seulement il devait faire attention.*

Il chavira sur le bitume lisse, sentant la peur le gagner peu à peu. Il se passait trop de choses. Il était saoul et ne tenait pas sur ses jambes.

*Mais c'était le même gosse.*

Il se rendit compte qu'il le fixait depuis plus d'une minute, debout là en caleçon sur la voie publique. C'est ça qui lui fit prendre une décision. Ses pensées qui s'enchaînaient au ralenti pouvaient lui causer des ennuis. Il l'avait appris à ses dépens. Neuf arrestations et treize années de ballon, à cause d'erreurs stupides. *Oublie.* Il allait relever le numéro d'immatriculation et retrouverait le môme plus tard.

Mais le petit ouvrit les yeux. Lorsqu'il cligna des paupières et se mit à hurler, Jar n'eut plus le choix.

Il se jeta par la fenêtre comme un rat dans un trou.

# 20.

Johnny se réveilla d'un cauchemar grisâtre. Il vit le ciel à travers la vitre, et puis des yeux glauques, injectés de sang, et des doigts tachés de plâtre jaune. Il savait que c'était un cauchemar parce qu'il avait déjà vu ça – cette figure, ces ongles cassés. Il cilla, mais rien ne changea. Le type crasseux était toujours là, ses doigts se crispaient, et Johnny comprit tout à coup où il était. Le cri s'arracha à sa gorge mais Jarvis s'engouffra si vite par la fenêtre que l'enfant eut à peine le temps de réagir. Il fit mine de s'écarter, mais des doigts durs lui saisirent la cheville. Johnny poussa un nouveau hurlement et Jar grogna, le son provenant du même endroit profond, immonde, que dans le rêve. Une autre main se referma sur sa cheville. Johnny se jeta sur la banquette.

Il brandit son couteau, taillada un bras, puis l'autre. Des lignes rouges apparurent. Il voulut continuer, mais Jar le secoua si fort que sa tête cogna le volant. Un cliquetis de portière et Johnny se retrouva par terre dans la rue. Sa tête heurta la chaussée. Un pied lui écrasa la main et le canif valsa.

Tandis qu'il tentait de se glisser sous la voiture, Jar le saisit par le cou et le retourna sur le dos comme une crêpe. Des petits cailloux lui entamaient le crâne. Les doigts pressèrent encore plus fort et Johnny eut la sensation qu'une longue ligne glaciale se dessinait sur sa poitrine. Glaciale d'abord, puis vint la chaleur, la douleur, et Johnny comprit qu'il l'avait entaillé avec son propre couteau. L'autre lui hurlait à la figure des gros mots, des insanités, accompagnés de fils de bave. Une autre ligne froide s'ouvrit et se changea en feu. Il était en train de mourir, il le savait. Ce vieux salopard allait le tuer.

La lame lança un éclair.

— Ça te plaît ?

Il lui fit une nouvelle balafre.

Une autre encore.

— Ça te plaît, petit salopard ?

Il était fou de rage. Puis un coup de tonnerre retentit dans le ciel et il s'envola, une fleur rouge sur la poitrine. Le bruit comprima les tympans de Johnny, le fracas assourdi de la déflagration et le son sourd, humide, que fit le corps de Jar en tombant sur le macadam. Johnny ferma les yeux et revit le gars décoller du sol, le coup de fouet qui avait laissé un filet de bave en suspension dans l'air. Ça n'avait aucun sens, mais l'image persista – comme de la peinture fraîche sur son esprit –, et puis la souffrance l'engloutit. Il s'assit, et la douleur irradia sur sa poitrine. Il la toucha et sa main réapparut, couverte de sang. Il la considéra avant de détourner les yeux. Il vit la plante des pieds de Jar. Une jambe tressaillir.

*Qu'est-ce qui s'est passé ?*

Une pierre racla l'asphalte derrière lui. Le gros pistolet noir tremblait entre des doigts aux jointures blanchies. Des petits doigts aux ongles crasseux. Les bras étaient maigrichons, les muscles crispés, tout juste capables de porter l'arme. Le canon décrivait des cercles en tous sens. Une chemise bleue, sale, qui descendait jusqu'aux genoux. Le nom de Jar était inscrit sur un écusson cousu sur la poche. Il y avait une tache de graisse et il manquait un bouton près du bas. Des menottes cliquetaient aux poignets. Les lèvres mordillées saignaient.

La fille passa à côté de Johnny sans le regarder. Elle avait les yeux rivés sur Jarvis dont la jambe continuait à cogner le bitume, dont les doigts se recroquevillaient.

Alors Johnny comprit.

— Tiffany.

Elle l'ignora. Il vit les zébrures sur ses jambes, les vilaines entailles sous les menottes étincelantes.

— Tiffany, ne fais pas ça.

Ses pouces se rapprochèrent du chien. Deux cliquetis métalliques. La jambe de Jar se figea. En se redressant, Johnny vit sa figure, ses yeux argentés, écarquillés. Le vieil homme leva une main.

— Ne fais pas ça, répéta-t-il.

Du sang coula de sa narine et vacilla au bord de sa lèvre.

Elle allait le faire.

— Il faut que je lui parle, continua Johnny en levant les deux mains. Il sait où est ma sœur.

Tiffany hésita. Le sang déborda de sa lèvre sur une dent parfaite. Elle tendit les deux bras.

— Non ! cria Johnny.

Mais elle appuya sur la détente. La balle transperça la paume de Jar avant de s'engouffrer entre ses dents. Sa tête se souleva, rebondit. La jambe se figea.

Tiffany s'assit sur la route en fixant un point au loin. Elle posa l'arme à côté d'elle. Le sang de Jar s'amoncelait contre la jambe de la fillette. Johnny courut près du vieil homme et se laissa tomber à genoux. Il prit la tête fracassée entre ses mains comme s'il pouvait contenir tout ce qui s'en échappait, mais le regard était morne, vide, l'argent de ses yeux changé en plomb. L'espace d'une seconde, Johnny vit du noir, et puis il se mit à hurler :

— Où est-elle ?

Il brailla la question, encore et encore et, pour finir, il se mit à taper la tête de Jar contre le bitume, la cognant à toute force jusqu'à ce que la résonance de dure se fasse humide. Il finit par arrêter.

Il était trop tard.

# 21.

Levi se réveilla désorienté, la vue brouillée. C'était une détonation qui l'avait tiré de son sommeil. Ça venait d'assez loin, lui semblait-il, mais la rivière faisait un drôle d'effet aux sons. Le coup de feu pouvait avoir éclaté n'importe où.

Il cligna des yeux jusqu'à ce que sa vision redevienne nette. Il se rappela la douleur, et lorsqu'il essaya de s'asseoir, elle se réveilla à son tour. Quelque chose lui sciait l'abdomen et quand il posa la main dessus, il s'aperçut qu'elle était toute rouge. En baissant les yeux, il vit la pointe d'une branche cassée jaillir de son ventre. Large comme une queue de billard. Un bout de bois dentelé qui faisait saillie de son flanc droit, juste en dessous de la dernière côte. Il posa le doigt sur l'extrêmité rugueuse et sentit la branche remuer dans les profondeurs de ses entrailles. En ravalant ses larmes, il tenta de l'extraire.

Quand il reprit conscience, il savait à quoi s'en tenir et laissa la branche tranquille. Ça faisait mal quand il remuait, mais pas au point de ne pas pouvoir bouger du tout. Il ne fallait pas qu'il y pense – alors il pensa à ne pas y penser. Il se mit à genoux tant bien que mal, posa le front sur sa boîte et déploya les mains. Il demanda à Dieu de lui donner la force de tenir un autre jour, de faire ce qui devait être fait. Il était sûr que le Seigneur lui parlerait, mais quand il rouvrit les yeux, il vit un corbeau sur une branche. Le regard noir, immobile, il fixait la boîte et Levi prit peur. Il ne faisait pas confiance aux oiseaux. Ils étaient trop figés et trop intéressés par les activités des hommes. Et puis on lui avait raconté des histoires à propos des corbeaux, des histoires très anciennes qui remontaient à la grand-mère de sa grand-mère, à propos des corbeaux et des âmes des morts qu'on venait d'enterrer.

Des âmes qui se tordaient et brûlaient durant la chute interminable.

Levi se coucha sur la boîte en étalant les mains pour la protéger. Le corbeau le regarda pendant une longue seconde avant de voler au sommet d'un autre arbre au tronc carbonisé par la foudre si bien que la fourche du côté du fleuve avait blanchi. Le volatile se posa parmi une dizaine d'autres, poussa un cri et puis se tut. Pas une seule plume ne bougeait. Les oiseaux le fixaient, et le froid saisit son cœur. Une nuée de corbeaux sur une couronne de bois mort. Il l'entendit comme un chuchotement.

*Une nuée de corbeaux.*

La voix le fit sursauter. Ce n'était pas celle de Dieu. Elle était suave, sirupeuse. Elle lui emplit la tête et lui mit un goût de sucre dans la bouche. Il essaya de se lever, mais il se tordit la cheville et la douleur le transperça à nouveau. Il serra les dents et roula sur le dos. De l'air chaud l'enveloppa et, quand il releva les yeux, les oiseaux prirent leur envol dans un bruissement d'ailes qui fit gémir le bois mort. Il s'attrapa la cheville et sentit la bosse, la chair enflée comme une pastèque. Elle était foulée, cassée peut-être. Ça avait dû se passer quand il s'était jeté dans la rivière. Il ne s'était rendu compte de rien sur le moment. Mais il le sentait maintenant. Quand il prit appui de nouveau sur son pied, une lame s'enfonça dans ses nerfs, si pointue, si vive, qu'il en pleura.

Il fixa son regard sur un pan de ciel vert-de-gris et entendit à nouveau ce chuchotement étrange.

*Une nuée de corbeaux.*

La voix l'effraya.

— Où es-tu ? implora-t-il le Seigneur.

Personne ne répondit. Il n'y avait plus un oiseau dans le ciel, mais le bois mort continua à bouger, de haut en bas, latéralement, longtemps après qu'ils eurent disparu.

Il lui fallut une heure pour trouver le courage d'essayer à nouveau de marcher. Quand la même lame lui tarauda la cheville, il décida de ramper. C'est ce qu'il fit le long de la berge, vers l'aval, sanglotant doucement tout en tirant la boîte derrière lui.

# 22.

Le parking de l'hôpital ne pouvait pas accueillir tous les vans de la presse. Ils s'y étaient agglutinés en si grand nombre que Charlie avait dû se bagarrer pour dégager une voie de passage au cas où il fallait qu'une ambulance passe pour déposer un patient. C'était son job, garder le parking, s'occuper de la porte et empêcher les gens d'entrer. À l'abri sous l'auvent, il cilla face aux éclairages blafards.

Il en était à sa cinquième interview.

Sans se soucier de la foule, il tendit le bras, les yeux rivés sur la journaliste de *Channel Four*. Elle était aussi jolie en chair et en os que sur le petit écran. On aurait dit une star.

— Juste là, dit-il en pointant le doigt. La voiture a déboulé par cette entrée en zigzaguant. Elle a heurté ce rebord en béton et rebondi pour aboutir ici. (Il replia le bras pour désigner l'endroit où il se tenait.) Heureusement, je suis leste.

La jeune reporter hocha la tête sans laisser transparaître le moindre doute. Charlie avait de la bedaine pour trois.

— Continuez, dit-elle.

Il gratta un petit bouton sur son crâne.

— Eh bien, c'est à peu près tout.

— C'était Johnny Merrimon qui conduisait, n'est-ce pas ? demanda-t-elle avec un sourire si étincelant que Charlie fut ébloui.

— Absolument. Je me souvenais d'avoir vu son visage aux informations l'année dernière. Difficile à oublier, faut dire. On nous a bombarbés de photos de sa sœur jumelle dans les journaux. Ils se ressemblent comme deux gouttes d'eau. Mais il était taillardé de partout, et crasseux. Il y avait du sang plein la voiture.

La journaliste se tourna vers la caméra.

— Johnny va avoir treize ans...

— Il n'avait rien à faire au volant...

— Mais il était avec Tiffany Shore.

— La fillette disparue. Oui, acquiesça Charlie. C'était bien elle. Je l'ai vue dans le journal elle aussi.

— Était-elle blessée selon vous ?

Une lueur surgit dans le regard de la jeune femme. Ses lèvres fardées s'entrouvrirent pour révéler l'éclat humide de sa denture parfaite.

Charlie baissa le bras.

— Blessée, je sais pas. Mais elle avait des menottes et elle était dans le coaltar. Elle braillait. Elle s'est mise à hurler quand on a essayé de la sortir de la bagnole. Elle ne voulait pas lâcher le bras de Johnny.

— Et Johnny Merrimon, dans quel état était-il ?

— Dans quel état ? Bon sang. Il avait l'air d'un sauvage.

— Un sauvage !

La journaliste rapprocha brusquement le micro. Charlie déglutit en détournant les yeux de sa bouche.

— Ouais. Il a des cheveux noirs de corbeau, vous savez, et ces yeux noirs. Il est maigre comme un clou, et il ne portait même pas de chemise. Il avait des plumes et des ossements autour du cou – j'ai vu un crâne, je vous jure, un crâne ! – et puis il avait la figure peinte en noir et en rouge, comme des zébrures. (Il s'effleura le visage en déployant les doigts.) De la peinture faciale, vous voyez ce que je veux dire ?

— Des peintures de guerre, vous voulez dire ? demanda la journaliste, soudain tout excitée.

— Je l'ai juste trouvé sale. Crasseux, les yeux exorbités, tout essoufflé, comme s'il avait couru vingt bornes.

— Était-il blessé ?

— Des entailles surtout. Coupé en tranches, je dirais. Juste coupé en tranches et couvert de sang et de crasse. Il a eu du mal à lâcher le volant. Il a fallu qu'on le sorte de la voiture de force lui aussi. Il était dans un sale état, je vous dis pas. (Il hocha la tête.) Un sale état.

Elle lui fourra le micro sous le nez.

— Pensez-vous que Johnny Merrimon a sauvé Tiffany Shore des griffes de l'homme qui l'avait enlevée ?

— Je n'en sais rien.

Charlie marqua une pause le temps de reluquer le décolleté de la fille.

— Ils n'avaient pas trop l'air d'avoir été sauvés ni l'un ni l'autre.

Hunt se tenait dans un hall de l'hôpital brillamment éclairé, son reflet formant une courbe sinueuse sur le miroitement du sol bien astiqué. Une veine battait sur sa tempe et un flux d'acide brûlant montait au creux de sa poitrine. Il s'entretenait avec son patron, le chef de la police, en se faisant violence pour ne pas lui flanquer son poing dans la figure.

— Comment avez-vous fait pour passer à côté ?

C'était un homme aux épaules tombantes, au ventre rebondi, réputé pour son intolérance. Il avait un instinct de survie digne d'un politicien. En règle générale, il avait le bon sens de ne pas se mêler des affaires de Hunt, mais ce jour-là n'avait rien d'habituel.

— Pour l'amour du ciel, Hunt, ce type est un pédophile connu !

Hunt compta jusqu'à trois en silence. Un médecin passa, puis une infirmière fluette qui poussait un brancard vide.

— Nous l'avons interrogé deux fois. Il nous a autorisés à perquisitionner chez lui et c'est ce que nous avons fait. Nous n'avons rien trouvé. Il n'est pas le seul délinquant sexuel connu. Il y en avait d'autres, jugés beaucoup plus risqués. Nous n'avons pas tant d'hommes sous la main.

— Ce n'est pas une excuse.

— Son dernier méfait remonte à dix-neuf ans, reprit Hunt en comptant sur ses doigts. Cela fait seize ans qu'il n'est plus en liberté surveillée. D'autres pédophiles avérés ont des casiers bien pires, et je ne vois pas comment on aurait pu savoir pour la cabane. Pas de permis, ni gaz ni électricité. Rien sur le cadastre. Elle ne figure nulle part. Totalement incognito. Il pourrait y avoir des milliers de remises de ce type dans ce comté sans qu'on en sache fichtre rien. Et puis il y a Levi Freemantle. J'ai rarement vu une piste aussi sûre. David Wilson a dit qu'il avait trouvé la fille. Freemantle a laissé une empreinte sur la victime...

— On est en train de me vouer aux gémonies, là, l'interrompit son chef en pointant un doigt vers l'entrée de l'hôpital. Sur les chaînes de télévision nationales.

— J'y suis pour rien.

Le patron plissa les yeux. Sa voix baissa dangereusement.

— Vous vous amusez comme un petit fou, hein ?

— Ne soyez pas ridicule.

— Ils veulent savoir comment ce gosse a pu trouver Tiffany Shore alors que nous n'avons pas été foutus de le faire. Il a treize ans, nom de Dieu, et ils sont déterminés à faire de lui un héros.

— Nous ignorons ce qui s'est passé là-bas.

— Je passe pour un imbécile ! À propos du gamin, merci d'avoir donné à Ken Holloway un prétexte pour me faire chier. J'ai reçu quatre coups de fil de la mairie. *Quatre*, dont deux du maire. Holloway a fait de sérieuses accusations. Il menace d'engager des poursuites.

La colère de Hunt monta d'un cran.

— Il a agressé un de vos hommes. Ça devrait vous faire quelque chose.

— Vous allez me faire pleurer ! Il s'est borné à poser un doigt sur votre poitrine.

— Il faisait entrave à mon enquête.

— Entrave à quelque chose, ça c'est sûr.

À son expression, il était clair qu'il n'avait pas exprimé le fond de sa pensée.

Hunt redressa les épaules.

— Qu'est-ce que c'est censé vouloir dire ?

— Holloway soutient que vous vous intéressez de près à Katherine Merrimon. D'un point de vue sentimental.

— C'est ridicule.

— Vraiment ? Il affirme que vous l'avez harcelé. **Que** vous lui avez mis des bâtons dans les roues.

— Il devenait agressif. J'ai agi comme je l'ai estimé nécessaire.

— L'agent Taylor a confirmé la version d'Holloway.

— Elle ne dirait jamais un truc pareil.

— Elle n'avait pas besoin de le dire, corniaud. Tout au long de sa courte existence, l'agent Taylor n'a jamais été fichue de cacher ses émotions. Il m'a suffi de lui poser la question.

Hunt s'éloigna de quelques pas. Le patron enchaîna.

— Ce qui m'importe, c'est la manière dont vos agissements m'affectent, aussi vais-je vous poser la question tout de go. Avez-vous le béguin pour Katherine Merrimon ?

— Contentez-vous de me dire ce que vous voulez que je fasse.

— Je veux que vous répondiez à ma question.

— C'est une question abjecte.

Quelques secondes s'écoulèrent. Le chef respirait fort.

— Vous feriez peut-être bien de prendre un peu de repos.

— Laissez tomber.

Le patron poussa un gros soupir, et l'espace d'un instant, il eut l'air compatissant.

— Écoutez, Clyde. On n'a jamais retrouvé Alyssa. Et vu la manière dont cette affaire-ci s'est déroulée... les gens posent des questions.

— À propos de quoi ?

Même regard compréhensif.

— À propos de vos compétences. Je vous l'ai déjà dit, vous prenez ces choses-là trop personnellement.

— Pas plus que n'importe quel autre flic.

— Ce matin, vous vous en êtes pris à un groupe de badauds. Vous avez flanqué un coup de pied dans un pot de peinture au milieu de la scène de crime.

Le patron détourna le regard, puis il secoua la tête.

— L'année a été longue. Je crois que vous avez besoin de répit.

— Vous me foutez à la porte ?

— Je vous demande de prendre quelques semaines de congé. Un mois tout au plus.

— Non.

— Carrément !

— Carrément.

La compassion s'évapora. La colère resurgit.

— Dans ce cas, laissez-moi vous dire ce que vous allez faire. Pour commencer, vous allez endosser les emmerdes que toute cette affaire à la mords-moi-le-nœud engendre. Si la presse veut un souffre-douleur, j'ai bien l'intention de vous livrer à elle en pâture et j'attends de vous que vous encaissiez. Idem pour ce qui est de la municipalité. Et des parents de Tiffany Shore.

— Je ne vois pas pourquoi j'accepterais.

— Parce que ça fait un an que je vous soutiens.

— N'importe quoi !

— Deuxio. (Il haussa le ton, tapota deux doigts dans le creux de sa main.) Je veux que vous lâchiez la bride à Ken Holloway. Il est riche comme Crésus, il a plus d'amis en haut lieu que vous et moi pourrions rêver en avoir, et je n'ai pas besoin de ce genre de problème. En dehors du fait qu'il couche avec une femme sur laquelle vous avez apparemment des vues, il n'a jamais rien fait de mal, d'après ce que j'en sais. Pas d'arrestations. Aucune accusation n'a été portée contre lui. Alors s'il veut poser son doigt sur votre torse, prenez-le comme un homme. Et s'il veut s'envoyer en l'air avec Katherine Merrimon (là, le chef enfonça un doigt dans la poitrine de Hunt), vous le laissez faire.

Hunt le regarda s'en aller, furibard. Il avait affaire à un petit homme, avec des priorités de petit homme. Estimant qu'il avait des préoccupations de plus grande envergure lui-même, il enfouit leur conversation dans un coin de son esprit et l'évacua. L'oublia.

Enfin, façon de parler !

En s'acheminant au fil des méandres de l'hôpital, il finit par atteindre le service de pédiatrie où Johnny avait été admis. Il n'était pas autorisé à le voir, mais il espérait mettre la main sur le médecin et le faire changer d'avis. À la place, il trouva une femme austère assise, les genoux serrés, sur un banc dans le couloir près de la chambre de l'enfant. Elle avait les cheveux gris, tirés en arrière, et portait un tailleur strict. Hunt la reconnut.

*Les services sociaux.*

*Merde.*

En croisant son regard, elle fit mine de se lever, mais il pivota sur ses talons avant qu'elle puisse lui mettre le grappin dessus. Il rejoignit le hall, mais s'arrêta net en entendant la voix de Katherine.

— Inspecteur Hunt ?

Elle se tenait près des ascenseurs, elle avait une mine épouvantable. Quand il s'approcha d'elle, ils se retrouvèrent étrangement seuls dans la salle encombrée.

— Katherine, dit-il. Comment va Johnny ?

Elle se frotta le bras, écarta ses cheveux de ses yeux. Hunt vit qu'elle était sur le point de craquer.

— Pas bien. Il a sept entailles, dont deux assez profondes. (Elle passa un doigt sous ses yeux avant que les larmes débordent.) Il a fallu deux cent six points de suture pour fermer les plaies. Il aura des cicatrices toute sa vie.

— Est-il réveillé ? demanda Hunt en jetant un coup d'œil derrière elle.

— Plus maintenant. Il l'a été, un bref instant.

— A-t-il dit quelque chose ?

— Il a parlé d'Alyssa. Il voulait savoir si on l'avait trouvée.

Hunt détourna les yeux, mais elle posa la main sur son bras.

— Est-ce le même homme ?

Elle voulait savoir si Burton Jarvis avait enlevé sa fille aussi.

— Il est trop tôt pour le dire.

— C'est lui ?

Elle serra son bras plus fort, et Hunt perçut tout l'espoir et la terreur qui l'habitaient.

— Je ne sais pas. Nous étudions la question. On vérifie. Dès que je saurai quelque chose, je vous le dirai, je vous le promets.

Elle hocha la tête.

— Je devrais y retourner... Au cas où il se réveille.

Il l'arrêta alors qu'elle s'apprêtait à partir. Il réfléchit intensément avant de parler.

— Katherine.

— Oui.

— Les services sociaux vont vouloir s'entretenir avec vous.

— La DSS ? Je ne comprends pas.

— Il a passé la nuit dehors. Au volant de votre voiture. Il a failli se faire tuer par un pédophile connu. Je ne pense pas qu'ils le laisseront rentrer chez vous, ajouta-t-il après une pause.

— Je ne comprends pas, répéta-t-elle, puis, rapidement : Je ne l'admettrai pas.

— Il était couvert de plumes. Il portait des écailles de serpent et un crâne attachés à une ficelle autour du cou. Je vois mal comment un juge pourrait l'autoriser à rester auprès de vous. Vous avez vu les journalistes dehors ? Ce sont les médias nationaux. *CNN*. La *Fox*. Ils l'ont baptisé le Petit Chef, l'Indien. Toute la presse va en parler, du coup, c'est une affaire politique. La DSS interviendra parce qu'ils ne pourront pas faire autrement.

Sa défiance s'estompa.

— Qu'est-ce que je peux faire ?

— Je n'en sais rien.

— S'il vous plaît. (Ses doigts se resserrèrent encore sur son bras.) S'il vous plaît.

Hunt regarda autour de lui. En dix-sept années, il n'avait jamais franchi la ligne, mais elle était là sous ses yeux, aussi nette que toutes les lignes qu'il avait vues dans sa vie. En toute conscience, il l'enjamba. Pourquoi ? Parce que certaines choses comptaient plus que d'autres.

— Ils vont procéder à une évaluation complète, dit-il. En commençant par une inspection surprise de votre domicile.

— Je ne...

— Il faut que vous rentriez tout de suite. Faire le ménage.

Elle leva la main, effleura une mèche molle. Hunt marqua un temps d'arrêt, mais il faut que les choses fassent mal parfois, inévitablement.

— Vous devez vous débarrasser des drogues.

— Je ne...

Hunt l'interrompit.

— Ne me mentez pas, Katherine, s'il vous plaît, l'interrompit Hunt. Je vous parle en ami, pas en tant que flic. Je m'efforce de vous aider, en ami.

Elle soutint son regard aussi longtemps qu'elle le put avant de baisser les yeux.

— Regardez-moi, Katherine.

Elle leva son visage, mis à nu par l'éclairage blafard.

— Faites-moi confiance, ajouta-t-il.

Elle cilla pour chasser des larmes pareilles à des gouttes de rosée.

— Il faut que quelqu'un m'emmène, articula-t-elle péniblement.

Hunt jeta un coup d'œil à travers les portes vitrées, évaluant la foule d'un regard. Les journalistes. Les caméras. Sa main trouva celle de Katherine.

— Par ici, dit-il.

Il l'entraîna dans une succession de couloirs, un ascenseur, et ils sortirent du bâtiment par une porte à deux battants située à l'arrière, sur laquelle il était écrit : RÉSERVÉ AUX LIVRAISONS.

— La voiture est par là.

— Et la mienne, où est-elle ?

— Elle a été saisie. C'est une pièce à conviction.

Au bout de dix mètres sous le soleil ardent, elle lui lâcha la main.

— Je peux me débrouiller.

Une fois à la voiture, Hunt se rendit compte que ce n'était manifestement pas le cas. Elle avait les joues en feu et se tordait les doigts. Elle prit appui contre la portière, tête baissée.

En arrivant chez elle, Hunt se gara aussi près que possible de la porte.

— Avez-vous de quoi prendre un taxi ? demanda-t-il. Pour retourner à l'hôpital. (Elle hocha la tête.) Mon numéro ?

Elle écarta ses cheveux de son visage, plongea son regard dans le sien. Une petite lueur d'orgueil brillait dans ses yeux.

— J'ai plusieurs cartes à vous.

Quand elle ouvrit la portière, la chaleur s'engouffra dans la voiture. Il regarda ses jambes basculer, sa main sur la portière. En se penchant en arrière, elle lança d'un ton heurté :

— J'aime mon fils, inspecteur.

— Je sais.

— Je suis une bonne mère.

Elle essayait de se convaincre elle-même, mais ses pupilles dilatées faisaient de ces affirmations des mensonges. Johnny était à l'hôpital et elle était encore défoncée.

— Je sais, répéta Hunt, même si ce n'était pas ce qu'il pensait.

*Je sais que vous l'avez été.*

*Et que vous le serez de nouveau.*

Il passa la marche arrière.

Elle resta là à le regarder partir.


Trente minutes plus tard, il était à la remise en train d'inspecter les lieux avec Yoakum et une poignée de techniciens. Il tournait le dos à la maison.

— Tous aux abris !

— Qu'est-ce qu'il y a ?

— Le patron arrive.

En jetant un coup d'œil vers le sentier, Hunt vit ce dernier se faufiler entre les derniers taillis. Deux de ses acolytes lui emboîtaient le pas. Un agent écartait les branches de son passage.

— Je viens de me le taper, bougonna Hunt.

— Les meilleurs cadeaux sont dans des gros paquets.

Hunt croisa les bras sur sa poitrine. Que le chef ait décidé de vérifier les choses par lui-même ne posait pas de problème en soi, mais ça ne l'empêcherait pas de faire la gueule Les mains sur les hanches, le menton levé, le patron s'immobilisa à cinq mètres de la cabane pour embrasser la scène du regard.

— Il a vu ça dans un film ou quoi ? marmonna Yoakum.

— Boucle-la, John.

— On dirait Patton. Nom de Dieu, il se prend pour George C. Scott !

Le patron se remit brusquement en branle et couvrit la courte distance qui les séparait, sa petite clique dans son sillage. Il adressa un signe de tête à Yoakum et fit les gros yeux à Hunt.

— Venez avec moi.

Hunt brandit les deux paumes en parcourant du regard les bois denses, les épaisses broussailles.

— Où ça ?

L'autre examina la végétation touffue.

— Donnez-nous une minute.

Ses assistants s'éclipsèrent.

— Vous aussi, Yoakum.

— Moi ? fit-il, la main sur la poitrine, interloqué.

— Allez voir ailleurs si j'y suis.

Yoakum se glissa derrière le chef avant de se mettre à marcher au pas de l'oie, mais Hunt n'était pas d'humeur à plaisanter. Il regarda son patron dans le blanc des yeux et ce dernier lui rendit son regard. La tension monta, mais son supérieur brisa le silence le premier.

— À propos de tout à l'heure. J'y suis peut-être allé un peu fort.

— Peut-être.

— Peut-être pas.

Le chef examina les arbres imposants, le mur de la forêt. La cabane n'était qu'une particule au milieu d'un océan vert.

— Si vous me dites que vous n'êtes pas impliqué de trop près dans cette affaire, je l'accepterai.

— C'est juste une enquête comme une autre, affirma Hunt en soutenant son regard.

— D'accord. (Un bref hochement de tête.) On va faire comme ça, mais sachez que c'est votre dernière chance. La toute dernière, compris ? Maintenant, avant que je change d'avis et que je vous vire pour être un aussi piètre menteur, dites-moi ce que vous avez découvert ici.

Hunt pointa le doigt en direction de la maison, cachée derrière les arbres.

— Nous avons trouvé l'endroit où Jarvis se branche sur le secteur. Le câble est enterré à cinq centimètres de profondeur environ. La cabane ne figure pas sur le cadastre. Et vous avez vu le chemin qui y mène. Tout juste un sentier. On ne voit rien de la route ni de la maison. Pas de permis de construire. Ni aucun service public. C'est une enclave. Un *no man's land.*

— Du nouveau du côté des enfants ?

— Ils sont sous calmants. Le médecin ne veut pas que je les voie.

Le chef entra dans la remise. En lui emboîtant le pas, Hunt avait la chair de poule.

— Comme vous le voyez, les murs sont capitonnés à l'aide de matelas, pour étouffer le son vraisemblablement. Les fenêtres sont couvertes d'isolant en fibre de verre scellé avec du plastique industriel. Là encore, pour atténuer le son, mais aussi pour plonger l'intérieur dans le noir. Regardez ça. (Hunt s'approcha du mur du fond et désigna un petit trou aux contours irréguliers.) C'est là qu'elle a arraché le crochet qui tenait ses menottes.

Le crochet en question avait été mis sous scellés et numéroté. Hunt s'en saisit et sentit le métal froid à travers le plastique. Il le tendit à son chef qui l'effleura avant de s'agenouiller et de poser son doigt sur le trou. Il était peu profond. Le béton sec s'effritait.

— Balèze, la gamine ! souligna Hunt.

— Comment elle a fait pour s'échapper ?

Hunt entraîna le patron jusqu'à la porte et sortit. Il désigna le verrou. Un Yale, volumineux, solide, en laiton. Il était fermé, logé dans le moraillon d'acier en forme de U.

— Il a verrouillé la porte, mais il a oublié de la fermer.

— Un accident ? (Il souleva le cadenas, le laissa retomber et basculer.) Ou bien de l'arrogance ?

— Est-ce important ?

Un haussement d'épaules.

— Et l'arme ?

— Mystère et boule de gomme. Si ça se trouve, elle était dans la cabane depuis le début. À moins que la gamine l'ait trouvée dans la maison. Qui n'était pas fermée à clé non plus.

Les deux hommes tournèrent leur attention vers la baraque. Invisible derrière les arbres. De nuit, toutefois, les lumières allumées, Tiffany l'aurait vue.

— Je présume qu'il était ivre. On a trouvé de l'alcool et des drogues. L'autopsie nous le dira.

— Des indices de la présence d'autres enfants ? ajouta le chef d'un ton qui se voulait professionnel.

— Vous faites allusion à Alyssa Merrimon ?

— Pas particulièrement.

Le patron ne broncha pas tandis que Hunt s'absorbait dans la contemplation des profondeurs des bois environnants.

— Il va nous falloir un chien, dit-il. Si elle est enterrée par ici, je veux la trouver.

— Il n'y a plus beaucoup de lumière.

— J'ai déjà appelé, répliqua-t-il d'un ton monocorde.

# 23.

Derrière les murs minces d'une maison qui n'était pas la sienne, Katherine Merrimon fixait son reflet dans la glace de la salle de bains. Elle avait reconnu son mensonge à l'expression du policier et ça lui avait fait l'effet d'une gifle. Aussi se posait-elle la question la plus difficile qui soit.

*Était-elle une bonne mère ?*

Sa peau était tendue sur son visage osseux, fatigué, trop pâle. Ses cheveux pendaient, trop lourds, et ses doigts tremblaient quand elle les porta à sa joue. Elle vit ses ongles cassés, ses cernes. Elle chercha quelque chose de familier dans son regard, mais ses yeux étaient en carton-pâte.

Une image de Johnny était imprimée dans son esprit. Couvert de bandages, exsangue. Et sa première pensée avait été pour sa sœur.

*Alyssa.*

Ce prénom filtra entre ses lèvres, manquant de la terrasser. Elle se cramponna au lavabo et finit par lever la main. Elle trouva l'armoire à glace et l'ouvrit avec répugnance. Des flacons de comprimés remplissaient les trois étagères. En plastique orange. Avec des étiquettes blanches. Elle en prit un au hasard : Vicodine. Elle ôta le couvercle, fit glisser trois pilules dans sa main. Elles avaient le pouvoir de tout faire disparaître, les souvenirs en kaléidoscope, la perte.

La sueur lui dégoulinait dans le dos. La bouche douloureusement sèche, elle sentait déjà l'effet que les médicaments auraient sur sa langue – la déglutition pénible, la brève attente, amère. Quand elle releva la tête vers le miroir, elle vit des yeux comme découpés, décolorés, des copies de copies. Ils ressemblaient à ceux de Johnny, mais il n'en avait pas toujours été ainsi.

Elle inclina la main pour laisser tomber les cachets. Ils cliquetèrent en heurtant la porcelaine. D'un geste, elle balaya frénétiquement tous les flacons et les fit valser dans le lavabo. Puis l'un après l'autre, elle les décapsula avec rage et vida leur contenu dans les toilettes. Un flacon. Vingt. Elle les vida tous avant de tirer la chasse.

Vite.

Il fallait faire ça vite.

Elle porta les flacons vides dans la cuisine, les jeta à la poubelle et emmena le sac dehors. Le temps s'évanouit pendant qu'elle lessivait, frottait. Le sol. Le frigo. Les vitres. Les heures passèrent en un flou brûlant de sueur et d'ammoniaque. Elle fourra les draps sales dans la machine à laver, versa l'alcool dans les mauvaises herbes et jeta les bouteilles dans la benne où elles explosèrent et volèrent en éclats tandis qu'elle retournait en chercher d'autres. À la fin, elle affronta à nouveau le miroir. Son pouls battait dans le creux sous sa mâchoire. Elle fit couler l'eau chaude jusqu'à ce qu'elle soit brûlante et se frotta la figure à en avoir mal, mais ses yeux étaient toujours aussi bizarres. Elle arracha ses vêtements et entra dans la douche. Mais ça ne suffirait pas.

La saleté était à l'intérieur.

Johnny se réveilla dans une chambre inconnue. Il entendait des pas derrière la porte, une voix étouffée. Lorsqu'on appela un médecin à l'interphone, des bribes de souvenirs lui revinrent. Il toucha les bandages sur sa poitrine et la douleur surgit ; il essaya de se redresser quand la nausée l'assaillit. Des couleurs apparurent à la périphérie de sa vision : rouge terne à la fenêtre, blanc sous la porte. Il chercha sa mère des yeux et les murs se tordirent. Une fois assis, il vit des restes de suie sous ses ongles, des traces de jus de baies et des taches de sang sur ses doigts.

Ses plumes avaient disparu, mais ça n'avait plus d'importance. En fermant les yeux, il sentit à nouveau la poigne impossible de Jar. L'odeur de cuir de la voiture lui revint, ainsi que la sensation des longues lignes glaciales sur son corps quand Jar lui avait broyé le cou en le tailladant avec son propre canif.

Johnny glissa les mains sous le drap, mais il voyait toujours le trou chaud, spongieux dans la nuque du vieil homme. Il entendit des cognements qui se changeaient en bruits humides et se rappela que Jar était mort. Alors il se tourna sur le côté et ferma les yeux.

La porte s'ouvrit si doucement qu'il ne l'entendit pas vraiment. Il perçut un mouvement dans l'air, une présence près de son lit. En rouvrant les yeux, il reconnut l'inspecteur Hunt, l'air hagard, son sourire forcé.

— Je ne suis pas censé être là, dit-il, puis il désigna la chaise. Je peux ?

Johnny se redressa contre les oreillers. Il essaya de parler, mais le monde était enveloppé de coton.

— Comment te sens-tu ?

Le regard de l'enfant se posa sur l'arme dont la crosse dépassait sous la veste du policier.

— Ça va.

Cette réponse lui parut voilée, trop lente, fausse.

Hunt s'assit.

— On peut parler ?

Comme Johnny ne répondait pas, il se pencha vers lui en joignant les mains, les coudes posés sur ses genoux. Sa veste s'écarta de sorte que Johnny pouvait voir l'holster usé, la laque noire qui paraissait enduire l'acier.

— J'ai besoin de savoir ce qui s'est passé.

Pas de réponse. Johnny était subjugué.

— Peux-tu me regarder, fiston ?

Johnny hocha la tête, mais ses paupières étaient trop lourdes pour qu'il puisse les lever.

— Johnny ?

L'enfant continuait à fixer l'arme. La poignée à damier. La perle blanche du cran de sécurité.

Sa main bougea toute seule, et le flic devint flou alors que Johnny tendait la main vers le pistolet. Il voulait juste le tenir, pour voir s'il était aussi lourd qu'il y paraissait, mais l'arme s'estompa dans une boule de lumière douce. Un poids s'abattit sur sa poitrine. Le plaqua contre le matelas. Il entendait la voix du policier au loin.

— Johnny, reste avec moi. Johnny.

Et puis ce fut la chute, et quelqu'un lui enfonça des piques noires dans les yeux.

Katherine repassa ses vêtements et s'habilla. Elle lutta pour ne pas trembler, mais les boutons lui semblaient minuscules. Elle se sécha les cheveux et en démêla les nœuds en se demandant si elle devait se maquiller. À la fin, elle avait l'air d'une femme normale dans la peau de quelqu'un de très malade. Lorsqu'elle appela un taxi, il lui fallut se creuser la cervelle pour se souvenir précisément de son adresse. Puis elle s'assit au bord du canapé et attendit.

La pendule faisait tic tac dans la cuisine.

Elle se tenait le dos bien droit.

Quand la sueur commença à perler, ce fut entre les omoplates. Elle imagina le goût d'un verre d'alcool et entendit la berceuse d'un jour lointain.

Ce serait facile.

Tellement facile.

La décision de prier surgit comme une ombre. Comme si elle avait rouvert les yeux sur une absence de lumière si manifeste qu'elle l'avait obligée à regarder vers le ciel. L'envie monta des profondeurs de son âme, une chaleur jadis ardente désormais réprimée sous quelque chose de sombre et de froid. Elle lutta, mais perdit la bataille et, lorsqu'elle s'agenouilla, elle eut l'impression d'être une menteuse, une hypocrite, une vagabonde perdue dans une nuit de pluie incessante.

Au départ, les mots refusèrent de sortir. On aurait dit que Dieu en personne lui avait noué la gorge. Mais elle inclina la tête en s'efforçant de se rappeler l'effet que cela faisait. Le dépouillement. La foi. L'humilité nécessaire pour implorer. Et c'est ce qu'elle fit. Elle pria pour avoir la force, pour que son fils se rétablisse. En silence, ardemment, elle supplia le Seigneur de l'aider. De lui laisser ce qu'elle avait : son fils, leur vie ensemble. Quand elle se releva, elle entendit un crissement de pneus sur le gravier. On aurait dit qu'il pleuvait. Puis le bruit se tut.

À la porte, elle se retrouva nez à nez avec Ken Holloway.

Son costume était froissé, sa cravate, d'un violet intense, défaite. Elle se figea devant son air courroucé, son col trempé de sueur. Elle fixa son attention sur le duvet qui couvrait le dos de sa main.

— Qu'est-ce que tu fous ? beugla-t-il en lui saisissant le menton entre son pouce et deux doigts brutaux. Pour qui tu t'es fringuée comme ça ? (Elle ne pouvait pas répondre. Il lui comprimait le menton.) Je te demande pour qui tu t'es fringuée ?

— Je vais à l'hôpital, répondit-elle d'une petite voix.

— Les visites seront terminées dans une heure, répliqua Ken après avoir consulté sa montre. Si tu nous servais un petit verre ? Tu iras demain. De bonne heure.

— Ils vont se demander pourquoi je ne suis pas là.

— Qui ça ?

Elle avala sa salive.

— La DSS.

— Des gratte-papier. Ils ne peuvent rien te faire.

Elle releva la tête.

— Il faut que j'y aille.

— Sers-moi à boire.

— Il n'y a plus rien à boire.

— Quoi ?

— Tout est parti. Il ne reste rien.

Elle essaya de se faufiler à côté de lui. Il l'arrêta d'un bras massif.

— Il est tard, fit-il en lui caressant le bas des reins.

— Je ne peux pas.

— J'ai passé la nuit en taule. (Il lui attrapa le bras.) C'est de la faute de Johnny, tu sais. De ton fils. S'il n'avait pas jeté cette pierre dans ma vitre...

— Rien ne te prouve que c'est lui.

— Tu viens de me contredire là ou quoi ?

La douleur jaillit. Elle regarda les doigts qui lui meur-trissaient le bras.

— Retire ta main de là.

Il éclata de rire, et elle le sentit se rapprocher, presser son torse contre elle, bloquant l'entrée. Il entreprit de la faire reculer.

— Lâche-moi, dit-elle.

Mais, les lèvres serrées, le regard implacable, il la pous-sait dans la maison. Elle revit brusquement son fils assis sur le porche, son petit menton dans sa main ferme, scru-tant la colline dans l'espoir de voir son père revenir. Elle l'avait réprimandé sur le moment, mais elle sentait à pré-sent l'espoir qui avait dû l'animer. En portant son regard au-dessus du bras de Ken, elle considéra la colline à son tour. Elle imagina le camion de son mari grimpant puis piquant du nez, mais il n'y avait personne sur la crête. La route n'était qu'un ruban noir de silence. Ken s'esclaffa à nouveau. Un son rauque, guttural. En levant les yeux vers lui, elle vit sa mine réjouie.

— Demain, dit-il. Johnny. À la première heure.

Elle jeta un autre coup d'œil à la colline et vit un éclair métallique à l'instant où un véhicule franchissait la crête. Elle eut le souffle coupé, puis elle identifia la voiture.

— C'est mon taxi, dit-elle.

Ken recula quand le chauffeur commença à ralentir. Katherine dégagea son bras, mais elle sentait toujours sa présence, imposante, rageuse.

— Il faut que j'y aille, dit-elle avant de se faufiler à côté de lui pour rejoindre le taxi qui l'attendait dans l'allée.

— Katherine, répondit-il avec un grand sourire qui aurait pu sembler sincère aux yeux de n'importe qui, à part elle. On se parle demain.

Elle se précipita dans la voiture, sentit la banquette contre son dos, une odeur de cigarette, d'habits sales, de lotion capillaire. Le chauffeur avait la peau plissée et une cicatrice dans le cou de la couleur d'une perle mouillée.

— Où va-t-on ?

Elle avait les yeux rivés sur Ken Holloway.

— Madame ?
Il souriait.
— À l'hôpital.
Le chauffeur l'observait dans le rétroviseur. En sentant
ses yeux posés sur elle, elle croisa son regard.
— Ça va ? demanda-t-il.
— Ça va aller, répondit-elle, tremblante, en sueur.
Mais elle se trompait.

# 24.

*Johnny tournait le dos à la forêt. La trouée devant lui faisait comme une égratignure dans un océan de verdure, une imperfection, mais de l'endroit où il se tenait, il ne voyait qu'une crinière verte ondulant sous une brise silencieuse.*

*Plantée au beau milieu de l'étroite clairière, sa sœur le dévisageait. Elle leva la main, et Johnny se trouva en train de marcher vers elle avec de l'herbe jusqu'aux chevilles, puis jusqu'aux genoux. Alyssa était telle qu'elle l'avait vue la dernière fois : en short jaune pâle avec un haut blanc. Des cheveux noirs comme de l'encre, le teint hâlé. Une main dans le dos, elle penchait la tête si bien que des mèches d'ébène lui tombaient sur les yeux. Elle se tenait sur une tôle en fer-blanc rouillée qui aplatissait l'herbe. Johnny sentit l'odeur de l'herbe écrasée, la maturité de l'été.*

*Le serpent était enroulé à ses pieds. C'était la vipère cuivrée qu'il avait tuée. Un mètre cinquante de long, brune et or, silencieuse. Elle goûtait l'air du bout de la langue et quand Johnny s'arrêta, elle dressa la tête.*

*Johnny se souvenait qu'elle l'avait attaqué le jour où il l'avait tuée. Il s'en était fallu de peu.*

*Quelques centimètres.*

*Peut-être moins.*

*Alyssa se pencha sur le reptile et le saisit. La queue s'enroula autour de son poignet. La tête se dressa encore quand Alyssa se releva, et le serpent plongea son regard dans le sien. La langue jaillit.*

— *Ce n'est pas de la force, dit Alyssa.*

*La vipère la mordit au visage et quand elle se retira, deux trous apparurent, suivis de perles de sang pareilles à de minuscules pommes parfaites. Alyssa brandit le serpent, et quand elle fit un pas en avant, la tôle oscilla sous ses pieds.*

— *C'est de la faiblesse.*

*Le serpent frappa une fois de plus, une forme floue qui ne ralentit qu'au moment où les crochets s'enfonçaient dans la peau. Alyssa vacilla, et l'animal attaqua de nouveau. À deux reprises. Au front et à la lèvre inférieure. Encore des trous. Du sang. Alyssa s'immobilisa, et soudain ses yeux étincelèrent, si foncés qu'ils en étaient noirs, si fixes qu'on les aurait dit vides. C'étaient les yeux de Johnny, ceux de leur mère. Sa main se resserra autour du serpent, et Johnny vit qu'elle n'avait pas peur. La violence, la colère éclataient sur son visage. Ses lèvres blêmirent, et la vipère commença à se débattre. Alyssa serra encore plus fort et sa voix se raffermit.*

— *De la faiblesse, répéta-t-elle, tandis que le serpent s'agitait frénétiquement dans son poing.*

*Il la mordit à la main, au visage. Il attaqua le cou et s'y accrocha, déversant son venin en se tortillant. Alyssa l'ignora et sortit son autre main de derrière son dos. Dans celle-ci, elle tenait une arme, noire, étincelante dans la lumière crue, brûlante.*

— *Ça, c'est la force, dit-elle.*

*Avant d'arracher la vipère de son cou.*

Johnny se réveilla en sursaut. L'effet des médicaments était passé, mais le rêve maintenait son emprise sur lui : sa sœur disparue, le sourire qu'elle lui avait décoché quand il avait effleuré le métal chaud, brillant dans sa main. Il toucha ses bandages et c'est alors qu'il vit sa mère, assise sur une chaise près du mur. Du mascara avait coulé sous ses yeux. Un de ses genoux tremblait convulsivement.

— Maman.

Elle tourna brusquement la tête vers lui.

— Johnny, souffla-t-elle.

Elle se précipita à son chevet. Elle lui caressa les cheveux avant de se pencher pour le prendre dans ses bras.

— Mon bébé.

L'inspecteur Hunt débarqua deux heures après le petit déjeuner. Il apparut à la porte, gratifia Johnny d'un petit sourire, puis il fit signe à Katherine d'un doigt crochu avant de regagner le couloir.

Johnny les observa à travers la vitre. Quels que soient les propos que tenait Hunt, sa mère n'avait pas l'air d'apprécier. Ils se disputaient âprement. Elle secoua la tête, regarda intensément à travers la vitre par deux fois, puis baissa la tête. Hunt lui toucha l'épaule, mais elle le repoussa.

Lorsque la porte se rouvrit finalement, Hunt entra le premier, Katherine sur ses talons. Elle adressa à son fils un sourire peu convaincant avant d'aller s'asseoir au bord du fauteuil en vinyle brillant dans le coin. On aurait dit qu'elle allait dégobiller.

— Salut, Johnny, dit Hunt en rapprochant une chaise du lit. Comment te sens-tu ?

Le regard de l'enfant passa du visage de sa mère aux reflets métalliques sous l'aisselle de Hunt, l'acier noir, étincelant.

— Tiffany, ça va ?

Hunt croisa sa veste d'un geste nerveux.

— Je crois que ça va aller.

En fermant les yeux, Johnny revit la fillette assise dans le sang du mort, il sentit la peau chaude, sèche, de son bras quand il avait essayé de la sortir de la voiture.

— Elle ne se rappelait pas de moi, dit-il. On a été à l'école ensemble pendant sept ans. (Il secoua la tête.) À mi-chemin de l'hôpital, elle a fini par me reconnaître. Elle ne voulait plus me lâcher. Elle pleurait. Elle poussait des cris.

— J'irai voir comment elle va. Tout de suite après.

Hunt marqua un temps d'arrêt, puis il prit un ton sérieux, de grande personne.

— C'est courageux ce que tu as fait.

Johnny cligna des yeux.

— Je n'ai sauvé personne.

— Vraiment ?

— C'est ce que les gens disent, non ?

— Certains, oui.

— Il allait me tuer. C'est Tiffany qui a été héroïque. Ils devraient pas raconter n'importe quoi.

— Ce sont les gens de la télé, Johnny. Ne les prends pas au sérieux.

L'enfant fixa le mur blanc devant lui en tâtant ses bandages d'une main.

— Il allait me tuer.

Katherine émit un son qui ressemblait à un sanglot. Hunt se tourna vers elle.

— Vous n'êtes vraiment pas obligée de rester.

Elle se dressa au bord de son siège.

— Vous ne pouvez pas me forcer à partir.

— Personne ne vous...

— Je ne partirai pas, coupa-t-elle d'une voix aiguë, les mains tremblantes.

Hunt pivota dans la direction de Johnny, et son sourire paraissait sincère, même s'il était visiblement anxieux.

— Te sens-tu assez fort pour répondre à quelques questions ?

L'enfant hocha la tête.

— Commençons par le commencement. Je veux que tu te représentes l'homme que tu as vu sur le pont, celui au volant de la voiture qui a renversé le motard. Ça y est ?

— Oui.

— À présent, figure-toi le type qui t'a agressé après que tu as filé.

— Il ne m'a pas agressé. Il m'a juste pris dans ses bras en me serrant un peu.

— En te serrant ?

— Comme s'il attendait quelque chose.

— Se pourrait-il que ce soit le même individu ? Celui du pont et celui qui t'a pris dans ses bras ?

— C'étaient deux hommes différents.

— Le premier, tu l'as à peine vu. Tu as dit que tu avais juste aperçu une silhouette.

— Pas la même carrure. Ni la même taille. Ils étaient à un kilomètre de distance, peut-être même deux.

Hunt lui expliqua le topo à propos de la courbe de la rivière.

— Il est donc possible qu'il s'agisse du même homme.

— Je connais le parcours de la rivière. Il y a des marécages à cet endroit. Si on coupe, on s'enfonce jusqu'à la taille. Ce n'est pas pour rien que le sentier suit la berge. Ce sont deux hommes différents, faites-moi confiance. Celui du pont n'avait pas l'air assez costaud pour porter cette boîte.

— Quelle boîte ?

— Une sorte de malle. Enveloppée dans du plastique. L'autre la trimballait sur son épaule et elle avait l'air drôlement lourde.

— Décris-la-moi.

— Du plastique noir. Avec du ruban adhésif argenté. Longue. Assez haute. Comme une malle. Il me tenait avec un bras et maintenait la caisse sur son épaule de l'autre. Il était juste planté là, comme je vous l'ai dit, et puis il m'a parlé.

— Première nouvelle ! Qu'est-ce qu'il a dit ?

— « Dieu a dit. »

— Qu'est-ce que ça signifie ?

— J'en sais rien.

Hunt se leva et marcha jusqu'à la fenêtre. Il regarda dehors pendant une longue minute.

— Le nom de David Wilson te dit-il quelque chose ?

— Non.

— Et Levi Freemantle ?

— David Wilson est le gars qui a basculé par-dessus le pont. Levi Freemantle, celui qui m'a chopé au passage.

— Je croyais que ces noms ne te disaient rien.

— C'est vrai, admit Johnny avec un haussement d'épaules. Mais Freemantle est un nom mustee. C'est forcément le géant. Du coup, David Wilson, ça doit être le mort.

— Mustee ?

— Ouais.

— Ça veut dire quoi ?

— Du sang indien mélangé avec de l'africain.

Hunt n'avait pas l'air de comprendre.

— Lumbee, Sapona, Cherokee, Catawba. Eux aussi c'étaient des esclaves indiens. Vous le saviez pas ?

Hunt scruta le visage du gamin en se demandant dans quelle mesure il pouvait le croire.

— Comment sais-tu que Freemantle est un nom mustee ?

— Le premier esclave affranchi du comté de Raven était un mustee baptisé Isaac. Une fois libre, il a choisi de se faire appeler Freemantle. *Manteau de liberté*. C'est ce que ce nom veut dire.

— Je n'avais jamais entendu parler d'un Freemantle dans le comté de Raven avant cette affaire.

— Pourtant il y en a dans le coin ! insista l'enfant avec un nouveau haussement d'épaules. Pourquoi croyez-vous que Levi Freemantle est aussi l'homme du pont ?

— Parlons de Burton Jarvis.

— Non, répondit Johnny.

— Comment ça ?

— Pas tant que vous aurez pas répondu à ma question. Ce serait pas juste.

— On n'est pas dans la cour de récré, Johnny. Il ne s'agit pas de savoir ce qui est juste ou pas.

— Il est très têtu, intervint Katherine.

— Entendu, reprit Hunt. Une question. Juste une.

Johnny baissa la tête, mais ses yeux restèrent rivés sur le visage de l'inspecteur.

— Pourquoi pensez-vous que Levi Freemantle est l'homme que j'ai vu sur le pont ?

— Il a laissé une empreinte sur le corps de la victime. Du coup, on se demande si ce n'est pas lui qui l'a percuté sur le pont. Si tu pouvais nous affirmer qu'il s'agit du même homme, Freemantle et le gars que tu as vu sur le pont, ça rendrait les choses plus claires.

Hunt s'abstint de mentionner les corps trouvés dans la maison de Freemantle, le dessin du géant tenant une fillette en robe jaune avec une bouche rouge sang esquissé dans le placard.

Quand Johnny se redressa dans son lit, quelque chose le tirailla sous ses bandages.

— David Wilson était encore vivant quand Freemantle est arrivé près de lui ?

— Nous l'ignorons.

— Mais c'est possible.

Hunt revit les empreintes sanglantes sur les paupières du mort.

— Ça paraît peu probable.

— Mais il se peut qu'il ait dit à Freemantle où elle était.

— Je ne m'engagerai pas dans cette voie-là si j'étais toi, Johnny.

— Et s'il parlait d'Alyssa. Il a peut-être dit à Freemantle où il l'avait trouvée.

— Non.

— Mais peut-être que...

— Il y a peu de chances qu'il ait parlé d'Alyssa, et il est encore plus improbable qu'il ait été en vie quand Freemantle est arrivé sur les lieux.

Hunt observa l'enfant faire mentalement des déductions.

— N'y pense même pas !

— À quoi ?

Il avait l'air tellement innocent que n'importe quel autre flic aurait mordu à l'hameçon.

— Fini de jouer les flics, Johnny. Fini les cartes. L'aventure est terminée. C'est compris ?

Johnny détourna la tête.

— Vous parliez de Burton Jarvis. Qu'est-ce que vous voulez savoir à son sujet ?

— Commence par le début. Comment as-tu su où il habitait ? Que faisais-tu là-bas ? Qu'as-tu vu ? Que s'est-il passé exactement ? Tout ça. En détail.

Johnny repensa aux premières fois où il s'était rendu chez Jarvis : l'obscurité, la remise, la vision de la maison à travers les arbres, les bruissements des petits animaux dans la profondeur des bois. Il songea aux mois de cauchemar, à l'horrible copain de Jar, à leurs conversations à propos de Petite Jaune. À leurs éclats de rire qui le faisaient flageoler sur ses jambes. Il ne put réprimer son anxiété, et sa mère la perçut. Elle se leva, inquiète, et se mit à faire les cent pas. Ses va-et-vient agacèrent l'inspecteur.

— Ça vous ennuierait de vous asseoir, Katherine ?

Elle l'ignora.

— Katherine.

— Comment voulez-vous que je reste assise là comme si tout allait bien ? (Elle frémit, les yeux brillants. Elle foudroya Hunt du regard.) Les services sociaux. Je ne les laisserai pas faire !

— Nous nous étions mis d'accord pour laisser Johnny en dehors de ça pour le moment, souffla-t-il.

— Je ne le supporterai pas !

— Je fais ce que je peux, Katherine, croyez-moi.

— Vous m'aviez dit que vous ramèneriez Alyssa à la maison. Ça aussi, vous vouliez que je le croie !

Hunt blêmit.

— Vous n'arrangez pas les choses.

— C'est de ça dont vous parliez ? intervint Johnny en faisant un geste en direction du couloir. De la DSS ?

— Les services sociaux se font du souci à ton sujet, Johnny. Vu ce qui s'est passé, ils sont dans l'obligation de procéder à une évaluation complète. Interroger les gens, inspecter ta maison. Ils vont s'entretenir avec les responsables de ton école. Mais tout cela ne se fera pas en un jour. En attendant, ils souhaitent te retirer à la garde de ta mère. Momentanément. Pour ta protection.

— Ma protection ?

— Ils pensent que tu cours certains risques.

— À cause de moi, lança Katherine.

— On n'a jamais dit ça ! répliqua Hunt, à bout de patience.

— C'est faux, protesta Johnny.

— Du calme, fiston.

Hunt se tourna vers Katherine, sur le point d'éclater en sanglots, puis il reporta son attention sur l'enfant.

— J'ai discuté avec ton oncle Steve. On va s'arranger pour que tu loges chez lui le temps que les choses suivent leur cours.

— Steve est un connard.

— Johnny !

— Mais c'est vrai, maman !

— Tu as le choix entre Steve ou un tuteur désigné par le tribunal, reprit Hunt en se rapprochant de l'enfant. Chez Steve, ta mère pourra venir te voir quand elle voudra. Tu seras toujours dans ta famille, en tout cas jusqu'à ce qu'une décision soit prise. Si le tribunal prend l'affaire en main, je ne pourrai plus intervenir. C'est le juge qui tranchera et là, c'est la loterie.

Johnny se tourna vers sa mère, mais elle avait le visage enfoui dans ses mains.

— Maman !

Elle secoua la tête.

— Je suis désolé, reprit Hunt. Mais ça te pendait au nez depuis un bout de temps. C'est pour le mieux, en définitive.

— Il faut qu'on trouve mon père, décréta Johnny.

Il n'avait pas entendu sa mère approcher. Tout à coup, elle était là, près du lit. Ses yeux étincelaient, sombres, tristes, immenses.

— On ne sait pas où il est, Johnny.

— Mais tu as dit qu'il avait écrit. Tu as parlé de Chicago, de la Californie.

— Il n'a jamais envoyé de lettre.

— Mais...

— J'ai menti, avoua-t-elle en tournant une paume toute blanche vers le ciel. Il n'a jamais écrit.

La vision de Johnny se brouilla.

— Je veux rentrer à la maison, dit-il, mais Hunt fut sans pitié.

— Ce n'est pas possible.

Katherine se rapprocha encore de son fils. Elle leva le menton, et Hunt perçut son attitude protectrice, de l'orgueil aussi.

— S'il vous plaît, dit-elle en prenant la main de Johnny dans la sienne.

— Je veux rentrer à la maison, répéta l'enfant.

L'espace d'un instant, Hunt eut la bonté de détourner le regard, mais il devait faire son boulot. Il avait de l'admiration pour le gamin mais, quel que soit le monde imaginaire dans lequel il vivait, il était temps de le détruire avant qu'il y ait une autre victime ou que Johnny lui-même y passe.

Il se leva pour aller chercher le sac en papier contenant les plumes du garçon, les écailles et le crâne solitaire, tout jauni, qu'il avait posé à l'autre bout de la pièce. Il en sortit les colliers et les tendit à la hauteur des yeux de Johnny.

— Pourrais-tu me parler de ça ?

— Qu'est-ce que c'est ? s'enquit Katherine.

— Johnny les portait quand il est arrivé ici. Il était couvert de suie et de jus de baies, à moitié nu, les poches pleines de ce qui serait, d'après ce qu'on m'a dit, de la bistorte, même si je ne sais pas trop de quoi il s'agit. Les services sociaux vont poser des questions à propos de tout ça. Ils vont insister lourdement, et je pense que tu ferais bien de commencer par me l'expliquer.

Johnny regardait fixement les plumes. Il vit que Jar en avait coupé une en deux. Rien n'avait changé, pensa-t-il. Le flic restait une menace et sa mère était toujours aussi faible. Personne ne comprendrait.

— Ce n'est pas normal, souligna Hunt.

— Je ne veux pas parler de ça.

— Parle-moi de Burton Jarvis dans ce cas.

— Non.

— Comment l'as-tu retrouvé ? Combien de fois es-tu allé là-bas ?

Johnny se tourna vers la fenêtre.

Hunt remit les colliers dans le sac et prit les feuilles couvertes de l'écriture de l'enfant.

— Ces notes sont-elles exactes ? Il est question de plus d'une douzaine de visites chez Jarvis. Et ailleurs.

— C'est juste un jeu, répondit Johnny après y avoir jeté un rapide coup d'œil.

— Comment ?

— J'invente, pour m'amuser.

— Johnny...

La déception se lisait sur le visage de l'inspecteur. Johnny ne broncha même pas.

— Hier soir, c'était la première fois.

— Je comprends que tu éprouves le besoin de me mentir, mon petit, mais je dois savoir ce que tu as vu. Tu mentionnes cinq noms, des gens que nous connaissons, des délinquants sexuels que nous avons à l'œil. Et puis il y a un sixième homme. Celui qui est venu rendre visite à Burton Jarvis à de multiples occasions. (Hunt parcourut la feuille qu'il avait sous les yeux.) Il y a toute une page de notes sur ce type. Tu en fais la description : sa taille, son poids, sa couleur de cheveux. Tu précises la marque de sa voiture ainsi que trois numéros minéralogiques différents qui correspondent tous à des véhicules déclarés volés au cours de l'année dernière. Il faut que je sache qui est cet homme. Je pense que tu peux m'aider.

— Non.

— Petite Jaune. Ça fait référence à quoi ?

— Vous travaillez pour les mêmes gens que la DSS.

— Bon sang ! s'exclama Hunt, à bout de patience.

Katherine s'interposa aussitôt entre son fils et lui.

— Ça suffit ! lança-t-elle avec une rare conviction en déployant des doigts fins.

— La moitié de ces griffonnages sont illisibles. Il y a peut-être des informations importantes là-dedans, même si Johnny n'en est pas pleinement conscient. Il faut qu'il me parle.

Katherine porta son attention sur les notes de son fils. Elle les parcourut avant de les relire plus attentivement. Cela prit un certain temps, mais Hunt attendit. À la fin de sa lecture, elle paraissait terrifiée.

— Qu'il réponde à vos questions nous aidera-t-il à régler le problème avec la DSS ? Ou cela nous portera-t-il préjudice ?

— Vous devez me faire confiance.

— Rien ne compte plus pour moi que de garder mon fils avec moi.

— Pas même de récupérer Alyssa ?

— Vous voulez dire que c'est possible ?

— Il semblerait que votre fils ait découvert un pédophile jusque-là inconnu de nos services opérant dans la région. Un homme rusé. Prudent. Il se pourrait qu'il y ait un lien.

— Cela vous semble-t-il vraisemblable ?

— Je n'en sais rien, fit Hunt d'une voix pleine de doute.

— Dans ce cas, je dois penser à l'enfant qu'il me reste.

— Je me fais du souci pour Johnny.

Elle soutint son regard, et sa voix était aussi tranchante et fragile qu'un morceau de verre.

— Vous voudriez qu'on vous fasse confiance ?

— Oui.

— Qu'on fasse confiance à la police ?

— Oui.

Elle fit un pas en avant en agitant les feuilles sous le nez de l'inspecteur.

— Vous voulez qu'on parle de ce pédophile inconnu. Le rusé. Le prudent. Celui qui fréquente l'homme qui a failli tuer mon fils...

Hunt baissa la tête. Katherine pointa son doigt sur un mot gribouillé que seule une mère était capable de lire. Son visage se changea en un masque de porcelaine empreint d'effroi et de colère.

— Ce mot n'est pas fric ni frime, ni quoi que ce soit d'anodin. Il a écrit « flic ». Ça veut dire que l'homme en compagnie de Burton Jarvis était flic.

Elle balança les feuilles contre la poitrine de Hunt avant de se rapprocher de son fils.

— Fin de l'interrogatoire.

Après le départ de Hunt, Katherine resta debout près du lit de Johnny. Elle le dévisagea un long moment sans poser la moindre question sur les plumes, les notes ou ce que l'inspecteur avait dit. Elle était très pâle, mais semblait étonnamment calme.

— Prie avec moi, Johnny.

En la regardant s'agenouiller, il sentit une onde de colère monter du tréfonds de son être. L'espace d'un instant, elle s'était montrée forte, et il avait été si fier d'elle.

— Prier ?

— Oui.

— Depuis quand ?

Elle frotta ses paumes contre son jean.

— J'avais oublié à quel point ça faisait du bien.

Johnny entendit ces mots comme si une étrangère les avait prononcés. C'était tellement facile pour elle de laisser tomber, de décider subitement qu'elle voulait se sentir mieux.

— Il n'écoute pas, dit-il.

— Il faut peut-être qu'on lui donne une deuxième chance.

Johnny la fixa longuement, tellement dégoûté et déçu qu'il ne parvenait plus à masquer ses sentiments. Il se cramponna à la barrière de son lit avec le sentiment d'être capable de faire ployer le métal.

— Tu sais pourquoi j'ai prié ? s'exclama-t-il d'un ton brutal. Chaque nuit sans exception jusqu'à ce que je me rende compte que Dieu n'en avait rien à faire ? Qu'il n'en aurait jamais rien à faire. Tu veux que je te dise ?

Elle secoua tristement la tête, interloquée.

— Pour trois choses seulement, enchaîna-t-il. J'ai prié pour que papa et Alyssa reviennent à la maison. Pour que tu arrêtes de prendre des médicaments. (Sa mère ouvrit la bouche pour rétorquer, mais il poursuivit d'un ton glacial.) Et pour que Ken meure.

— Johnny !

— Je priais pour ça tous les soirs. La famille réunie. La fin des cachets. Et pour que Ken Holloway connaisse une mort lente et douloureuse.

— Ne dis pas ça, s'il te plaît.

— Quoi ? Que Ken meure ? Ou que sa mort soit lente et douloureuse ?

— Arrête.

— Je veux qu'il meure dans la terreur, comme il nous a terrorisés. Je veux qu'il sache ce que ça fait de se sentir impuissant, mort de trouille, et puis je veux qu'il aille dans un endroit d'où il ne pourra plus nous atteindre.

Les yeux embués de larmes, Katherine posa une main sur la tête de son fils, mais il l'écarta d'un geste.

— Mais ça n'a rien à voir avec Dieu, hein ?

Johnny se redressa encore dans son lit, sa colère se changeant en rage au point qu'il sentit qu'il allait éclater en sanglots.

— Les prières n'ont pas fait revenir Alyssa. Ni papa. Elles ne nous ont pas permis d'avoir chaud à la maison ni empêché Ken de te faire mal. Dieu nous a tourné le dos. Tu me l'as dit toi-même. Tu t'en rappelles ?

Elle s'en souvenait. Une nuit froide, sur le sol d'une maison sans provisions alors qu'elle avait du sang sur les dents et qu'on entendait Ken se servir à boire dans la pièce d'à côté.

— Je me suis peut-être trompée.

— Comment tu peux dire ça après tout ce que nous avons perdu ?

— Ce que Dieu nous donne n'a rien d'aussi absolu, Johnny. On ne peut pas avoir tout ce qu'on veut. Il ne fonctionne pas comme ça. Ce serait trop facile.

— Rien n'a été facile !

— Ne vois-tu donc pas ? répondit-elle en l'implorant du regard. On a toujours plus à perdre.

Elle tenta de lui prendre la main, mais il se déroba brutalement. À la place elle agrippa des deux mains la barrière du lit. La lumière scintillait dans ses cheveux.

— Prie avec moi, Johnny.

— Pour quoi faire ?

— Pour qu'on reste ensemble. Pour que Dieu nous aide à lâcher prise.

Ses jointures blanchirent sur la barre de fer.

— Pour qu'Il nous pardonne.

Elle soutint son regard une longue seconde, mais n'attendit pas sa réponse. Tête baissée, elle prononça des mots à voix basse. Pas une seule fois elle regarda Johnny pour voir s'il avait les yeux fermés, s'il s'était joint ou non à la prière, et mieux valait qu'il en soit ainsi.

Il n'y avait pas la moindre marque de pardon dans l'expression de l'enfant.

Rien qui indiquât qu'il fût prêt à lâcher prise.

## 25.

En sortant de la chambre, Hunt était la proie de sentiments multiples : confusion et doutes à propos de ce que
Katherine avait prétendu lire dans les notes de son fils,
colère et frustration à la pensée que le gamin refusait de
lui parler, un certain soulagement aussi, de savoir qu'il
était vivant et que Tiffany s'en était sortie. Il colla ses omoplates contre un mur froid, ignorant les gens qui passaient,
les regards qu'ils lui jetaient. Épuisé, rongé d'inquiétude,
il espérait que la mort de Burton Jarvis serait le début de
la fin, que la mort violente du vieil homme serait la première étape d'un dénouement proche dans l'affaire Merrimon. Il essaya de se convaincre que le salopard avait
accompli seul ses horribles méfaits, mais quelque chose
d'infect, d'insaisissable taraudait le fond de son esprit.

*Un flic ?*

*Était-ce ne serait-ce qu'envisageable ?*

Il tenta une fois de plus de déchiffrer les pattes de mouche de Johnny. Une partie des notes étaient rédigées au
crayon, à moitié effacées. Ailleurs, il y avait des traces de
suie, de sève de pin ou encore de larmes sur le papier. Il
arrivait juste à en lire assez pour savoir qu'il y avait encore
des choses à en tirer. Il mourait d'envie d'envoyer valdin-
guer la porte d'un coup de pied et d'arracher une réponse
au gamin.

*Nom d'un chien !*

Johnny détenait des informations. Il en était certain. Il revit mentalement, comme tant de fois auparavant, les yeux sombres, la lassitude, l'inertie intense d'une réflexion circonspecte. Johnny était profondément perturbé à maints égards, dans la confusion la plus totale. Il avait l'esprit tordu, mais il voyait certaines choses avec une clarté indéniable...

Cette loyauté. Cette ardeur. Cette détermination.

Autant d'attributs qui faisaient de l'enfant bien plus qu'un simple obstacle, d'autant plus que Hunt était fier de lui et éprouvait le besoin de le protéger. Il fallait que Johnny sache à quel point ces qualités étaient rares, combien elles étaient précieuses dans ce monde. Hunt avait envie de le prendre dans ses bras, de lui faire comprendre, tout en espérant qu'il laisserait tout tomber.

Il rejoignit le parking. Le soleil était trop vif, l'air trop pur. L'herbe verte, la clarté paraissaient déplacées une journée pareille. Il leva les yeux vers le sixième étage. La chambre de Johnny se trouvait à une extrémité, celle de Tiffany à l'autre. L'immeuble blanc étincelait, et les fenêtres reflétaient un bleu parfait.

Il se dirigea vers sa voiture. Il était parvenu à mi-chemin quand il avisa l'homme en costume. Très mince, les épaules voûtées, il surgit d'un renfoncement près de l'angle le plus éloigné du bâtiment, se glissa entre deux voitures en baissant la tête et resurgit à droite. Hunt le détailla d'instinct. Les mains en vue, un sourire aimable. Une liasse de feuilles pliées dans une main. Un administrateur de l'hôpital ? Un parent en visite ?

— Inspecteur Hunt ?

La trentaine, les cheveux clairsemés, la peau légèrement grêlée. Il avait des dents blanches et régulières.

— Oui.

Son sourire s'élargit. Il leva un doigt. On aurait dit qu'il cherchait à reconnaître un visage familier.

— Inspecteur Clyde Lafayette Hunt ?

— Oui.

Il lui tendit les papiers, et son sourire s'effaça quand Hunt les prit.

— Vous faites l'objet d'une assignation.

Hunt le regarda s'éloigner avant de parcourir le document. Ken Holloway avait engagé des poursuites contre lui.

*Merde.*

L'agent de probation de Levi Freemantle travaillait dans un dédale de bureaux situés au troisième étage du tribunal du comté. Le linoléum dans le couloir était tout décollé ; quatre-vingts ans de nicotine encrassaient les murs en plâtre. Des vantaux à charnières en bronze s'ouvraient au-dessus des portes en chêne foncées qui n'amortissaient en rien les bruits : disputes, sanglots, excuses. Hunt avait déjà entendu ça des centaines de fois. Un million de fois. Les mensonges déferlaient, ce qui faisait d'un agent de probation de métier l'un des juges les plus perspicaces de la nature humaine qui soit.

Il trouva l'agent de Freemantle dans le neuvième bureau au bout du couloir. La plaque calée contre le chambranle indiquait Calvin Tremont ; la porte était ouverte. Des dossiers s'entassaient sur les chaises et par terre. Un ventilateur posé sur un meuble de rangement en métal éraflé barattait de l'air chaud. Hunt connaissait l'homme assis derrière la table. Taille moyenne, de l'embonpoint, proche de la soixantaine. Des cheveux poivre et sel et des rides qui semblaient presque noires aux endroits où elles plissaient sa peau basanée.

Lorsque Hunt frappa, Tremont leva les yeux, les sourcils froncés d'entrée de jeu, mais cela ne dura qu'un instant. Les deux hommes avaient une solide relation.

— Bonjour, inspecteur. Qu'est-ce qui me vaut l'honneur de cette visite ?

— Une de vos ouailles.

— Je vous proposerais bien de vous asseoir, mais...

Il écarta les bras en un geste qui englobait les tas de papiers encombrant les deux sièges.

— Je n'en ai pas pour longtemps, dit Hunt en entrant dans la pièce. J'ai laissé un message hier. C'est au sujet de la même affaire.

— Je rentre de vacances. Je n'ai même pas eu le temps d'éplucher mes mails.

— Ça s'est bien passé ?

— Je suis allé dans ma famille sur la côte.

Il avait dit ça d'une telle manière que ça pouvait vouloir dire à peu près n'importe quoi. Hunt hocha la tête sans insister. Les agents de probation, tout comme les flics, évoquaient rarement leur vie personnelle.

— J'ai besoin de vous parler de Levi Freemantle.

Tremont le gratifia du premier vrai sourire depuis son arrivée.

— Levi ? Comment va mon pote ?

— Votre pote ?

— C'est un brave garçon.

— Il a quarante-trois ans.

— Ce n'est qu'un gosse, croyez-moi.

— Nous pensons que votre pote a tué deux personnes. Peut-être trois.

Tremont releva brusquement la tête comme s'il avait un ressort dans le cou.

— Vous faites erreur à mon avis.

— Vous m'avez l'air sûr de vous.

— Levi Freemantle a l'air d'une brute, à croire qu'il serait prêt à vous zigouiller pour une poignée de centimes, ce qui n'est pas forcément une mauvaise chose quand on n'a rien. Mais je vais vous le dire tout de go, inspecteur, il ne tuerait personne. Impossible. Vous vous fourvoyez.

— Vous avez son adresse ?

Tremont hocha la tête avant de la débiter de mémoire.

— Ça fait trois ans qu'il crèche là.

— Nous avons trouvé deux corps à son domicile, indiqua Hunt. Une femme blanche, la trentaine. Un Noir, dans les quarante-cinq ans. On a perquisitionné hier. Ils étaient morts depuis près d'une semaine.

Hunt laissa à Trenton le temps de digérer l'information.

— Connaissez-vous un certain Clinton Rhodes ?

— C'est le mort ?

Hunt hocha la tête.

— Ce n'est pas moi qui m'occupe de lui, répondit Tremont, mais je peux vous dire que ça fait longtemps qu'il nous rend visite. Un sale mec. Violent. Lui, je le vois bien commettre un meurtre. Pas Levi.

— Nous sommes assez sûrs de notre fait.

Tremont remua dans son fauteuil.

— Levi Freemantle purge une peine de trois mois pour ne pas s'être présenté ici. Il ne sortira pas avant neuf semaines.

— Il s'est évadé d'un chantier de détenus il y a huit jours.

— Je ne vous crois pas.

— Il a fichu le camp et personne ne l'a revu depuis, en dehors d'un ivrogne azimuté qui sait tout juste comment il s'appelle et d'un gosse qui affirme l'avoir vu près d'une autre scène de crime. Il y a deux jours de ça. Alors, vous voyez, nous avons trois victimes, toutes liées de près ou de loin à votre pote.

Tremont alla prendre le dossier de Freemantle et l'ouvrit.

— Levi n'a jamais été reconnu coupable d'un crime violent. Ni même mis en examen. Intrusion, vol à l'étalage. Écoutez, dit-il en refermant la chemise, Levi n'est pas une lumière, ça c'est sûr. La plupart des délits qu'il a commis... Bon sang, si quelqu'un lui dit, Levi, va là-bas me chercher une bouteille de vin, il entrera dans le magasin pour la prendre. Il n'a aucune idée des conséquences de ses actes.

— C'est le cas de la plupart des criminels.

— Nous ne sommes pas dans ce cas de figure. Levi... (Il secoua la tête.) Il est complètement infantile.

— Nous avons une victime blanche du sexe féminin. La trentaine. Vous avez un avis là-dessus ?

— Il a une liaison avec une certaine Ronda Jeffries. Elle est blanche, elle aime bien faire la fête. Elle a la réputation de faire des passes de temps à autre. Pour le plaisir. Elle aime les hommes costauds, durs à cuire. Les Noirs en particulier. Elle s'est lancée dans une aventure avec Levi parce que c'est l'impression qu'il donne. Celle du malabar intraitable. Elle l'a gardé parce qu'il est facile à gérer et parce qu'il fait ce qu'elle lui dit de faire. Dès qu'il gagne un peu de sous, il les lui donne. Il s'occupe de la maison. Elle a l'air réglo grâce à lui. Quand elle a besoin de répit, ou d'un autre mec, elle se débrouille pour le faire coffrer quelque temps. Comme je vous l'ai dit, il lui obéit au doigt et à l'œil. La première fois qu'il s'est fait pincer, c'était pour un vol à l'étalage. Elle a pris un flacon de parfum sur un présentoir en lui disant de l'embarquer. Ensuite elle l'a entraîné devant le garde de sécurité et hors du magasin.

— Ils sont mariés ?

— Non, mais Levi pense que si.

— Comment ça se fait ?

Un sourire.

— Parce qu'ils couchent ensemble, et à cause de...

Tremont laissa sa phrase en suspens.

— Oh, merde ! Qui s'occupe de leur gamine ?

Hunt sentit un frisson lui parcourir l'échine.

— Ils ont un gosse ?

— Une petite fille. Elle a deux ans.

Hunt tendit la main vers le téléphone.

— Un sourire à vous fendre le cœur.

# 26.

On chassa Katherine de l'hôpital à 9 heures ce soir-là. Ce fut dur, mais aussi un soulagement en un sens. Ken Holloway avait appelé à quatre reprises dans la chambre en exigeant de la voir. Il n'avait pas lâché prise, mais elle lui avait tenu tête en lui expliquant que désormais, elle devait faire passer son fils en premier. Pour finir, elle avait dû lui raccrocher au nez. Deux fois de suite. Après ça, elle avait sursauté de frayeur chaque fois que la porte s'ouvrait ou qu'un bruit insolite se faisait entendre dans le couloir.

Et puis il y avait le manque. Elle avait essayé d'être forte, mais elle le sentait dans toutes les fibres de son corps.

Elle s'était attardée un dernier instant près du lit. Johnny dormait, ressemblant trait pour trait à sa sœur, comme toujours. La même bouche. La même forme de visage. Elle lui avait déposé un baiser sur la tête avant d'aller prendre son taxi à l'entrée de service de l'hôpital.

Le trajet la mit à rude épreuve. Ils passèrent devant deux bars et trois magasins qui faisaient de la réclame pour de la bière et du vin. Elle serra les dents et planta ses ongles dans le creux de ses mains. Quand les lumières du centre-ville pâlirent, elle put respirer. Il n'y avait plus que la route dans le noir et le bourdonnement régulier des pneus sur l'asphalte. Elle allait tenir le coup. Elle se le répéta.

*Je vais tenir le coup.*

Quand le taxi entama la dernière descente, elle vit la maison à moins d'un kilomètre. De la lumière se déversait de toutes les fenêtres, striant le jardin de rayures noires et jaunes, telle une abeille.

Elle avait tout éteint avant de partir.

En sortant de la voiture, elle se dirigea vers la porte, puis hésita tout en cherchant son portable dans son sac. Elle alla jusqu'au porche, se ravisa, recula. Tout était si tranquille : le jardin, les bois, la rue.

C'est alors qu'elle vit la voiture. Garée à cinq ou six mètres de la route, à l'écart de l'accotement. Il faisait trop nuit pour qu'elle puisse en discerner la couleur. Noire, peut-être. Une grosse berline qui ne lui disait rien. Sans la quitter des yeux, elle fit un pas dans sa direction et se rendit compte alors que le moteur tournait.

Elle avança encore de deux pas et les phares s'allumèrent. Crachant des gerbes de terre et de gravier, la voiture braqua brusquement en faisant crisser ses pneus et s'élança sur la route. Ses phares arrière rétrécirent peu à peu avant de disparaître en haut de la crête.

Katherine essaya de se ressaisir. Ce n'était qu'une voiture. Un voisin. En retournant vers la maison, elle s'aperçut que la porte d'entrée était entrouverte, un long rectangle jaune qui s'élargit quand elle la poussa.

Il y avait de la musique.

Un chant de Noël.

On était à la fin du mois de mai.

Elle éteignit la stéréo avant de se diriger vers le couloir. La maison semblait vide, mais la musique lui avait donné la chair de poule. Le fait que ce soit cet air-là qui repassait en boucle. Elle jeta d'abord un coup d'œil dans les chambres. Tout était à sa place. Même chose dans la salle de bains.

Elle trouva les remèdes dans la cuisine.

Le flacon orange était posé précisément au centre de la table en Formica écaillée. Il étincelait, et l'étiquette faisait comme une taillade d'un blanc immaculé. Les yeux rivés dessus, Katherine eut la sensation que sa langue s'épaississait. Les comprimés cliquetèrent quand elle saisit le flacon pour lire l'étiquette. Son nom était écrit dessus, ainsi que la date du jour.

Soixante-quinze cachets.

De l'oxycontine.

Folle de rage, elle ouvrit la porte à la volée et expédia le flacon dans le jardin. Le verrou tourna entre ses doigts quand elle le logea en place. Elle alla inspecter les fenêtres, les portes, puis elle s'assit sur le canapé près de la fenêtre de devant, le dos bien droit, consciente du flacon de remèdes là-bas dehors, une présence dans le noir. Elle serra les dents en maudissant Ken Holloway.

Ça n'allait pas être aussi facile que ça.

Johnny quitta l'hôpital à midi le lendemain. Ils le transportèrent sur un fauteuil roulant jusqu'au bord du trottoir où il se leva avec précaution.

— Ça va aller ? demanda l'infirmière.

— Je crois que oui.

— Prends ton temps.

À vingt mètres de là, les caméras ronronnaient. Les journalistes lui criaient des questions, mais la police les tenait à distance. Une main posée sur le toit de la fourgonnette de l'oncle Steve, Johnny prit la mesure de la scène. Il remarqua la présence des vans des chaînes de télévision de Charlotte, ainsi que de Raleigh.

— Je suis prêt, dit-il, et l'infirmière l'aida à s'asseoir dans le véhicule.

— Ne fais pas trop d'efforts, dit-elle. Deux de ces entailles étaient profondes.

Elle le gratifia d'un dernier sourire avant de fermer la portière. Derrière le volant, Steve examinait les caméras. Katherine, à côté de lui, avait la main levée pour cacher son visage.

Une fois Johnny en sécurité sur la banquette arrière, Hunt s'approcha. Il leur fit part de l'accord qu'il avait passé avec la DSS.

— Ça ne marchera que si vous jouez tous le jeu.

Son regard passa d'un visage à l'autre pour se poser finalement sur celui de Steve.

— Il faut que je sois sûr que vous êtes capable d'assurer.

Steve jeta un coup d'œil à Johnny dans le rétroviseur.

— Je suppose que oui. Dès lors qu'il fait ce que je lui dis.

— Tu as de la chance, Johnny. Compte tenu de tout ce qui s'est passé.

— Combien de temps faudra-t-il qu'on reste séparés ? demanda Katherine.

— C'est à la DSS d'en décider.

— N'importe quoi ! marmonna Johnny.

— Qu'est-ce que tu as dit ?

— Rien, fit Johnny en flanquant un coup de pied dans le tapis de sol.

— C'est bien ce que je pensais, répondit Hunt en hochant la tête. (Il recula, puis, s'adressant à Steve :) Suivez-moi. Jusqu'au bout.

Le trajet prit douze minutes. Personne n'ouvrit la bouche. En arrivant à la maison, Hunt se gara sur l'herbe. Johnny et sa mère sortirent de la fourgonnette. Elle regarda fixement un lampadaire au loin en portant la main à sa gorge avant d'entrer. Johnny gagna sa chambre dans le sillage de sa mère. Des habits, soigneusement pliés, étaient rangés sur le lit.

— Je les ai préparés hier soir, déclara-t-elle d'un air contrit. Je ne savais pas ce que tu voulais emporter.

— Je vais faire mon sac.

— Tu es sûr ? demanda-t-elle en désignant ses bandages.

— Pas de problème.

— Johnny...

En levant les yeux vers elle, il se rendit compte qu'elle était au bout du rouleau. Elle avait toujours été forte, jusqu'à l'enlèvement. Depuis, c'était tout le contraire. Ce visage, il le reconnaissait à peine, comme si deux facettes de sa personnalité menaient un combat sans merci.

— Je n'aurais pas dû te mentir. Je n'aurais jamais dû te dire qu'il avait écrit.

— Je comprends.

— Je ne voulais pas que tu saches qu'on était si seuls. Je pensais...

— Je comprends, je te dis.

Elle lui passa la main dans les cheveux.

— Tu es tellement fort. Si indépendant.

Johnny se raidit parce qu'elle avait fait la même remarque à son père jadis. Il avait débarqué un jour lors d'une rare dispute dont il ignorait toujours l'origine et elle s'était écriée : *Tu n'es pas obligé d'être toujours aussi indépendant !* Son père s'était borné à sourire avant de l'embrasser, et ça avait mis un terme à leur querelle. Il savait y faire, son père. Quand il souriait, on avait envie de tout lui pardonner. Pour l'enfant, à cet instant encore, indépendance et force étaient synonymes. Ne pas se plaindre. Faire ce qu'il y avait à faire. Il avait compris. Ce qui lui faisait défaut, c'était le sourire facile. Qu'il n'ait jamais su faire, ou oublié la sensation, il n'aurait pas su le dire. Désormais, la vie était une question d'indépendance pour lui. Il s'empara d'un jean qu'il fourra dans un sac.

— Occupons-nous de ça, dit-il.

Sa mère quitta la pièce. Il entendit la porte de sa chambre se fermer, le petit grincement des ressorts du lit. Il ignorait quelle facette d'elle l'avait finalement emporté, la faiblesse ou la force, mais par expérience, il supposait qu'elle était sous les couvertures, les yeux fermés. Son apparition soudaine sur le seuil, quelques instants plus tard, le prit au dépourvu. Elle lui tendit une photographie encadrée, en couleurs. De son mariage. Elle avait vingt ans, elle était rayonnante ; la clarté du soleil illuminait ses traits. Le père de Johnny se tenait à côté d'elle, ce même sourire insouciant flottant sur ses lèvres. Johnny se souvenait de cette photo. Il pensait qu'elle l'avait brûlée avec le reste.

— Prends ça, dit-elle.

— Je vais revenir.

— Emmène-la.

Johnny la prit.

Elle l'étreignit ensuite avec beaucoup de tendresse. Puis elle retourna dans sa chambre et la porte resta close.

En sortant, Johnny s'attarda un instant sur le seuil derrière la moustiquaire, son sac lui tiraillant l'épaule. Dehors, les feuilles s'agitaient dans la brise capricieuse. Hunt était là, tête baissée, les mains dans les poches. Il scrutait la façade de la maison de ses yeux creux. Il ne l'avait pas vu ; son regard effleura d'abord une fenêtre, puis une autre. La tête fixe, le front plissé. Il sursauta quand Johnny poussa la porte du pied.

— Tu n'es pas censé porter ça, dit-il en prenant le sac. Tu vas faire sauter les points de suture.

— Ça a l'air de tenir.

Johnny s'avança dans le jardin. Hunt, qui lui avait emboîté le pas, s'arrêta brusquement.

— Avant qu'on y aille...

— Ouais ?

— Quand tu as vu Levi Fremantle... Était-il avec quelqu'un ?

Johnny réfléchit à la question, à l'affût d'un piège. Il avait refusé de se soumettre à l'interrogatoire de l'inspecteur, mais il ne voyait pas en quoi ce détail-là pourrait lui causer des ennuis avec la DSS. Il vit un espoir se dessiner sur le visage de Hunt qui se dissipa quand il secoua la tête.

— Juste la malle.

Hunt avait l'air torturé.

— Absolument personne ? insista-t-il d'une voix crispée.

Il ne put se résigner à préciser : *Pas d'enfant ? Pas de petite fille au sourire à vous faire fondre le cœur ?*

Johnny secoua la tête à nouveau.

Hunt marqua un temps d'arrêt, puis il se racla la gorge.

— Tiens, dit-il en tendant une de ses cartes de visite que Johnny prit. Tu peux m'appeler n'importe quand. Même sans raison.

Johnny inclina la carte avant de la fourrer dans la poche de son pantalon. Hunt leva les yeux une dernière fois vers la maison, puis il se força à sourire. Sa main effleura l'épaule de l'enfant.

— Sois sage, lui recommanda-t-il avant de jeter le sac à l'arrière du véhicule.

Johnny le regarda regagner la route au volant de sa voiture et tourner. La portière de la fourgonnette grinça quand il l'ouvrit. Il se hissa sur la banquette.

— Y'a plus que toi et moi maintenant, hein, fit Steve en grimaçant un sourire.

— C'est de la connerie, marmonna Johnny.

Le sourire se volatilisa. Steve démarra et sortit de l'allée. Il se lécha les babines en jetant un petit coup d'œil à droite.

— Si tu me racontais ce qui s'est passé.

Il parlait de Tiffany Shore.

— Je n'ai sauvé personne.

C'était devenu automatique. Mécanique. Johnny s'obligea à ne pas se retourner vers la maison. Il redoutait la réaction qu'il aurait s'il posait les yeux sur la coquille vide faite de bois pourri et de peinture écaillée dans laquelle il avait laissé sa mère.

— Tout de même, ton père serait fier de toi ! s'exclama Steve en accélérant.

— Peut-être.

Johnny risqua un coup d'œil tandis que la maison rapetissait derrière eux. Le toit avachi parut se redresser, les taches s'atténuer et, l'espace d'un instant, la maison brilla comme un sou neuf.

— Ça va aller, tu crois ? demanda Johnny. Que je loge chez toi ? Je n'y suis pour rien, tu le sais.

— Ne fouille pas dans mes affaires, c'est tout ce que je te demande.

La fourgonnette franchit la crête et Steve tordit la mâchoire comme s'il se l'était décrochée. La route plongea dans l'ombre.

— Tu veux que je t'achète des bonbons, une BD, quelque chose ?

— Des bonbons ?

— Les enfants aiment ça, non ?

Johnny s'abstint de répondre.

— J'ai l'impression de te devoir quelque chose.

— Pas du tout.

Steve se détendit et pointa le menton vers la boîte à gants.

— Donne-moi mes clopes. Elles sont là-dedans.

Des tas de papiers et tout un bric-à-brac s'y entassaient. Des paquets de cigarettes. Des reçus. Des billets de loterie. Johnny extirpa une cigarette d'un paquet de Lucky Strikes entamé, tout froissé, et la tendit à son oncle. Et puis il vit le revolver. Il était coincé au fond, derrière le manuel d'entretien et une carte de Myrtle Beach tachée de café. La crosse en bois brun était ébréchée, le métal bleu ; un lustre argenté faisait briller le chien. Des craquelures décoloraient l'étui en cuir tout desséché. À côté de l'arme, il y avait un carton déteint sur lequel on pouvait lire : calibre 32.

— Ne touche pas à ça, lança Steve d'un ton désinvolte.

Johnny referma la boîte à gants. Il porta son attention sur les arbres touffus qui défilaient à côté d'eux, les espaces obscurs entre eux qui faisaient songer à des géants couleur fumée.

— Tu pourrais m'apprendre à tirer ?

— Ce n'est pas très compliqué.

— Tu veux bien ?

Steve lui jeta un regard en coulisse, le jaugeant d'un coup d'œil, puis, d'une chiquenaude, il expédia un tube de cendre par la fenêtre. Johnny resta impassible, et il en fut fier parce que ce n'était pas vraiment ce qu'il éprouvait. Il pensait à sa sœur et à un géant au visage fondu qui portait un nom mustee.

— Pour quoi faire ? demanda Steve, et Johnny prit un air innocent.

— Juste comme ça.

# 27.

Steve avait repris la direction de la ville. Ils passèrent devant des magasins et des maisons coloniales, la grande place digne d'un parc avec ses chênes tordus et la statue érigée plus d'un siècle plus tôt en l'honneur des morts confédérés du comté. En apercevant une boule de gui dans un arbre, Johnny pensa à la fille qu'il avait osé embrasser un jour et dont il arrivait à peine à revoir le visage.

Une autre vie.

Au-delà de la place et du campus de l'université inondé de soleil, Steve s'engagea sur la route à quatre voies qui conduisait au centre commercial. Celui dont Ken était propriétaire.

— Où est-ce qu'on va ? demanda Johnny.

— Faut que je passe au boulot. Je n'en ai pas pour longtemps.

Johnny s'affaissa dans son siège. Steve s'en aperçut.

— M. Holloway n'y sera pas. Il n'est jamais là.

— J'ai pas peur de lui.

— Je peux te conduire chez moi d'abord si tu veux.

— J'ai dit que j'avais pas peur de lui.

— C'est toi qui vois, répondit Steve avec un petit rire.

Johnny s'obligea à se redresser.

— Pourquoi est-ce qu'il tient tellement à ma mère ?

— M. Holloway ?

— Il la traite comme de la merde.

— C'est la plus jolie femme de ce coin du comté, au cas où tu l'aurais pas remarqué.

— Y'a pas que ça.

Steve haussa les épaules.

— Il aime pas perdre.

— Perdre quoi ?

— Perdre en général.

Johnny n'avait pas l'air de comprendre. Steve plissa les yeux en laissant filtrer un filet de fumée entre ses lèvres.

— Tu n'es pas au courant, hein ? Mince alors !

— Au courant de quoi ?

— Ta mère sortait avec Ken Holloway autrefois.

— Je le crois pas.

— Eh bien, tu ferais mieux de le croire.

Steve tira une autre taffe en prenant son temps.

— Elle avait dix-huit ans, peut-être dix-neuf. Ce n'était qu'une gamine en fait. (Il secoua la tête, pinça les lèvres.) Un vrai canon, ta mère ! Elle aurait peut-être pu aller à Hollywood, va savoir. À New York, sûrement. Elle ne l'a jamais fait, évidemment, mais elle aurait pu.

— Je te crois toujours pas.

— Il était plus vieux qu'elle, mais à l'époque déjà, c'était le gars le plus friqué du coin. Pas comme maintenant, mais assez riche quand même. Difficile pour une jolie fille de résister aux attentions dont il était capable une fois qu'il avait jeté son dévolu sur elle, et ta mère n'était pas différente de la plupart des filles. Fleurs. Cadeaux. Dîners aux chandelles. Tout ce qui lui passait par la tête pour qu'elle se sente importante.

— Elle n'est pas comme ça, protesta Johnny avec véhémence.

— Plus maintenant. Mais quand on est jeune, on aime croire qu'on a plus d'envergure que le bled d'où on vient. Ça a duré quelques mois, si je me souviens bien. Et puis ton père est revenu en ville.

— Revenu d'où ?

— De l'armée. Il y est resté quatre ans. Il a quoi, six ans de plus qu'elle ? Sept ? Bref. Elle n'était qu'une gosse quand il est parti, elle avait changé entre-temps. C'est le moins que l'on puisse dire ! s'esclaffa Steve avant d'émettre un long sifflement.

Johnny regardait obstinément par la fenêtre, mais Steve continua.

— Ton père est tombé raide dingue d'elle.

— Elle aussi ? De lui, je veux dire ?

— Ta mère était comme un papillon, Johnny. Jolie, légère, délicate. Ton père adorait ça chez elle. Il a su se montrer aussi doux et patient qu'il faut l'être pour qu'un papillon se pose sur notre main.

— Et Holloway dans tout ça ?

Steve écrasa sa cigarette, cracha par la fenêtre.

— Lui, il voulait juste la mettre dans un bocal.

— Et elle s'en est rendu compte ?

— Tu aurais dû voir la tête qu'il a fait quand elle lui a annoncé qu'elle le quittait pour ton père.

— Il était fâché ?

— Furieux. Jaloux. Il a tout fait pour qu'elle change d'avis, mais trois mois plus tard, tes parents étaient mariés. Tu es né l'année d'après. Je n'ai jamais vu quelqu'un se faire jeter d'une manière aussi radicale, et je ne suis pas sûr qu'Holloway s'en soit jamais remis.

— Mais papa travaillait pour lui. Toutes ces maisons qu'il a construites. Holloway passait tout le temps chez nous.

— Ton père trouve des qualités à tout le monde. C'est en partie pour ça que c'est un type bien. Mais Holloway n'avait qu'une seule idée en tête : l'éliminer.

— Papa ne le savait pas ?

— Je lui ai dit, mais ton père a toujours pensé qu'il était capable de lui faire face. C'est un homme fier.

— Sûr de lui.

— Arrogant.

L'asphalte glissait sous la camionnette. La courroie du ventilateur émit un cri aigu.

— Tu travailles bien pour Holloway.

— On n'a pas tous le choix, Johnny. C'est une leçon de vie que je te donne là. Gratuitement.

Steve s'arrêta à un feu rouge. Le centre commercial d'Holloway se dressait au loin tel un vaisseau de guerre. Johnny observait son oncle.

— Toi aussi, tu serais bien sorti avec elle ? reprit-il.

Les yeux de Steve étaient plats comme ceux d'un reptile.

— Qu'est-ce que tu veux que je te dise, fiston ? (Le feu passa au vert.) Tout le monde en crevait d'envie.

Le parking était plein à craquer. Johnny se souvint qu'on était samedi. Steve se gara près de l'entrée des employés, derrière le bâtiment. Quand il ouvrit sa portière, le rétroviseur extérieur éblouit Johnny.

— Allez, viens.

— Je peux pas attendre ici ?

— C'est trop dangereux là derrière. Des sans-abri. Des drogués. Dieu sait quoi d'autre.

Johnny le vit tâtonner les objets qui pendaient à sa ceinture : un Mace, un émetteur radio, des menottes.

— Viens. Je vais te montrer un truc cool.

Il fallait une carte magnétique pour accéder à l'intérieur. La porte étroite s'ouvrait sur un escalier métallique. Ils enfilèrent ensuite un couloir haut de trois étages qui conduisait au bureau de la sécurité. Steve s'appuya d'une épaule contre la porte.

— Les enfants ne voient jamais ça, dit-il.

Le bureau était vaste et très encombré ; des écrans vidéo couvraient tout un mur. Deux gardes, assis dans des fauteuils noirs pivotants, une main sur un clavier, l'autre sur une manette, étaient occupés à scruter les images sur les écrans, alternant zooms avant, zoom arrière. Ils se retournèrent quand Johnny entra et le dévisagèrent d'un air ahuri.

L'un d'eux, rondouillard, devait avoir une vingtaine d'années. Les cheveux tondus, les joues rougies par un mauvais rasoir. Son sourire alliait stupéfaction et mépris.

— C'est lui, le môme ?

Steve poussa Johnny dans la pièce.

— Mon neveu. Enfin, si on veut.

Le jeune garde tendit une main charnue que Johnny examina avec méfiance avant de la serrer.

— Beau travail, mon petit gars. J'aurais bien voulu être là.

Johnny se tourna vers Steve qui proféra deux mots.

— Tiffany Shore.

L'autre fit mine de tirer.

— Pan !

— Je ne veux pas en parler, dit Johnny.

Mais le garde était avide d'en savoir plus.

— Tu as vu ça ! (Il attrapa un journal posé sur le comptoir.) Tu fais la une ! Jette un œil.

Les yeux de Johnny se posèrent sur une photo de lui, prise à travers la vitre de la voiture de sa mère. Hébété, la bouche grande ouverte, il tenait le volant à deux mains. Du sang partout, foncé là où il avait séché, rouge vif sur son torse qui suintait. Les plumes et les écailles jetaient des éclats noirs sur sa peau ; le crâne, d'un jaune mouillé, ressemblait à une pierre qu'on aurait trempée dans du miel. On voyait Tiffany assise à côté de lui, en travers de la banquette, la clarté du soleil si vive sur son visage qu'elle se fragmentait dans ses yeux. Des hommes vêtus de blouses immaculées tendaient leurs bras par la fenêtre pour la sortir de là, mais elle se débattait, les lèvres serrées, en se cramponnant désespérément au bras de Johnny.

La légende sous la photo disait : « La fillette enlevée retrouvée, le pédophile abattu. »

— D'où elle sort, cette photo ? chuchota Johnny d'une voix étranglée.

— Le chef de la sécurité de l'hôpital l'a prise avec son téléphone portable. Ils l'ont aussi montrée sur CNN. Ils ont dû la payer un paquet de fric, commenta le jeune garde en secouant la tête.

— Il n'a pas besoin de voir ça, s'interposa Steve en écartant le journal.

L'autre se rembrunit en voyant l'expression de l'enfant, les ombres qui se multipliaient dans les creux de son visage.

— Je pensais que ça lui ferait plaisir.

— Le patron est là ? l'interrompit Steve.

Sans quitter Johnny des yeux, le jeune garde pointa le pouce vers une porte. En suivant le regard de Steve, Johnny avisa des stores blancs couverts de poussière derrière une vitre. Un œil guigna de l'intérieur et les stores se fermèrent brutalement.

— Merde, marmonna Steve. Il me cherchait ?

— Pourquoi il te chercherait ?

Steve se borna à hausser les épaules, mais il paraissait nerveux.

— Y'a du nouveau ?

— Un vol à l'étalage. Deux IPM.

— Ivresse publique manifeste, expliqua Steve à l'intention de Johnny. (Il lui tapota l'épaule avant de traverser la pièce.) Viens par là.

Johnny le suivit au-delà de la rangée d'écrans jusqu'à une paroi en verre haute de près de quatre mètres et deux fois plus longue. On voyait tout le coin des fast-foods. Steve tambourina contre le verre.

— Une vitre sans tain.

Johnny se pencha pour regarder. Il voyait tout, étalé à ses pieds : les devantures de magasin, les étals, les ascenseurs, les gens. Le gros garde approcha d'un pas tranquille, écarta les bras et inspira à fond.

— Ça donne l'impression d'être Dieu.

Johnny eut envie de rire de l'absurdité de sa remarque, de sa médiocrité.

Et puis il aperçut Jack en bas.

Rouge écarlate, l'air penaud, mortifié.

Il se tenait à la périphérie de la foule. Un petit garçon hâlé avec son bras atrophié et pas une once de méchanceté dans tout son être. Il était là à encaisser, parce que cela ne lui aurait servi à rien de se défendre et parce qu'en prenant la fuite, il aurait laissé supposer qu'il attachait de l'importance aux humiliations qui déferlaient sur lui. Ses bourreaux étaient des lycéens, des jeunes sveltes et musclés aux sourires arrogants.

Johnny grinça des dents en voyant des crachats couler
le long du dos de son ami. Sa colère monta encore d'un
cran quand il aperçut le frère de Jack, à trois mètres de
lui, entouré d'une cour de filles béates. Il n'avait même
pas fait mine d'intervenir.

— Vous avez vu ça ? lança Johnny en pointant l'index.

Steve se pencha en avant.

— Gerald Cross ? Oui, j'ai vu. Toutes les filles lui tour-
nent autour depuis qu'il a signé avec Clemson. D'ici un
an, il passera pro. Son contrat va s'élever à dix millions
minimum.

— Pas lui !

— Et après ?

— Je peux descendre ?

— C'est à toi de voir. Je suis pas ton père, répliqua Steve
en haussant les épaules.

Johnny dévala les marches quatre à quatre, franchit la
porte de sécurité et s'enfonça dans la foule. Il sentait des
odeurs de pizza, de bœuf brûlé, de corps chauds pressés
les uns contre les autres, d'une couche qui avait besoin
d'être changée quelque part. Comme il se rapprochait de
Jack, il entendit qu'on chuchotait son nom. Des doigts se
pointèrent dans sa direction.

*C'est lui.*

Il lui fallut une minute pour comprendre.

On parlait de lui dans toute la ville.

Quand il traversa le Food Court, une douzaine de paires
d'yeux le suivirent, mais il n'en avait rien à faire. L'un des
lycéens était en train de cogner Jack sur son mauvais bras
en concentrant les coups sous la partie charnue de
l'épaule, à l'endroit où l'os creux était le moins protégé.
Jack résistait, mais Johnny voyait bien qu'il retenait ses
larmes.

Il se fraya un passage de force au milieu de la bande et
expédia son poing dans la figure de la brute. Il atteignit
la bouche, sentit un duvet, des dents, la moiteur d'une
lèvre éclatée. Le type chavira vers la gauche, se rétablit,

brandit les deux poings. Il prit du recul pour attaquer, et puis il reconnut Johnny.

— Merde alors ! s'exclama-t-il.

Johnny passa en revue les yeux bruns étonnés, les dents rougies, les cheveux en épi, enduits de gel. L'autre s'écarta en crachant du sang.

— Enfoiré ! marmonna-t-il.

Johnny tremblait de rage, sous le coup d'un silence long d'un an et de toutes les émotions qu'il avait réprimées depuis qu'il s'était réveillé dans une chambre d'hôpital éclaboussée de rouge. Prenant ses tremblements pour de la peur, l'autre esquissa un sourire, puis il regarda par-dessus la tête de Johnny la foule soudain attentive. Il baissa les poings, tenta de dissiper la tension par un rire.

— On se calme, Pocahontas !

Personne ne se joignit à son hilarité. Johnny était une célébrité de la plus sinistre espèce, un drôle d'enfant sauvage aux yeux noirs et farouches. Il avait vu des choses qu'aucun gosse n'était censé voir. Il avait perdu sa jumelle, trouvé Tiffany Shore et peut-être aussi tué un homme.

Il donnait dans les peintures de guerre et le feu.

*Un cinglé !*

Johnny leva un unique doigt, puis il plongea son regard dans les yeux vifs, noyés de larmes de son ami.

— Foutons le camp d'ici.

Au moment de partir, trois rangs derrière, il avisa Gerald, avec ses larges épaules, ses cheveux blonds-roux, son teint bistre. La foule s'écarta quand Johnny entraîna Jack dans son sillage. Il s'arrêta devant Gerald au passage, et les jolies filles battirent en retraite. Gerald semblait démuni sans sa cour.

Johnny sortit Jack de son ombre et lui passa un bras autour du cou. Il ne se rendit pas compte que son ami avait baissé les yeux, courbé l'échine, il ne vit pas sa honte, sa peur, son tic nerveux. Gerald le dominait de toute sa taille – vingt centimètres de plus, cinquante kilos supplémentaires. C'était déjà une vedette, un héros en devenir, mais aucun des badauds présents n'avait le moindre doute sur celui qui tenait la dragée haute à l'autre.

Johnny brandit le même doigt qu'il planta dans le torse musclé de Gerald.

— C'est ton frère, connard. C'est quoi ton problème ?

Les deux garçons filèrent au milieu de la foule compacte et silencieuse. Johnny fixa son attention droit devant lui pour éviter de croiser des regards, mais il vit tout de même quelqu'un qu'il reconnut, un autre lycéen de grande taille avec des cheveux blonds-blancs et des yeux écartés. Allen, le fils de l'inspecteur Hunt. Qu'il avait vu à la rivière. En bottes à bout métallique et veste en jean, il était adossé à une colonne à l'écart ; les paupières mi-closes, il mâchonnait un cure-dents. Quand Johnny le dévisagea, il ne cilla pas, ne bougea pas d'un poil. Juste le cure-dents. Latéralement.

La porte de sécurité reconnut la carte magnétique que Steve lui avait prêtée. Elle s'ouvrit avec un déclic ; ils s'engouffrèrent dans un endroit frais et dégagé qui sentait le ciment et l'humidité. Un escalier s'élevait à droite ; il y avait un espace bas et gris en dessous. Jack se laissa tomber à terre et cala le dos contre le mur en pliant les jambes. Johnny s'assit à côté de lui. Il y avait des marques noires sur le sol : des chewing-gums écrasés. Jack avait un soulier délacé, et des taches d'herbe sur le pantalon.

— C'était quoi ces conneries ! bougonna Johnny.

Jack posa la tête sur ses genoux. Johnny regarda autour de lui. En tâtonnant le mur, il tomba sur un rivet, puis une ligne de soudure. Il vit des ronds humides qui noircissaient les taches d'herbe quand Jack releva la tête.

— Comment t'a fait pour nous faire entrer ici ?

— C'est grâce à l'oncle Steve.

Jack prit deux inspirations rapides, étala de la morve sur son mauvais bras.

— Ces types sont vraiment des connards, ajouta Johnny.

Son copain se borna à renifler.

— Des bouffeurs de merde.

— Ouais. Des torche-culs.

Jack ricana, une éructation nerveuse, et Johnny se détendit.

— Qu'est-ce qui s'est passé en fait ?

— Il voulait que je dise un truc, expliqua Jack. J'ai refusé.

Johnny avait l'air d'en attendre davantage, mais Jack haussa les épaules.

— Ça fait partie du code de conduite des sportifs. Se payer la tête des estropiés...

— Ce foutu Gerald ! Ton bras, ça va ?

Jack le fit pivoter au niveau de l'épaule, puis il le plaqua contre sa poitrine. Il désigna le torse de Johnny. Les bandages étaient visibles dans l'échancrure de sa chemise.

— Tu saignes, mec.

— Y'a des points de suture qui ont dû sauter.

Jack fixait les pansements.

— Ça date de l'autre soir ?

La gaze était en train de s'assombrir. Johnny resserra sa chemise autour de lui.

— J'aurais dû aller avec toi, Johnny. Quand tu m'as demandé de t'aider, j'aurais dû accepter.

— Ça aurait rien changé.

Jack tapa du poing sur sa jambe.

— Je ne suis pas un bon ami, déplora Jack en tapant du poing sur sa jambe, comme s'il maniait un marteau pour attendrir la viande. Je suis – il marqua un temps d'arrêt, frappa de plus belle – un mauvais ami.

— Arrête, Jack.

— J'ai rien fait pour aider Alyssa.

— Tu pouvais rien faire.

— J'ai tout vu.

— Tu n'aurais pas pu intervenir, Jack.

Ce dernier l'ignora. Il recommença à taper, fort.

— Pour toi non plus, je n'ai rien fait.

— Arrête ça, tu veux.

Jack obtempéra.

— C'est vrai les trucs qu'on raconte sur toi ? reprit-il avant de passer les mains devant sa figure en se tortillant les doigts. Tu vois ce que je veux dire ?

Johnny comprit à quoi il faisait allusion.

— En partie, ouais.

— Qu'est-ce qui t'arrive, Johnny ?

Johnny considéra son ami et il sut, sans l'ombre d'un doute, que Jack ne pourrait jamais comprendre le besoin désespéré qu'il éprouvait de croire en quelque chose de plus puissant que ses deux mains. Jack n'avait jamais connu la perte ni la peur. Il n'avait pas vécu le cauchemar qu'avait été sa vie à lui, mais il n'était pas bête pour autant.

Il fallait qu'il lui dise quelque chose.

— Tu te rappelles le bouquin qu'on a lu en cours d'anglais ? *Sa Majesté des mouches* ? À propos de ces garçons sur une île déserte qui deviennent sauvages sans la présence d'adultes pour leur dire comment faire autrement ? Ils fabriquent des lances, et de la peinture avec du sang. Ils vivent dans la jungle comme des primitifs, chassent le cochon, battent le tambour. Tu t'en souviens ?

— Ouais. Et alors ?

— Un jour, ils sont normaux, et le lendemain, les lois n'ont plus aucune importance. Ils en inventent des nouvelles, se créent des croyances. (Il marqua une pause, conscient de la véracité de ce qu'il était sur le point de dire.) Il y a des moments où je me sens comme eux.

— Ces gosses essayaient de s'entre-tuer. Ils étaient fous, ces mecs !

— Fous ?

— Ouais.

Johnny haussa les épaules.

— J'ai bien aimé ce bouquin.

— T'es con.

— Peut-être bien.

Jack tirailla sur un fil de son jean, regarda le béton autour de lui, l'escalier.

— Je croyais que tu détestais ton oncle Steve.

Johnny lui expliqua l'histoire avec la DSS, l'inspecteur Hunt.

— C'est pour ça.

— Je me casserais pas pour ce flic si j'étais toi.

— Pourquoi tu dis ça ?

Jack agita la main.

— À cause de trucs que j'ai entendu mon père dire. Des histoires de flics.

— Quoi par exemple ?

— Qu'il est amoureux de ta mère. Qu'ils ont... enfin tu vois.

— N'importe quoi !

— C'est pourtant ce que dit mon père.

— Eh bien, c'est un menteur.

— C'est possible.

Ils sombrèrent dans le silence. Pour la première fois, ils étaient mal à l'aise l'un avec l'autre.

— Tu veux dormir à la maison ? reprit Johnny. Enfin, c'est chez Steve, mais tu sais...

— Mon père veut pas que je traîne avec toi.

— Pourquoi pas ?

— *Sa Majesté des mouches*, mon vieux ! Il te considère comme dangereux.

Jack appuya sa tête contre le mur. Johnny en fit autant.

— Dangereux ! répéta Jack. C'est cool !

— Pas si on peut pas traîner ensemble.

Un autre long silence s'ensuivit.

— J'aimais vraiment beaucoup ton père. Il faisait comme si mon bras n'avait pas d'importance.

— C'est vrai.

— Je déteste ma famille.

— Mais non.

Jack noua ses bras autour de ses genoux en serrant si fort avec les mains que ses jointures blanchirent.

— Tu te rappelles l'année dernière quand je me suis cassé le bras ?

Son bras était fragile ; il se brisait facilement. Johnny se souvenait l'avoir vu au moins trois fois dans le plâtre. L'année précédente, toutefois, c'était sérieux ; il se l'était fracturé en quatre endroits. Il avait fallu réopérer, mettre des vis, des broches, d'autres bouts de métal.

— Ouais, je m'en souviens.

— C'est Gerald qui m'a fait ça.

La petite main dansa au bout de son poignet étroit. La voix de Jack tomba comme au fond d'un gouffre.

— C'est pour ça que mon père m'a acheté un nouveau vélo.

— Jack...

— C'est pour ça que je m'en suis jamais servi.

— Mon pauvre vieux !

— Je déteste ma famille.

# 28.

Hunt était dans le bureau de son supérieur. Des drapeaux ornaient les angles de la pièce. Des photos du chef en compagnie de diverses figures de l'État tapissaient tout un mur : le lieutenant-gouverneur, un ancien sénateur, un acteur à deux sous qui lui disait vaguement quelque chose. La progéniture du patron s'alignait, encadrée, sur une crédence. Le journal local trônait sur la table. Ainsi que ceux de Wilmongton, de Charlotte et de Raleigh. Johnny faisait la une de chacun d'entre eux. Avec ses peintures faciales, les plumes, le sang et les os.

*Un Indien. Un sauvage.*

Le patron était affalé dans son fauteuil, les mains croisées sur son ventre. La colère creusait des lignes profondes aux coins de ses yeux. Il était fatigué ; ses cheveux sales luisaient sur son front. Le shérif du comté, un homme mince d'une soixantaine d'années, à la peau craquelée au niveau des jointures, se tenait contre le mur ; il avait des poches parcheminées sous les yeux. Il occupait ce poste depuis près de trente ans, et il était aussi respecté pour ses compétences que redouté pour son mauvais caractère. Il observait Hunt de son regard impénétrable, d'un air aussi peu réjoui que le patron.

Hunt refusait de se laisser fléchir.

— Vous rendez-vous compte du nombre de gens qui travaillent dans ce service ? Combien de policiers, de stagiaires ?

— J'en suis parfaitement conscient.

Le chef esquissa un geste dans la direction du shérif.

— Et dans les bureaux du shérif ? Vous avez une idée ?

— Un grand nombre, j'en suis sûr.

— Et comment ces gens réagiraient-ils à votre avis si on vous laissait fouiner dans leurs fichiers personnels ? Leurs fichiers personnels *confidentiels* ?

— Un indice m'incite à penser...

— Nous l'avons vu, votre *indice* !

La réponse du shérif était partie comme une flèche. Il bougea sans décoller l'épaule du mur, les pouces glissés sous sa grosse ceinture noire.

— Aucun de nous n'est fichu de déchiffrer ce mot. C'est peut-être « flic » ou tout autre chose. Il se pourrait que ce gosse fasse complètement fausse route.

— Ou qu'il raconte n'importe quoi, renchérit le chef en se penchant sur son bureau.

— Ou qu'il soit fou à lier !

Hunt dévisagea le shérif.

— Sauf votre respect, je ne suis pas d'accord.

— Vous êtes expert maintenant ? (Le patron tapota le journal du bout de l'index.) Non mais regardez-le.

La photo condamnait le gamin d'emblée : les plumes, les cheveux en bataille, Tiffany hurlant de terreur, et les yeux vides de Johnny, sous le choc.

— Je comprends que ça puisse faire cet effet-là, mais c'est un garçon intelligent. S'il pense avoir vu un flic, il y a une raison.

— Le môme soutient qu'il a tout inventé, l'interrompit le shérif. Vous l'avez dit vous-même. Je n'ai pas besoin d'en entendre davantage.

— Il a peur que la DSS l'enlève à la seule famille qui lui reste. Il pense qu'un flic fricotait avec Burton Jarvis, poursuivit Hunt, incapable de contenir sa frustration. Il est terrifié. Il se protège.

— Le mioche mis à part, avez-vous une autre raison de penser qu'un de nous, un flic pour l'amour du ciel, pourrait être impliqué dans cette sombre histoire ?

— Les menottes de Tiffany Shore provenaient de la police.

— On en trouve dans n'importe quel magasin de surplus militaire digne de ce nom, rétorqua le shérif.

— C'est une sérieuse preuve indirecte, surtout si l'on tient compte des observations de Johnny.

— On a assez parlé des *observations* de ce gamin, déclara le chef.

— Existe-t-il le moindre lien entre les menottes de Tiffany Shore et l'un ou l'autre de notre service ? (Le shérif ne remuait presque pas les lèvres.) Des numéros de série ? Quoi que ce soit ?

— Non.

— Et sur la scène du crime ? Dans le passé de Jarvis ? Chez lui ? Quelque chose ?

— Non, mais le fait est que cet enfant a identifié un dangereux prédateur ayant passé entre les mailles de nos filets jusqu'ici. Les fichiers me semblent un point de départ logique. Si Johnny Merrimon a raison, nous retirons un individu peu recommandable de la circulation. Dans le cas contraire, ça ne fera de mal à personne.

— Pas de mal ? Pour l'amour du ciel, Hunt ! (Le patron étala ses mains grassouillettes sur sa table.) Vous donner accès à ces documents mettra tous mes employés hors d'eux et entraînera Dieu sait combien d'infractions au droit du travail. Sans parler du problème de notre image si cette histoire s'ébruite.

— Et ça ne loupera pas, renchérit le shérif.

— Le môme m'a déjà fait passer pour un con sur les chaînes de télé nationale et vous – mon inspecteur principal, mon bras droit, paraît-il –, vous vous êtes débrouillé pour impliquer notre service dans un procès avec l'un des hommes d'affaires les plus respectés de la ville.

— Ce procès est bidon et vous le savez.

— Brutalité policière. Harcèlement. Recours délibéré à des pressions psychologiques. Arrestation infondée, débita le patron en comptant sur ses doigts. C'est tout ? Je n'ai plus assez de doigts.

— Il se pourrait qu'un pédophile doté d'un insigne sévisse dans ce comté. Le problème est là, et c'est de cela dont vous devriez vous préoccuper tous les deux. En ignorant cette éventualité, vous exposez nos enfants à un danger supplémentaire. *Vous*, souligna Hunt en répétant le « vous » pour faire bonne mesure, c'est vous qui leur faites courir davantage de risques.

Le chef se leva d'un bond.

— Si vous colportez quoi que ce soit de tout ça en dehors de ce bureau, j'aurais votre peau, je vous le garantis.

— Ce n'est pas en vous voilant la face que vous ferez disparaître le problème.

— Ça suffit !

— Si un autre enfant disparaît à cause de vos petits problèmes perso de relations publiques...

— Pourquoi écoutons-nous ce fils de pute ? aboya le shérif. Si on perd un autre gosse, c'est à son incompétence qu'on le devra. C'est là que ça coince, et tout le monde le sait. Non mais, pour l'amour du ciel, regardez-le !

Hunt sentit la moutarde lui monter au nez.

— Jarvis est mort. Tiffany est saine et sauve. C'est la seule chose qui compte, déclara le patron dans l'espoir de calmer le jeu.

— Grâce à une gamine de douze ans et un voyou de treize ! railla le shérif avec un grand éclat de rire.

— Je me charge de mes hommes, lança le chef en toisant le shérif des pieds à la tête. Est-ce clair ?

Le shérif retourna se poster près du mur et pointa un doigt sur Hunt.

— Bon, dans ce cas, dites à Superflic d'être vigilant. J'ai la nette impression qu'il est en train de perdre les pédales. Je me demande s'il ne chercherait pas à se faire mousser en traînant les collègues dans la boue. Mes hommes. Les vôtres. Nous y compris, d'après ce que je vois.

Le chef leva la main avant de s'adresser à Hunt, une rougeur envahissant son cou peu à peu.

— Sommes-nous bien au clair sur cette histoire de flic pédophile ? Je ne veux plus en entendre parler.

— Votre position est on ne peut plus claire, j'en ai peur.

— Tant mieux. Parce que, à l'heure qu'il est, vous devriez être en train d'enquêter sur les circonstances de la mort de David Wilson, sur Levi Freemantle et les acolytes *connus* de Burton Jarvis. Pas sur des fabulations. Ni sur des conjectures. *Connus*, dans le sens d'attestés. Si quelqu'un d'autre est impliqué avec Jarvis, c'est comme ça qu'on le trouvera. Je veux que vous exploriez toutes les pistes. Nous reconsidérerons votre demande d'accès aux fichiers personnels si et quand Johnny Merrimon aura décidé de nous parler de ce qu'il a vu.

— Si tant est qu'il ait vu quoi que ce soit, souligna le shérif.

— Absolument. Ce qu'il a vu. Comment ça s'est passé. Toutes les choses que nous autres flics aimont entendre avant de nous lancer sans trop savoir où. Est-ce clair, inspecteur ?

— Oui.

— Bon, alors foutez-moi le camp.

Hunt ne bougea pas d'un pouce.

— Nous n'en avons pas fini, à mon avis.

— À votre avis ? répliqua le shérif d'un ton méprisant.

— L'affaire Freemantle.

— Vous l'avez trouvé ?

— Pas encore.

— Alors quoi ?

— Nous avons l'identité des cadavres : la petite amie de Freemantle et un gars avec qui elle couchait vraisemblablement. On est à peu près sûrs que c'est Freemantle qui a fait le coup. Pas d'effraction. Ça n'a pas l'air prémédité. Un crime passionnel, peut-être. On pense qu'il a dû les surprendre.

— Pas l'air prémédité, commenta le shérif. Ça ne veut pas dire grand-chose.

— Freemantle s'était échappé d'un chantier de détenus le matin même. Il a dû rentrer chez lui directement et les aura pris sur le fait. Son agent de probation dit que la fille était une pute, en gros.

— Parfait. Une affaire simple, vite ficelée. Ça me plaît.

Hunt soupira.

— Ils ont une fille.

— Et alors ? lança le patron, montant sur ses ergots.

— Elle a disparu.

— Non ! s'exclama l'autre en se levant. C'est faux.

— Comment ça ?

Le chef poursuivit d'une voix calme, mais il rongeait son frein.

— Personne n'a rapporté sa disparition. Il n'y a pas eu d'appel à l'aide.

— Ça ne prouve rien.

— Elle est peut-être chez des parents, une grand-mère, une tante. Levi Freemantle l'aura emmenée avec lui. C'est son père, non ? On ne l'a pas encore destitué, que je sache.

Hunt se leva à son tour, hors de lui.

— Ne me dites pas que vous allez fermer les yeux ?

— Comment ça ? protesta le patron en levant les paumes au ciel. Il n'y a tout bonnement *pas* d'affaire.

— Ça va, j'ai compris, lâcha Hunt.

— Vraiment ? riposta son chef d'un ton carrément agressif.

— Personne ne veut d'un autre enfant disparu, alors vous enterrez l'histoire. Vous optez pour la politique de l'autruche.

— Si vous faites courir le moindre bruit à propos d'une nouvelle disparition...

— J'en ai par-dessus la tête de vos menaces.

Le chef se dressa de toute sa taille.

— Vous ne trouvez pas que vous avez suffisamment de chats à fouetter comme ça ?

— Je veux que vous réfléchissiez bien à tout ça.

— Sinon quoi ?

Hunt dévisagea les deux hommes tour à tour.

— J'ai le sentiment que ça pourrait nous faire beaucoup de tort à tous.

# 29.

Johnny regagna le petit trois-pièces de l'oncle Steve. C'était un taudis, même à l'extérieur. Steve lui ouvrit. Il avait l'air bizarrement gêné.

— Ça va aller ? demanda-t-il.

Johnny flaira des odeurs de bière et d'habits sales.

— Bien sûr.

Steve lui montra sa chambre et ferma la porte quand Johnny le pria de le faire. La pièce contenait un petit lit avec une lampe sur la table de nuit. Un placard. Une commode. Rien d'autre. Johnny posa son sac et l'ouvrit. Il installa la photo de ses parents sur la petite table avant de déboutonner sa chemise pour jeter un coup d'œil à ses bandages. Des taches rouges imprégnaient la gaze en diagonale sur vingt centimètres, à l'endroit où se trouvaient les pires entailles, mais le sang avait séché et Johnny se dit que ça irait. Il se rajusta.

À la tombée de la nuit, Steve commanda une pizza par téléphone. Ils mangèrent devant un jeu télévisé qu'il qualifia de pédagogique. Un peu plus tard, visiblement embarrassé, il posa les mains sur ses genoux.

— J'ai une copine...

Ses doigts frottaient le tissu synthétique de son beau pantalon en polyester.

— Je resterai dans ma chambre. Tu peux sortir si tu veux. Ça me gêne pas.

— Sortir ?

— Pourquoi pas ?

— Et la DSS ?

— S'ils viennent, je n'ouvrirai pas. On n'aura qu'à leur dire qu'on est allés dîner quelque part.

Steve jeta un coup d'œil au téléphone, à la porte. Johnny lui facilita la tâche.

— Ça m'arrive souvent d'être seul. T'as pas à t'inquiéter.

Le soulagement adoucit la bouche de Steve.

— Je serai de retour dans quelques heures.

— J'ai treize ans.

Steve se leva en pointant un index à l'ongle brunâtre, cassé.

— Interdit de fouiller dans mes affaires.

— Te fais pas de souci.

— Et ne laisse entrer personne.

Johnny hocha gravement la tête. Voyant que Steve n'était pas encore totalement rassuré, il ajouta :

— Je vais probablement bouquiner. Pour l'école, tu sais.

— Fais tes devoirs. C'est une bonne idée.

Quand Steve s'en alla, Johnny le suivit des yeux jusqu'au trottoir, puis il entreprit d'inspecter la maison. Méthodiquement. Sans éprouver ni culpabilité ni remords. Si Steve était sorti pour aller se soûler ou se shooter, il avait le droit d'être au courant. Idem pour ce qui était des armes, des couteaux, des battes de base-ball.

Il voulait savoir où Steve rangeait tout ça.

Et si le revolver était chargé.

Il dénicha de la vodka dans le freezer, un sachet de marijuana dans une cocotte. L'ordinateur était protégé par un mot de passe, le meuble de rangement fermé à clé. Il découvrit un couteau de chasse par terre dans le placard de la chambre et un manuel sur le sexe sur une étagère. On accédait au garage depuis la cuisine. Johnny y trouva un pick-up aux pneus usés, à la carrosserie d'un blanc crasseux toute défoncée. Sous l'éclairage blafard, il fit glisser ses mains sur le capot, les enjoliveurs incrustés de boue. C'était un vieux tacot, mais les pneus étaient gonflés et l'aiguille grimpa quand il mit le contact pour vérifier qu'il y avait de l'essence. Il s'attarda dans le garage puant en réfléchissant intensément à des choses qu'il aurait sans doute mieux valu ne pas envisager. Mais deux minutes plus tard, il était attablé à la cuisine devant un annuaire, la clé du pick-up posée devant lui.

Levi Freemantle ne figurait pas dans l'annuaire.

Mais Johnny connaissait la rue.

Il s'empara de la clé et sursauta quand la sonnerie du téléphone retentit. C'était sa mère ; elle avait l'air très perturbée.

— Tu es sage ?

Johnny leva la clé devant ses yeux, l'inclina dans la lumière.

— Oui.

— C'est temporaire, mon chéri. Garde bien ça en tête.

Johnny entendait du raffut au bout de la ligne.

— Je sais.

— Je t'aime, mon bébé.

— Moi aussi.

Nouveau bruit fracassant.

— Il faut que j'y aille, dit sa mère

— Tu es sûre que ça va ?

— Sois bien sage.

Elle raccrocha.

Johnny fixa le combiné un moment, puis le posa sur son support. La clé était toute chaude dans sa main.

*Personne n'en saura rien.*

# 30.

Katherine posa le téléphone par terre près de sa jambe. La porte d'entrée était dure et froide dans son dos. Elle se cala contre, alors même qu'un poing tambourinait de l'extérieur.

— Va-t'en, Ken !

Le verrou au-dessus d'elle tenait bon. Un autre cognement, plus bas celui-là. Un coup de pied.

— Tu es ma petite amie. C'est ma maison.

— J'ai changé les serrures.

— Ouvre cette foutue porte !

— Je vais appeler la police. Je te jure, je vais le faire.

La porte frémit sous des chocs successifs ; la poignée tourna mais résista.

— Je veux juste parler !

— Je suis en train de composer le numéro, mentit-elle.

Soudain, le silence. Complet. Elle retint son souffle, tendit l'oreille. Elle imaginait celle de Ken collée contre le chambranle de l'autre côté, ses doigts blanchis pressés sur la peinture sale. Le silence se prolongea. Deux secondes. Une minute. Elle poussa un cri quand il flanqua un ultime coup de pied dans la porte. Puis elle sentit les vibrations quand il descendit les marches. Sa voiture démarra, et l'éclat des phares jaillit à travers les rideaux en dentelle déchirés alors qu'il faisait demi-tour dans le jardin avant de foncer vers la route.

Elle s'affala au bas de la porte en tremblant si violemment qu'elle en avait mal à la mâchoire. Il devait être ivre, ou shooté à la cocaïne. Mais elle avait pris sa décision. Johnny passait en premier. Ni alcool, ni médocs. Et cela voulait dire pas de Ken Holloway.

Elle se mordit la partie charnue de la main. Johnny n'était pas là au moins. Au moins, il était en sécurité.

Elle attendit que les battements de son cœur ralentissent et que sa respiration s'apaise. Cinq minutes. Peut-être dix. Elle était sur le point de se relever quand elle perçut un mouvement furtif dans le jardin : du gravier crissant sous des pieds, un raclement sur la terre nue. La terreur la paralysa au point qu'elle en eut le souffle coupé. Dehors, une vieille planche couina comme le vent lorsqu'il s'engouffre dans un arbre mort. Un poids sur le porche. Un petit coup à la porte. À peine audible. Elle entendit la dernière marche ployer et puis ce fut à nouveau le silence.

Un silence total, terrifiant.

Elle tenait toujours le téléphone, mais appeler le 911 ne ferait pas l'affaire. Elle voulait que Hunt vienne, elle avait confiance en lui. Courbée en deux, elle gagna la cuisine. Sa carte était dans le premier tiroir. Il répondit à la première sonnerie. Elle lui expliqua la situation en chuchotant.

— Surtout n'ouvrez pas la porte, dit-il. Je vous envoie une voiture de patrouille sur-le-champ.

Après avoir raccroché, elle garda le combiné dans la main. Elle rampa jusqu'à la fenêtre et risqua un coup d'œil dehors. Elle vit des ombres, des arbres, la friction de la lumière et des ténèbres tandis que des nuages bas couraient devant la lune. Rien sur la route. Ni dans le jardin. Elle se pencha vers la droite, cala sa joue contre la vitre. Elle ne voyait le porche qu'en partie. De retour devant la porte, elle tendit l'oreille et perçut un grattement comme celui d'une fourchette sur du papier ciré. Elle l'entendit à deux reprises, vaguement, puis le son caractéristique d'un sanglot étouffé lui parvint. Très faible. Familier, inexplicablement.

Une autre fois encore. Cela venait du porche. De derrière la porte.

Elle baissa les yeux sur le téléphone et là, il y eut un autre sanglot. L'espace d'une seconde, elle crut que c'était un bébé. Que quelqu'un avait laissé un bébé sur le pas de sa porte. Mais c'était de la folie, elle le savait. Un gémissement se fit encore entendre et elle se rendit compte qu'elle avait posé une main sur le verrou, l'autre sur la poignée.

En pensant à Ken, elle se figea.

Un moteur démarra au loin. Le grondement s'amplifia, puis dériva vers le sud. La plainte monta à nouveau. Katherine sentit un filet d'air sur sa joue quand la porte s'ouvrit de la largeur de la chaîne de sécurité. Elle ne se souvenait pas d'avoir décidé de l'ouvrir.

Sur le porche, elle vit une boîte en carton fermée avec du ruban adhésif argenté. Il y avait une lettre posée dessus. La boîte remua ; le bruit provenant de l'intérieur se fit plus audible. Le prénom de son fils était écrit sur l'enveloppe. Seigneur ! Après avoir inspecté le jardin, apparemment désert, elle se hasarda dehors. L'enveloppe non cachetée contenait une unique feuille de papier. Le message tapé à la machine n'était pas signé.

*Tu n'as vu personne. Rien entendu. Tu la boucles !*

Épouvantée, Katherine regarda fixement la boîte. Elle s'agenouilla et ôta la bande de ruban brillant. À l'intérieur, il y avait un chat. Vivant.

Les reins brisés.

Sous le choc, Katherine battit en retraite dans la maison, avec une seule pensée en tête.

*Johnny.*

Elle voulut composer le numéro de Steve à l'appartement, mais se trompa. Elle essaya à nouveau avec des doigts maladroits. Mon Dieu ! Je vous en supplie.

La sonnerie retentit six fois, dix fois, mais personne ne répondit. Morte de peur, elle raccrocha. Après quoi, elle rappela Hunt.

# 31.

Johnny ouvrit la porte du garage et démarra le pick-up qui renâcla en crachant de la fumée bleue. Mais il roulait. Il s'en tint aux petites rues jusqu'à l'artère à quatre voies où il accéléra. Le véhicule se mit à cahoter. À proximité de Main Street, il ralentit un peu avant de bifurquer sur une petite route pour éviter la circulation.

Dès lors il conduisit lentement. À mesure qu'il se rapprochait de la voie ferrée, le quartier se dégradait. Il entendit de la musique, des éclats de voix, un claquement de porte. Parvenu dans Huron Street, il tourna à gauche. Des voitures en stationnement encombraient l'étroite rue ; du verre scintillait dans le caniveau. Les mauvaises herbes avaient envahi les fissures du trottoir. Un chien se déchaîna contre lui dans les ténèbres. Une tache brune sur fond noir, silhouette découpée qui se figea brutalement au bout de sa chaîne. Johnny continua son chemin, et d'autres chiens se manifestèrent à leur tour dans d'autres jardins. Il crut voir des doigts écartant les rideaux, des gens au visage bleu par le reflet d'une télévision épiant à travers des carreaux crasseux. Ce n'était pas juste son imagination qui lui jouait des tours. Sur sa gauche, un homme, torse nu, aux pieds blanchâtres, sortit sur son porche en tirant sur la cigarette qui pendait entre ses lèvres. Johnny l'ignora et poursuivit son chemin.

La maison de Freemantle se matérialisa bientôt devant lui, sur la droite. Une masse obscure tapie sur un terrain encore plus sombre. Plus loin, du gravier pâle tapissait le talus de la voie ferrée. Des odeurs d'huile, de goudron, de poussière flottaient dans l'air. Johnny se rangea le long du trottoir et coupa le moteur. Derrière lui, dans une autre maison couleur moutarde, un bébé braillait.

Il se tut quand Johnny descendit du pick-up. Les chiens aussi se calmèrent. En pénétrant dans le jardin de Free-mantle, Johnny aperçut un ruban jaune tendu entre les piliers qui soutenaient l'auvent. Il se glissa dessous et alla coller son nez contre une vitre pour essayer de voir à l'intérieur. Rien. D'autres ténèbres. Il abaissa un second ruban. Une petite pression suffit pour que la porte s'ouvre toute seule. Il entra. Personne. La maison était vide. Dès qu'il alluma la lumière, il vit du sang sur le mur.

Là il prit peur.

C'était bien réel.

Des traînées de sang noir. Il y avait une sorte de poudre grise sur les interrupteurs et les poignées de porte. Dans la pièce du fond, encore plus de sang. L'odeur était plus forte aussi ; elle prenait à la gorge. Le sang séché par terre faisait comme un désert vu du ciel. Du ruban marquait l'emplacement des corps.

Deux corps.

Un désert de sang.

Johnny tourna les talons et fonça vers la sortie. Le couloir se resserrait, et son ombre tressautait dans sa course. La porte était ouverte, un trou dur, noir, barré d'une bande jaune qui lui cingla les bras. Il sauta du haut du porche, atterrit mal et s'arracha la peau du plat des mains. Il trébucha en se relevant puis il prit ses jambes à son cou. Les chiens se dressèrent en guise d'adieu.

Hunt traversa la ville à tombeau ouvert. Quand il franchit la dernière crête, à cent vingt à l'heure, il sentit la voiture se soulever sur ses amortisseurs. Une fois dans le creux, il enfonça la pédale d'accélérateur et l'aiguille bascula sur cent quarante. Il freina brutalement devant l'allée de Katherine Merrimon, braqua à droite dans un dérapage contrôlé.

Toutes les lumières étaient allumées dans la maison alors que l'obscurité s'épaississait sous les arbres.

Pas de voiture de police.

Il sortit de son véhicule en trombe ; les phares derrière la grille du pare-chocs dardaient leurs faisceaux bleutés. Une main sur son holster, il inspecta la lisière du bois, le jardin. Tout était tranquille. Pas un bruit. Le plancher du porche sonnait creux sous ses pieds. Quand il tambourina contre la porte, il perçut un mouvement à l'intérieur et recula tout en promenant à nouveau ses regards derrière lui. Le verrou glissa et la porte s'entrebâilla avant de s'ouvrir en grand. Katherine apparut dans la lumière, le visage strié de larmes, tenant entre ses doigts serrés un petit couteau de boucher de trente centimètres de long.

— Katherine...

— Des nouvelles de Johnny ?

— J'ai envoyé des hommes chez Steve, l'informa Hunt en entrant. Ils sont probablement déjà sur place. (Il tendit la main.) Puis-je avoir ce couteau ?

— Désolée.

Elle le lui donna. Il le posa sur le comptoir.

— Ça va aller, ne vous inquiétez pas, reprit-il. Pour Johnny aussi, j'en suis sûr.

— Pas pour Johnny.

— Nous ne savons encore rien pour l'instant.

— Je veux aller chez Steve.

— Nous irons, je vous le promets. Asseyez-vous juste une minute.

Il l'installa sur le canapé puis se redressa. La boîte était posée sur la table.

— C'est ça ?

Elle hocha la tête.

— Je pense qu'il est mort maintenant.

Hunt vit le ruban argenté, arraché, et à côté de la boîte, une enveloppe et une feuille de papier.

— Je ne pouvais pas le laisser dehors, murmura Katherine.

Il se servit d'un stylo pour soulever les rabats. Une pellicule rendait les yeux du chat vitreux ; sa langue pendait.

— Il est mort, confirma-t-il.

Il referma les rabats avant de prendre connaissance du mot.

*Tu n'as vu personne. Rien entendu. Tu la boucles.*

Katherine vint se poster près de lui, les yeux baissés. Elle tremblait.

— Vous pensez que c'est Ken qui a fait ça ? C'est arrivé dix minutes après son départ.

— J'en doute.

— Vous avez l'air sûr de vous.

— Je ne le suis pas, mais je trouverai ça bizarre. À quoi bon partir pour revenir ? Pourquoi se signaler de cette manière ? Et pourquoi faire une chose pareille ?

— Qu'est-ce que ça veut dire ?

Hunt relut le message.

— Je pense que ça a quelque chose à voir avec Burton Jarvis.

— Comment ça ?

— Les médias en ont beaucoup parlé, répondit-il en soutenant son regard. Vous avez vu les notes de Johnny ?

— Bien sûr.

— Il était là-bas, Katherine, chez Jarvis. Il y est allé souvent, quoi qu'il en dise.

— Quelqu'un pense que Johnny l'a vu ?

— Il a identifié cinq des six hommes qui rendaient régulièrement visite à Jarvis. Seulement cinq.

— Et le sixième ?

— Le sixième était prudent. Il a changé de plaques d'immatriculation à trois reprises, d'après ce que nous en savons. Il craint que Johnny parvienne à l'identifier.

— C'est du policier dont vous parlez ?

— On n'est pas sûrs que ce soit un policier.

— Johnny le pense.

— Il se trompe. Forcément.

— Et si ce n'était pas le cas ?

Hunt ne savait pas quoi répondre. À la place, il lui tendit la main.

— Allons trouver votre fils.

Il était tard quand Johnny pénétra dans le lotissement de Steve. Il passa entre les immeubles, tourna à gauche et s'arrêta à une centaine de mètres avant d'arriver. La fourgonnette de Steve avait réapparu. Des voitures de flics étaient garées devant l'immeuble. Celle de Hunt aussi. Cela voulait dire que les services sociaux avaient été mis au courant.

Johnny se maudit. Il aurait dû se presser. Ne pas partir du tout. Ils allaient l'embarquer pour de bon ce coup-ci. Ça ne faisait pas un pli !

Il coupa le moteur et ouvrit la portière. Une rangée de pins se dressait à droite de la route jusqu'à la moitié de l'immeuble. Frôlant de l'épaule du métal encore chaud, il se faufila entre les voitures stationnées à la bordure des arbres, puis courut se mettre à couvert. Il plongea sur un lit d'aiguilles de pin, puis détala à quatre pattes vers le coin le plus sombre.

Jack l'avait devancé.

— Nom de Dieu, Johnny ! Tu m'as fichu une de ces trouilles.

Johnny sentit son haleine chargée de bourbon, il vit la bouteille serrée contre sa poitrine.

— Qu'est-ce que tu fous là, Jack ?

Jack s'adossa au tronc d'un pin.

— Où veux-tu que je sois d'autre ?

— Tu es au courant de ce qui se passe ?

Jack pointa l'index en direction des voitures de police.

— Voilà ce que j'ai trouvé en arrivant ici.

— Tu es venu comment ?

— À pied.

— Y'a six kilomètres.

Jack haussa les épaules.

— Tu es soûl ?

— Tu ne vas pas me faire la morale.

— Non.

— Tu serais mal placé.

Johnny ignora cette pique.

— Ma mère est là ?

— Il me semble bien l'avoir vue. Je ne sais pas trop en fait. Je t'attendais.

Il émit un petit sifflement en voyant que Johnny se rapprochait de la lisière des arbres.

— Fais gaffe, Johnny. Je crois bien que mon vieux est là aussi. Je veux pas le voir.

— Ton père ?

— Il essaie de faire bonne impression. En faisant des heures sup, et tout ça. Il aimerait monter en grade avant que Gerald devienne pro. (Jack but une gorgée.) Comme si ça avait de l'importance.

Johnny battit en retraite dans les ombres. Jack articulait mal et glissait petit à petit du tronc contre lequel il était adossé. Il n'arrivait pas à se tenir droit.

— Qu'est-ce que t'as à la fin ?

— Rien.

Johnny reporta son attention vers l'immeuble.

— Tu veux vraiment que je te dise..., reprit Jack en parlant beaucoup trop fort.

— Mets-la en veilleuse, bon sang ! Non mais franchement !

— Je me suis engueulé avec mon vieux si tu veux le savoir, enchaîna Jack, un ton en dessous. Quelqu'un lui a raconté ce qui s'est passé au centre commercial.

— Laisse-moi deviner. Il a pris le parti de Gerald.

Jack secoua la tête.

— Ça, je m'y attendais de toute façon. C'est à propos de toi. Il a dit qu'on ne pouvait plus être amis, qu'il me mettait officiellement en garde. Pour la dernière fois.

Jack agita la main puis il se releva en chancelant.

— Mais ne t'inquiète pas. Je l'ai envoyé se faire mettre.

— Ça m'étonnerait.

Jack porta à nouveau la bouteille à ses lèvres.

— Pas tout à fait en ces termes.

Johnny avait les yeux rivés sur la fenêtre de l'appartement.

— Si j'y vais, ils vont m'embarquer.

— Qui ça ?

— La DSS. Ils m'enlèveront à Steve pour me fourguer à une bonne âme complètement ringarde qui me forcera à prendre trois bains par jour et m'empêchera de sortir de la baraque.

— Ça, ou bien un gars qui veut l'argent de l'État. Ils te donneront que du pain et de l'eau, tu seras obligé de dormir par terre. Ils feront de toi un esclave.

— Ta gueule, Jack !

— Je ne plaisante pas.

— Je sais.

Jack se rapprocha d'un pas mal assuré et fixa la fenêtre à son tour en plissant les yeux. Quand il reprit la parole, il avait un ton sérieux.

— Ils doivent être inquiets. Ta mère et les autres.

— Je ne peux pas y penser maintenant.

— Pourquoi pas ?

Johnny le saisit par la chemise et le tira.

— Viens avec moi.

— Où ça ?

— Viens, je te dis.

Il le traîna jusqu'au pick-up.

— Attends ici.

— Écoute, mec...

Mais Johnny n'écoutait plus. Indifférent à la présence des voitures de police, il essaya d'ouvrir la portière de la fourgonnette de Steve. Fermée à clé. Il alla dans le jardin récupérer une brique mal ajustée au bord de l'allée et revint. En un tournemain, il fit voler la vitre en éclats et tendit la main à l'intérieur pour ouvrir la boîte à gants.

De retour au pick-up, il arracha la bouteille des mains de Jack et l'expédia quelque part dans le noir. Après quoi il lui tendit la boîte de munitions.

— Tiens-moi ça.

— Qu'est-ce que c'est ?

— Et ça, ajouta-t-il en fourrant le pistolet qu'il venait de chaparder entre les mains de son ami.

— Oh, merde !

Johnny ouvrit la portière et darda un regard implacable sur Jack.

— Tu viens ce coup-ci ?

— Nom de Dieu ! fit Jack au moment où Johnny démarrait.

Johnny roula en respectant les limites de vitesse cette fois-ci. Au sommet de la colline, il s'arrêta un instant. La route devant eux menait jusqu'à chez lui.

— Qu'est-ce qu'on va faire ?

— Il faut que j'aille chercher quelque chose.

— Tu crois qu'il y a quelqu'un ?

— Y'a qu'un seul moyen de le savoir.

À mi-chemin du versant, la maison apparut sur leur droite. Quelques lumières allumées. Pas de voiture dans l'allée. Johnny s'y engagea et coupa le moteur. Tout était tranquille. À l'intérieur, rien ne bougeait.

— Y a personne, on dirait.

Il sauta du camion et se dirigea vers la porte d'entrée.

— J'arrive pas à ouvrir, cria-t-il au bout d'un moment.

— T'es sûr que c'est la bonne clé ?

Johnny fit une seconde tentative.

— Elle a dû changer les serrures.

— Pourquoi ?

— À cause d'Holloway, je suppose.

— C'est bon signe, non ?

— Si c'est bien ça que ça veut dire.

— Bon…, fit Jack en jetant des coups d'œil autour de lui.

À cet instant, Johnny expédia une pierre dans une vitre.

— La vache, Johnny ! Préviens-moi la prochaine fois, bordel !

— Désolé.

— Drôle d'idée de casser ses propres carreaux.

Johnny se tourna brusquement vers lui.

— Tu comprends vraiment rien. (Il désigna la route, dans la direction d'où il était venu.) Les flics savent que j'ai foutu le camp de chez Steve, alors ils vont appeler les services sociaux, c'est sûr. Ils vont me mettre dans un endroit auquel je ne veux même pas penser. Ils vont m'enfermer, et terminé. *Game over.*

— Hein ?

Jack était ivre.

Johnny lui secoua l'épaule.

— C'est la dernière chance que j'ai de la retrouver. Qu'est-ce que j'en ai à foutre de la fenêtre de Ken ? De la camionnette de Steve ? Ça n'a aucune importance.

Johnny le lâcha si brutalement que Jack vacilla, puis il ramassa une branche cassée pour faire tomber les éclats de verre de l'embrasure de la fenêtre.

— Attends ici. Monte la garde, lança-t-il en jetant la branche, pour que Jack comprenne bien qui dirigeait les opérations.

Il s'introduisit dans la maison par la fenêtre brisée, alluma le plafonnier. Rien n'avait changé, mais il avait l'impression d'être dans un endroit différent. Il eut un pincement au cœur, qu'il ignora. Il se dirigea d'abord vers la chambre de sa mère où il sortit l'argent rangé dans le tiroir de la table de nuit. Deux cents dollars environ. Il empocha deux billets de vingt et remis le reste en place. Ensuite il alla dans sa chambre. Il commença par fourrer des habits dans son sac à dos, ainsi qu'une couverture. Il prit deux vestes dans son placard, une en jean, l'autre en coton. En se tournant vers le lit, il avisa son exemplaire d'*Une histoire illustrée du comté de Raven*, resté ouvert à la page consacrée à John Pendleton Merrimon, médecin et abolitionniste. Il effleura le portrait de son homonyme, puis il tourna la page. Le titre en gros caractères disait : *Manteau de la liberté : premier esclave libéré du comté de Raven*. Suivait l'histoire d'Isaac Freemantle, ainsi qu'une carte.

Sur la carte figuraient la rivière et un sentier.

Le sentier menait à un endroit précis.

Johnny referma le livre brusquement et le rangea dans son sac.

Il posa le revolver dessus.

Dans la cuisine, il trouva des boîtes de conserve, du beurre de cacahuète, une grosse lampe de poche et une boîte d'allumettes. Il prit du pain sur l'étagère, deux canettes de soda au raisin dans le frigo. L'idée lui vint d'écrire un mot à sa mère, mais il se ravisa. Elle s'inquièterait encore plus si elle savait ce qu'il prévoyait de faire. En sortant de la maison, il jeta la veste en coton à Jack. Enfila l'autre. Jack commençait à dessouler. Cela se voyait à sa mine déconfite, luisante de sueur, aux coups d'œil inquiets qu'il jetait vers la route déserte.

— T'es pas obligé de venir, lui dit Johnny. Je peux me débrouiller tout seul.

— Écoute, mec, je ne sais même pas ce que tu fabriques !

Johnny se tourna vers les bois profonds derrière la maison. Il pensa à la lourde arme dans son sac.

— Je te le dirai quand tu auras cuvé. Tu décideras à ce moment-là si tu veux toujours venir.

— Qu'est-ce qu'on va faire maintenant ?

— Du camping.

Jack n'avait pas l'air de comprendre, aussi Johnny posa la main sur son épaule, le regard brillant, les lèvres minces.

— Imaginons qu'on part à l'aventure.

# 32.

Posté près de la cheminée, Hunt observait prudemment Katherine. Assise dans le canapé de Steve, elle frissonnait, les joues en feu. De temps à autre, elle se levait pour aller jeter un coup d'œil par la fenêtre. Yoakum était dans la cuisine avec Cross. Steve faisait les cent pas en jetant des regards apeurés dans la direction de l'inspecteur. Quand il essaya de parler à Katherine, elle le gifla.

— C'est de ta faute, s'écria-t-elle.

— Sale môme !

Elle réitéra son geste.

— Je sors, bougeonna-t-il. J'ai besoin de fumer une clope.

— Pas la peine de revenir, lui lança-t-elle sans prendre la peine de se retourner.

— Katherine...

Elle fixait les ténèbres. Hunt s'approcha d'elle.

— Allez fumer, Steve. Donnez-nous quelques minutes.

— Faites comme chez vous, répondit ce dernier en ouvrant la porte.

Hunt attendit qu'elle se referme avant de prendre Katherine par le bras et de l'entraîner vers le canapé.

— Nous allons le trouver.

— Vous n'en savez rien.

— Je ferai tout ce que je peux pour vous ramener votre fils. Je m'y engage.

Ils étaient conscients l'un et l'autre de la futilité d'une telle promesse. Katherine joignit les mains sur ses genoux.

— Rien ne compte plus pour moi à cet instant, ajouta-t-il. Vous me croyez ?

— Je ne sais pas.

— Je vous le promets, Katherine. Je le jure.

Elle hocha la tête, les épaules rentrées, les mains toujours jointes sagement.

— Vous pensez que quelqu'un l'a enlevé ?

Hunt l'entendit à peine.

— Non, répondit-il. Certainement pas.

— Ils ont peut-être estimé qu'une menace ne suffisait pas.

Hunt se tourna vers elle dans le canapé.

— Il n'y a pas eu effraction. Aucun signe de lutte. Le pick-up de Steve a disparu. Johnny sait conduire et il avait accès à la clé.

— J'ai besoin de lui, vous comprenez ?

— Oui.

— J'ai besoin que mon fils rentre à la maison.

Elle regardait fixement par la fenêtre. Yoakum surgit sur le seuil de la cuisine.

— Clyde, dit-il en lui faisant signe de venir.

— Qu'est-ce qu'il y a ?

Yoakum le précéda dans la cuisine. Il s'arrêta devant la petite table.

— Tu vois quelque chose là qui te chiffonne ?

Hunt baissa les yeux. Il n'y avait pratiquement rien sur la table. Quelques magazines, un peu de courrier, le journal de la veille et un annuaire ouvert. Il s'apprêtait à secouer la tête quand Yoakum lança :

— L'annuaire.

Il lui fallut une seconde pour percuter. Levi Freemantle, 713 Huron Street.

— Oh, merde !

— Pourquoi s'intéresserait-il à Levi Freemantle ?

— Il pense qu'il sait où se trouve sa sœur.

— Qu'est-ce qui lui fait croire ça ?

— Il s'imagine que David Wilson le lui a peut-être dit avant de mourir, répondit Hunt en fermant l'annuaire. C'est de ma faute.

— Personne n'aurait pu deviner qu'il ferait une chose pareille.

— Moi si. (Hunt se frotta la figure des deux mains.) Ce gosse est capable d'à peu près tout. C'était stupide de ma part de supposer qu'il lâcherait prise.

— Je peux y être en huit minutes.

— Non. Johnny me fait plus ou moins confiance. Il vaut mieux que j'y aille.

— Je te suggère de te grouiller.

Ils retournèrent dans le salon, mais Steve entra précipitamment avant qu'ils aient eu le temps de traverser la pièce. Les lèvres pincées, le teint cramoisi, il pointa un doigt dans la direction de Katherine, puis brandit le poing. Il le serra et desserra avec application, comme s'il s'efforçait de reprendre le contrôle de lui-même.

— Qu'est-ce qu'il y a ? demanda Hunt.

Steve se tourna vers lui. Il pointa l'index en direction de la rue et marmonna :

— Ce petit merdeux m'a piqué mon revolver en plus.

Dix minutes plus tard, Hunt avait inspecté toutes les pièces de la maison de Freemantle. Il téléphona à Yoakum du salon.

— Je l'ai raté.

— As-tu trouvé des traces de son passage ?

Hunt sortit sur le porche et tripota le ruban jaune déchiré. Plus haut dans la rue, les chiens se mirent à hurler.

— Le ruban a été arraché. La porte était ouverte.

— Faut-il lancer un avis de recherche pour le pick-up ?

Hunt réfléchit.

— Et si Johnny avait raison ? Si le sixième homme était flic ?

— Je ne vois pas comment c'est possible.

— Mais si c'était le cas ? Imagine qu'on lance un avis de recherche et que c'est ce flic-là qui lui met la main dessus ?

— On devrait garder ça pour nous à ton avis ?

— Je n'en sais rien. Si ça se trouve, on est complètement à côté de la plaque.

— Je ne te le fais pas dire. Attends une seconde. Quoi ?

Hunt entendit des voix étouffées, puis celle de Yoakum, plus nette.

— Et merde !

— Qu'est-ce qu'il y a ?

— Cross a déjà donné l'alerte.

— Personne ne l'y a autorisé.

— Il dit qu'avec un gosse en fugue au volant d'un camionnette volée, nanti d'une arme dérobée qui plus est, ça tombait sous le sens. Franchement, je suis d'accord avec lui, d'autant plus que…

Yoakum s'interrompit et Hunt l'imagina en train de s'éloigner de Katherine.

— D'autant plus que quoi ?

Une porte se ferma et Yoakum poursuivit en chuchotant :

— D'autant plus qu'il est sur la piste d'un tueur.

Johnny longea deux pâtés de maisons pour gagner l'entrée de l'ancienne plantation de tabac. Le portail n'était pas fermé à clé. Ronces et mauvaises herbes avaient envahi le chemin. Jack referma derrière eux. Il n'était jamais allé à la vieille grange.

— Où est-ce qu'on va ?

Les phares découpaient l'obscurité. Des panaches de pin viraient du noir au vert en s'inclinant vers eux. De la sève étincelante sur les troncs noueux leur faisait des clins d'œil au passage.

Le pick-up cahotait sur les ornières et les trous profonds creusés par les pluies printanières. Lorsqu'ils sortirent des bois dans le champ, le ciel s'ouvrit au-dessus d'eux : des étoiles solitaires et une vague lune derrière des nuages cotonneux.

— C'était une plantation autrefois, expliqua Johnny. Et puis juste des fermes.

Le chemin tournait à droite et bifurquait un peu plus loin. Johnny décida de prendre à gauche.

— On voit encore l'endroit où la grande maison a brûlé. Là-bas. Les pierres de la cheminée en tas. Le vieux puits.

— Ah ouais ?

— Il avait disparu sous la végétation. Je l'ai trouvé il y a six mois.

La grange se dressait devant eux. Un mur en rondins gris sur des fondations en granite. Du laiteron avait poussé ici et là, rose et vert ; des doigts de lierre s'agrippaient sur tout le parement du fond. Du noir transparaissait aux endroits où le mortier s'effritait. Johnny fit le tour et s'arrêta. La porte était entrouverte. Du bois carbonisé et de la cendre indiquaient l'emplacement de la fosse à feu. Johnny mit la boîte de vitesses au point mort.

— Passe-moi le sac, demanda-t-il et Jack le fit tomber de ses épaules. N'éteins pas le moteur tant que je te l'aurai pas dit.

Johnny posa le sac par terre et en sortit la lampe de poche. Puis il disparut dans la grange où il récupéra l'autre sac, le bleu, tout moisi, et trois restes de bougie.

— Tu peux y aller, cria-t-il.

Jack coupa le moteur ; les phares clignotèrent avant de s'éteindre. La nuit s'abattit autour d'un faisceau de lumière agité qui éclairait une peau blanche, des yeux écarquillés, des habits crasseux.

— Ken habite par là, indiqua Johnny en levant sa torche. Derrière ces arbres. Pas loin.

— Comment t'as découvert tout ça ?

Johnny s'accroupit pour pêcher des allumettes dans le sac.

— En me baladant la nuit quand ça se passe mal à la maison. Quand je cherche des serpents.

— À propos de serpents...

— Tiens ça.

Johnny tendit la lampe de poche à Jack, puis il posa les bougies sur une pierre plate et les alluma. Jack le regarda faire sans piper mot, mais Johnny sentit sa présence.

— J'ai dormi ici des tas de fois. Ce n'est pas si mal. Y a plein d'araignées à l'intérieur. Dehors, le pire, c'est les moustiques.

— Je préfère encore les moustiques.

— Moi aussi.

Jack posa la torche sur le sac bleu.

— Qu'est-ce que tu fabriques ?

— On va faire du feu.

Johnny entreprit de ramasser du petit bois. Au bout d'un moment, Jack se décida à lui prêter main-forte. Ils recueillirent des brindilles et des branches cassées. Le feu démarrait à peine quand Jack trouva le fragment de la bible. En cuir noir, granité ; un morceau du dos, de cinq centimètres de long, carbonisé. On distinguait encore quelques lettres dorées. Jack le garda une longue minute dans sa main, et Johnny sut qu'il avait compris ce que c'était. Il regarda les doigts rabougris de son ami effleurer les lettres, puis il se redressa, lui prit le fragment et le jeta dans le feu. En basculant en arrière sur ses talons, il observa son ami. Jack n'était pas ce qu'il est convenu d'appeler un bon garçon, mais Johnny savait qu'il croyait au diable.

— Je ne vais pas brûler en enfer, si c'est ce que tu penses.

Jack leva son petit bras pour désigner le feu.

— À quoi tu joues, Johnny ?

Il secoua la tête. Une lueur rouge brilla dans ses yeux.

— J'ai été sympa, je l'ai bouclée. À propos de ça. De ce qu'on dit dans le journal. Des choses que tu m'as cachées. Les serpents, les talismans, toutes ces conneries vaudoues. (Il secoua à nouveau la tête.) Mais là, tu dépasses les bornes. Tu peux pas brûler la Bible, ça se fait pas. Même moi, je le sais.

— C'est juste un livre.

— Retire ce que tu viens de dire.

— C'est juste un livre, répéta Johnny d'une voix plus forte, et ça ne marche pas. Ça ne change rien à rien.

Jack ouvrit la bouche pour protester, mais Johnny lui coupa la parole.

— Le pasteur disait que si, mais lui aussi, il racontait que des conneries.

— Je crois que je vais être malade.

— Va là-bas si tu dois dégobiller, répliqua Johnny en pointant un doigt vers les ténèbres. J'ai l'intention de casser la croûte et je n'ai pas envie de sentir ton vomi.

Jack ferma les yeux, et quand il les rouvrit, il était un peu moins vert. Lorsqu'il reprit la parole, Johnny comprit qu'il avait décidé de lâcher l'affaire.

— Qu'est-ce qu'il y a là-dedans ? demanda Jack en désignant le sac à dos bleu.

Un tourbillon de fumée enveloppa le visage de Johnny et le fit grimacer.

— Tu tiens vraiment à le savoir ?

— Je t'ai posé la question, non ?

Johnny défit les courroies du sac et en vida le contenu par terre. Il sépara les tas de brindilles. Il y en avait quatre, attachés avec de la ficelle. Pendant qu'il les alignait, il surprit le regard de son ami.

— Du cèdre, dit-il en les effleurant chacun à son tour. Du pin, du mélèze, du laurier.

— Ouais. Et alors ?

— Ils sont censés être sacrés. (Il les toucha à nouveau, un à un.) Sagesse. Force. Courage. Persévérance. On doit les brûler.

— C'est indien comme truc ?

— Indien, oui. Pas seulement.

Johnny ramassa les petits fagots et les jeta dans le noir derrière le brasier. Ils produisirent un petit bruit sec en atterrissant. Johnny cracha dans la poussière.

— Tu as faim ? demanda-t-il. Moi je crève la dalle.

Ils mangèrent des sandwichs au beurre de cacahuète et burent du soda au raisin. Jack avait les yeux rivés sur son ami, mais il regarda ailleurs quand Johnny le surprit en train de le fixer. Ce dernier fit comme si de rien n'était. Il n'avait pas envie de parler de ce qu'il avait fait. Il était hors de question que Jack le juge. Il essuya ses doigts graisseux sur son jean avant de prendre le pistolet, lourd, tout lisse, pour vérifier qu'il était chargé.

— Fais gaffe dans quelle direction tu le pointes, dit Jack. Il n'y a pas de cran de sûreté sur ceux-là.

Johnny referma le cylindre d'une chiquenaude.

— Tu t'y connais en armes ?

— Mon père est flic, répondit Jack en haussant les épaules.

— Tu sais tirer ?

— Je me débrouille pas trop mal.

Johnny remit l'arme dans son étui. Ils se turent et les bruits de la nuit s'intensifièrent. Des ombres léchèrent le sol alors que des papillons de nuit dansaient autour des bougies. Jack lança sa canette dans le feu pour voir si elle brûlerait ; elle se mit à gondoler et éclata.

— Johnny ?

— Ouais.

Jack garda les yeux sur le feu.

— Tu crois que la lâcheté est un péché ?

— Tu as peur ?

— Tu crois que c'est un péché ? insista-t-il, la mâchoire serrée.

Johnny jeta sa canette dans le feu à son tour. De longues secondes passèrent sans qu'il cille jusqu'à ce qu'il ait l'impression d'avoir les yeux tout secs.

— Le gars à la rivière, David Wilson, il savait où était ma sœur. Il le savait et j'ai pris la fuite avant qu'il ait pu me le dire. (Il se tourna vers son ami.) Alors, oui, la lâcheté est un péché, c'est ce que je pense.

— Qu'il y ait un Dieu ou pas.

— Exactement.

Le regard perdu dans l'obscurité, Jack noua les bras autour de ses genoux.

— Qu'est-ce qu'on fout ici, Johnny ?

Ce dernier attisait le feu avec un bâton.

— Si je te le dis, pas question de te débiner. Il faut que tu décides maintenant si tu marches ou pas.

— Difficile tant que je ne saurai pas de quoi on parle.

Johnny haussa les épaules.

— Je peux te ramener tout de suite, mais quand je t'aurai expliqué de quoi il retourne, il sera trop tard.

— Bon sang, Johnny ! J'ai pas l'intention de moucharder.

— Tu marches ou pas ?

De l'autre côté du feu, au-delà du rideau de fumée et d'air brûlant, Jack se passa l'avant-bras sur le nez. Une lueur orange voilait son regard. Il tourna la tête, la couleur s'atténua et ce ne fut plus qu'un gamin crasseux au hâle décoloré, aux cheveux en bataille.

— Tu représentes à peu près tout ce que j'ai de bon dans la vie, Johnny. Je pense pas que je me dégonflerai. (Il fit face à son ami, et son regard était si doux qu'on aurait dit des yeux de chien.) Autant que tu me racontes ce qui se passe.

— Viens ici, l'invita Johnny en fouillant dans le sac qu'il avait apporté de chez lui.

Il en sortit le livre sur le comté de Raven qu'il garda fermé dans sa main. Jack contourna le feu, s'assit à côté de lui dans la poussière, et Johnny lui expliqua la situation depuis le début. David Wilson sur le pont, ce qu'il lui avait dit. Levi Freemantle, la manière dont il l'avait cueilli au passage sur le sentier. Les traces de sang qu'il avait découvertes chez Freemantle.

— La vache, Johnny ! fit Jack en hochant la tête. Ça aussi on en a parlé dans le journal. Le jour où y'avait ta photo. Ils n'ont pas précisé de noms, du moins pas que je me rappelle, mais on a trouvé des cadavres chez lui. Deux personnes, la tête défoncée.

— Je me suis douté que quelqu'un était mort quand j'ai vu tout ce sang.

Jack plissa le nez.

— Y'en avait tant que ça ?

— Y'en avait partout, comme de la peinture, je te dis.

Ils gardèrent le silence une longue minute.

*Comme de la peinture.*

Puis Jack secoua la tête.

— Je comprends pas ce que tout ça a à avoir avec nous ?

Johnny alluma la torche et ouvrit le livre à la page concernant Isaac Freemantle.

— Là, c'est la ville, dit-il en désignant la carte.

Il déplaça son doigt vers le nord et décrivit un petit cercle.

— Ici, ce sont surtout des marécages. Là, le plateau de granite et l'immense étendue de forêt où se trouvent les anciennes mines. Tu te rappelles ?

— La sortie de classe, l'année dernière, ouais. Ils nous ont obligés à nous tenir par la main pour que personne s'écarte du groupe de peur qu'on tombe dans un trou.

Ce souvenir embarrassait Jack, Johnny n'était pas sans le savoir. Personne n'avait voulu prendre sa main atrophiée dans la sienne. Il y avait eu une bousculade, chacun cherchant à se dérober. Une fille avait déclaré que c'était trop dégueulasse.

Johnny fit glisser son doigt vers le sud, le long de la piste qui longeait la rivière.

— C'est là que je me suis heurté à lui, à peu près ici. Là, c'est le pont.

— Je vois.

Johnny continua à désigner le sentier jusqu'à la lisière du marécage. Deux mots étaient écrits à cet endroit : *Hush Arbor.*

— C'est là qu'il allait. C'est là qu'on le trouvera.

— Je pige pas, vieux.

Johnny referma le livre.

— Ça remonte à loin, d'accord. À l'époque des esclaves.

— Quoi ?

— Des esclaves. Écoute-moi. Tu vois, les esclaves ont apporté leur propre religion d'Afrique. Des trucs tribaux. Des histoires d'animaux divins, d'esprits aquatiques, de fétiches, de sortilèges. Ils appelaient ça leurs racines. Le vaudou. Mais ça convenait très bien aux Blancs, parfaitement même, parce qu'ils tenaient pas trop à ce qu'ils découvrent Jésus, Dieu, tout ça. Ils n'avaient aucune envie qu'une bande d'esclaves se mettent dans la tête qu'ils étaient leurs égaux aux yeux de Dieu. Tu comprends ? Si tu es égal, tu ne devrais pas appartenir à quelqu'un. C'était risqué si les esclaves qu'on possédait pensaient ça.

— Ils ne voulaient pas que les esclaves s'instruisent alors.

— Ça les a pas empêchés. Les esclaves africains, les Indiens. Ils ont appris à lire, y compris la Bible, mais il fallait qu'ils fassent ça discrètement parce que, eux aussi étaient conscients du danger. Ils étaient plus futés que leurs propriétaires le croyaient. Ils savaient qu'ils seraient punis pour leur foi. Vendus. Peut-être même tués. Alors ils s'adonnaient à leur culte dans les bois, dans les marécages. Des endroits secrets. Cachés. Tu me suis ?

— Non.

— Imagine des églises planquées. Ils appelaient ça des « hush arbors », des havres de silence. Ils y allaient pour prier en secret en cachant leur foi aux Blancs qui ne voulaient pas partager leur religion avec eux.

— Hush arbor ? Comme cet endroit sur la carte.

Johnny hocha la tête.

— Ils étaient trop intelligents pour construire vraiment des églises. Ils savaient bien que quelqu'un finirait par les trouver. Mais la forêt, c'est juste la forêt, et un marécage, ce n'est que de la boue, de l'eau, des serpents, de la merde. Alors c'est là qu'ils allaient. Ils chantaient leurs hymnes à Dieu, dansaient pieds nus, attestant ainsi de leur nouvelle foi.

— Tout ça c'est marqué dans le livre ?

Johnny hésita et détourna les yeux.

— En partie. Pas tout.

— Comment ça ?

— Y'avait un esclave du nom d'Isaac, une sorte de prêtre. Il apprenait à lire à des illettrés, prêchait la bonne parole, en dépit des dangers que ça représentait.

Johnny écrasa un moustique, le fit rouler de son cou et pressa du sang entre deux doigts.

— Ils ont fini par se faire repérer. Trois esclaves furent lynchés dans le havre de silence en question, puis pendus aux arbres qui constituaient leur église. On allait pendre Isaac aussi, mais son propriétaire est intervenu. Un fusil dans une main, la Bible dans l'autre, il a tenu la foule en respect. On raconte qu'il a fait venir Dieu du ciel et menacé d'abattre le premier homme qui s'avançait. Personne n'a osé prendre le risque. C'est comme ça qu'il a sauvé la vie de cet esclave.

— Qu'est-ce qui s'est passé après ? demanda Jack, à l'évidence fasciné.

— Il a ramené Isaac chez lui où il l'a caché pendant trois semaines en attendant que les gens se calment, que la culpabilité passe un peu, je dirais. Et puis il l'a affranchi et il lui a fait don de la terre où les siens faisaient leurs dévotions.

— Où on les avait lynchés, tu veux dire.

— Ça aussi.

— Et tu veux qu'on aille trouver ce gars là-bas ?

— Isaac Freemantle y a vécu jusqu'à la fin de ses jours. Ses descendants y habitent peut-être encore. Le sentier y mène tout droit. Ils devaient passer par là pour venir en ville.

Jack fronça les sourcils.

— Comment tu sais tout ça ? Tu m'as dit que ce n'était pas dans le livre.

— Mon arrière-arrière-grand-père s'appelait John Pendleton Merrimon. Comme moi.

— Ouais. Et alors ?

— C'était le type avec le fusil et la bible.

Johnny jeta un bâton dans le feu.

— C'est lui qui a affranchi Isaac, ajouta-t-il.

— Sans déconner !

— Je te jure !

— Et tu veux aller dans les marécages trouver l'arrière-arrière-petit-fils de ce gars, un tueur, pour le questionner à propos d'Alyssa ?

Johnny hocha la tête, sûr de lui.

— Tu penses qu'il te doit bien ça ?

— Je crois pas qu'il sache qui je suis.

— T'es un imbécile. Fou à enfermer dans une réserve !

— Dans une réserve, reprit Johnny d'un ton amer. C'est comique.

— Je ne plaisante pas. C'est stupide, Johnny. C'est du délire !

— Pas question de te dégonfler. Tu m'as promis.

Jack se leva précipitamment. Des étincelles jaillirent du brasier.

— Nom de Dieu, Johnny ! Ce gus vient de tuer deux personnes. Il va nous trucider aussi, tu peux en être sûr.

Johnny se mit debout à son tour.

— C'est la raison pour laquelle j'ai pris ça, dit-il en extrayant le pistolet de Steve de son étui. Des langues de feu dansèrent sur le métal.

— Tu débloques complètement.

— Et toi tu viens avec moi.

Jack regarda autour de lui, comme s'il cherchait de l'aide. Peine perdue. L'aube chassait peu à peu les ténèbres et le ciel avait quelque chose d'oppressant. Paumes ouvertes, Jack implora son ami du regard.

— Ça fait un an, Johnny.

— Inutile de me le rappeler !

Jack avala sa salive en jetant un coup d'œil désespéré vers les broussailles au-delà du feu.

— Elle est morte, mec, nom de Dieu ! explosa-t-il brusquement.

Johnny balança son bras de toutes ses forces. Son poing atteignit le côté de la mâchoire. Jack s'écroula dans la poussière. Johnny se dressa au-dessus de lui, son souffle pareil à du verre au creux de sa gorge, le pistolet, un poids mort dans sa main. L'espace d'un instant, son plus vieil ami ne fut plus son ami, mais son ennemi. Il se demanda comment il avait pu s'imaginer autre chose. Et puis il vit la terreur qui tordait ses traits.

Alors sa rage se dissipa, et il devient conscient du ciel, soudain sombre, immense. Il se vit à travers le regard de Jack, et il comprit, il comprit *vraiment*, que c'était lui le fou. Mais ça ne changeait rien.

— Il faut que j'y aille.

Quand Jack se releva, il desserra le poing.

— S'il te plaît, ne m'oblige pas à y aller seul.

# 33.

En raccompagnant Katherine Merrimon à la petite maison en bordure de la ville, Hunt tenta d'engager la conversation, mais c'était peine perdue. Il se rangea dans l'allée et jeta un coup d'œil à travers la vitre.

— Quand vous avez vu ce véhicule bizarre l'autre soir, où était-il garé ? demanda-t-il, les sourcils froncés.

Il suivit des yeux le geste de Katherine, vers la rue, au-delà du lampadaire.

— Elle était là-bas. Le moteur tournait. C'était la première fois que je la voyais.

— Quelle marque ?

— Je n'en sais rien. J'ai cru que c'était une voiture de patrouille.

— Qu'est-ce qui vous a incitée à penser ça ?

— Ça y ressemblait. Une grosse berline. On aurait dit une voiture de police.

— Un gyrophare ?

— Non. C'était juste la forme. Elle était comme celle-ci, ajouta-t-elle en désignant le véhicule dans lequel elle était assise.

— Une Crown Victoria ?

— Ça ressemblait à ça, insista-t-elle. Une grosse Américaine. Je ne sais pas. Il faisait nuit. Je ne m'intéresse pas aux voitures. Je n'y connais rien.

— À quel moment le conducteur a-t-il démarré ?

— Quand j'ai commencé à m'en approcher.

— Dans quelle direction est-il allé ?

Katherine pointa l'index, et Hunt se renfrogna à nouveau.

— Je ne pense pas que ce soit une bonne idée que vous restiez ici, avec tout ce qui s'est passé.

— Où voulez-vous que j'aille ? (Faute d'une réponse, elle ajouta :) Chez vous ?

— Je ne suis pas comme ça, Katherine.

— Les hommes sont tous comme ça, répliqua-t-elle sans parvenir à masquer son amertume.

Hunt soutint son regard dont l'intensité le désarçonna. Si blasé, si las. *Que Ken Holloway aille se faire foutre*, pensa-t-il. *Qu'il aille au diable pour l'avoir mise dans cet état.*

— Je pensais plutôt à un hôtel. Un endroit anonyme.

Elle avait dû percevoir son intonation peinée.

— Je n'aurais pas dû dire ça, dit-elle. Je suis désolée. Vous avez été franc du collier tout du long.

— Vous acceptez alors ?

— Johnny pourrait rentrer d'un instant à l'autre. Il faut que je sois là au cas où.

— Katherine...

— Non.

— Dans ce cas, je veux une voiture de patrouille en faction dans la rue.

— Pas question.

— Vous n'êtes pas en sécurité ici. Il se passe des choses que nous ne nous contrôlons pas.

— Johnny prendrait peur. S'il a fugué, je veux qu'il sache qu'il peut rentrer à la maison sans qu'on l'embête. Ce ne sera pas le cas si la police monte la garde devant chez nous. (Elle ouvrit sa portière.) Merci de m'avoir raccompagnée, inspecteur. Ça va aller maintenant.

Hunt sortit de la voiture et posa les mains sur le toit.

— J'aimerais bien jeter un coup d'œil à l'intérieur.

— J'ai besoin d'être seule.

Il scruta la rue. La souffrance de cette femme le rendait dingue. Ce n'était pas la première fois qu'elle faisait preuve de courage, mais chaque fois, ses forces avaient fini par

l'abandonner. Il l'avait vue sombrer. Tel un séquoia abattu,
les rives d'un fleuve asséché, la fin de quelque chose de
pur. Il leva les yeux vers la maison plongée dans l'obscurité
avant de reporter son attention sur elle.

— S'il vous plaît, insista-t-il.

— Si vous y tenez.

Trois secondes plus tard, il trouva la vitre cassée.

— Allez vous asseoir dans la voiture, dit-il en dégainant.
Verrouillez les portières.

Elle se précipita vers la porte.

— Katherine !

— J'ai changé les serrures. Vous ne comprenez donc
pas ? C'est Johnny.

Hunt la rattrapa sur les marches et la tira en arrière.

— Attendez ! Juste une seconde. Johnny ! cria-t-il en
essayant d'ouvrir la porte qui ne lui résista pas. Johnny !
C'est l'inspecteur Hunt et ta maman. (Pas de réponse. Il
leva la main.) Ne bougez pas d'ici.

Il alluma la lumière. Des éclats de verre étincelaient sur
le tapis. Il alla inspecter les pièces du fond en les éclairant
l'une après l'autre. À son retour, il trouva Katherine dans
le salon. Il remit son arme dans son étui.

— Il n'y a personne. La maison est vide.

Elle était assise immobile sur le canapé.

— Est-ce qu'il manque quelque chose ?

Comme elle ne répondait rien, il se rapprocha d'elle.

— Vous a-t-on volé quelque chose ?

Elle releva la tête, le regard vide, voilé par les larmes.

— Je vais jeter un coup d'œil dans le jardin, annonça
Hunt. Je vous demanderai de regarder autour de vous et
de me dire si quelque chose vous semble inhabituel.

— À quoi bon ! Ça fait presque un an que je ne vois
plus ce qui m'entoure. Même s'il manquait quelque chose,
je ne m'en rendrais pas compte.

Hunt comprit le sens de sa remarque, mais il l'ignora.

— Allez voir dans la chambre de Johnny. Commencez
par là.

— Si vous y tenez.

Elle se dirigea vers le couloir. Il y avait de la lumière dans la chambre de Johnny. Alors qu'elle s'attardait sur le seuil, elle entendit Hunt sortir de la maison. En regardant dans la pièce, elle se rendit compte qu'elle ne lui était pas familière. Combien de fois y était-elle entrée ? Trois fois ? Cinq ? Et combien de fois sobre ? Pas une seule, pensa-t-elle. L'année qui venait de s'écouler n'était qu'une suite de journées floues. Elle mangeait. Elle dormait. Ken Holloway allait et venait.

La chambre de son fils lui était étrangère.

Son fils lui était étranger.

Elle jeta un coup d'œil dans le placard sans trop savoir ce qu'elle était censée y trouver. Idem avec les tiroirs et les étagères. Elle ne se souvenait pas d'avoir acheté ces habits, ni de les avoir lavés. Johnny s'en était chargé, comprit-elle. Il faisait la cuisine. Le ménage. Consternée, elle plaqua la main sur sa bouche.

*Où était-il passé ?*

Elle trouva la valise sous le lit. Elle était vieille, toute défoncée, et lui disait vaguement quelque chose. Elle la hissa sur le lit, l'ouvrit et se figea.

Le visage d'Alyssa.

Celui de Johnny et de son mari.

Des photos tapissaient l'intérieur du couvercle. Un collage rayonnant de vie, de ses enfants, comme une promesse. Ses yeux la brûlaient, sa gorge s'était obstruée. Elle effleura une photo.

*Alyssa.*

Elle tenait son frère par le cou. Ils souriaient tous les deux d'un air espiègle.

*Johnny.*

À l'intérieur de la valise, elle trouva un grand cliché de son mari. Il portait un tee-shirt bleu et une ceinture à outils. Il se tenait un peu de profil. Un visage puissant, anguleux, illuminé d'un grand sourire, auréolé de cheveux si noirs qu'ils luisaient. Des lunettes de soleil cachaient ses yeux, mais elle se représentait parfaitement son regard bleu, intense, inébranlable. L'espace d'un instant, le remords la submergea au souvenir des reproches dont elle l'avait accablé, des horreurs qu'elle avait proférées. Et puis la colère prit le dessus : C'était de sa faute ! Alyssa n'aurait jamais dû rentrer seule à la maison.

Mais la colère ne servait à rien.

— Où es-tu, Spencer ?

Pas de réponse. Il était parti.

Elle caressa du bout des doigts les autres objets que contenait la valise. Des affaires ayant appartenu à Alyssa. Ses peluches. Son journal.

*Comment était-ce possible ?*

Elle avait tout brûlé. Tout brûlé, au cours de ces trois semaines de démence où elle avait été constamment sous l'emprise de la drogue. Elle prit le petit agneau blotti au fond de la valise et le pressa contre son visage, cherchant à détecter une vague odeur familière.

— Katherine.

La voix de Hunt lui parvenait de très loin. La peluche était toute mouillée.

— Allez-vous-en, murmura-t-elle.

— Il n'y a personne.

Il était dans le couloir. Ses pas faisaient trembler le plancher ; elle sentit les vibrations se répercuter dans ses genoux.

— Ne venez pas ici.

Il s'arrêta sur le seuil.

— N'entrez pas.

Elle avait la sensation de s'être brisée en profondeur sous l'afflux de souvenirs si intenses qu'ils anéantissaient tous les remparts qu'elle avait dressés. Sans les cachets, elle était comme nue dans les remous.

— Katherine.

— Laissez-moi seule.

L'agneau était tout doux dans ses mains.

— Je vous en conjure.

Hunt battit en retraite, puis elle entendit la porte d'entrée se refermer. Elle regarda l'animal en peluche : les yeux noirs, luisants, la laine si blanche qu'on aurait dit un petit nuage dans un ciel limpide. Elle y enfouit son visage et inspira, mais l'odeur de sa petite fille s'était volatilisée. Cela sentait le vieux bagage abandonné, la poussière comme sous un lit abandonné.

Elle attendit que la voiture de Hunt parte avant de se lever sur des jambes tout engourdies pour aller ouvrir la porte. Un brouillard au goût végétal flottait dans l'air de la nuit. Elle traversa l'allée et se dirigea vers le coin du jardin envahi de hautes herbes où elle avait balancé le flacon d'oxycintine. Il lui fallut plusieurs minutes pour le trouver. De retour à l'intérieur, elle verrouilla la porte. Ses doigts tremblaient tellement que les cachets se répandirent par terre. Elle en récupéra quatre, les posa sur sa langue et les avala sans eau. Ensuite elle retourna dans la chambre de Johnny, glissa l'agneau sous son bras et s'allongea sur le lit. Elle regarda longuement les photos et, pendant dix interminables minutes, elle endura la souffrance, puis une main à la fois lourde et douce la pressa contre le matelas pour l'emmener dans un endroit où elle pouvait supporter de toucher les photos que son fils avait si longtemps cachées. Alors elle put prononcer leurs noms sans souffrir et les voir à nouveau s'animer dans son esprit.

Hunt fit le tour du quartier en roulant au pas. Il inspecta les rues latérales, mais ne vit rien d'anormal. Tout était tranquille dans les maisons, les allées encombrées de pick-up, d'utilitaires, de voitures fatiguées. Pas de grosse berline dont le moteur tournait au ralenti. Ni de silhouettes derrière les vitres.

De retour dans la rue de Katherine, il choisit son emplacement avec soin : assez loin de chez elle pour que ce soit discret, suffisamment près pour voir si elle avait de la visite. Certes elle ne voulait pas d'une voiture de patrouille dans la rue, mais il n'était pas question de la laisser seule dans ce coin perdu. Il se rangea sur le bas-côté, baissa sa vitre, coupa le moteur. Il jeta un coup d'œil à sa montre. Il était tard.

Faisant fi de sa culpabilité, il appela son fils pour lui dire de verrouiller les portes et de brancher l'alarme.

— Tu rentres pas ce soir, c'est ça ?

— Je suis désolé, Allen. Pas ce soir. Tu as dîné ?

— J'ai pas faim.

Hunt vérifia à nouveau l'heure. Il maudit sa femme de les avoir quittés, puis il se souvint des propos que son fils lui avait tenus. C'était *probablement* de sa faute. Voilà qu'une fois de plus, son travail l'obligeait à passer la nuit loin de sa famille. Il se reprit.

*Son travail ?*

*Pas tout à fait.*

Son regard se porta vers l'endroit où l'allée des Merrimon déversait du gravier sur l'asphalte chaud. Il distinguait des lumières à travers les arbres et se demanda s'il serait là à monter la garde si elle n'était qu'une victime comme les autres. Si c'était quelqu'un d'autre.

— Écoute, Allen...

Mais il n'y avait plus personne au bout de la ligne. Il avait raccroché.

Hunt éteignit son téléphone et s'enfonça dans son siège, à l'affût de véhicules louches, de Ken Holloway. Il songea à elle toute seule dans cette bicoque au toit défoncé et quand il s'assoupit, des heures plus tard, il rêva qu'il l'emmenait loin de là. Ils étaient dans sa voiture, fenêtres ouvertes, et il la revit telle qu'elle était jadis, sereine, joyeuse. Le vent fouettait ses cheveux. Elle posa la main sur sa joue en prononçant son nom, et la lumière dansa dans ses yeux. C'était un beau rêve, mais il se réveilla tout raide et malheureux. Le soleil qui commençait à pointer l'aveuglait, et le rêve était aussi faux qu'un tour que vous joue la lumière. Son portable sonnait.

— Ouais, fit-il en se frottant les yeux.

— C'est Yoakum.

La clarté était violente. Il baissa la visière.

— Que se passe-t-il, John ?

Il consulta sa montre. 7 heures 21.

— Je suis chez Burton Jarvis.

Yoakum marqua un temps d'arrêt. Hunt entendit une autre voix en fond sonore. Un chien mécontent aboya à deux reprises.

— Il faut que tu viennes.

— Explique, demanda Hunt, déjà la main sur la clé de contact.

— Nous avons un corps.

— Est-ce Alyssa Merrimon ?

Yoakum se racla la gorge.

— En fait, je crois que nous avons tout un tas de corps.

La maison de Jarvis disparaissait dans l'obscurité quand il s'engagea dans l'allée. Ni voitures de patrouille. Ni policiers. Rien que Yoakum, pâle, mal rasé, en train de sucer des pastilles à la menthe qu'il prenait l'une après l'autre dans une boîte en métal. Ses chaussures luisaient de boue, son pantalon était mouillé jusqu'aux genoux. À ses côtés se tenait Mike Caulfield, l'un des rares hommes de la brigade spécialisée dans les interventions canines. Dans la police depuis trente ans, il était grand, le dos voûté avec de grandes mains calleuses et un casque de cheveux tellement noirs qu'il se teignait forcément. Il portait une salopette en tissu épais, trempée, maculée de boue elle aussi. Il tenait en laisse le chien avec lequel il avait inspecté le terrain de Levi Freemantle. Dès que Hunt sortit de sa voiture, ils le rejoignirent.

— Yoakum, fit-il en lui adressant un signe de tête avant de se tourner vers le maître-chien. Mike.

Ils avaient l'air accablés l'un et l'autre. L'animal ne bougeait pas. Il fixait son maître.

— Vous n'avez pas encore appelé de renfort ?

Yoakum referma brutalement sa boîte de bonbons.

— Je veux que tu voies ça d'abord.

Ils prirent la direction des bois derrière la maison.

— Explique-lui, Mike.

Ce dernier esquissa un hochement de tête.

— Je me suis réveillé très tôt ce matin. Normalement, quand ça m'arrive, je vais chasser, mais j'ai eu l'idée de venir inspecter cet endroit une dernière fois. J'avais établi un quadrillage, vous voyez, en partant de la remise. Mais j'ai décidé de m'en écarter ce coup-ci, histoire de me dégourdir un peu les jambes. En débarquant ici à 5 heures, j'ai mis le cap sur la rivière. Elle est à trois kilomètres d'ici environ.

Ils dépassèrent la cabane, toujours drapée de ruban jaune. Mike avançait d'un pas assuré en évitant les branches, sans cesser de parler.

— J'avais parcouru un peu plus d'un kilomètre quand Tom a commencé à s'exciter. Cent mètres plus loin, il a pété un câble. (Gêné, Mike baissa la tête.) Si j'ose dire.

— J'étais au poste de bonne heure, intervint Yoakum. C'est moi qui ai pris l'appel.

Ils traversèrent un bosquet puis franchirent un petit ruisseau qui coulait vite sur un lit de granite. Des rais de soleil filtraient en biais entre les troncs gris. La température monta. À un moment donné, Yoakum glissa et tomba sur un genou.

— Qu'est-ce que c'est que cette odeur ? demanda Hunt.

Une odeur désagréablement suave, fugace. Juste une bouffée, une puanteur tenace l'instant d'après.

— La fosse est par là, expliqua Mike en pointant l'index. À un ou deux kilomètres. On la sent d'ici quand le vent se lève.

Ils poursuivirent leur route. Bientôt Hunt vit le chien pointer les oreilles. Il leva la tête et renifla, le nez en l'air. Puis il plaqua sa truffe par terre en tirant sur sa laisse. Hunt croisa le regard de son maître.

— Vous voyez ce que je veux dire ?

Ils s'enfoncèrent dans un dernier petit bois avant de descendre dans une large cuvette peu profonde. Des arbres s'y dressaient tels des monuments. Les feuilles mortes formaient un tapis putride sous leurs pieds. Trois drapeaux orange jaillissaient du sol. De petite taille, montés sur du fil de fer mince et raide. À part ça, la surface était intacte.

— Vous êtes sûr qu'il s'agit de corps ? demanda Hunt.

Mike désigna le chien assis droit comme un i, le regard vif, les narines palpitantes.

— Trente ans, inspecteur, et c'est le meilleur chien auquel j'ai eu affaire. Vous trouverez des restes humains sous ces bannières.

Hunt hocha la tête en considérant les drapeaux, si colorés, minuscules dans le vaste bassin silencieux. Ils étaient largement espacés, d'une quinzaine de mètres environ.

— Trois de plus. Merde !

Mike et Yoakum échangèrent un regard. Que Hunt surprit.

— Qu'est-ce qu'il y a ?

— Je n'avais que trois drapeaux, dit Mike.

— Ce qui veut dire ?

— Qu'il m'en faudra d'autres, répondit-il en caressant le chien.

Hunt dévisagea le maître-chien nerveux au visage tanné. Il avait un long nez crochu, rougeaud. Des oreilles pareilles à des nœuds coulants en cartilage. Ses lèvres étaient entrouvertes d'une manière qui n'avait rien de naturel, et Hunt comprit qu'il attendait la question.

— Vous voulez dire qu'il y en a d'autres ?

Mike se moucha dans un bandana. Quand il hocha la tête, la peau de son cou se plissa.

— Je crains que oui.

Hunt se tourna vers Yoakum.

— Depuis combien de temps Jarvis était-il propriétaire de ce terrain ?

— Vingt-quatre ans, répondit-il, la mine sombre.

— Doux Jésus !

— Qu'est-ce que tu veux que je fasse ?

En levant les yeux, Hunt entrevit des fissures bleues déchiquetées parmi la frondaison des arbres qui s'agitaient doucement.

— Appelle. Fais venir tout le monde.

Yoakum s'écarta un peu et ouvrit son portable. Mike se moucha encore un coup, puis il rangea son bandana dans sa poche.

— Et moi ?

— Faites bosser votre clebs, répondit Hunt. Pour les marqueurs, on improvisera.

— Bien, chef.

Mike fit un signe au chien qui se dressa aussitôt. Nez collé au sol, la queue en l'air, il se mit en route dans une direction bien précise.

Un souffle de vent caressa le cou de Hunt.

L'odeur de la fosse lui assaillit brusquement les narines.

## 34.

Le soleil pointait à peine derrière les arbres quand Johnny assena un petit coup de pied à Jack. Le feu était mort, tout gris ; la couverture trempée de rosée.

— C'est l'heure, dit-il.

En ouvrant péniblement un œil, Jack vit son ami habillé, prêt à partir. Il se gratta le cou.

— Je me suis fait bouffer par les moustiques.

— Moi aussi. (Johnny tendit la main pour l'aider à se relever.) Tu veux un petit déjeuner ?

— Qu'est-ce qu'on a ?

— De la saucisse en boîte ou du beurre de cacahuète. Y'a plus de pain.

— Il reste du soda ?

— Non.

— Ça ira.

Johnny agita la couverture, puis il alla faire pipi sur le côté de la grange. Il avait les mains noires de suie. Il songea à des choses sacrées qui n'avaient rien de sacré en réalité, à l'arme planquée sous sa veste. Il était resté éveillé longtemps à faire tourner le cylindre, le canon incliné vers la lumière. Après avoir frotté son pouce mouillé contre le métal, il avait visé le feu en essayant de maintenir ses bras bien droit malgré le poids. Il avait pensé à Levi Freemantle, convaincu qu'il savait parfaitement ce qu'il faisait, et puis il avait décidé que ça n'avait pas vraiment d'importance. En définitive, Jack était le seul à avoir le choix.

— Tu n'es pas forcé de venir, dit-il.

Jack enfila sa veste.

— Tu es mon meilleur ami.

— Je suis sérieux.

— Moi aussi.

Johnny rangea la couverture dans le sac, puis il boucla les courroies.

— Merci, mec.

— Tu ne vas pas te mettre à chialer.

— Ce n'est pas ça. C'est juste...

— J'ai très bien compris.

Johnny ouvrit la porte du pick-up.

— Tu es prêt ?

— *Rock and roll !*

Ils traversèrent le champ rasé et s'engouffrèrent sous les arbres. À la sortie du bois, ils passèrent le portail avant de prendre la direction du nord. Johnny s'en tint aux routes qu'il connaissait, mais à un moment donné, il bifurqua vers l'est, à la hauteur d'un terrain aménagé pour les camping-cars. Il se retrouva sur une route qu'il n'avait jamais prise auparavant et qui les éloignait de la ville et de toute son agitation. Ils dépassèrent des petites vignes, des murets tandis qu'ils s'enfonçaient dans la campagne encore émaillée de demeures datant d'avant la guerre de Sécession, perchées au-dessus de champs ondoyants. Johnny fit une halte pour comparer le plan figurant dans son livre avec la carte routière du comté de Raven.

— Tu sais où on est ? demanda Jack.

Il ne répondit pas. Il regarda la route droit devant lui, puis fit demi-tour avant de s'enfiler sur une chaussée antique toute fissurée, de plus en plus étroite. Il vérifia les pancartes à deux reprises avant de tourner à gauche sur un chemin de gravier. Là, il s'arrêta. Rien ne bougeait alentour en dehors des corbeaux perchés sur un fil électrique.

— Tu sens cette odeur ? fit-il.

— Non.

— C'est la rivière. Elle s'oriente vers l'est juste à la périphérie de la ville et puis elle fait une boucle. On doit être à une quinzaine de kilomètres au nord de la ville. Peut-être nord-ouest. Je crois qu'on est arrivés, acheva-t-il en montrant le sentier.

Jack regarda autour de lui, les arbres, les champs, dans le silence que seul le vent perturbait.

— Arrivés où ça ?

— On va bien voir.

Johnny braqua à droite en faisant jaillir des gerbes de gravier. Moins d'un kilomètre plus loin, ils tombèrent sur un panneau jaune criblé de traces d'impact sur lequel on lisait : FIN DU TERRITOIRE ENTRETENU PAR L'ÉTAT. Aussitôt après, la forêt reprenait ses droits. On sentait plus nettement la rivière. La route s'orientait à nouveau vers le nord. Johnny pointa l'index vers la droite.

— La rivière est par là. On la suit en fait.

Il roula encore un ou deux kilomètres avant de franchir un portail. On l'avait laissé ouvert, mais l'écriteau ne laissait aucune ambiguïté : PROPRIÉTÉ PRIVÉE. DÉFENSE D'ENTRER.

Il l'ignora.

Le deuxième portail était fermé, mais pas à clé. En aluminium terni par le temps, il s'incurvait au milieu comme si un camion l'avait heurté de plein fouet. Il pendait d'un pilier en cèdre, et une partie de la base s'appuyait sur la route, là où il était défoncé.

— Va ouvrir.

Jack sortit du véhicule et tira avec peine le portail bloqué par de hautes herbes. Johnny avança et Jack referma derrière lui.

En descendant vers la plaine, ils virent la rivière qui coulait lentement comme de l'huile noire. Johnny désigna le large andain de végétation aplatie laissé par la crue lors du dernier gros orage.

— On va se retrouver dans les marais.

À mesure que la route s'écartait de la rivière, les marécages s'en rapprochaient de part et d'autre. La chaussée ne fut bientôt plus qu'une étroite bande de goudron surplombant des talus meubles et des eaux sombres que l'on voyait scintiller dans les interstices entre les arbres. Dans

un virage, Johnny faillit heurter une tortue qui se dorait
au soleil au beau milieu du chemin. Sa carapace noircie
d'algues sèches faisait plus de soixante centimètres de
large. Elle ouvrit grand la bouche quand il la contourna.

La route plongea une dernière fois puis remontait sur
une levée pour franchir une vaste étendue d'eaux mortes.
Ils descendirent dans le creux avant de se hisser sur la
langue de terre. Des étangs peu profonds s'étendaient de
part et d'autre, parsemés d'arbres couchés, à demi sub-
mergés, et de touffes d'herbes qui faisaient surface là où
le fond s'élevait. De l'autre côté du remblai, un pan de
terre sèche émergeait des marais. Une sorte d'île longue
d'un kilomètre, peuplée de feuillus et de vignes. Johnny
s'arrêta. Devant eux, le gravier se raréfiait avant de disparaître, la route se changeant alors en un tendon de terre
noire, truffé d'ornières qui barrait le marécage avant de
disparaître dans la forêt. Des branches géantes balayaient
le sol et les racines s'étendaient sur près de deux mètres
avant de plonger sous la terre.

Johnny franchit la levée puis il s'arrêta dans le dernier
endroit ensoleillé et coupa le moteur. Ce fut le silence
alors, puis les bruits du marécage revinrent peu à peu.
Discrets d'abord pour s'élever ensuite pareils aux notes
d'une flûte. Un héron planta son bec dans la boue au bord
de l'eau. En vain. Il fit quelques pas, se figea, un œil incliné
vers l'eau. Les garçons descendirent du camion. Johnny
vit la pancarte à cinq mètres. À moitié recouverte de chèvrefeuille et d'une autre plante grimpante, elle semblait
aussi vieille que tout le reste. Une planche érodée clouée
à un arbre. Johnny tira sur les lianes. Les mots étaient
gravés en profondeur dans le bois, noirs à la base, comme
brûlés.

HUSH ARBOR, 1853

— C'est ici, lança Johnny en reculant.
— L'endroit où ils ont pendu ces gens ?
— Ça fait longtemps.
— C'est un lieu de mort, Johnny. On devrait pas être
là.
— Tu as trop d'imagination.

— J'en ai plus un pet !

Johnny ignora sa remarque. Le chèvrefeuille faisait planer des effluves sucrés dans l'air. Il posa la main sur les lettres grossièrement tracées.

— C'est juste un endroit, mentit-il, tandis que le héron empalait une grenouille qu'il arracha à la boue. Juste un endroit.

Jack se mit à faire des ricochets qui dessinèrent des vaguelettes sur l'eau couleur de goudron. La grenouille s'agitait toujours dans le bec du héron quand il prit son envol.

— Tu crois vraiment que quelqu'un habite ici ?

Johnny leva les yeux, tourna la tête en tous sens.

— Pas de poteaux électriques. Ni de lignes téléphoniques. Pas sûr.

— C'est la meilleure nouvelle de la journée !

Johnny scruta la forêt. En s'avançant sous les branches, il sentit la température chuter. Les arbres se dressaient dans un silence digne d'une cathédrale.

— Et le pick-up ?

Johnny jeta un coup d'œil derrière lui. Une main sur le capot brûlant, son ami se cramponnait à la clarté du soleil.

— Ça fait trop de bruit. On le laisse là.

— T'es sûr ?

— Ouais.

Jack s'enfonça dans l'ombre à son tour.

— Tais-toi maintenant, souffla Johnny.

Et la forêt les engloutit.


Les flics débarquèrent en force chez Jarvis, venus de la ville, du bureau du shérif. Quelqu'un fit allusion à la police de l'État, mais Hunt rejeta cette idée. Depuis dix-sept ans, il voyait les problèmes et les conflits se multiplier chaque fois que trop de gens réclamaient leur part de gâteau. Il fallait rester local. Ne pas se disperser. Mais ils avaient sept drapeaux maintenant. Trop pour un seul médecin légiste. Le docteur Moore s'approcha de lui, le regard triste, toute sa belle exubérance envolée. Il portait des gants en latex maculés de terre. Durant près de deux heures, il avait fouillé plusieurs strates sur un unique site marqué d'un fanion. Il avait trouvé des os, des dents, quelques fragments de tissu en putréfaction. Hunt maintenait tout le monde à distance, sauf Yoakum. Tandis que le soleil se levait, les autres avaient erré à la périphérie du terrain en parlant à voix basse.

— Docteur ?

La question de Hunt se lisait sur son visage.

Moore secoua la tête, puis il s'épongea le front avec un mouchoir plein de boue.

— C'est une fillette. Entre neuf et douze ans, à mon avis.

Hunt croisa le regard de Yoakum.

— Ça remonte à quand ?

— Depuis combien de temps est-elle morte ? Des années. Je ne peux pas vous le dire précisément. Pas encore.

— Cause du décès ?

L'homme parut s'affaisser sur lui-même. Les commissures de sa bouche s'abaissèrent.

— Il y a un trou dans le crâne. (Il glissa un doigt derrière son oreille droite.) C'est trop tôt pour en dire plus.

— Une balle ? s'enquit Yoakum. Une lame ?

— Les deux. Ni l'un ni l'autre. C'est trop tôt.

— Et les autres ?

Moore jeta un coup d'œil désespéré aux drapeaux.

— Il va me falloir de l'aide. J'ai appelé le médecin légiste en chef de Chapel Hill. Il m'envoie du renfort.

— Que pouvons-nous faire pour vous ? demanda Hunt.

Moore pointa le menton dans la direction des policiers agglutinés au bord du site.

— Débarrassez-moi d'eux.

— Ils vous gênent ?

— Ça ne sert à rien.

Hunt hocha la tête. Moore avait raison.

— Je vais m'en occuper.

— Merci.

Le médecin lui fit un petit signe de la main avant de retourner à la fosse en traînant les pieds.

— Tu veux que je m'en charge ? demanda Yoakum, les yeux rivés sur le patron.

— Tu penses que je ne suis pas capable de l'affronter ? rétorqua Hunt en esquissant un sourire.

— Je crois surtout qu'il cherche un prétexte pour te virer et faire intervenir la police de l'État. Pour se protéger. Il serait moins sous pression, lui et son service. (Yoakum désigna le champ de drapeaux.) On peut le comprendre. C'est du lourd, trop sans doute pour qu'on s'en occupe, nous. Tu es son inspecteur principal. En te fichant à la porte, il aurait une excuse légitime pour se laver les mains de cette affaire et faire appel au SBI. C'est une affaire politique, Clyde. Une sale affaire. Tu devrais me laisser lui parler.

— Non, répliqua Hunt. Reste ici. Assure-toi qu'il a tout ce qui lui faut, ajouta-t-il en montrant le médecin légiste.

— C'est ton enterrement, mon frère !

Hunt laissa Yoakum auprès des restes de la victime inconnue pour se diriger vers son chef. Il était rubicond, ses vêtements tout froissés. Au milieu des bois, loin de son environnement habituel, il faisait encore plus l'effet d'un politicien plutôt que d'un flic. En voyant Hunt approcher, les autres s'écartèrent pour lui ouvrir un passage. Le patron prit la parole avant qu'il ait le temps de le faire.

— Que dit le médecin ?

Le regard de Hunt passa de lui au shérif. Ils avaient les traits tirés tous les deux, et Hunt songea qu'il devait avoir à peu près la même tête. Les souvenirs de leur dernière rencontre plombaient encore l'atmosphère.

— Il voudrait que tous ces gens-là dégagent.

— Je vous parle du corps. Que vous a-t-il dit à ce sujet ?

— Sexe féminin. Entre neuf et douze ans. La date et la cause du décès restent indéterminées.

— S'agit-il d'Alyssa Merrimon ?

Hunt se tourna vers le shérif et secoua la tête.

— Le corps est là depuis des années.

Le patron porta son regard au-delà de la fosse. De la peau étirée pendait sous ses yeux, révélant des petits croissants roses.

— Il y en a encore six. On aura peut-être de la chance.

— Je n'appellerais pas ça de la chance, rétorqua Hunt.

Les lèvres du shérif s'incurvèrent aux commissures.

— Vous vous imaginez encore que vous allez la retrouver vivante ?

— Peut-être, répondit Hunt en lui rendant son regard intraitable.

— Vous êtes un vrai boy-scout, Hunt, ma parole !

— J'en ai assez de vos crit...

— Ça suffit, vous deux ! intervint le patron.

Hunt essaya de se décrisper.

— Vous allez me laisser évacuer tout ce monde ?

Son chef hocha la tête.

— Gardez ceux dont vous avez besoin. Renvoyez les autres chez eux.

— Je n'ai besoin de personne du bureau du shérif.

Hunt attendit la réaction de ce dernier. La maison de Jarvis se situait dans les limites de la ville, mais là, au fond des bois, ils se trouvaient à peu de chose près sur la ligne de démarcation. Si le shérif voulait exercer sa juridiction, rien ne l'empêchait. Ce dernier rompit le silence.

— Perkins, lança-t-il en claquant des doigts, et un de ses adjoints inconnu au bataillon s'avança. Rassemblez vos hommes. Dites-leur de s'en aller. (Il sourit à Hunt et releva son chapeau sur son front avant d'ajouter à voix basse :) Quand vous vous serez planté, et même quand vous aurez disparu de la circulation depuis longtemps, je serai toujours à la tête de ce comté.

— Ne vous faites pas trop d'illusions.

— Bonne journée, inspecteur, fit-il avec un nouveau sourire glacial.

Hunt le regarda partir. Quand il se tourna finalement vers son chef, il vit que ce dernier attendait, sans que son visage témoigne de l'animosité qu'il escomptait. Il avait plutôt l'air troublé, abattu. Il ôta son chapeau et s'essuya le front avec la manche de sa chemise.

— Si ce sont tous des enfants..., chuchota-t-il en pointant le menton vers les fanions. (Il laissa sa phrase en suspens avant d'ajouter :) Que Dieu nous vienne en aide !

— C'est peut-être déjà fait. Jarvis est mort.

— Vous pensez que c'est lui qui a fait ça ? (Il fit un nouveau signe de tête dans la même direction.) Tout ça ?

Hunt observa Trenton Moore en train d'entamer les fouilles d'un second site.

— C'est possible, dit-il, avant de marquer un temps d'arrêt. Il avait peut-être de l'aide.

— Vous continuez à penser qu'un flic est impliqué là-dedans ?

— Vous êtes au courant pour le chat mort ? La menace destinée à intimer le silence à Johnny Merrimon ?

— Oui.

— Sa mère affirme qu'avant cet épisode, en rentrant chez elle de l'hôpital, elle a vu une voiture garée près de la maison. Tard le soir. Le moteur tournait. Quelqu'un était là.

— Ce n'est pas interdit par la loi.

— Il n'y a rien dans le coin. Quelques baraques, une rue déserte. Il n'y a aucune raison valable pour qu'un gars se poste là. Dès que Katherine s'est approchée de la voiture, il a filé. Johnny venait d'être identifié dans l'affaire Burton Jarvis. On parlait de lui dans tous les journaux, sur toutes les chaînes. On montrait sa photo, vous le savez aussi bien que moi. Ce n'était pas difficile de le retrouver.

Le patron tourna les paumes vers le ciel, manifestement agacé.

— Et alors ?

— Elle a dit que ça ressemblait à une voiture de police. (Hunt vit son chef s'empourprer, mais ne releva pas.) L'homme que Johnny a vu ici avec Jarvis...

— Si tant est qu'il ait vu qui que ce soit.

Hunt haussa la voix.

— Celui que Johnny a vu ici a eu la présence d'esprit de poser des plaques d'immatriculation volées sur sa voiture. Si un flic a quelque chose à cacher, il ne s'y prendrait pas autrement.

— N'importe qui ferait la même chose.

— J'ai besoin d'avoir accès aux fichiers personnels de vos employés.

— Je ne peux pas vous laisser faire ça.

— Vous devez revenir sur votre décision.

— Je vais y réfléchir, répondit le patron après avoir hésité.

— Quand me direz-vous ce qu'il en est ?

— Donnez-moi une journée. D'accord ? Une journée, et fichez-moi un peu la paix.

— J'ai besoin d'autre chose. S'il y a vraiment des corps sous ces drapeaux, et s'il s'agit d'enfants...

— Continuez.

— Il est impossible qu'ils aient tous été originaires du comté de Raven. Pas même sur une période de vingt ans. (Hunt secoua la tête.) On l'aurait su.

— Je suis d'accord avec vous.

— J'ai besoin que quelqu'un contacte les comtés limitrophes, les zones urbaines voisines. (Le chef hochait déjà la tête.) Nous devons nous mettre en quête d'autres enfants disparus.

Ils sombrèrent dans le silence, absorbés dans leurs pensées. Hunt imaginait des parents en deuil dans des chambres-musées peuplées de peluches roses, de déguisements, de photos encadrées, soigneusement époussetées. Il espérait pouvoir leur apporter un dénouement, un certain apaisement. Il voulait leur ramener les restes de leur enfant, leur annoncer que le monstre responsable était mort, chassé de ce monde non pas par le temps, la maladie, ou la police, mais par une de ses victimes, une petite fille qui avait eu le cran d'appuyer sur la détente. Hunt trouvait qu'il y avait quelque chose de poétique là-dedans. Peut-être ces parents réagiraient-ils comme lui.

Son patron était plus prosaïque.

— Les médias vont se jeter sur cette affaire. J'attends de vous que vous gériez ça, Hunt. Pas de fuites. Pas de sources non identifiées. Muselez vos hommes. Faites tout pour éviter que cette merde se propage.

— Laissez Yoakum et deux hommes ici, suggéra Hunt. Postez quelques unités sur la route pour décourager les journalistes ou les éventuels curieux.

Le chef fronça les sourcils et épongea la sueur qui perlait sur son front.

— Ça va être un vrai cirque.

— Raison de plus pour expulser tous les effectifs inutiles.

En entendant quelqu'un approcher, Hunt se retourna à temps pour voir Cross dévaler la pente. Il jeta un coup d'œil au périmètre clos avant de se diriger droit vers Hunt et le chef. Il avait les joues en feu ; son col était noir de sueur.

— Hunt. Chef, dit-il, l'air tout excité.

— Qu'est-ce que vous fichez ici ? demanda Hunt.

— Je vous cherchais.

— Eh bien, vous m'avez trouvé. Que se passe-t-il ?

— Nous avons localisé le véhicule de David Wilson.

— Où ça ?

— Au nord. Au fond d'un ravin.

— Montrez-moi ça.

Hunt laissa le patron seul. Il se retourna plusieurs fois, et le vit au loin, nimbé d'une lumière jaune, tripotant le bord de son chapeau, tête baissée, jusqu'à ce que les interminables rangées d'arbres se mettent à défiler entre eux. En sortant de la forêt, Cross et lui passèrent devant la remise, la maison vide. Il les ignora l'une et l'autre.

— Comment l'avons-nous localisé ?

— Quelqu'un a appelé.

— Qui ça ?

— Il n'a pas voulu dire son nom. Il a prétendu l'avoir trouvé tôt ce matin, une heure environ avant le lever du soleil. J'ai eu l'impression qu'il avait bu. Il a reconnu qu'il était allé braconner. Il a assuré qu'il avait bien vu le véhicule avec sa torche.

— Vous avez dépêché des hommes sur place ?

— Je suis venu vous voir directement. Je savais que vous voudriez y aller vous-même.

— Vous êtes sûr que c'est sa bagnole ?

— L'homme qui a appelé avait le numéro d'immatriculation. Enregistré au nom de la fac. C'est forcément ça.

— Vous avez un numéro pour le gars qui a appelé ?

— Il a téléphoné de la cabine publique d'une épicerie.

— C'est regrettable. Savez-vous s'il a touché le véhicule ? Un ivrogne en train de chasser le cerf à 5 heures
du matin... Je doute qu'il ait hésité à farfouiller.

— Je l'ignore. Il a indiqué le lieu et puis il m'a pratiquement raccroché au nez.

Ils émergèrent du bois sous un soleil éclatant. Hunt
s'arrêta au bord de la route.

— Vous auriez pu m'appeler.

— J'espérais que vous m'emmèneriez avec vous.

Hunt étudia le jeune homme, son air avide, déterminé.

— Vous êtes en attente d'une promotion. C'est ça ?

— Une recommandation de votre part me serait très
utile.

Hunt réfléchit un instant.

— Je n'ai pas beaucoup dormi, dit-il. Prenez le volant.

# 35.

Les garçons progressaient lentement. Sous leurs pieds, le sentier était mou. Des oiseaux et des ombres fugaces donnaient vie à la végétation. Des lianes grises, larges comme un poignet, pendaient jusqu'à terre. Non loin, un pic en quête d'un petit déjeuner martelait un tronc d'arbre.

— Ça fout la chair de poule, bougonna Jack.

— Sois vigilant, c'est tout.

La forêt s'assombrit. À l'approche du coucher du soleil, les bruits se turent.

— J'ai vraiment les boules.

— Ferme-la, Jack. Nom de Dieu !

Ils marchèrent encore vingt minutes. Les traces de pneus avaient l'air anciennes, mais ça ne voulait rien dire. Freemantle était à pied la dernière fois que Johnny l'avait vu. Sous les arbres, le chemin s'élargissait, s'aplatissait ; la forêt s'ouvrait peu à peu. Ils passèrent devant un verger envahi de mauvaises herbes que peuplaient des pommiers en fleurs. Un treillis croulait sous une vigne muscadine.

— On se rapproche, annonça Johnny.

— De quoi ?

— De l'endroit où on veut aller.

Le sentier aboutissait à un portail en ruine. Là il bifurquait vers la droite avant de disparaître derrière un talus couvert de ronces. Johnny sortit le pistolet de son étui et l'inclina maladroitement.

— Est-ce qu'il y a un cran d'arrêt ?

— Non. Je te l'ai dit. Bon sang, fais gaffe où tu le pointes !

— Désolé.

Johnny orienta le canon vers le sol. Des feuilles soulevées par la brise montraient leur dessous gris terne. Des piliers de granite se dressaient de part et d'autre du portail couché à terre. Des herbes avaient poussé entre les pieux en bois tendre à moitié pourri. On distinguait encore de la peinture blanche dans le grain.

Johnny jeta un coup d'œil derrière un pilier et recula vivement.

— Qu'est-ce qu'il y a ? demanda Jack.

— Rien. Suis-moi.

Ils passèrent entre les piliers, laissant la forêt derrière eux. Un peu plus loin, ils tombèrent sur des bâtiments en ruine, dont une maison entièrement brûlée. Du bois calciné, les vestiges d'une cheminée. Une marche en granite marquait l'emplacement de la porte d'entrée. Une baignoire à l'ancienne couchée sur son flanc déversait des matières carbonisées parsemées de touffes d'une plante sauvage. Un cadre de lit en fer surgissait des décombres. Ainsi que divers objets résistants au feu : de la vaisselle cassée, un fait-tout, la poignée en acier d'une pompe, toute rouillée. Johnny ramassa une charnière criblée de marques de coups de marteau.

— Quel bordel ! s'exclama Jack, parlant en leurs deux noms.

La grange tenait encore debout de même qu'un fumoir dont la porte était ouverte ; des crochets en acier pendaient à des chaînes rouges de rouille à l'intérieur. Johnny avisa un cadenas sur la porte d'une remise. Une autre bâtisse se dressait à côté ; elle ne comportait qu'une seule porte, des fenêtres étroites et deux petites cheminées. Un unique bloc de pierre constituait la marche de l'entrée, comme pour le bâtiment principal ; il était usé et lisse au milieu. En jetant un coup d'œil à travers la vitre, ils distinguèrent une cheminée, un four en brique. Une table toute simple et des ustensiles en fonte.

— C'était la cuisine, dit Johnny. Ils les construisaient à l'écart de la maison pour limiter les risques d'incendie.

— Plutôt ironique.

Johnny recula de quelques pas pour embrasser du regard la bâtisse incendiée.

— Il n'y a pas d'électricité par ici. C'était sûrement une bougie.

— Ou la foudre.

— Peut-être.

— Vise un peu ça, lança Jack en pointant l'index.

En se retournant, Johnny découvrit un poteau de trois mètres de haut surmonté d'une cloche en cuivre verdi.

— Bizarre.

— Quoi ?

Johnny écarta les hautes herbes.

— C'est une cloche d'esclaves. J'en ai vu une pareille au musée des droits civils à Wilmington. On s'en servait pour faire revenir les esclaves des champs.

— Pourquoi un esclave affranchi garderait-il une cloche d'esclave ?

Johnny regarda à l'intérieur de la cloche.

— J'en sais rien. En guise de souvenir ?

— Ça fout les boules, mec ! chuchota Jack.

Johnny alla inspecter l'intérieur de la grange. En dehors de l'outillage agricole qu'il s'attendait à voir – le tout poussiéreux et inutilisable –, elle était vide. Il se borna à tripoter la serrure de la remise en jetant un coup d'œil à travers les fissures de la porte.

— Rien que du bazar.

— On peut y aller ?

Johnny promena ses regards alentour. La clarté du soleil rendait tout très net. Les arbres formaient une muraille autour de la clairière.

— Pas encore. Allons voir par là, répondit Johnny en désignant une brèche qui s'ouvrait dans la forêt à l'autre extrémité de la trouée.

Ils avancèrent prudemment. Les arbres se dressaient devant eux, et puis les deux garçons se retrouvèrent en contrebas. Un sentier d'une cinquantaine de mètres conduisait à une autre clairière. Au bout, le soleil éclairait un muret entourant un pan d'herbe verte. Un autre portail

en bois s'ouvrait dans la pierre. En parfait état, celui-là.
La peinture blanche étincelait.

— C'est la première fois de ma vie que je suis aussi
malheureux de voir de la peinture fraîche, murmura Jack.

En approchant à pas feutrés, ils entendirent un oiseau
raser le sol avant de virer de bord, le bruissement des
feuilles sous leurs semelles.

— Qu'est-ce que c'est que ce bruit ?

C'était comme un souffle, une vague plainte.

— J'en sais rien, répondit Johnny en secouant la tête.

Ils se baissèrent pour couvrir rapidement les derniers
mètres et se mirent à croupetons derrière le muret. La
pierre était chaude, le bruit tout proche. Ça venait de
l'autre côté. Johnny jeta un coup d'œil entre les lattes du
portail. Il entrevit du gazon et des rangées de pierres
sculptées.

— C'est un cimetière, annonça-t-il en s'accroupissant à
nouveau.

— Quoi ?

Johnny serrait le revolver contre sa poitrine ; il sentit
son cœur cogner contre l'acier. Son souffle se coinça dans
sa gorge.

— Un foutu cimetière !

— Il est là ?

— Oui, chuchota-t-il, à peine audible, avec un hochement de tête et les yeux écarquillés.

Jack passa sa langue sur ses lèvres blêmes.

— Faut qu'on file d'ici.

— Il est juste assis là.

— Qu'est-ce qu'il fait ?

Le cimetière était petit. Une quarantaine de tombes. Un
chêne colossal se dressait au centre, des magnolias occupaient chaque angle au fond. Les stèles s'étendaient par
rangées, certaines gris argenté, d'autres noires, toutes fes-
tonnées de lichen et de mousse.

Levi Freemantle était assis au milieu, les jambes
écartées. Ses habits étaient sales et tout déchirés. Il avait
des traînées de sang sur les genoux, au creux des mains ;
il y en avait aussi sur sa chemise et son pantalon, du côté

droit. Il avait enlevé une chaussure qui gisait dans l'herbe. Son pied et sa cheville étaient enflés au point qu'on aurait dit un unique appendice. Le doigt que Johnny avait mordu paraissait infecté. Levi l'avait enveloppé d'un tissu taché de jaune. La peau luisait tout autour. Une pelle reposait sur les genoux du géant. À côté de lui, il y avait un cercueil.

— Qu'est-ce qu'il fabrique ?

Johnny ne répondit pas tout de suite. La lumière était si parfaite qu'il distinguait chaque détail : les bandes de ruban argenté terni, couleur de plomb, la boue séchée qui couvrait le cercueil, les éraflures dans le bois, les taches d'eau. Freemantle avait les genoux écorchés presque jusqu'à l'os. Son visage défiguré luisait. Quelque chose dépassait de son flanc. Johnny se laissa glisser le long du mur en pressant le dos contre la pierre.

— Il est en train d'enterrer quelqu'un.

— Oh, merde !

— Il chiale comme un gosse.

Jack ferma les yeux. Johnny leva le pistolet et pressa le barillet contre son front. Une odeur d'huile de graissage lui chatouilla les narines et ses lèvres bougèrent sans qu'il émette un son. *L'arme est pouvoir. J'ai l'arme. L'arme est pouvoir.*

*J'ai l'arme.*

Il fit mine de se lever, mais Jack l'en empêcha.

— Ne fais pas ça. (Jack tira plus fort.) Ne fais pas ça, mec, répéta-t-il d'un ton suppliant.

— C'est quoi ton problème ? souffla Johnny en se dégageant. Tu t'imagines que c'est un jeu ? Tu crois que je me suis amusé toute cette année ? On est venus pour ça, nom de Dieu !

La terreur de Jack était aussi flagrante que la crasse sur son visage. Il tremblait de la tête aux pieds, mais il finit par baisser la main en hochant la tête.

— D'accord, Johnny.

— Je n'ai pas le choix.

— J'ai dit d'accord.

L'espace d'une seconde, Johnny resta pétrifié par la panique absolue qui émanait de l'expression de son ami, et puis brusquement il se dressa en brandissant le pistolet comme dans les films : les deux mains sur la crosse, le canon aussi droit et stable que possible. Levi Freemantle s'était mis debout, sa pelle en acier à la main, mais il ne remarqua même pas la présence de l'enfant. Tête baissée, il contemplait la fine couche qu'il avait grattée à la surface de la terre.

Une jambe pliée de sorte que la pelle supportait l'essentiel de son poids, il pleurait à chaudes larmes. Johnny le regarda essayer de creuser un trou pour le cercueil. En équilibre sur son bon pied, il se servait de l'autre pour enfoncer la pelle, mais son visage se tordait de douleur. Quand il voulut faire passer son poids sur l'autre jambe, sa cheville n'y résista pas.

Il s'effondra.

Se releva tant bien que mal.

Fit une seconde tentative.

Johnny poussa le portail et entra dans le cimetière. Il s'avança à cinq mètres de Freemantle, puis à quatre mètres, sans que ce dernier s'en aperçoive. Il risqua un coup d'œil sur le cercueil : petit, un cercueil d'enfant. Il se rapprocha encore et Freemantle finit par relever la tête. Son regard embué de larmes passa du visage de Johnny à la fosse qu'il s'efforçait de creuser. Il fit un saut en avant sur une jambe en brandissant la pelle qu'il replanta presque aussitôt dans la terre. Johnny vit de la tristesse, de la souffrance, de la crasse, du sang, et ce qui ressemblait à un bout de bois jaillissant du flanc du géant.

— Arrêtez, cria-t-il.

Freemantle obtempéra, puis il leva une main, paume tournée vers le ciel. Il désigna l'endroit où il avait gratté la terre avant de poser finalement les yeux sur le pistolet. Il le considéra un long moment, comme s'il ne savait pas trop ce que c'était ni pourquoi il était braqué sur lui.

— Vous êtes venu m'aider ? demanda-t-il finalement d'une voix pâteuse.

— Quoi ?

— J'ai demandé de l'aide, mais il veut pas me parler.

— Qui ça ?

— Est-ce qu'il vous parle à vous ?

— Je comprends pas ce que vous voulez dire.

Les cicatrices se tordirent sur la joue du géant. Il avait un œil couvert d'un voile laiteux.

— J'arrive pas à faire le trou.

Johnny lança un regard en direction du mur. Jack secoua la tête. Johnny reporta son attention sur le cercueil.

— Vous vous souvenez de moi ?

Un hochement de tête.

— Tu courais et je t'ai pris dans mes bras.

— Pourquoi ?

— C'est Dieu qui m'a dit de le faire.

— Dieu vous a dit de me prendre dans vos bras ? (Nouveau hochement de tête.) Pourquoi ?

— Il a pas précisé.

— Johnny !

C'était la voix de Jack, mais Johnny l'ignora.

— Qu'est-ce qu'Il vous a dit d'autre ?

— C'est mon bébé, coupa Freemantle en désignant le cercueil, puis les larmes ruisselèrent sur son visage déformé. J'arrive pas à creuser ce trou, répéta-t-il.

Johnny jeta un dernier coup d'œil à Jack avant de baisser son arme.

# 36.

Cross conduisit avec souplesse dans les faubourgs, puis il prit la direction du nord. Hunt regarda défiler les quartiers, la zone industrielle. Il songeait non pas au véhicule retrouvé ni à David Wilson, mais aux sept petites bannières et à Alyssa Merrimon, sans parvenir à chasser de son esprit l'image de la fillette enfouie sous cette terre lourde. Une jeune vie détruite, une famille brisée. D'autres pensées l'assaillaient aussi, de son propre enfer : une année d'angoisse et d'insomnies, douze mois d'échecs, sa famille à lui anéantie. Pourtant il n'avait jamais pu lâcher l'affaire. Par conscience professionnelle ou pour des motifs personnels ?

Quand son portable sonna, il jeta un coup d'œil à l'écran.

— Bonjour, Katherine.

Cet appel avait quelque chose de prophétique.

— Des nouvelles de Johnny ? demanda-t-elle d'un ton implorant.

— Non. Rien.

— Il aurait déjà dû appeler. Il l'aurait fait.

— Nous avons lancé plusieurs unités à sa recherche. Il est futé. Nous le trouverons. (Il s'interrompit, conscient de la présence de Cross à côté de lui.) Je suis désolé de ne pas être passé pour en parler avec vous personnellement. Je l'aurais fait, mais...

— Il aurait déjà dû appeler, répéta-t-elle.

— Katherine ? souffla-t-il d'une voix vibrante d'inquiétude, qu'elle perçut.

— La nuit a été rude, dit-elle.

— Est-ce que ça va ?

— Mieux maintenant, mais j'ai besoin que mon fils rentre à la maison.

— Nous allons le trouver, lui assura-t-il.

Elle hésita, et quand elle reprit la parole, sa voix était douce comme du velours.

— Si vous me le promettez, je vous crois.

Hunt décela le désespoir que ces mots sous-entendaient. Il ferma les yeux et l'imagina chez elle, assise sur le lit de Johnny, des dents de porcelaine mordillant sa lèvre inférieure. Elle retenait son souffle, les doigts crispés, l'ombre de ses longs cils noirs palpitant sur ses joues.

— Je vous en donne ma parole, dit-il.

— Jurez-le-moi.

— Nous allons le trouver.

— Merci, inspecteur, répondit-elle dans un soupir. Merci, Clyde.

Elle raccrocha. Hunt ferma son portable. Il se frotta les yeux et eut l'impression d'avoir du sable sous les paupières.

Cross dépassa une voiture, puis se rabattit sur la droite.

— C'était la maman de Johnny ? demanda-t-il.

— Oui.

Ils continuèrent leur route, laissant derrière eux le quartier des affaires avant de s'enfoncer dans la campagne. Cross tenait fermement le volant. Il se racla la gorge.

— Des bruits circulent au poste, il faut que vous le sachiez. (Hunt le dévisagea.) Ça jase.

— Quel genre de bruits ?

— On dit que vous pensez qu'un flic a agi avec Burton Jarvis. Pour tuer ces gosses. Alyssa Merrimon aussi peut-être.

— Les rumeurs sont parfois dangereuses.

— Je dis juste ça...

— Je sais.

Cent mètres plus loin, Cross reprit la parole d'un ton prudent.

— Le patron a fait passer la consigne de vous interdire l'accès aux dossiers personnels. À *vous*, spécifiquement. C'est comme ça que les ragots ont commencé. Je pensais juste qu'il fallait que vous soyez au courant.

Hunt considéra l'herbe, le ciel. Il songea aux multiples châtiments qu'il aurait aimé infliger à son chef.

— Avons-nous quelqu'un près du véhicule de David Wilson ?

— Il est sous la juridiction du comté, vu l'emplacement. On a dû faire intervenir le shérif. L'un de ses adjoints est sur place. Il sait qu'il ne doit pas y toucher.

— J'ose espérer que vous avez raison.

— Ce n'est plus très loin.

C'était une Toyota Land Cruiser noir. Un modèle ancien. Il piquait du nez dans un ravin rocailleux, envahi de broussailles qui devait faire une bonne dizaine de mètres de profondeur. La remorque était toujours attachée, bien qu'elle se soit mise en portefeuille.

— Quelqu'un est-il descendu ?

L'adjoint du shérif secoua la tête.

— Le shérif a dit qu'il fallait coopérer, c'est ce que je fais. Personne n'est descendu.

Hunt inspecta le versant. Une fine couche de terre gravillonnée. Des arbres bordaient le ravin, ainsi que des buissons et des mauvaises herbes.

— Vous avez une corde dans votre coffre, Cross ?

— Oui.

— Allez la chercher.

Hunt attacha solidement la corde et la lâcha dans la pente. Cross et lui descendirent en rappel, l'argile glissant sous leurs pieds. Hunt fut le premier en bas. Le mince filet d'eau qui serpentait au fond de la ravine passait sous la voiture. Le toit du véhicule s'était effondré sous le poids de la remorque. L'avant était endommagé, la carrosserie éraflée sur les côtés. Des fissures en toile d'araignée se déployaient sur le pare-brise.

— Ne touchez à rien.

Cross jeta un coup d'œil par la fenêtre.

— Les clés sont sur le contact. (Il se déplaça légèrement.) Elle est toujours en première.

Hunt se servit d'un mouchoir pour ouvrir la porte côté passager. Une bouffée de chaleur s'échappa du véhicule. Ainsi qu'une odeur de renfermé. Le cuir du siège tout usé luisait à la place du conducteur. La banquette arrière était baissée, le coffre bourré d'équipement pour la varappe. Hunt remarqua une veste de motocross, des bottes pleines de boue, un jerricane coincé derrière le siège du conducteur. Aucune trace de sang.

— Quelqu'un l'a poussée, on dirait.

— L'endroit est bien choisi.

Hunt utilisa le même mouchoir pour ouvrir la boîte à gants. Il extirpa les papiers qu'elle contenait à l'aide d'un stylo avant de la refermer. Il inspecta le plancher puis jeta un coup d'œil entre les sièges.

— Bingo ! s'exclama-t-il.

— Qu'est-ce qu'il y a ?

En glissant le stylo sous le siège, il ramassa une douille en cuivre. Cross se rapprocha aussitôt.

— Calibre 45, identifia-t-il.

Hunt sortit un sac à mise sous scellés de sa poche pour y glisser l'objet. Il le brandit dans la lumière qui filtrait au fond du ravin.

— On ferait bien d'appeler du renfort, dit-il.

Debout sur le contrefort gravillonné, les yeux rivés sur le véhicule défoncé, ils attendirent la venue des techniciens. Il fallut vingt minutes pour que quatre experts en scène de crime les rejoignent à bord de deux vans.

— Je veux que vous la passiez au crible là où elle est. Empreintes, fibres. Tout ce que vous pouvez faire ici et maintenant. Le *timing* est capital. Quand vous aurez fini, vous pourrez la sortir de là et l'emmener à la fourrière.

Le technicien en chef examina la voiture, la pente.

— Vous êtes sérieux ?

— Il y a une corde. Vous y arriverez.

Hunt leva les yeux vers le ciel. Des nuages noirs s'amoncelaient au sud.

— Débrouillez-vous pour la dégager avant qu'il pleuve. Je ne veux pas d'une autre journée comme hier.

Hunt les regarda se mettre au travail, puis il appela Yoakum pour le tenir au courant.

— C'est une bonne nouvelle, déclara ce dernier.

— Où en êtes-vous là-bas ?

— Le docteur Moore a confirmé la présence d'un deuxième corps.

— Et alors ?

— Un autre enfant. Mais ce n'est pas Alyssa Merrimon.

Hunt força ses doigts à se décrisper.

— Il va pleuvoir.

— Je sais. D'ici trois ou quatre heures, paraît-il.

— Des journalistes ?

— Pas encore.

Hunt considéra la Toyota accidentée en se demandant où il serait le plus utile. Les techniciens étaient en train de s'activer autour du véhicule. Les légistes s'occupaient des corps.

— J'ai l'impression que nous sommes passés à côté de quelque chose.

— Sans déconner !

— Quelque chose d'évident.

— Qu'est-ce que tu veux faire ? demanda Yoakum.

— Ne bouge pas. Je te rejoins, lança Hunt avant de raccrocher.

Une voix s'éleva du fond du ravin.

— Inspecteur !

L'homme se tenait près de la portière ouverte, côté conducteur.

— Ouais.

— On dirait que la voiture a été nettoyée. (Il désigna l'intérieur.) Aucune empreinte sur le volant, ni sur la poignée de la porte ni sur le levier de vitesses. (Il haussa les épaules.) Je pense vraiment qu'on a briqué tout ça.

— Et la douille ?

Le technicien pointa l'index vers un des vans.

— C'est Michaels qui l'a.

Hunt se tourna dans cette direction. Les portières arrière du véhicule étaient ouvertes. Il y avait tout un équipement à l'intérieur, y compris une petite table boulonnée au mur. L'expert avait posé la douille sur une feuille de papier immaculée.

— Michaels ?

— Une seconde, fit-il sans s'interrompre. On a une empreinte, ajouta-t-il finalement quand il se redressa.

Hunt laissa Cross sur place. Quand il arriva chez Jarvis, le médecin légiste était en train de gratter la terre autour d'un troisième cadavre. Yoakum se tenait un peu à l'écart, les mains sur les hanches, les lèvres pincées. C'était un homme imposant au dos voûté, mais dans cette cuvette humide, peuplée d'ombres, il avait l'air d'un gosse abattu.

— Numéro trois, lança-t-il.

Hunt se tourna vers les deux sacs mortuaires prêts à être embarqués. Ils avaient l'air plats, presque vides.

— Filons d'ici, suggéra-t-il en se détournant.

Mais Yoakum resta planté. Il fixa tour à tour les sacs puis les emplacements présumés des tombes d'où les dépouilles n'avaient pas encore été exhumées.

— Quelqu'un devrait mourir pour ça, marmonna-t-il.

Hunt eut presque un mouvement de recul. Durant toutes ces années où il avait travaillé avec John, il n'avait jamais trouvé le défaut de sa cuirasse. L'homme était d'une efficacité redoutable. Il racontait des blagues. Il ne dévoilait pas ses sentiments.

— C'est déjà fait, répondit Hunt.

Le visage de Yoakum était tout en angles dans l'éclairage particulier.

— Tu crois que Jarvis a fait ça tout seul ?

— Je n'en sais rien.

— Ce sont des bébés.

— Allez, John. Réglons ça.

Yoakum secoua la tête. Hunt savait ce qu'il pensait.

*Quelqu'un devrait mourir.*

Ils remontèrent péniblement la pente et sortirent du bois. Au bord de la route, ils tombèrent sur deux vans de la presse qui faisaient tourner leur moteur. Ils s'étaient garés à côté des voitures de police et du fourgon du médecin légiste. Yoakum les vit en premier.

— Des cinéastes ! ironisa-t-il.

— Merde !

Le patron avait laissé deux policiers en faction. Ils étaient là, bras ballants, à essayer d'ignorer les caméras et les micros qu'on leur fourrait sous le nez. Dès qu'ils aperçurent Hunt, les journalistes se ruèrent sur lui.

— Est-ce vrai que vous avez localisé d'autres corps ?

— Pas de commentaire.

— Qu'est-ce que le médecin légiste fait là ?

Hunt et Yoakum contournèrent les policiers.

— Personne ne passe, lança Hunt en élevant la voix.

— Inspecteur Hunt..., l'appela la correspondante de *Channel Four*. Inspecteur...

Hunt se dirigea résolument vers sa voiture. La journaliste lui emboîta le pas, l'équipe de tournage dans son sillage.

— Est-ce vrai que vous êtes à la recherche de Johnny Merrimon ?

Fou de rage, Hunt hésita à se retourner.

De profil devant la caméra, le regard avide, la jeune femme brandit son micro.

— Il a vraiment disparu ?

En portant son regard au-delà de son assaillante, Hunt vit une autre camionnette de presse surgir sur la route.

— Pas de commentaire.

Il posa la main sur sa portière, l'ouvrit.

— Avez-vous des déclarations à faire au sujet d'une implication policière éventuelle dans l'affaire Burton Jarvis ?

— Pardon ?

Elle répéta la question, et Hunt se sentit blêmir.

— Appelle d'autres unités en renfort, lança-t-il à Yoakum. Vous, ajouta-t-il en désignant la journaliste, venez avec moi.

Tout sourire, elle fit signe à son équipe.

— Juste vous, précisa Hunt.

Sans attendre de réponse, il s'éloigna de quelques pas sur la route, sachant qu'elle le suivrait. Quand il se retourna, elle était trois pas derrière lui. Brushing impeccable, toute mignonne dans son pull rouge moulant. Derrière elle, l'équipe de tournage qui venait d'arriver se préparait déjà à filmer.

— Pourquoi m'avez-vous posé cette question ?

Elle ne se laissa pas démonter.

— C'est vrai ou pas ?

— Je ne peux faire aucun commentaire sur l'enquête en cours. Pourquoi m'avez-vous posé cette question ?

— Je ne peux pas vous révéler mes sources.

Les mains sur les hanches, elle leva son joli menton.

Hunt la toisa du regard.

— J'aimerais autant que vous ne propagiez pas ce genre de rumeur. (Il plongea son regard dans ses yeux bleus avides.) C'est contre-productif.

— Vous le niez alors ?

Hunt pensa aux notes de Johnny, au veto imposé par son patron sur les dossiers personnels, aux menottes de la police qui avaient servi à neutraliser Tiffany Shore. Il songea à la conduite intérieure foncée garée devant chez Katherine, au chat aux reins brisés. Une menace destinée à faire taire Johnny.

— Vos sources se sont fourvoyées.

— Puis-je vous citer ?

— Vous pouvez vous le tatouer sur le front si ça peut vous faire plaisir, répliqua-t-il avant de s'éloigner, mais elle le suivit.

Une autre camionnette surgit au moment où il rejoignait Yoakum. Celle du bureau du médecin légiste en chef de Chapel Hill.

Les reporters se précipitèrent dessus en hurlant des questions.

Les équipes de tournage n'en loupaient pas une miette.

Hunt en profita pour se glisser à la hâte derrière son volant pendant que Yoakum s'installait à côté de lui. Le moteur démarra ; Hunt attendit que les journalistes dégagent le passage avant d'appuyer à fond sur l'accélérateur.

— Qu'est-ce qui se passe ? demanda Yoakum,

— Ils sont au courant pour Johnny.

— Comment ?

— Ils savent qu'un flic est peut-être impliqué.

— Qu'est-ce que c'est que cette histoire ?

— Quelqu'un s'est mis à table, conclut Hunt sans quitter la route des yeux.

# 37.

Yoakum suivit Hunt dans le commissariat. Tout le monde s'arrêta de travailler quand ils pénétrèrent dans la cellule commune. Silence complet. Hunt ignora les regards insistants, la tension presque palpable ; Yoakum traînait le pas derrière lui. Arrivé dans le bureau de Hunt, il referma la porte derrière eux.

— Bizarre, bougonna-t-il.

— On peut les comprendre. L'équipe de la chaîne juridique fait le pied de grue dans Main Street.

Yoakum jeta un coup d'œil par la fenêtre crasseuse. Son bouc paraissait jaunâtre dans la lumière opaque.

— Ça n'a aucun rapport.

— Ah non ? En l'espace de quelques heures, on est passés d'un enlèvement à des homicides multiples. Nous avons des enfants morts sur les bras ainsi que la presse nationale. Les gens causent ; ils ont peur. On est dedans jusqu'au cou, toi et moi. Pas étonnant qu'ils nous regardent comme ça.

— Il n'était question que de deux choses en l'occurrence.

— Vraiment ? riposta Hunt, frustré.

Mais Yoakum s'obstina.

— Aux faits que tu recherches un flic – l'un d'entre eux – et que tu risques de passer à la trappe.

— À la trappe, pour quelle raison ?

— À cause de Johnny Merrimon.

Ce fut au tour de Hunt d'aller regarder par la fenêtre.

— Personne n'a parlé de...

— Ça ne va pas tarder si le gosse ne refait pas surface rapidement. Les médias sont dans le coup maintenant. Ils sont au courant de sa disparition. On finira par savoir que tu as maintenu les services sociaux à l'écart de tout ça, et puis tout le monde sait ce qu'il en est au sujet de la mère de Johnny et toi.

— Il n'y a rien à dire là-dessus.

— Tu le penses peut-être, mais ce n'est pas mon avis. Ça n'a pas d'importance de toute façon. Tu as décidé de protéger Johnny des services sociaux. Peu importent les raisons s'il lui arrive quelque chose. Tu vas dérouiller.

— Tu te trompes à mon avis.

— Parce que tu connais le gamin. Ce n'est pas le cas des autres. Ils savent qu'il a une vie de merde. Qu'il a perdu sa sœur jumelle *et* son paternel. Ils savent que sa mère a pété un câble et puis ils ont lu les journaux. Tu as vu les photos. On a l'impression que Johnny a perdu la boule, que toute personne saine d'esprit aurait préféré l'enfermer pour le protéger de lui-même.

— Plutôt que quoi ?

— Plutôt que de le confier à un parent débile, agent de sécurité de son état et proprement incapable de gérer sa propre existence. Bon sang, Clyde ! Tu ne comprends donc pas ? Comment veux-tu que les décisions que tu as prises paraissent raisonnables s'il arrive malheur à cet enfant ? Ken Holloway s'arrangera pour qu'il en soit autrement. De même que le patron, la presse, le procureur général ! (Yoakum brandit un doigt calleux.) Je te conseille de prier le ciel pour que le gosse réapparaisse sain et sauf.

Hunt scruta le visage de son ami qui lui parut marqué, tout ridé.

— L'inquiétude ne te va pas, John.

— Je m'attends toujours au pire. Je suis rarement déçu comme ça. Tu le sais aussi bien que moi. C'est pour ça que trente ans de cette merde ne m'ont jamais affecté.

— Et cette affaire ?

Hunt perçut un changement chez son ami, une fureur contenue.

Un temps d'arrêt.

— C'est différent cette fois-ci.

— Parce que ce sont des enfants ?

— Parce que ce n'étaient que des gosses. Et parce que ça s'est passé pour ainsi dire sous notre nez pendant des années. Je vais t'avouer un truc, Clyde. Je n'ai jamais ressenti ça.

— Ressenti quoi ?

— Quelqu'un doit mourir pour ça.

Ses traits se crispèrent, et il haussa la voix en plantant un doigt sur le bureau.

— Quelqu'un doit *mourir*.

— Ne parle pas si fort.

— Je le pense.

— Aux dernières nouvelles, la peine de mort s'applique toujours en Caroline du Nord.

— Qu'est-ce que tu fais des avocats de la défense ?

Yoakum prononça ces mots d'un air écœuré, comme s'il crachait sur une bestiole écrasée sur la route.

Un silence s'ensuivit, que Hunt finit par briser d'une voix forte.

— Et si Johnny avait raison ? Si un flic était bel et bien impliqué avec Burton Jarvis ? Imagine qu'un flic l'ait protégé ? Lui ait prêté main-forte ?

— C'est impossible.

— Sept gosses...

— Je ne peux pas le croire.

— Quelqu'un parle à la presse, John. Si j'étais un flic corrompu et si je voulais faire dérailler une enquête, ce serait un bon point de départ : faire courir des rumeurs, semer le trouble, histoire de détourner l'attention de ceux qui me cherchent.

Yoakum réfléchit un instant.

— Imaginons que Jarvis ait eu un complice dans cette affaire de gosses. Johnny pourrait-il l'identifier ?

— Ça se peut. Il n'a rien voulu me dire.

— Et Tiffany Shore ?

— Il n'y a pas vraiment de raison de penser qu'une seconde personne ait pris part à son enlèvement, mais c'est toujours possible. Pour l'heure, elle est plus ou moins catatonique, sous sédatifs. Mais le médecin est optimiste. Demain peut-être.

— Est-elle sous bonne garde ?

— Non.

— Elle devrait peut-être l'être. Si c'est un flic.

— Peut-être.

Hunt baissa les yeux sur son bureau. Le dossier d'Alyssa y était toujours, dans un coin, juste à côté de celui de Tiffany Shore. Il l'ouvrit et tomba sur la photo de la fillette avec ses cheveux noirs, ses yeux sombres, ce visage qui ressemblait trait pour trait à celui de son frère jumeau.

— Est-ce possible ? Que ce soit l'un des nôtres ?

— Le mal ronge le cœur de l'homme, Clyde. Tu sais que c'est ce que je pense.

Hunt souleva la couverture de l'autre dossier et examina les traits fins de Tiffany Shore. Il effleura une photo, puis l'autre.

— Je ne peux pas rester là à me tourner les pouces.

— Quoi ?

— Je ne te demande pas de participer.

— À quoi ? s'enquit Yoakum, mais Hunt l'ignora.

Il sortit du bureau et s'élança dans le couloir qui menait à l'arrière du bâtiment. Ses collègues le dévisagèrent au passage, puis détournèrent les yeux et déguerpirent. Il poussa une porte pare-feu avant de dévaler un escalier. Au sous-sol, ses pas résonnèrent sur la chape de béton ; des portes métalliques jalonnaient le couloir central. Les archives. La salle des pièces à conviction. Une petite pièce au fond contenait les dossiers personnels du service. Des flics. Des équipes de soutien. D'entretien. Ces documents étaient conservés dans des cabinets fermés à clé derrière une porte qui ne l'était pas.

Sans perdre une seconde, Hunt extirpa un extincteur de son support mural. La pièce faisait trois mètres sur quatre. Du béton récuré, blanc sous la lumière fluorescente. Le cabinet qui l'intéressait était en plein milieu contre le mur du fond. Il jeta un coup d'œil à la serrure du tiroir du haut. Bon marché. Elle céderait facilement.

Il brandit l'extincteur, et s'arrêta net en entendant Yoakum entrer derrière lui.

— Je t'ai dit de ne pas te mêler de ça.

— Ce n'est pas ce que tu m'as dit, répondit Yoakum en fermant la porte.

Hunt reporta son attention sur le tiroir verrouillé, hésita.

— Vas-y, lança Yoakum.

Hunt tourna la tête une fraction de seconde, braquant un unique œil sur son coéquipier dont le visage rubicond luisait. L'éclairage fluo faisait comme des têtes d'épingle sur ses prunelles.

— Vas-y, répéta-t-il. On s'en fout du patron. Que la hiérarchie aille se faire voir !

Quand Hunt baissa l'extincteur, Yoakum surgit derrière lui et chuchota :

— Fais-le pour Alyssa.

— Tu me pousses à le faire ?

— Fais-le pour Johnny. Pour sa mère.

— Qu'est-ce qui te prend, John ?

Yoakum se rapprocha encore.

— Je suis en train de te rappeler qu'il y a une différence entre faire son boulot et s'occuper d'affaires personnelles.

— Le boulot est parfois une affaire personnelle. (Hunt planta son regard dans celui de Yoakum jusqu'à ce que ce dernier recule d'un pas.) N'essaie pas de me manipuler.

Avant que son partenaire ait le temps de répondre, la porte s'ouvrit, livrant passage à une jeune employée. En les voyant, elle s'immobilisa. Elle avisa l'extincteur dans les mains de Hunt, sentit la tension entre les deux hommes.

— Je reviendrai tout à l'heure, déclara-t-elle en quittant la pièce.

Dans le silence brutal, Yoakum brandit le pouce et l'index, à moins de deux centimètres d'écart.

— Parfois ça suffit.

— Pour quoi faire ?

— Pour se faire virer bêtement.

Ils se dévisagèrent plusieurs secondes, puis, rongeant son frein, Hunt regagna le couloir et remit brutalement l'extincteur en place. En se retournant, il vit que Yoakum l'attendait.

— Ne va pas me haïr parce que je suis beau gosse, fit ce dernier, et Hunt se sentit soulagé d'un poids.

— Pourquoi Johnny a-t-il cru qu'il s'agit d'un flic ? reprit-il.

— Parce que c'était le cas ?

— Qu'est-ce qui inciterait un gosse de treize ans à penser que quelqu'un est de la police ? Un insigne ? Quelque chose que le gars aurait dit ? suggéra Hunt en tripotant les menottes qui pendaient à sa ceinture. Des menottes ? Une arme ?

— Un uniforme ?

Ils restèrent là à humer l'odeur de béton humide en méditant la chose. Johnny était un drôle de gamin, mais il avait un bon instinct et l'intelligence ne lui faisait pas défaut. C'est ce que personne d'autre n'avait l'air de comprendre. Si Johnny pensait qu'un flic avait trempé dans cette histoire, il y avait forcément une raison. Hunt essaya de reconstituer la scène mentalement : la nuit noire, deux hommes dans une masure, Johnny à la fenêtre...

— Tu as lu les rapports sur les plaques d'immatriculation volées ?

— Quoi ?

— Les plaques d'immatriculation.

— Oui, je les ai lus. Et alors ?

— L'homme que Johnny a vu chez Jarvis se servait de plaques volées. Il disposait d'au moins trois lots. Sur ces trois-là, l'un des propriétaires n'avait pas la moindre idée du moment ou de l'endroit où on les lui avait dérobées. Les deux autres étaient assez sûrs d'eux.

Quelque chose fit tilt dans l'esprit de Hunt, et Yoakum s'en rendit compte.

— Qu'est-ce qu'il y a ?

— Deux des vols ont eu lieu alors que les véhicules étaient garés dans le centre commercial.

— C'est un bon endroit pour piquer des plaques minéralogiques.

— Pas mieux que l'aéroport, l'hôpital ou une douzaine d'autres centres commerciaux.

Leurs regards se croisèrent, et ils eurent tous les deux la même pensée au même moment. Menottes. Armes. Uniforme.

*Un garde de la sécurité.*

# 38.

Johnny sentait ses points de suture tirailler en creusant la terre, mais il ne s'en préoccupait pas. Il faisait ça pour une raison. C'est ce qu'il se disait. Ce qu'il n'arrêtait pas de se répéter. Levi Freemantle était assis par terre, bouche ouverte, une main posée sur le cercueil en pin brut, les yeux rivés sur lui, et sur chaque pelletée qu'il évacuait. Il hocha la tête quand la pelle heurta une pierre que l'enfant extraya avant de la jeter de côté.

— Merci.

Johnny l'entendit à peine, mais ça n'avait pas d'importance. Il l'avait déjà entendu vingt fois, de petites offrandes qui jalonnaient son labeur. Il lui rendit son signe de tête et continua à creuser. Le soleil dardait ses rayons à plomb tandis qu'au sud, les nuages d'orage s'amoncelaient. Johnny leva les yeux vers Jack et lui tendit la pelle.

— Tu veux me remplacer ?

— Non merci. Sans façon.

Jack était resté debout dix minutes en brandissant le pistolet. Lorsqu'il l'avait finalement baissé, Johnny avait été le seul à s'en apercevoir. À présent, il était assis sur le muret, l'arme sur ses genoux, et faisait la guerre aux moustiques d'un air las.

En un sens, Johnny se félicitait qu'il ait refusé de prendre sa place. Il ne savait rien de Levi Freemantle, de la raison de sa présence, il ignorait comment sa fille était morte, mais il comprenait la perte que le géant avait subie comme Jack ne pourrait jamais le faire.

Alors il continuait à creuser, même si ça faisait mal, en pensant à ce que David Wilson lui avait dit sur le pont : « Je l'ai trouvée. La fille qu'on a enlevée. » Pris de panique, terrorisé, il avait filé avant que Wilson ait pu lui expliquer ce qu'il voulait dire. Mais Freemantle était passé après. Johnny observa le géant tandis que la pelle plongeait dans la terre pour ressortir chaque fois lourdement chargée.

Il était passé *après*.

S'il avait trouvé Wilson vivant, alors peut-être ce dernier lui avait-il dit où il avait trouvé la fillette. Peut-être savait-il.

Johnny jeta une pelletée de terre. Freemantle baissa la tête.

*Peut-être.*

Johnny se le répétait tout en creusant.

*Peut-être.*


Une bonne heure plus tard, deux corbeaux vinrent se poser sur une branche basse du chêne qui trônait au centre du cimetière. Johnny s'en rendit compte parce que Freemantle se figea avant de couvrir le cercueil de son corps. Il fixait les oiseaux tandis qu'une terreur mêlée de haine crispait ses traits. Soudain un des corbeaux s'abattit sur une tombe, un nœud noir qui déploya ses ailes au dernier moment ; il inclina la tête dans la direction du cercueil avant de dresser ses plumes luisantes pour les lisser. Freemantle se releva brusquement et fonça cahin caha sur le volatile en poussant des cris. Jack sursauta et brandit à nouveau le pistolet.

Freemantle avait dit quelque chose, Johnny en était certain, mais il n'y avait pas moyen de le comprendre. Le corbeau s'envola vers un autre arbre, et le géant retourna s'asseoir au même endroit. Il observa l'oiseau un long moment, puis il ferma les yeux et fit le signe de croix.

Johnny se tourna vers Jack qui secoua la tête, blanc comme un linge, les deux mains cramponnées à l'arme.

Deux autres corbeaux vinrent se poser dans les arbres, puis trois. Johnny se remit au travail tandis que le vent se levait. La terre était meuble, facile à manier, mais Johnny creusait en profondeur, ignorant ses paumes écorchées, la chair pelée, luisante, d'où suintait un liquide clair à l'odeur douceâtre. Il oublia son dos endolori, les tiraillements au niveau des points de suture, la sueur qui lui piquait les yeux. Il avait toute la journée pour obtenir ce qu'il voulait, aussi planifiait-il soigneusement son approche en réfléchissant bien aux questions qu'il poserait une fois que l'enfant du géant serait en terre.

Il jeta un coup d'œil à Freemantle.

La lame mordit la surface.

Il pelleta une terre chaude, sablonneuse tandis que les nuages d'orage s'amassaient au-dessus des arbres parsemés de corbeaux.

Quand Johnny s'extirpa de la fosse, le soleil faiblissait derrière le front orageux. Les cimes des arbres s'agitaient en tous sens. Une odeur d'ozone planait dans l'air.

— Ça va pas tarder, dit Jack.

Le trou aurait pu être plus profond, mais c'était la bonne taille, et la forme qu'il fallait.

— Je suis à bout, affirma Johnny. C'est tout ce que je peux faire.

— J'ai de la corde, suggéra Freemantle en désignant le cercueil.

— D'accord.

Ils rapprochèrent le cercueil du bord puis glissèrent la corde à travers les petites poignées en métal et le firent descendre. Il avait l'air pitoyable dans ce trou brut, rudimentaire. Les cordes produisirent un bruit râpeux en remontant. Freemantle les plia lentement, d'une main habile.

— J'aimerais me charger de la dernière étape tout seul, dit-il en inclinant la tête. La grange est sèche si vous voulez vous allonger.

Il leva les yeux vers le ciel violet, compact, vers les feuilles qui avaient pris des tons argentés.

— Elle n'aimait pas l'orage.

Il se retourna et souleva la pelle alors qu'une lueur jaune jaillissait sous le ventre des nuages.

— Un éclair, constata Johnny.

Le géant ne hâta pas le mouvement pour autant. Il jeta une petite pelletée de terre dans la tombe. Les feuilles frémirent dans le vent.

— Les éclairs nous tombent dessus.

Il expédia encore un peu de terre sur le cercueil de sa fille. Le vent se mit à souffler plus fort. Jack avait déjà franchi le portail, mais Johnny n'avait pas la moindre envie de le suivre. Immobile, Freemantle regardait fixement le cercueil.

— Quand Dieu parle, on dirait mon père.

— Ah bon ?

Freemantle hocha la tête.

— Pas comme l'autre voix.

— L'autre voix ?

— Comme du chocolat fondu au soleil. Visqueux. Dur à avaler. (Il leva les yeux vers l'orage.) Je l'entends quand les corbeaux se rapprochent.

Il ramassa une pierre qu'il expédia vers la nuée de corbeaux regroupés sur les branches basses du grand chêne. Il les manqua de peu et resta planté là un long moment. Johnny préféra ne rien dire. Le type était fou à lier. Johnny chercha Jack du regard, mais il avait disparu.

— J'ai peur de la foudre, reconnut le géant, en relevant la tête vers les nuages sans paraître effrayé, malgré ce qu'il venait de dire. Dieu ne veut plus me parler.

Son chagrin était tangible.

— Attendez.

Johnny lui prit la pelle des mains et marcha jusqu'au chêne. Les oiseaux protestèrent bruyamment avant de s'envoler. Puis Johnny traça un cercle dans l'écorce avec le tranchant de la lame.

— C'est censé nous protéger de la foudre. Ça marche

seulement sur les chênes. Sur une autre espèce d'arbre, ça n'aurait aucun effet.

Le géant resta planté là, la mine grave, son bon œil allant du trait sur l'écorce au garçon.

— De la magie noire, fit-il.

— Non, c'est pas ça.

— Tu sors ça d'où alors ?

— Ça vient des Celtes. Ils sont morts maintenant. Depuis longtemps.

— Comment tu peux savoir que ça marche s'ils sont tous morts ?

— Je l'ai lu quelque part. Ça n'a pas d'importance.

Le doute se lisait sur le visage torturé de Freemantle.

— Les éclairs tombent, répéta-t-il en secouant la tête. La seule chose qu'on peut faire, c'est prier Dieu pour qu'ils ne nous tombent pas dessus.

Il se tourna vers le monticule de terre fraîchement retournée.

— Faudrait dire quelque chose pour elle quand on remettra la terre.

Il dévisagea Johnny, le regard empreint d'espoir et d'une confiance incompréhensible.

— Tu as une bible ?

— Non. (Johnny se sentait gêné tout à coup.) Mais je connais quelques mots.

Il ne voyait pas de raison de faire part de son point de vue sur la question à cet homme étrange qui avait peur des corbeaux, de la foudre et de voix douces comme du chocolat fondu.

— Je les réciterai pour vous.

Une bourrasque secoua la cime des arbres. Le soulagement amollit les traits de Freemantle quand Johnny se rapprocha, conscient de ce colosse à côté de lui. Ses cicatrices étaient grises, toutes plissées, son mauvais œil s'irisa quand l'éclair jaune surgit. Johnny repensa aux interminables nuits passées à lire la Bible, aux heures où sa mère s'abîmait dans ses prières, à sa propre quête d'un sens. Il eut un blanc au début, et puis il formula les seuls mots dont il arrivait à se souvenir.

— Notre père qui êtes aux cieux...
Une pluie froide s'abattait à présent sur eux.
... que Ton nom soit sanctifié.
Levi Freemantle pleura en enterrant sa fille.
Debout sous la pluie, Johnny attendit que la foudre frappe.

## 39.

Hunt et Yoakum attendaient dans le lobby du premier étage d'un grand immeuble du centre-ville. Le bureau de Ken Holloway se trouvait au cinquième, mais la réceptionniste, une quinquagénaire à la mine revêche, leur avait barré la route. Il faisait de plus en plus sombre dehors. Des détritus ballottés par le vent raclaient l'allée en béton avant d'aller tourbillonner en l'air.

— Nous n'avons pas besoin d'un rendez-vous, affirma Hunt, son insigne dans le creux de sa main.

La femme se tenait debout derrière un imposant comptoir en teck, à côté d'un standard dont les boutons rouges et verts n'arrêtaient pas de clignoter. L'entreprise d'Holloway occupait tout le bâtiment. Un coup d'œil au panneau à l'entrée suffisait à en mesurer l'envergure. Immobilier, développement urbain, cabinet de conseils, gérance. Holloway était propriétaire du centre commercial, de plusieurs immeubles importants, des trois théâtres, de deux terrains de golf. Et cela uniquement en ville. Ses intérêts couvraient tout l'État.

— Il s'agit d'une affaire criminelle, souligna Hunt. Je peux être de retour dans vingt minutes avec une assignation et un mandat d'arrêt.

Le standard bourdonna ; la réceptionniste répondit. Après avoir raccroché, elle reprit d'un ton glacial :

— M. Holloway est l'une des personnes les plus appréciées en ville. Tout le monde ici est au courant de la manière dont vous le harcelez. Des tas de gens n'hésiteront pas à témoigner contre vous si vous remettez ça aujourd'hui.

Soudain le masque tomba ; elle sourit.

— M. Holloway va vous recevoir à présent. L'ascenseur est sur votre droite, ajouta-t-elle en tendant le bras.

Ils traversèrent le lobby en marbre pour aller prendre l'ascenseur. Les portes se refermèrent dès que Yoakum eut poussé le bouton.

— Charmante, siffla-t-il.

— La réceptionniste ?

— Un amour !

Les bureaux d'Holloway occupaient pratiquement tout l'étage. Hunt avisa une salle de conférence, plusieurs locaux fermés ; le reste était un vaste *open space*. Debout derrière sa table, Holloway les attendait. À sa droite, son avocat ; à sa gauche, un garde de sécurité en uniforme, armé. Trois panneaux de verre blindé offraient une vue sur le centre-ville, y compris le commissariat qui paraissait minuscule et délabré. À cette hauteur, l'orage faisait l'effet d'un mur violet foncé qui approchait à toute vitesse.

— Inspecteurs, fit Holloway.

En s'avançant sur le tapis d'Orient, Hunt longea une table de conférence qui avait dû coûter plus cher que sa voiture. Il s'immobilisa. Holloway affichait un sourire forcé ; les bouts de ses doigts en appui sur le bureau où il faisait peser son poids étaient exsangues.

— Vous vous souvenez de mon avocat. Voici Bruce, ajouta-t-il en désignant le garde.

Hunt toisa l'homme de la tête aux pieds. Grand, noir, vêtu d'un uniforme bleu orné d'un écusson doré sur la poitrine et d'un insigne assorti sur l'épaule, il devait avoir une quarantaine d'années. Son visage n'exprimait strictement rien. Il portait un semi-automatique.

— Vous avez un permis de port d'arme, Bruce ?

— Oui, répondit Holloway à la place du garde.

— Ne peut-il répondre lui-même ?

— Non.

— C'est un adulte.

— Pas tant qu'il travaille pour moi.

Hunt considéra Bruce en levant un sourcil, la tête inclinée, puis il haussa les épaules.

— Nous enquêtons sur un lien potentiel entre une affaire criminelle en cours et l'un de vos employés, reprit-il. Nous avons besoin des noms et des états de service de tous vos gardes de sécurité, en particulier ceux qui opèrent dans le centre commercial.

— Quel genre d'affaire criminelle ?

— Nous aimerions avoir ces noms.

L'avocat se pencha par-dessus le bureau.

— J'ai conseillé à mon client de ne répondre à aucune question faute d'une injonction du tribunal.

Holloway brandit les mains, l'air de dire que c'était indépendant de sa volonté. Hunt plongea son regard dans celui du juriste.

— C'est définitif ?

— Oui.

— Vous dissuaderez votre client de toute ingérence dans l'enquête que nous menons ?

— Cela va sans dire.

— Il ne doit informer personne de notre visite. L'enquête est en cours.

Holloway se fendit de son sourire le plus professionnel.

— Nous ne discuterons de rien en dehors du tribunal, inspecteur. Ni de mes employés, ni de vos investigations, ni de vos choix d'une médiocrité hors du commun. Encore moins de Katherine Merrimon ou de son petit salopard de fils.

Hunt soutint son regard avant de tourner les talons.

— Oh, mais avant toute chose, lança Holloway, je pense qu'il est important que vous sachiez que Katherine Merrimon ne veut plus me voir. Elle a changé les serrures. Elle est hystérique, comme d'habitude.

Hunt se figea, fit marche arrière.

— Vraiment ?

— Nous avons déposé une demande d'expulsion ce matin. Dans un mois, elle sera à la rue.

— Elle se débrouillera.

— Vous croyez ça ?

La vision de Hunt se réduisit jusqu'à ce qu'il ne voie plus que le rictus sardonique d'Holloway. Il sentit quelqu'un tirailler sur sa veste et se rendit compte que c'était Yoakum.

— Tu viens, Clyde ?

Yoakum se détourna, mais Hunt, lui, ne bougea pas d'un pouce. Il fixa son attention sur Bruce, puis sur Holloway.

— Vos gardes sont-ils tous armés ? demanda-t-il.

— Je ne répondrai pas à cette question, répliqua Holloway. Je pensais m'être fait clairement comprendre. (Voyant que Hunt lorgnait toujours le garde, il ajouta :) Il ne vous dira rien non plus.

Droit comme un I, Bruce continuait à la boucler, mais dès qu'Holloway regarda ailleurs, il glissa un doigt sur le canon de son pistolet.

— Bonne journée, inspecteurs, lança l'avocat en esquissant un signe de tête. La réceptionniste se fera un plaisir de valider votre ticket de parking.

Ils traversèrent la pièce en sens inverse sans faire de bruit sur le tapis épais jusqu'à ce qu'ils atteignent le parquet. Les portes de l'ascenseur s'ouvrirent et se refermèrent.

— Joli cadre, commenta Yoakum.

Les ongles enfoncés dans ses paumes, Hunt garda le silence.

— La vue est belle.

Ils passèrent devant la réceptionniste qui les foudroya inutilement du regard. De retour sur le trottoir, ils levèrent les yeux sur l'immeuble qui se dressait, haut et sombre, au-dessus d'eux. Il y avait de l'électricité dans l'air, et la même énergie pure semblait faire vibrer la voix de Hunt.

— Tu as vu ça ?

— Oui.

— Ses gardes de la sécurité sont armés.

— Pas tous.

— Mais l'un d'eux l'est.

— Ouais.

— L'un d'eux est armé.

Les jambes de leurs pantalons leur fouettaient les mollets tandis qu'ils regagnaient la voiture. Un uniforme, un insigne, une arme. Un gosse de treize ans pouvait facilement prendre un gus pareil pour un flic.

Aucun doute là-dessus.

En arrivant à la voiture, Yoakum posa les mains à plat sur le toit. Il leva les yeux sur Hunt de l'autre côté, la rue vide derrière lui.

— Je ne veux pas que tu prennes mal ce que je vais dire.

— Quoi donc ?

— Nous n'avons pas besoin de voir les fichiers de ses employés.

— Ça pourrait nous aider.

— Mais ce n'est pas *nécessaire*.

Hunt haussa les épaules.

— Je tenais à le voir. Je voulais qu'il sache que je fouine.

— Ce n'est pas une raison suffisante.

— Tu as sans doute raison.

— Pourquoi être venus dans ce cas ? Pourquoi impliquer Holloway si ce n'est pas indispensable ? Tu savais très bien qu'il ne répondrait pas à tes questions. Il ne peut pas te sentir.

Hunt lui rendit son regard, les yeux mi-clos.

— Oh, merde !

— Monte.

Quand ils se glissèrent dans la voiture, le vent se tut.

— Il va avertir ses hommes, poursuivit Yoakum. Tu sais comment il est. (Hunt démarra.) Il est probablement déjà au téléphone.

— C'est possible.

Hunt passa la première et jeta un coup d'œil dans son rétroviseur avant de s'écarter du trottoir.

— Tu l'as piégé ! poursuivit Yoakum. Il va contacter ses hommes et tu l'accuseras d'entrave à l'action de la police.

Hunt s'abstint de répondre.

Il prit la direction du centre commercial.

Le centre commercial était un bloc rectangulaire tout en béton et en stuc. Terne, il se détachait à peine sur le ciel obscur. Les portes en verre viraient du gris au violet chaque fois que des gens les franchissaient, pressés de rentrer chez eux avant que l'orage n'éclate. Hunt se fraya un chemin dans le parking encombré pour gagner l'arrière du bâtiment. Alors qu'il contournait celui-ci, les premières gouttes s'écrasèrent sur le pare-brise. Ils passèrent à côté des bennes, des aires de chargement, de quelques épaves.

Ils avaient longé la moitié du mur de derrière quand Hunt freina brusquement. Il ouvrit sa portière à la volée et sortit avant que Yoakum lance :

— Qu'est-ce que tu fais ?

Mais Hunt était déjà loin.

— Madame ? cria-t-il à l'adresse d'une femme courbée en deux au bord de l'aire de chargement la plus proche. Madame ?

Elle avait une soixantaine d'années. Jolie. Ses cheveux blancs argentés ondulaient autour du col de sa robe élégante. Hunt la gratifia de son plus beau sourire.

— Bonjour, madame. Inspecteur Hunt, dit-il en lui montrant son insigne. Navré de vous importuner.

— En quoi puis-je vous être utile ?

Elle était svelte, distinguée. Le diamant de deux carats au creux de son cou avait l'air vrai.

De nouvelles gouttes s'abattirent sur le macadam.

— Je n'ai pas pu m'empêcher de remarquer...

Hunt désigna ce qu'elle tenait à la main.

— Du thon, dit-elle.

Gênée, elle inclina la boîte. Le couvercle était ouvert, le contenu tout desséché. Elle pointa le doigt vers l'endroit où elle venait de déposer une boîte neuve.

— Il y a un petit chat adorable dans le coin. Je ne supporte pas de le voir fouiller dans les bennes.

— Vous pensez qu'il en a assez du thon ? s'enquit Hunt en pointant le menton vers la boîte gâchée.

— Ça fait plusieurs jours que je ne l'ai pas vu.

— À quoi ressemble-t-il ?

Elle hésita à répondre, manifestement perplexe, malgré le beau sourire de l'inspecteur.

— Si ça ne vous ennuie pas de me le décrire. J'aime beaucoup les chats moi aussi.

Elle sourit jusqu'aux oreilles alors et s'approcha de lui.

— C'est un chat de gouttière brun avec deux pattes blanches, des yeux dorés. (Elle haussa les épaules et son sourire s'élargit encore.) Une boule d'énergie !

Hunt monta sur la plate-forme de chargement.

— Nous autoriseriez-vous à entrer dans votre magasin ?

— Je ne sais pas.

— Je me vois dans l'obligation d'insister.

C'était une boutique de vêtements. Hunt et Yoakum traversèrent les réserves, puis le salon d'essayage. Plusieurs clientes les dévisagèrent, abasourdies, mais Hunt se dirigea vers les ascenseurs sans leur prêter attention.

— Y'a pas le feu, Clyde, lança Yoakum.

Il y avait encore beaucoup de monde, en dépit du ciel menaçant. Des familles, des enfants – un kaléidoscope de couleurs et de sons.

— Clyde !

Hunt continua à se frayer un chemin à travers la foule, Yoakum dans son sillage.

— C'est notre gars.

— Qui ça ? De quoi tu parles ?

— Le chat trouvé chez Johnny. Le chat de gouttière avec deux pattes blanches. C'est lui qui a fait le coup.

— Qui ça ?

— Le garde armé, qui qu'il soit.

— Le flic de Johnny, tu veux dire ?

Hunt prit l'escalator en courant. Il émergea dans le coin des fast-foods, contourna une grappe de clients et fonça droit sur la porte marquée SÉCURITÉ. Elle était fermée à clé. Il appuya sur la sonnette.

— Sécurité.

Hunt reconnut la voix.

— Steve. C'est l'inspecteur Hunt. Ouvrez-moi.

— Il y a un problème ?

— Ouvre-moi cette foutue porte, gronda Hunt en abattant la paume de sa main sur le métal froid.

Dès que la porte s'ouvrit, Hunt monta les marches quatre à quatre. Il entendit les pas de Yoakum marteler le béton derrière lui. Ils dégainèrent tous les deux en arrivant en haut de l'escalier. Steve les attendait sur le palier, devant une porte entrouverte.

— Écartez-vous, Steve.

— Hé ! Du calme !

Steve leva les deux mains en voyant leurs armes.

Ils entrèrent en trombe à la sécurité. Un garde corpulent devant les monitors, un autre, face à la grande baie vitrée qui surplombait le coin des fast-foods. Interloqués tous les deux. Effrayés. Armés ni l'un ni l'autre.

— Le bureau ? lança Hunt avant de voir la porte fermée, les persiennes closes. Vous ! aboya-t-il en pointant l'index dans la direction du garde planté devant la baie. Asseyez-vous.

L'homme fila vers la chaise la plus proche. Hunt désigna la porte du bureau et Yoakum alla se poster à côté. Steve n'en revenait pas.

— Y'a quelqu'un là-dedans ?

— M. Meechum ? Il est parti.

— Qui est Meechum ?

— Le patron.

Hunt fit signe à Steve de s'écarter, puis il se tourna vers Yoakum et compta jusqu'à trois. La porte s'ouvrit facilement, et ils pénétrèrent dans un bureau vide.

— Comme je vous le disais…, intervint Steve. M. Meechum vient de partir.

— Quand ça ?

— Y'a cinq minutes à peu près.

— Décrivez-le-moi.

— Je sais pas. Soixante-cinq ans. Mince, mais baraqué. Cheveux clairsemés, le nez de travers. Pas très sympa.

— A-t-il une arme de poing ? Est-il en uniforme ?

— Il est en jean comme d'habitude. Une chemise type safari. Il porte un pistolet à la ceinture. C'est le seul ici à y être autorisé.

— Quel genre ?

— Euh ?

— Le pistolet. Quel calibre ?

— .45, je crois.

Hunt croisa le regard de Yoakum et ils se comprirent. *Comme la douille trouvée dans la voiture de David Wilson.*

— Porte-t-il des menottes sur lui ? s'enquit Yoakum.

— On en a tous.

— John...

Hunt désignait la table. Ancienne, tout éraflée. Rien de particulier. Une rangée de moniteurs reliés au système de surveillance du centre commercial étaient alignés dessus. Trois d'entre eux étaient alimentés par des caméras qui surplombaient le coin des fast-foods. Ils montraient tous la même chose : une table de jeunes filles, dans les quatorze ans, peut-être moins. Les plans étaient en zoom avant. Hunt entrevit des fossettes, des appareils dentaires, des visages hilares, des cheveux rejetés par-dessus une épaule.

— C'est lui.

Yoakum se pencha en avant.

— Fils de pute !

— Où est-il allé, ce Meechum ? demanda Hunt, en proie à une terrible certitude.

— Il a reçu un coup de fil de M. Holloway, répondit Steve sans hésiter. Je ne sais pas de quoi ils ont parlé, mais c'est moi qui lui ai passé l'appel.

— Quand ça ?

— Juste avant que vous débarquiez.

— Steve, il va nous falloir son adresse.

— Je ne la connais pas précisément, mais vous pouvez y être en deux minutes. Il habite juste derrière le centre commercial. Un ou deux fossés envahis de mauvaises herbes, et vous serez dans son jardin.

— Montrez-nous le chemin.

— Tout de suite ?

— À l'instant même.

Steve se passa la langue sur les lèvres en jetant des coups d'œil nerveux autour de lui.

— Vous êtes sûr ?

— Ouais. (Hunt posa la main lourdement sur son épaule.) Sûr et certain.

Une pluie froide fouetta le visage de Hunt quand il sortit sur le parking de derrière ; elle tombait à l'oblique pour se changer en brume dès qu'elle frappait le bitume. La visibilité était faible, comme si la lumière elle-même avait été extraite de l'atmosphère. Une voiture passa, le pare-brise embué, ses essuie-glaces projetant de larges arcs cristallins de part et d'autre.

— Par où ? demanda Hunt d'une voix forte.

L'orage avait quelque chose de physique.

Steve pointa le doigt. La lourde porte se referma derrière eux avec un bruit métallique.

— Là-bas. Entre ces arbres.

Hunt aperçut deux cèdres rabougris jaillissant du bord d'un fossé à l'autre bout du parking.

— Il y a un sentier. Ce n'est pas loin.

— Il faut me montrer.

— Oh non ! protesta Steve en levant les yeux vers le rideau de pluie. À cause de vous, je vais être non seulement viré mais trempé !

Cela ne fit rire personne.

— On y va, lança Hunt.

Ils s'élancèrent sur le bitume inondé en se glissant entre une familiale et une Ford toute défoncée dont une fenêtre était rafistolée avec du plastique scotché. Au-delà des voitures, le fossé était déjà plein d'eau. Une eau sombre qui charriait des emballages de fast-food, des sacs en plastique et des cartons de cigarettes vides. Le sentier, étroit, commençait au niveau des arbres pour partir tout droit à travers un parking désaffecté envahi de mauvaises herbes. La main de Yoakum s'abattit sur l'épaule de Hunt.

— Des renforts ?

Il brandit sa radio.

— On n'attend pas.

— Tant mieux. (Yoakum rempocha sa radio avant d'effleurer la crosse de son arme de service.) J'ai horreur d'attendre.

— C'est quelle maison ?

Steve se pencha vers la gauche pour jeter un coup d'œil entre les deux cèdres. Une rangée de petits pavillons bordait le fond du parking. Hunt entrevit d'étroits jardins tout en longueur, des grilles déglinguées, quelques bicyclettes. Steve pointa à nouveau le doigt.

— Vous voyez la grise avec le vélo rouge dans le patio ?

— Ouais.

— C'est la troisième à gauche après celle-là.

Hunt compta vers la gauche et vit une maison de plainpied à la peinture écaillée avec un houx mort dans l'angle. Pas de lumières. Ni signe de vie. Il la désigna à Yoakum.

— Il vit seul ?

— Je crois que oui.

— Restez ici. (Hunt jeta un rapide coup d'œil à son coéquipier.) Tu es prêt ?

— Fin prêt.

Ils franchirent le fossé d'un bond et se coulèrent dans le parking, pliés en deux, l'arme au poing, braquée vers le sol. Les hautes herbes posaient de longs doigts mouillés sur eux au passage. Un coup de tonnerre retentit. Le sentier détrempé était glissant.

Ils s'arrêtèrent au dernier endroit à couvert avant le jardin de Meechum. Une odeur planait dans l'air, une puanteur chimique surgie de nulle part.

Ils couvrirent au pas de course les six derniers mètres pour aller se plaquer contre le mur sous la plus grande fenêtre. Des cascades dégringolaient des gouttières bouchées. Les relents chimiques étaient plus puissants. Quelque chose brûlait. Hunt se redressa pour jeter un coup d'œil par la fenêtre. Les rideaux étaient tirés, mais on voyait entre les deux. C'était le salon, une pièce miteuse avec un plafond bas, du vieux mobilier. Une moquette jaune orangé, un lambris de pin bon marché aux murs. Il reconnut Meechum d'après la description de Steve. Mince, le dos voûté, il était penché sur son ordinateur, les aisselles assombries par la transpiration. Des CD entassés brûlaient dans la cheminée.

— Il est en train de détruire les preuves, souffla Hunt en se rabaissant vivement avant de foncer vers la porte de derrière. Tu passes par-devant. On entre dans soixante secondes.

Yoakum se glissa vers l'entrée en laissant Hunt seul sous la pluie. Ce dernier risqua un autre coup d'œil par la fenêtre de derrière. Les cheveux de Meechum se dressaient en tous sens sur sa tête. Il tapota énergiquement sur le clavier avant de flanquer des coups de poing dans le côté de l'ordinateur. Hunt n'avait pas vu la hache avant que le gaillard tende la main pour s'en saisir. Elle était adossée contre le bureau. Un manche en noyer, une lame noircie par la rouille sauf sur la tranche où elle brillait de reflets argentés. Meechum la brandit et son visage se crispa, puis, les yeux plissés, les lèvres rentrées, il abattit la hache en poussant un grognement, suivi d'un fracas de bris de verre et de plastique.

L'ordinateur.

Merde !

Hunt s'écarta de la fenêtre et se rua sur la porte. Il essaya la poignée. Fermée à clé. Il expédia son épaule à toute volée contre le chambranle qui lui parut fragile et bon marché. Le montant se fendit en éclats sous la poussée, et il se retrouva dans la cuisine au sol en linoléum glissant sous ses semelles boueuses. Il perçut un vague mouvement dans le salon et fit irruption dans la pièce en brandissant son arme.

— Police ! Police ! Nom de Dieu !

L'ordinateur était fendu au sommet. Debout devant, sa hache dressée, Meechum s'était figé, les yeux rivés sur le calibre. Hunt vit une lueur de panique passer dans son regard.

— Arrêtez.

Il avança dans la pièce en rectifiant son angle de tir. Ça empestait le plastique brûlé. Meechum secoua la tête en passant la langue sur ses lèvres.

— Posez cette hache.

Hunt chercha son coéquipier du regard, puis il entendit une vitre se briser à l'entrée.

— Posez ça, je vous dis.

Meechum commençait à suffoquer à cause de la fumée noire qui montait en volutes de la cheminée. Hunt déchiffra sur son visage l'instant où il prit sa décision, alors même qu'il percevait un mouvement sur le seuil derrière lui. Il entrevit un éclair métallique et puis Yoakum, l'arme au poing, qui entrait dans la pièce.

Meechum fléchit le dos en levant la hache plus haut.

— Non ! hurla Hunt, mais il était trop tard.

Au moment où Meechum abattait l'instrument, Yoakum lui tira une balle dans le cœur.

Le corps bascula en avant. Hunt se rua sur la cheminée pour écarter les CD des flammes du bout du pied. Il s'empara du tison pour creuser davantage et étala le plastique enflammé en essayant de sauver ce qu'il pouvait. Yoakum finit par venir à la rescousse. Cinq CD étaient indemnes, une douzaine noircis, et dix irrécupérables.

Hunt recula. Ses chaussures étaient noires, sa gorge le piquait. Il dévisagea Yoakum qui paraissait serein.

— Tu étais vraiment obligé de l'abattre ?

Yoakum se tourna vers le corps.

— Il s'apprêtait à se jeter sur toi avec sa hache.

— C'était l'ordinateur qu'il visait.

— L'angle était mauvais, rétorqua Yoakum qui n'avait visiblement ni remords ni regrets. Je n'avais qu'une vision partielle de toi. Je n'arrivais pas à voir si tu avais ton arme ou pas. Il était en train d'abattre sa hache au moment où je suis entré. J'ai cru que tu étais la cible.

— J'aurais préféré que tu le laisses en vie.

— C'était justifié.

— Je n'ai pas dit le contraire, riposta Hunt, planté là, immobile.

— Justifié, je te dis.

Une odeur de sang imprégnait l'air. Le regard sombre, impénétrable, Yoakum rengaina son arme.

— Parfaitement justifié, répéta-t-il avant de tourner les talons.

Les renforts arrivèrent cinq minutes plus tard, et avec eux, le patron et les questions, toutes plus embarrassantes les unes que les autres. Les policiers investirent la maison. La tempête continuait à faire rage. Au coucher du soleil, le corps était parti, et les CD, sous scellés, avaient été livrés au meilleur technicien informatique du service. Le patron convoqua Hunt et Yoakum dans la cuisine.

— Une dernière fois. Assurez-moi que c'est bien notre gars.

— Nous pensons qu'il était complice de Burton Jarvis.

— Qu'est-ce qui vous fait dire ça ?

— Les plaques d'immatriculation dérobées. Le chat du centre commercial, mort. Les notes de Johnny Merrimon...

— Ne me parlez pas des notes de ce mioche.

— Ses descriptions correspondent, insista Hunt. L'âge, la taille, la couleur des cheveux. On vous l'a déjà dit trois fois.

— Recommencez.

Hunt obtempéra. Il expliqua tout sans que son chef l'interrompe une seule fois. Il cillait à peine.

— Nous avons pu sauver quelques CD, conclut Hunt. Le disque dur paraît intact. Il devrait nous en dire plus long.

Le regard du patron passa de l'un à l'autre.

— Je vous veux tous les deux au poste, dit-il. J'attends vos dépositions. Pas un mot de tout ça à quiconque, que ce soit entre vous, à vos petites copines ou vos collègues tant que je ne les aurais pas. C'est clair ?

— Oui.

— Au poste. Et que ça saute ! ordonna-t-il en désignant la porte.

— Je boirais bien une bière, fit Yoakum. Si on s'occupait de ça demain ?

Le patron n'avait pas l'air de trouver ça drôle.

— Allez faire vos dépositions, brailla-t-il. L'un et l'autre. Séparément. Ensuite rentrez chez vous dormir un peu. Demain il faudra que je décide quoi faire de tout ce bordel.

— Bordel ! répéta Yoakum, une pointe d'ironie dans la voix.

— Vous appelleriez ça comment, vous ? riposta son chef sans se laisser démonter.

— C'était légitime.

Le patron mit ses mains sur ses hanches en pointant son menton tout rond en avant.

— Un homme a été abattu dans son salon. Y'a intérêt !

Hunt partit au volant de sa voiture. Quant à Yoakum, il reçut l'ordre de monter dans une voiture de patrouille.

— Je n'aime pas ça, avait rouspété ce dernier, mais ils comprenaient la situation l'un et l'autre.

Le patron tenait à éviter qu'ils parlent de leurs dépositions respectives pendant le trajet ; il voulait qu'ils improvisent, sans répéter leur rôle. En arrivant, Hunt ne vit pas son coéquipier. Un responsable de la police des polices du nom de Matthews le reçut à l'entrée. Il était nouveau dans la juridiction si bien que Hunt ne le connaissait que de vue, et de réputation. Un type bien, futé, d'après ce qu'on disait. Il avait des yeux délavés, une bouche maussade. Hunt s'aperçut qu'il boitait légèrement tandis qu'il le précédait dans une salle de conférence vacante. Il commença par des questions standard, de celles que l'on pose quand un policier a tué un homme de sang-froid, et si elles étaient plus longues que d'habitude, plus fouillées, c'était parce que le tir avait été fatal. Hunt ne se laissa pas désarçonner. Il n'en était pas à sa première expérience en la matière.

Au bout d'une demi-heure, l'interrogatoire prit un tournant inattendu.

— L'inspecteur Yoakum et vous êtes liés, n'est-ce pas ?

— Nous sommes coéquipiers.

— C'est une réponse vague, inspecteur.

— John Yoakum est mon ami.

— L'avez-vous déjà vu tirer sous l'emprise de la colère ?

— Non. Évidemment que non.

— A-t-il déjà déployé une force excessive ?

— C'est une question de jugement. L'inspecteur Yoakum a toujours fait preuve d'un jugement irréprochable.

— Selon votre point de vue ?

— Oui.

— En votre qualité d'ami.

— En ma qualité d'inspecteur principal sur des enquêtes criminelles. (Hunt transpirait sous sa chemise.) Qui a dix-sept ans d'expérience derrière lui, ajouta-t-il. On a bientôt fini ?

— Encore quelques questions.

— Allez-y.

Matthews se renversa dans son siège en tapotant la pointe de son crayon sur la table.

— L'inspecteur Yoakum était dans votre bureau de bonne heure ce matin ?

— Oui.

— De quoi avez-vous parlé ?

Hunt commençait à perdre patience.

— Nous avons des tas de sujets de conversation ces temps-ci.

Matthews esquissa un sourire qui n'atteignit pas ses yeux.

— Évidemment. (Nouveaux martèlements avec le crayon.) Tiffany Shore. Les gosses assassinés.

Il aurait aussi bien pu parler d'un dealer ou d'un radar.

— Je vous accorde encore une minute, pas une seconde de plus, déclara Hunt. Après ça, je m'en vais.

Matthews se pencha en avant.

— Lors de sa visite dans votre bureau aujourd'hui, l'inspecteur Yoakum a-t-il dit que quelqu'un devait mourir pour ce que ces enfants ont subi ?

Hunt ne répondit pas.

— A-t-il prononcé ces mots, oui ou non ?

— Je pense que nous en avons fini, fit Hunt en se levant.

— Vous n'avez pas répondu à ma question.

— Il n'y a aucun lien de cause à effet entre ce qui s'est dit dans mon bureau et ce qui s'est passé tout à l'heure, répliqua Hunt d'une voix crispée. Meechum brandissait une hache. Yoakum a fait ce qu'il estimait de son devoir de faire.

— En êtes-vous sûr, inspecteur ?

Matthews inclina sa chaise contre le mur, et Hunt vit qu'il n'y avait pas la moindre lueur de satisfaction sur son visage.

— Réfléchissez-y.

Hunt quitta le commissariat sans échanger un mot avec qui que ce soit. Sa montre indiquait 7 heures quand il sortit sous une pluie battante. Il regagna sa voiture sans se rendre compte de rien. Dans l'atmosphère humide et confinée de l'habitacle, il saisit le volant, mit la clé de contact. Il regarda autour de lui à la recherche de journalistes à l'affût. Personne. Le temps y était sans doute pour quelque chose.

*Quelqu'un avait entendu.*

*La porte de son bureau était fermée, mais quelqu'un avait surpris la remarque de Yoakum.*

Il serra le volant entre ses mains en revoyant dans sa tête le tir de son coéquipier, droit dans le cœur. La hache était levée. Yoakum avait fait irruption dans la pièce au moment où la lame commençait à descendre. Ça donnait cette impression, mais ce n'était pas tout à fait ça.

Quoique ?

Une minute plus tard, Hunt appelait son fils chez lui. Sept sonneries, puis de la musique en fond sonore. Il essaya de masquer sa fatigue, son désarroi.

— Salut, Allen.

— Qu'est-ce qu'y'a ?

— Tu as déjà dîné ?

— Je suis en train de fumer du crack en regardant des films pornos. Qu'est-ce que t'en as à foutre ?

Hunt ravala ses émotions.

— Je ne vais pas tarder à rentrer. Tu veux que je rapporte quelque chose ?

Yoakum venait d'émerger du commissariat. Il jeta un coup d'œil dans sa direction, leva la main et fit mine de tirer avec les doigts. Hunt lui répondit par un appel de phares. Yoakum appuya symboliquement sur la détente, puis il regagna sa voiture, aussi indifférent à la pluie que Hunt lui-même quelques instants plus tôt.

— Du chinois, dit Allen, mais dans une heure

Yoakum ouvrit sa portière, la referma. Ils étaient de part et d'autre du parking. Face à face.

— Pourquoi dans une heure ?

— Je suis occupé.

Hunt en avait vraiment assez de ce mur impénétrable qui se dressait entre eux, toujours plus haut de jour en jour.

Yoakum s'était glissé dans sa voiture et Hunt entendit le moteur rugir.

— Qu'est-ce que tu dirais d'aller au cinéma après le dîner ? Comme on faisait avant.

— Je ne pense pas, non.

— Juste comme ça ?

— Ouais. Je crois bien.

Yoakum sortit du parking à l'instant où Allen raccrochait. Hunt ferma son portable en le regardant s'éloigner. Il fallait qu'ils parlent, mais il ne se sentait pas encore prêt pour ça. Loin de là même. Il avait une heure devant lui. Katherine n'était qu'à dix minutes de là. Il réfléchit un instant, puis démarra. Il couvrit une dizaine de kilomètres sans dépasser la limite de vitesse ; la voiture tenait bien sur la chaussée luisante. En approchant de la périphérie de la ville, toutefois, il se rendit compte qu'il avait accéléré. Il avait envie de la voir. À cet instant, tandis que les trombes d'eau transformaient la route en une rivière de brume noire, il y tenait plus que tout.

Il grimpa la dernière colline, puis redescendit, ses phares creusant deux sillons vers le chapelet de petites maisons espacées les unes des autres en contrebas. De vagues points de lumière sur des façades ternes dissimulées sous les arbres ; sauf chez Katherine. Il ralentit et pencha la tête pour regarder à travers le pare-brise légèrement embué. L'allée était déserte, puisque sa voiture était restée à la fourrière, mais de nouvelles camionnettes de la presse bordaient la rue. Neuf. Une douzaine.

Hunt tourna la tête en passant devant. *CNN*. *Fox*. *WRAL*. D'autres encore. Il s'engagea dans l'allée en se glissant à proximité des vans les plus proches. Les portières arrière glissèrent et les équipes de tournage se déversèrent sous l'orage. Ils avaient eu le bon sens de ne pas entrer dans le jardin de Katherine, mais dès que Hunt émergea sous la pluie, ils le bombardèrent de questions.

*Avez-vous trouvé Johnny ?*

*Est-ce vrai qu'il vous a conduit à un tueur d'enfants en série ?*

Les caméras étaient équipées pour le mauvais temps. Malgré leurs cirés, les journalistes furent vite trempés comme des soupes. Les questions n'en continuèrent pas moins de fuser. Sans le moindre ordre. Ni convenances. Ils avaient poireauté sous des trombes d'eau, et Hunt fonçait déjà vers la maison.

*Inspecteur, est-ce vrai qu'on a retrouvé sept corps ?*

C'était *Channel Nine*. Hunt connaissait le gus.

*Alyssa Merrimon en fait-elle partie ?*

Plus fort.

*Inspecteur ? Inspecteur ?*

L'interrogatoire s'accéléra, les questions fusant toujours sous la pluie torrentielle. Hunt leur tourna le dos. Katherine ouvrit au deuxième coup sur la porte. Menue, blême, ravissante.

*Madame Merrimon...*

La bousculade. Hunt s'interposa entre elle et les caméras. Son sourire paraissait moins forcé qu'il ne l'avait craint.

— Puis-je entrer ?

Elle s'écarta, referma la porte.

— Johnny ?

— Pas encore.

Elle s'éloigna de quelques pas pendant qu'il enlevait son manteau dégoulinant. Une unique lumière brillait dans la maison. Elle jeta un coup d'œil dehors derrière un rideau. Une tasse de café refroidi reposait sur la table basse près du canapé.

— Est-ce vrai ? (Elle leva un œil sombre vers lui, puis reporta son attention sur l'extérieur.) Ce qu'ils disent.

— Que disent-ils ?

— Que vous êtes tombés sur une fosse commune. Que vous ne l'auriez jamais trouvée sans Johnny.

— C'est exact.

— Je n'arrive pas à me résoudre à vous poser la question...

— Nous n'avons aucune raison de penser que le corps d'Alyssa s'y trouve. Mais...

— Mais quoi ?

Elle se détourna de la fenêtre. Le regard vulnérable, le menton tremblant.

— Nous n'avons pas encore exhumé tous les corps. La pluie nous a contraints à nous arrêter.

— Alors, demain ?

— Demain, on verra.

Elle serra ses bras autour de son torse.

— Je peux vous proposer un café. Un thé. Je n'ai rien de plus fort.

— Un café, ce serait parfait.

Elle n'avait pas l'air d'aller bien du tout, mais tenait tout de même mieux le coup qu'il n'avait osé l'espérer.

— Je n'ai que quelques minutes devant moi.

— Du café.

Elle se détourna.

— Merci, Katherine.

Elle lui rapporta une grande tasse.

— Rien ? s'enquit-elle. Pas la moindre nouvelle ?

Elle parlait de Johnny.

— Non, répondit-il. Je suis désolé.

Elle se tourna vers la fenêtre et l'orage au-delà. Puis elle s'assit sur le canapé et Hunt prit place à côté d'elle.

— Il est costaud, ajouta-t-il. Nous poursuivons les recherches.

— On ne peut rien faire de plus ? Lancer une alerte ?

— Ce n'est pas la procédure, à moins que nous n'ayons des preuves manifestes d'un enlèvement. Or, nous ne pensons pas qu'il ait été kidnappé. Selon toute vraisemblance, il est parti tout seul. Quelque part. Compte tenu de son comportement passé...

Elle ferma les yeux, abattit ses poings sur ses cuisses.

— Johnny... (Elle secoua la tête.) Bon sang, Johnny. Où es-tu ?

— Il est habile, Katherine. Il s'en sortira. Nous le trouverons.

Quand elle rouvrit les yeux, son visage était de marbre, et Hunt comprit qu'elle allait parler d'autre chose.

— Ken est venu à trois reprises aujourd'hui.

Hunt masqua l'inquiétude qui l'avait envahi tout à coup.

— Je pensais qu'il avait renoncé. C'est ce qu'il m'a dit.

— Ken Holloway ne fonctionne pas comme ça. Il vous mentait.

— Des menaces ?

— Il a secoué la porte, marmonné des horreurs.

— A-t-il proféré des menaces ? insista Hunt.

Il pouvait le coincer si tel était le cas. Cela irait de pair avec l'inculpation d'entrave à l'action de la police. Ce n'étaient que de minces chefs d'accusation pour un homme comme Holloway. Assez cependant pour le boucler ne serait-ce que quelque temps de manière à le tenir à l'écart de Katherine.

— Est-ce qu'on pourrait juste rester là assis tranquillement ? murmura-t-elle.

Hunt sentit tout lâcher, sa colère, l'inquiétude.

— Bien sûr, répondit-il et c'est ce qu'ils firent pendant que son café refroidissait et que les journalistes dépités remontaient dans leurs vans. Au bout d'un moment, Hunt remarqua que Katherine serrait quelque chose entre ses paumes pressées l'une contre l'autre, dans ses mains calées entre ses cuisses.

— Je suis allée dans la chambre de Johnny tout à l'heure. Vous savez...

Elle laissa sa phrase en suspens, et Hunt l'imagina en train de caresser les affaires de son fils, se faisant violence pour réprimer sa terreur, ses doutes.

— J'ai trouvé ça.

Elle écarta alors les mains, et Hunt vit un petit tas de cartes de visite. Elles étaient froissées, humides. Katherine releva les yeux, cherchant son regard.

— Il y en a dix-neuf.

Une lucidité bouleversante animait son visage et Hunt se sentit bizarrement gêné tout à coup.

— Je voulais qu'il sache qu'il pouvait appeler quelqu'un, expliqua-t-il. Si les choses tournaient mal.

Elle hocha la tête d'un air entendu.

— Après cette découverte, j'ai cherché dans la maison et j'ai trouvé toutes celles que vous m'aviez données. J'en avais jeté pas mal, mais j'en ai quand même retrouvé une douzaine.

— C'est mon boulot, commenta-t-il laconiquement.

— Vraiment ? (Hunt détourna les yeux.) Vous avez toujours été là pour nous.

— N'importe quel bon policier en aurait fait autant.

— Je n'en suis pas si sûre.

Quand leurs épaules se touchèrent, il ressentit comme une décharge électrique. Une étincelle bleue, fugace.

— Merci, dit-elle et ils restèrent assis côte à côte, en silence.

Elle replia les jambes sous elle, joignit les mains sur ses genoux et posa la tête sur son épaule. Hunt sentit le contact de son bras frêle contre le sien, la chaleur de sa peau tandis que la pluie glaciale tambourinait sur la vitre.

— Merci, répéta-t-elle.

Il n'osa plus bouger.

## 40.

Le ciel était tellement déchaîné que Johnny ne vit pas le soleil plonger derrière la courbe de la terre. La pluie, d'un froid mordant, continuait à tomber, et la température avait chuté. L'atmosphère passa du gris au bleu, puis vira presque au noir, mais Johnny ne broncha pas, même quand la foudre tomba en un éclair blanc qui déchira l'air dans un bruit assourdissant. Il se recroquevilla sur lui-même contre le mur et regarda Levi Freemantle racler les derniers vestiges de terre gorgée d'eau sur la tombe avant de la lisser avec la pelle. L'eau ruisselait sur les épaules du géant, et quand il s'assit sur le sol détrempé, on aurait dit que la boue s'élevait autour de lui. Tout paraissait irréel. Johnny tressaillit à peine quand Jack l'appela en se penchant par-dessus le mur.

— Johnny !

Quelques secondes passèrent.

— Tu m'as laissé tomber, lui reprocha Johnny.

Jack se pencha encore, la tête toute proche de la sienne.

— Tu vas te faire tuer là-dehors.

— La foudre tombe.

— Qu'est-ce que ça veut dire ?

— Rien. Je ne sais pas.

Le ciel s'éclaira brusquement. Johnny désigna le vieux chêne.

— C'est de là qu'on les pendait.

Jack regarda l'arbre noueux, ses immenses branches déployées, agitées, noires, quand l'éclair jaillit.

— Comment tu le sais ?

Johnny haussa les épaules.

— Tu le sens pas ?

— Non.

— Le cimetière est construit autour. Il y a trois stèles à sa base. (Il tendit l'index.) Regarde comme elles sont petites. Et grossièrement taillées.

— Je vois que dalle.

— Elles sont là.

— T'es en train de perdre la boule, Johnny !

Johnny ne répondit pas.

— Il y a un poêle dans la grange. J'ai fait un feu.

— Je peux pas partir, dit Johnny sans quitter Freemantle des yeux.

— Ça fait des heures que tu es là. Il n'est pas prêt de partir. Regarde-le.

— Je ne peux pas prendre le risque.

— T'as réfléchi ? Vraiment réfléchi ? Il est en train d'enterrer sa fille, mec, et vu la tronche du cercueil, je dirai qu'il l'enterre pour la deuxième fois. Ça signifie qu'il l'a sortie d'une autre tombe. Sais-tu seulement comment elle est morte ? Et pourquoi il l'a transportée jusqu'ici pour la mettre en terre sans que personne puisse le voir ?

— Nous, on était là.

— On ne sait même pas si c'est vraiment sa fille.

Une lumière jaune jaillit d'un nuage lointain.

— Non mais regarde-le.

Les deux garçons observèrent Freemantle, tassé sur lui-même, anéanti par un chagrin si écrasant qu'on ne pouvait en douter.

— Tu t'es demandé pourquoi il est couvert de sang, comment il a fait pour se mettre dans un état pareil ? poursuivit Jack d'une voix plus basse. Qu'est-ce qui l'a poussé à se jeter sur toi l'autre jour ?

— C'est Dieu qui lui a demandé de le faire.

— Fais pas le con, mec ! Il va falloir qu'on décide ce qu'on va faire de lui quand il va venir se mettre à l'abri. Je ne veux pas être le seul à réfléchir à ça.

— J'ai juste une question à lui poser. Dès qu'il en aura fini avec ça – Johnny désigna la pluie, la tombe, la boue –, je lui demanderai.

— Et s'il ne répond pas ?

— Je l'ai aidé à enterrer sa fille.

— Et s'il ne répond pas ? répéta Jack en haussant le ton.

— Donne-moi le pistolet.

— Si tu le menaces, il va nous tuer.

Johnny tendit la main. Jack considéra le géant dans la boue, puis il laissa tomber l'arme sur les genoux de Johnny. Elle était froide, mouillée, lourde.

— Je suis tout près du but, dit Johnny.

Mais Jack avait déjà filé.

Johnny regarda l'homme, la pluie, la boue qui montait sans bruit. Au bout d'une minute, il plongea la main dans sa poche d'où il sortit une petite plume blanche toute froissée. Il la garda un long moment dans sa main et la vit s'alanguir sous la pluie battante. Il songea à la jeter, mais finalement, il referma les doigts et attendit, le pistolet dans une main, son ultime plume dans l'autre.

Des heures plus tard, les éclairs s'espaçaient vers le nord. La forêt dégoulinait. Freemantle leva les yeux vers les nuages qui couraient dans le ciel devant une lune fugace. C'était la première fois qu'il bougeait depuis qu'il avait lissé la terre sur la tombe de sa fille. Jack ne donnait plus signe de vie, il avait cessé de venir encourager Johnny à se mettre à l'abri. Les heures avaient passé lentement, ponctuées d'éclairs fracassants, sous des trombes d'eau glaciale. Johnny était toujours calé contre la pierre dure du muret, à six mètres du géant inerte. Rien n'avait changé.

Il remit la plume dans sa poche, glissa le pistolet sous sa chemise.

Freemantle se releva péniblement et regarda partir l'orage.

— Je pensais que la foudre me tomberait dessus, dit-il.

Dans la pénombre, ses yeux faisaient songer à de l'encre renversée, sa bouche à un trou béant. Il était déjà minuit passé. Freemantle ramassa la pelle, sa chaussure abandonnée. En prenant appui sur la pelle, il passa à côté de Johnny.

— Ça n'a pas d'importance. C'est fait.

— J'ai besoin de vous parler.

— J'ai fini.

Le portail blanc bascula sur des charnières muettes. Freemantle progressait lentement. Johnny le suivit.

— S'il vous plaît.

— Je suis fatigué.

Fatigué et malade, pensa Johnny. Il sentait l'odeur d'infection qui émanait du géant. Freemantle trébucha en approchant de la grange. Johnny tendit la main pour le retenir, mais cela revenait à essayer de soutenir le poids d'un arbre. Sa peau était chaude et dure. Il faillit s'étaler.

— Fatigué, répéta Freemantle et puis ils entrèrent dans la grange.

Johnny vit de la paille, de la poussière, des outils en métal, deux grandes lanternes pendues à des chaînes. La chaleur les enveloppa à l'instant où ils franchirent le seuil. Au fond dans le coin, un poêle en fonte aux flancs arrondis reposait sur des plaques d'ardoise ; du charbon rougeoyait derrière la grille. Jack gisait sur un tas de paille, sa veste pliée sous la tête en guise d'oreiller. Il bondit quand Freemantle referma la porte.

— N'aie pas peur, le calma Johnny en s'approchant de lui, tandis que la lueur du poêle se reflétait dans les yeux de son ami. Tu pleures ?

— Non.

Il mentait, mais Johnny n'insista pas. L'intérieur confiné de la grange allongeait les ombres. Freemantle avait l'air immense, dangereux. Johnny garda le pistolet hors de sa vue.

— Je m'appelle Johnny, se présenta-t-il. Lui, c'est Jack.

Freemantle les dévisagea. Le blanc de ses yeux était jaune, ses lèvres gercées au point qu'on voyait des bouts de chair.

— Levi.

Il ôta sa chemise et la pendit à un clou près du poêle. Les muscles faisaient saillie sur son torse et ses bras. Il avait de longues balafres qui faisaient penser à des entailles faites au couteau ainsi qu'une cicatrice dure, épaisse, peut-être due à une blessure par une balle. La branche plantée dans son flanc était noire et toute déchiquetée.

— Ça a une sale tronche, commenta Johnny.

— Ça fait seulement mal quand je tire dessus.

Une odeur d'humus humide imprégnait l'air. Une mare s'était formée sur le sol en pierre au pied de Freemantle. Elle fonça en rétrécissant jusqu'à ce que la chaleur la fasse disparaître.

— J'y suis presque, dit Levi, dont les paupières se fermaient toutes seules.

— Quoi ?

Il rouvrit brusquement les yeux.

— J'avais oublié où j'étais.

Johnny ouvrit la bouche pour parler, mais Jack lui coupa la parole.

— Pourquoi est-ce que vous avez porté le cercueil jusqu'ici ?

Freemantle braqua son regard jaune, fiévreux, sur lui.

— Pourquoi je l'ai porté ?

— Je demande juste.

— Je sais pas conduire. Maman disait que les voitures, c'était pour les autres.

Ses paupières se refermèrent et son corps pencha vers la gauche. Il fit un pas de côté pour ne pas tomber.

— Maman disait...

— Vous êtes sûr que ça va, m'sieur ?

Freemantle rouvrit à nouveau les yeux.

— Qui me demande ça ?

— Je m'appelle Johnny. Vous vous souvenez ?

— Je ne connais personne de ce nom-là.

— Vous avez besoin d'aller à l'hôpital. Il vous faut un docteur.

Sans lui prêter attention, Freemantle marcha à cloche-pied jusqu'à une étagère au fond de la grange. Johnny avisa de l'huile de machine, de la mort-aux-rats, des crochets en métal, des chiffons tout raidis. Le géant s'empara d'un cutter rouillé et d'une bouteille en plastique couverte de toiles d'araignées. Il alla s'asseoir près du poêle et découpa les jambes de son pantalon en jetant le tissu par terre. Puis il déboucha la bouteille et versa un liquide brun sur ses genoux écorchés.

Jack surgit à côté de Johnny.

— C'est pour les bêtes, chuchota-t-il.

— N'importe quoi !

— C'est marqué dessus : usage vétérinaire exclusivement, dit-il en pointant le doigt.

Ils observèrent tous les deux la scène. Quel que soit le produit en question, Freemantle souffrait quand il se le versait dessus.

— Ça va ? demanda Johnny.

Le géant hocha la tête avant d'incliner la bouteille contre son flanc.

— Il vous faut des antibiotiques.

Levi l'ignora une fois de plus. Il tenta d'enlever le chiffon enroulé autour de son doigt, mais la chair était tellement enflée que le tissu mordait dedans comme du fil de fer. Il finit par le découper aussi, et Johnny vit la plaie que ses dents avaient laissée. Il détourna les yeux quand Freemantle versa du liquide sur son doigt. Deux fois. Trois fois. Ses muscles se raidirent, se détendirent, puis il s'allongea sur le sol.

— Vous n'avez rien à faire là, vous autres.

— J'aimerais juste qu'on parle.

— J'ai fini.

— Elle est morte comment, votre fille ?

— Nom de Dieu, Jack ! Ferme-la, murmura Johnny d'un ton farouche.

Il était enfin près du but et Jack allait tout foutre en l'air.

— Il paraît que vous avez tué ces gens, enchaîna Jack d'une voix crispée. Si vous me dites que vous aviez une bonne raison de le faire, alors je m'inquiéterais moins que vous nous tuiez nous aussi.

Il s'était déjà tourné vers la porte, prêt à filer.

Levi Freemantle se mit lentement sur son séant. Ses yeux semblaient encore plus jaunes, sa peau avait la couleur de la cendre.

— Tuer qui ?

Il le savait parfaitement. Johnny en eut la certitude. Une lueur de défiance passa dans le regard de l'homme. Un regain de tension contracta ses épaules. Johnny glissa la main sur le pistolet dissimulé sous sa chemise. Freemantle remarqua son mouvement et leurs regards se croisèrent. Il se souvenait de l'arme. Johnny s'en rendit compte aussi.

Soudain tout fut clair. Freemantle s'affaissa.

— Ils peuvent me prendre maintenant. Me descendre. Ça m'est égal.

Johnny écarta sa main du pistolet.

— Parce que vous l'avez enterrée.

— Parce qu'elle s'en est allée.

— Comment est-elle morte ?

Freemantle sortit une enveloppe de la poche de son pantalon. Elle était toute froissée, et si trempée que le papier était presque réduit à l'état de pulpe. L'encre avait bavé, mais Johnny reconnut le nom de Freemantle. Elle provenait de l'administration pénitentiaire. Freemantle lança l'enveloppe et Johnny la rattrapa au vol. Elle contenait une coupure de journal. Des morceaux de papier lui restèrent dans les mains.

— Il faut que quelqu'un me le lise, marmonna Freemantle.

— Qu'est-ce que c'est ? demanda Jack.

Johnny s'efforçait de déchiffrer le texte. Le titre était on ne peut plus explicite. « Une petite fille trouve la mort dans une voiture surchauffée. »

— Les enfants sont un don du ciel. (Freemantle inclina la tête de côté et les braises incendièrent son œil mal en point.) C'est l'ultime vérité.

— Ils ont laissé sa fille dans la voiture. (Johnny plissa les yeux.) Pendant qu'ils allaient boire dans un bar au bord de la plage.

— Ma femme, souffla Freemantle. Et son copain.

— Il y a eu une enquête. La police a conclu à un accident.

— Ils l'ont enterrée sans faire venir un prêtre. Ils l'ont mise avec des gens qui n'ont pas de nom ni de famille. Ma femme me l'a même pas dit. J'étais pas là pour dire au revoir.

Il marqua à nouveau une pause, et puis sa voix se brisa.

— Sofia est allée sous la terre sans que son papa soit là pour lui dire au revoir.

— Qui est-ce qui vous a envoyé ça ? Johnny brandit l'article, qui provenait d'un des journaux de la côte.

Mais Freemantle était de nouveau loin, le regard flou, les mains posées sur ses genoux, paumes tournées vers le ciel.

— J'ai laissé une image à mon bébé pour que je lui manque pas. Je l'ai dessiné dans son armoire, comme ça elle pouvait me voir tous les jours et ne pas être triste que son papa soit parti. Elle aimait bien jouer dans son placard. Elle avait un baigneur avec des tout petits souliers blancs. (Il brandit deux doigts à deux centimètres d'écart.) Elle avait des crayons de couleur aussi pour faire du coloriage et du papier que je lui ai apporté un jour. C'est pour ça que je nous ai dessinés dans son placard, parce qu'elle se sentait tellement bien dedans, parce que c'était là qu'elle jouait. (Il inclina sa grosse tête.) Mais une image ne peut pas prendre soin de quelqu'un. Ça suffit pas pour assurer la sécurité d'une petite fille.

— Je suis désolé, dit Johnny, sincère.

— Qui vous a envoyé l'article ? demanda Jack.

Freemantle se passa la main sur la figure.

— Une voisine qui avait deux bébés elle-même. Elle aimait pas ma femme. Elle a découvert ce qui s'était passé et elle m'a envoyé ça en prison. C'est pour ça que je me suis évadé, pour pouvoir me recueillir sur la tombe de mon bébé et m'assurer que les choses avaient été faites comme il faut. Mais elle reposait juste sous un tas de terre nue. Pas de fleurs, ni de pierre. Je me suis assis et j'ai posé la main sur le monticule. C'est à ce moment-là que Dieu m'a parlé.

— Qu'est-ce qu'il vous a dit ?

— De les tuer, répondit Freemantle d'un ton morne.

Les deux garçons échangèrent un regard et pensèrent tous les deux la même chose.

*Il est dingue !*

*Complètement maboule.*

Freemantle leva les yeux, et une lueur de vie anima le désert de son visage.

— Il m'a dit d'amener mon bébé ici. Les petits sont un don du ciel. (Il joignit ses gigantesques mains meurtries.) L'ultime vérité. C'est pour ça que Dieu a voulu que je t'attrape au passage.

— Quoi ?

— La vie est un cercle. C'est ce que je devais te dire.

— Johnny...

C'était Jack, à peine un chuchotement. Johnny l'arrêta d'un geste.

— Dieu vous a dit de me dire ça ?

— Je m'en souviens maintenant.

— Qu'est-ce que ça signifie ?

— Johnny...

Sentant la panique de Jack dans sa voix, Johnny détourna les yeux de Levi à contrecœur. Jack était blême, tout crispé. Johnny suivit son regard en direction du tas de tissu crasseux par terre près du poêle. Les jambes en lambeaux de son pantalon. Le pansement de fortune qu'il avait entortillé autour de son doigt infecté. Jack le désigna et Johnny avisa alors l'étiquette cousue sur le bout de tissu dont Freemantle s'était servi pour se faire un bandage. Une étiquette avec un nom. Un nom.

*Alyssa Merrimon.*

Tachée, ensanglantée.

Johnny reporta son attention sur Levi en train de dessiner une forme en l'air avec un doigt.

— Un cercle, répéta-t-il.

Alors Johnny sortit son arme.

# 41.

Hunt rentra à la maison en retard. Les plats à emporter qu'il avait achetés étaient froids, mais son fils ne fit pas de commentaire. Ils mangèrent en silence dans la cuisine. La tension émanait d'eux par vagues.

— C'est juste cette affaire, s'excusa Hunt devant la porte de la chambre d'Allen.

— Bien sûr !

Hunt regarda son fils envoyer balader ses chaussures crasseuses.

— Ça sera bientôt fini.

— La fac commence dans trois mois.

Allen enleva sa chemise qui rejoignit les chaussures. Un fin duvet couvrait sa poitrine, montait du creux à la base du cou. Il était presque adulte, constata Hunt, aussi près d'être un homme qu'un garçon peut l'être en ayant encore des traits de l'enfance. Hunt s'interrompit, conscient que rien de ce qu'il ajouterait n'arrangerait la situation.

— Allen...

— Elle ne téléphone jamais.

— Qui ça ?

— Maman, répondit son fils, et son visage exprima alors toute sa juvénilité.

— Je ne sais pas quoi te dire.

— Ne dis rien.

*Un gosse meurtri, en colère.*

— Allen, je...

— Ferme la porte.

Hunt n'arrivait plus à bouger.

— S'il te plaît, insista Allen.

Son expression était comme un coup de poing dans le ventre. Une pierre pesait sur le cœur de Hunt ; elle représentait le poids d'un million d'espoirs déçus, la certitude que les choses n'auraient pas dû se passer comme ça pour son fils.

— S'il te plaît ! répéta Allen, et Hunt n'eut plus le choix.

— Bonne nuit, mon fils.

Il ferma la porte et descendit. Il jeta les cartons d'emballage du dîner dans la poubelle, puis se servit une rasade de scotch en sachant pertinemment qu'il ne le finirait pas. La journée avait laissé son empreinte sur lui : la mort, ces êtres méprisables, les vies tronquées d'enfants et tout un cortège de questions toujours sans réponse. Il avait envie d'une douche et de dix heures de sommeil. En se passant la main sur la figure, il eut l'impression de toucher un visage de vieillard. Il gagna son bureau et déverrouilla le tiroir de sa table pour en sortir le dossier d'Alyssa Merrimon. Il regarda un long moment sa photo, puis jeta un coup d'œil à ses notes, aux questions qu'il avait notées à la hâte, mais c'était à Yoakum qu'il pensait. Il revécut mentalement le moment où Meechum était mort. L'odeur de la fumée du pistolet, la main ferme de John, ses yeux fixes, lisses comme du verre.

Le téléphone sonna à minuit trente.

— Tu es encore debout ? demanda Yoakum.

— Oui.

— Soûl ?

Hunt referma le dossier d'Alyssa.

— Non.

— Moi si.

— Que se passe-t-il, John ? Qu'est-ce qui te tracasse ? questionna-t-il, même s'il connaissait la réponse.

— Ça fait combien de temps ? ajouta Yoakum.

— Longtemps.

— Qu'on est coéquipiers ?

— Et amis.

Le silence s'éternisa. Il entendait Yoakum respirer au bout de la ligne.

— Qu'est-ce que tu leur as dit ? demanda-t-il finalement.

— Je leur ai raconté ce qui s'est passé.

— Ce n'est pas ce que je te demande et tu le sais très bien.

Hunt imagina son ami. Il le voyait, un verre à la main, dans son salon, le regard rivé sur les cendres d'un feu depuis longtemps éteint. Yoakum avait soixante-trois ans. Il était flic depuis plus de trente ans ; c'est tout ce qu'il avait dans la vie. Hunt s'abstint de répondre.

— Je suis ton ami, Clyde. Il s'apprêtait à se jeter sur toi avec sa hache. Qu'est-ce que tu voulais que je fasse ?

— C'est pour cette raison que tu as visé le cœur ?

— Évidemment.

— Tu ne l'as pas fait sous le coup de la colère ? Pour te venger ?

— Me venger de quoi ?

Une colère d'une autre espèce sourdait en lui.

— Ne fais pas l'imbécile.

— Dis-le-moi, Clyde. Dis-moi de quoi.

— À cause de ces gamins. De ces sept tombes dans la gadoue au milieu des bois. De ces horreurs perpétrées pratiquement sous notre nez.

— Non.

— Toutes ces années, Yoakum. Et pendant tout ce temps, je ne t'ai jamais vu agir pour ton propre compte. C'est pourtant l'impression que ça me fait aujourd'hui.

— Un tueur s'en est pris à mon partenaire, mon ami, armé d'une hache. Tu peux qualifier ça de personnel, mais on pourrait aussi considérer que ça fait partie du boulot. Bon maintenant, dis-moi, que leur as-tu raconté ?

Hunt hésita

— Tu leur as expliqué que c'était légitime ?

— On s'en est tenu aux faits. Ils ont voulu mon avis, mais je me suis abstenu de le leur donner.

— Mais tu as l'intention de le faire.

— Demain. Demain, je le ferai.

— Et qu'est-ce que tu leur diras ?

Hunt tendit la main vers son scotch. Au fond du verre bas, en cristal taillé, une petite lumière brillait dans le liquide. Il revit l'instant critique, la hache sur le point de s'abattre, Yoakum faisant irruption dans la pièce. Qu'avait-il vu de là où il se trouvait ? Fallait-il qu'il vise le cœur ? L'ordinateur n'était pas tout à fait dans son champ de vision, mais jusqu'à quel point ? Hunt essaya de se mettre à la place de Yoakum. Il pensait pouvoir voir ce qu'il avait vu.

Mais Yoakum reprit la parole avant qu'il ait le temps de le faire.

— As-tu déposé une plainte contre Ken Holloway pour obstruction à l'action de la police ?

Après la mort de Meechum, Hunt avait presque oublié le coup de fil passé par Holloway.

— Non, répondit-il.

— Mais tu comptes le faire ?

— Oui.

Le silence s'installa sur la ligne, un silence désagréable. Hunt engloutit son verre de scotch. Il savait où cela pouvait les mener et priait pour qu'il en soit autrement.

— Rien de tout ça ne se serait passé si on avait laissé Holloway en dehors du coup, reprit finalement Yoakum. On aurait cueilli Meechum au centre commercial sans bavures. Pas de coup de feu. Ni de CD brûlés. Ça, ça venait de toi, Clyde. C'est toi qui as pris la décision. C'était personnel.

Hunt eut la sensation que le téléphone bourdonnait dans sa main.

— Bonne nuit, Yoakum.

Une lourde pause.

— Bonne nuit, Clyde.

Fin de la communication.

Hunt se servit un autre scotch.

# 42.

Freemantle fixait le pistolet qui tremblait entre les mains de Johnny. Sa voix aussi tremblait.

— Où est-elle ?

Alarmé, Jack se rapprocha.

— Qu'est-ce que tu fais, Johnny ?

— Où est ma sœur ?

— Je connais pas ta sœur.

Une braise crépita dans le poêle.

— Je te connais pas.

Johnny se pencha pour ramasser le bout de tissu qui portait le nom d'Alyssa. Il le brandit.

— C'est ma sœur. Elle s'appelle Alyssa Merrimon. C'est son nom.

Freemantle continuait à le dévisager.

— Regarde, ordonna Johnny.

Freemantle obtempéra en haussant les épaules

— Je sais pas lire.

— Elle a été enlevée il y a un an. C'est son nom.

— Je pense pas qu'il soit au courant, intervint Jack.

— Il sait forcément quelque chose.

— Je le dirai si je savais.

— Il ne sait rien, insista Jack.

— Où as-tu trouvé ça ? fit Johnny en agitant le tissu taché de sang sous le nez de Freemantle. Où ? Quand ?

Les gigantesques épaules se soulevèrent, les muscles se tendirent sous la peau.

— Ça vient de l'homme brisé. C'était juste après que tu m'as mordu.

— Qui ça ?

— L'homme brisé, répéta-t-il comme si c'était un nom. L'homme brisé, près du pont. Il le tenait dans la main. Je l'ai pris.

Johnny baissa son arme.

— Après que vous m'avez chopé au passage ?

— Dieu m'a ordonné d'aller voir ce que tu fuyais, alors je l'ai fait.

— David Wilson, dit Johnny. Était-il encore vivant quand tu l'as trouvé ?

La tête penchée, Levi ferma les yeux pour réfléchir.

— Pose ton pistolet, chuchota Jack, mais Johnny hésita. Tu crois vraiment que c'est lui qu'a enlevé Alyssa ? On va se faire tuer à cause de toi.

Johnny continua à baisser l'arme jusqu'à ce qu'elle pointe vers le sol poussiéreux.

— L'homme brisé était-il vivant ?

Freemantle garda les yeux clos.

— J'ai entendu des voix sur la rivière. Des chuchotements. Des mots de pisselit. (Il esquissa un geste du bout des doigts.) J'étais tellement fatigué...

— Des voix ? (Johnny saisit le mot au passage.) L'homme brisé a-t-il dit quelque chose ? Quoi que ce soit ?

— Je me souviens pas.

— Il faut que vous vous rappeliez.

Le géant tendit les mains, paumes ouvertes.

— Les corbeaux approchaient. J'avais peur.

Ils étaient à trente centimètres l'un de l'autre, l'enfant, le géant.

— J'aimerais bien pouvoir te le dire, ajouta Freemantle en s'allongeant sur la pierre chaude. Je saurai peut-être demain matin. Ça arrive parfois.

Il ferma les yeux.

— Je suis désolé pour ta sœur. J'en ai fini maintenant.

Johnny le dévisagea. Il ne le quitta pas des yeux jusqu'à ce qu'il ait les jambes engourdies. Il sentait le désespoir l'envahir, comme une faim, et quand, finalement, il se détourna, le géant ronflait.

Johnny posa le pistolet sur une étagère. Il regarda les poutres, les piliers, des fragments de métal acéré. Il leva son visage vers le toit tandis qu'un trou obscur se creusait dans sa poitrine. Il se sentit déchiré, et puis vide. Le trou était un vide.

Jack brisa le silence.

— Pourquoi est-ce qu'il a peur des corbeaux ?

— Je crois qu'il a entendu le diable quand ils se sont rapprochés.

— Le diable ?

— Il a entendu la voix de Dieu. Pourquoi pas celle du diable ?

— Et si c'était vrai ?

Jack noua les bras autour de ses genoux. Il se balança d'avant en arrière sans parvenir à croiser le regard de Johnny.

— S'il avait vraiment entendu la voix de Dieu ? S'il entendait vraiment... Tu sais.

— C'est pas possible.

— Mais si ça l'était ?

— Ça n'existe pas.

Jack resserra ses genoux contre sa poitrine. La crasse grimait son visage.

— Moi non plus, je n'aime pas les corbeaux. Ils me font peur depuis que je suis tout petit. Et si c'était pour ça ?

— Allons, Jack !

Jack se tourna vers Freemantle.

— Et si Dieu l'avait envoyé ici pour une raison ?

— Écoute, Jack, ce type a tué deux personnes parce qu'elles avaient laissé sa fille mourir dans une voiture au soleil. Si croire que Dieu lui a sommé de le faire lui permet de mieux le supporter, tant mieux pour lui. Les corbeaux, l'autre voix... C'est juste sa mauvaise conscience qui le travaille.

— Ah ouais ?

— Ouais.

Ils fixèrent tous les deux le géant endormi.

— Mais il sait quelque chose.

— J'ai la trouille, Johnny.

Les yeux de Johnny étincelaient. Il regarda Freemantle allongé près du feu en hochant la tête. Dehors, les ténèbres pâlissaient.

— Il sait quelque chose, répéta-t-il.

Jack sombra dans un sommeil agité. Le vent soupirait dans les fissures du toit, une petite voix qui à deux reprises enfla pour devenir terrible. Le feu couvait encore. Johnny passa tour à tour de la colère au chagrin, à une torpeur qui lui tomba dessus malgré lui. Il rêva d'un bout de bois fétide, d'yeux jaunes, inflexibles, d'une chute brutale à travers des branches brisées, du sourire timide de sa sœur. Crasseuse, en guenilles, elle était accroupie dans une cave poussiéreuse à plafond bas. Une unique bougie perçait l'obscurité. Alyssa leva brusquement la tête, épouvantée. *C'est toi* ? dit-elle, et Johnny se réveilla en sursaut, un cri piégé entre ses dents.

L'espace d'un instant, il se demanda où il était et ce qui s'était passé, mais il comprit que quelque chose n'allait pas. Il le sentit dans l'air chaud, confiné.

Quelque chose n'allait pas.

Levi était assis par terre en tailleur, à moins d'un mètre de lui. Couvert de sueur, des ombres grises sur sa peau noire. Ses mains jointes sur ses genoux tenaient le pistolet qu'il regardait fixement, la tête penchée vers le poêle. Son doigt tripotait la détente.

— Il est chargé, dit Johnny.

Quand Freemantle releva la tête, Johnny eut l'impression que son mal s'était propagé, qu'il ne restait plus guère de conscience derrière ses yeux vides. Il retourna l'arme et contempla le canon. De longues secondes. Johnny tendit la main.

— Vous pouvez me le passer ?

Freemantle l'ignora. Sa main engloutit la crosse.

— On m'a tiré dessus une fois.

Johnny l'entendit à peine. Freemantle effleura la cicatrice sur son ventre.

— Les petits garçons ne devraient pas avoir d'armes sur eux.

— Qui est-ce qui vous a tiré dessus ?

— Ma femme.

— Pourquoi ?

— Comme ça, fit-il en regardant le pistolet.

— Vous pouvez me le donner ?

Quand Johnny se pencha en avant, Freemantle lui tendit l'arme. Comme s'il s'était agi d'une pomme. D'un verre d'eau. Johnny s'en empara, la braqua sur le visage du géant. Il avait peur. Il était encore sous l'emprise de son rêve.

— Où est ma sœur ?

La gueule du revolver était à trente centimètres des yeux de Levi.

— Où est-elle ? répéta-t-il plus fort.

Vingt centimètres. Quinze. Il ne tremblait pas cette fois, alors que Freemantle était à peu près aussi inquiet qu'un renard face à un fusil.

— Quand elle m'a tiré dessus, reprit-il à voix basse, elle a dit que c'était parce que j'étais stupide.

Dix centimètres. Une main posée sur l'autre, les doigts crispés sur la détente.

— On ne devrait pas traiter quelqu'un de stupide, continua Freemantle. C'est méchant d'insulter les gens.

Johnny hésita. Freemantle s'allongea. L'arme était toujours braquée sur l'espace que ses yeux occupaient un instant plus tôt, ses yeux jaunes, injectés de sang.

# 43.

Hunt se réveilla à 5 heures, encore fatigué, l'esprit en ébullition. Il prit une douche, se rasa puis il déambula dans la maison. Il s'attarda un moment devant la chambre de son fils en prêtant l'oreille à sa respiration profonde, régulière. La journée s'annonçait mal. Il le sentait dans chaque fibre de son corps. Il faudrait un miracle pour qu'elle s'achève bien.

En bas dans la cuisine, il faisait trop chaud et ça empestait le scotch. Hunt buvait rarement. Il s'en voulait d'avoir la gueule de bois.

*Que Yoakum aille se faire voir !*

*Rien à foutre de ce coup de fil !*

Mais c'était injuste. John avait raison même si cela lui avait fait horreur de l'entendre. À l'instant où ils avaient posé les pieds dans le bureau d'Holloway, il avait déclenché le processus. Il était responsable de la mort de Meechum. Il aurait aussi bien pu appuyer lui-même sur la détente.

Il écarta un rideau pour jeter un coup d'œil dehors. Un ciel sans étoiles, mais il n'allait pas pleuvoir. D'ici quelques heures, les médecins légistes seraient de retour dans les bois. Ils exhumeraient les derniers corps dans la journée. Alyssa se trouvait peut-être parmi eux. Peut-être pas. Johnny réapparaîtrait. Quoique...

*Où es-tu, Johnny ?*

Il ouvrit la fenêtre pour sentir l'air frais sur ses mains, sur ses pieds. Un souffle humide lui lécha la figure, et sa gueule de bois se dissipa l'espace d'un instant. Il considéra la pelouse détrempée, l'eau qui stagnait dans des flaques étincelantes comme des miroirs. Après quoi il fit du café et attendit que le soleil fasse une percée dans les cieux troublés du comté de Raven.

Son fils dormait toujours quand il partit.

Une brume pâle enveloppait les arbres noirs.

Le patron avait prévu une réunion à 9 heures – tardive pour des policiers –, mais Hunt n'avait pas la patience d'attendre. Le soleil se terrait encore derrière le tribunal lorsqu'il descendit Main Street avant de tourner à gauche pour passer devant le commissariat. Des vans de presse jalonnaient déjà le trottoir. Les cameramen trépignaient. Les journalistes retouchaient leur maquillage. Les flics n'allaient pas tarder à bouger, ils le savaient. Ils feraient le long chemin jusqu'à l'obscure forêt en bordure de la ville d'où l'on exhumerait les derniers cadavres prisonniers d'une terre détrempée.

L'affaire prendrait de l'ampleur.

La journée promettait toutes sortes d'opportunités.

Hunt contourna le bâtiment pour aller se garer dans le petit parking à l'arrière. Il n'était pas encore 7 heures, mais Yoakum était déjà là, assis sur le muret en béton qui bordait l'extrémité sud du parking, le dos contre la clôture arrondie sous son poids. Derrière lui, des ouvriers casqués à l'air compétent buvaient du café en mangeant des biscuits achetés dans un fast-food tandis que bulldozers et grues restaient figés, trempés et mornes sous une lumière grise si faible que la terre retournée donnait l'impression d'être gelée. Une banque se dresserait bientôt à cet emplacement, pensa Hunt, ou un immeuble de bureaux. Appartenant sans doute à Holloway. Et la roue du commerce continuerait à tourner.

Yoakum avait une sale mine ; il ne s'était pas rasé. Une cigarette pendait au coin de sa bouche. Il tira dessus avant de l'expédier de l'autre côté de la clôture alors que Hunt couvrait les derniers quinze mètres qui les séparaient.

— Salut, John, fit-il d'un ton neutre, sur ses gardes.

Leur amitié était une chose entendue, et le doute qui planait désormais entre eux constituait un territoire inexploré.

— Clyde.

Yoakum sortit une autre cigarette, la fit glisser entre ses doigts sans l'allumer. Il n'arrivait pas à regarder Hunt dans les yeux. Son regard alla errer sur le toit du commissariat, puis sur ses chaussures qui portaient encore des traces de boue qui provenait du champ derrière chez Meechum.

Hunt attendit.

— À propos d'hier au soir, commença Yoakum. J'étais soûl. Je me suis trompé.

Hunt ne broncha pas.

— Tu me dis ça comme ça ?

Yoakum alluma sa cigarette.

— Je n'étais pas moi-même.

Un regard d'acier. Le doute encore. Hunt ne pipa mot, et John changea de sujet.

— Tu as vu ça ?

Il prit la pile de journaux pliés à côté de lui sur le muret.

— Mauvais ?

Yoakum haussa les épaules, lui tendit les journaux. Hunt parcourut rapidement les gros titres. Tous sensationnels. Il y avait des photos des véhicules des médecins légistes sur fond de bois profonds, des sacs mortuaires tout minces que l'on chargeait à l'arrière. Les journalistes s'interrogeaient sur le nombre de corps, faisaient allusion à une incompétence potentielle de la police. Ils parlaient d'un garde de la sécurité abattu par un policier non identifié. Ils récapitulaient l'histoire de la découverte de Tiffany Shore et posaient tous la même question : *Où est Johnny Merrimon ?*

— Ils savent que toutes les patrouilles sont en alerte pour retrouver Johnny.

Hunt secoua la tête.

— Ce mioche est un héros, nom d'un chien !

La remarque de Yoakum sonnait bizarrement. Hunt

n'arrivait pas à déterminer si c'était de l'amertume ou juste l'effet de la gueule de bois.

— Il a disparu, je te ferais remarquer.

— Je n'ai pas dit ça méchamment. (Yoakum désigna les journaux.) C'est juste qu'on passe pour des imbéciles.

— Ça fait partie des risques du métier, surtout par les temps qui courent.

— Tu l'as dit !

— Ils sont déjà un paquet devant. Une douzaine de camionnettes. Tu les as vus ?

— Ils n'ont pas encore mon nom. (Il parlait de Meechum, du fait qu'il l'avait abattu.) Hors de question que j'entre par-devant. Même si on me payait !

Hunt le comprenait. La nouvelle n'allait pas tarder à se répandre et on ne ferait qu'une bouchée de Yoakum.

— Ils le sauront bien assez tôt, lança-t-il.

Yoakum hocha la tête, puis il porta son attention sur la façade arrière du commissariat, un mur en béton taché d'humidité.

— Finissons-en, marmonna-t-il.

Ils traversèrent le parking ensemble, mais une tension subsistait entre eux à cause du coup de fil de la nuit, de choses dites et non dites. Yoakum s'arrêta devant la porte.

— À propos d'hier soir, Clyde, marmonna-t-il d'un air gêné. Je flippais. Tu comprends ?

Hunt était sur le point de répondre, mais Yoakum l'interrompit, ouvrit la porte, cala une épaule à l'intérieur.

— Fais ce que tu as à faire, ajouta-t-il avant de se détourner.

À l'intérieur du commissariat, l'atmosphère était chargée d'électricité. Hunt le perçut dans les mouvements brusques, les regards qui coulissèrent dans leur direction. On traita Yoakum en héros. Poignées de main. Tapes dans le dos. Les flics détestaient les pédophiles, et la maison de Meechum s'était révélée une mine de preuves accablantes, dont une épaisse liasse de photos prises à partir des caméras de surveillance du centre commercial. Les fillettes avaient entre dix et quinze ans. Des visages frais, des attitudes gauches. On les voyait assises dans les fast-foods, montant les escalators. Meechum avait griffonné des notes au marqueur noir : *Rachel, Jane, Christine.* Lorsqu'il n'était pas sûr des noms, il y avait mis des points d'interrogation : *Carly ? Simone ? April ?*

Des adresses figuraient au bas de certains clichés. Elles vivaient dans des rues tranquilles, des quartiers résidentiels. Sur d'autres photos, l'âge des gamines était précisé sous leur visage : Rachel, 12 ans, Christine, 11 ans. On les avait trouvées dans un tiroir fermé à clé du bureau de Meechum. Hunt avait eu la nausée en les voyant. En même temps que la nausée, il avait senti la colère monter en lui. Cette vision lui avait donné des envies de meurtre. Légitime ou pas, la mort de ce salopard était une bonne chose. Il y avait même une certaine beauté dans le déroulement de cette affaire. Burton Jarvis était mort dans la rue, à moitié nu, en suppliant qu'on lui laisse la vie sauve. Abattu par une de ses victimes. Meechum avait été tué chez lui, d'une balle dans le cœur, par l'un des plus anciens inspecteurs de la brigade.

*Beauté.*

*Justice.*

La plupart des policiers souriaient, mais pas le patron. Il était blême avec des taches écarlates au milieu de ses joues rebondies. Planté sur le seuil de son bureau, il regardait autour de lui. 7 h 15 du matin, et il ruisselait déjà de transpiration. Derrière lui, on apercevait des ombres. Des inconnus en costumes sombres. Qui avaient des têtes de flics.

— Cinq minutes, lança le chef avant de fermer sa porte.

— On y va de bonne heure, remarqua Hunt.

Yoakum haussa les épaules.

— Je vais fumer une cigarette en attendant.

L'inspecteur Cross le suivit des yeux tandis qu'il se frayait un chemin dans la pièce encombrée, puis il se leva et s'approcha de Hunt.

— Je peux vous dire un mot en privé ?

Hunt le précéda dans son bureau et ferma la porte derrière lui. Cross était tout dépenaillé ; il y avait des taches de café sur sa chemise chiffonnée. Il n'était pas rasé, et Hunt remarqua que la plupart des poils étaient blancs.

— Qu'est-ce qui vous préoccupe ?

— Des nouvelles du petit Merrimon ?

— On a de l'espoir.

— Mais rien encore ?

— Il y a un problème ? demanda Hunt.

— Mon fils, Jack. Je ne sais pas où il est passé.

— Comment ça ?

— On s'est disputés. Il a filé en douce, expliqua Cross en passant ses gros doigts dans ses cheveux.

— Quand ça ?

— Hier soir. (Un temps d'arrêt.) Avant-hier, peut-être.

— Peut-être ?

— Pour la première nuit, je ne sais pas très bien. Il se peut qu'il soit parti à ce moment-là ou bien le lendemain matin. J'ai quitté la maison de bonne heure et je ne l'ai pas vu. Avec tout ce qu'on raconte dans les journaux, ma femme se fait du souci, vous comprenez ? Plus qu'en temps normal. Elle ne sait pas trop gérer son inquiétude.

— Elle est inquiète, mais pas vous.

En le voyant se trémousser, Hunt comprit qu'il n'était non pas inquiet, mais carrément terrifié.

— Connaissez-vous ma femme, inspecteur ?

— Je l'ai rencontrée une fois il y a quelques années.

Cross secoua la tête.

— Elle n'est plus la même. Ces dernières années..., hésita-t-il avant de marquer une pause, cherchant ses mots. Elle est devenue très pieuse. Elle a passé le plus clair des trente heures qui viennent de s'écouler à l'église, pour ainsi dire sans manger ni dormir, à prier. Pour Jack principalement. Elle redoute qu'il ait filé avec le petit Merrimon. Si je pouvais lui dire qu'il n'est pas...

— Pourquoi est-ce que c'est *ça* qui la tracasse ? Pourquoi Johnny ?

Cross jeta un coup d'œil nerveux en direction de la grande salle. Il baissa la voix.

— Elle affirme qu'elle voit une ombre planer sur l'âme de Johnny. Une tache, déclara-t-il en plissant le nez, manifestement gêné. Je sais, je sais... mais c'est comme ça. Elle pense que Johnny a une mauvaise influence sur Jack. Ça l'angoisse plus que tout le reste. Elle ne va pas bien, vous savez, confia-t-il, tête inclinée. Elle se débat.

— Je suis désolé de l'entendre. (Hunt marqua un temps d'arrêt avant d'ajouter :) Et vous, vous faites-vous du souci pour Jack ?

— Ah, ce n'est pas la première fois qu'il nous fait ce coup-là. Ce sont des trucs d'adolescent. Mais deux nuits, si ça fait vraiment deux nuits... C'est inhabituel.

— Pourquoi vous êtes-vous disputés ?

— Jack adore le petit Merrimon. Je veux dire, vraiment. Comme un frère. Comme un saint même. Je n'arrive pas à lui faire entendre raison.

— Et c'est pour ça que vous vous êtes engueulés ?

— Jack est un faible. Il ressemble plus à sa mère que son frère. Il est peureux et se laisse facilement entraîner. L'irrationalité de ma femme mise à part, Johnny a incontestablement une mauvaise influence sur lui. C'est un rebelle. Il est perturbé, vous le savez. J'ai interdit à Jack de le fréquenter.

— Johnny est un bon garçon, mais il a souffert de tout ce qui s'est passé.

— Exactement. Il est dérangé.

— Traumatisé.

— C'est ce que j'ai dit.

Hunt masqua sa frustration. Tout le monde ne voyait pas Johnny comme lui le voyait.

— Que puis-je faire pour vous, Cross ? Vous voulez que j'ajoute le nom de Jack à l'avis de recherche ?

— Non. Doux Jésus, non ! Tenez-moi juste au courant si vous apprenez quelque chose. Sa mère est bouleversée, elle ne réfléchit plus. Elle m'accuse. Plus tôt je pourrai lui dire qu'il va bien...

— Je comprends.

— Merci, Hunt. Je vous revaudrai ça.

Cross s'en alla. Hunt s'attarda sur le seuil de son bureau et vit Yoakum revenir. Son visage affichait toujours la même rage. À peine fut-il de retour, la porte du patron s'ouvrit à la volée.

— Hunt. Yoakum.

Il les précéda dans la pièce. Il contourna son bureau mais resta debout. Hunt entra le premier. Il remarqua les deux inconnus sur sa droite. Ils avaient tous les deux la cinquantaine bien sonnée. Grands, carrés d'épaules. Des visages marqués, intraitables. L'un d'eux avait les cheveux gris, l'autre était brun. Pas une once de graisse. De grandes mains. Des cals. Ils portaient leur insigne à leur ceinture. Ainsi que leur arme de service. Hunt s'avança pour regarder les insignes de plus près. Bureau d'investigation de l'État. Des vétérans de la boîte à en juger par leur apparence. Des professionnels coriaces.

Yoakum suivit son coéquipier. Il s'orienta vers la droite et se glissa entre les policiers et lui. Il faisait chaud dans la pièce, on respirait mal. Les cinq hommes étaient d'une taille imposante. Ils savaient tous que quelque chose ne tournait pas rond. Le problème étant que certains en savaient plus que d'autres.

Le patron fit les présentations.

— Inspecteur Hunt, Yoakum. Voici les agents Barfield et Oliver...

— Agents spéciaux, rectifia Oliver.

Pas d'échanges de poignées de main. Sur la table, Hunt aperçut des copies de sa déposition. Ainsi que de celle de Yoakum.

— Les agents spéciaux Barfield et Oliver appartiennent au bureau de Raleigh. Ils ont eu la gentillesse de venir de bonne heure ce matin.

— Ce matin, commenta Barfield, impassible. C'est drôle ce que vous dites.

— Qu'est-ce qu'il y a de si drôle ? s'enquit Hunt d'un ton glacial.

— C'était plus près d'hier soir que de ce matin, répliqua l'homme.

Hunt se tourna vers son chef. S'ils venaient de Raleigh, ils avaient dû prendre la route avant l'aube.

— Pourquoi faire intervenir le SBI ?

— Restez calme, répondit le patron. Tous que vous en êtes. On va faire les choses comme il faut.

Il embrassa ses hommes du regard. Hunt était sur la défensive. Yoakum avait l'air de s'ennuyer.

— J'ai besoin de vos armes.

Ces mots prononcés posément firent l'effet d'une grenade lancée dans la pièce. Ils avaient de la force, ces quelques mots, le pouvoir de gâcher des vies, de provoquer une avalanche de dommages collatéraux. Personne ne broncha. Plusieurs secondes s'écoulèrent avant que Yoakum brise le silence.

— Je vous demande pardon ?

— J'ai besoin de vos armes, répéta le patron en posant un doigt sur son bureau. Et tout de suite.

— C'est n'importe quoi ! s'exclama Yoakum, incapable de feindre l'indifférence plus longtemps.

— Obéis.

Sans quitter son chef des yeux, Hunt dégaina et posa son arme de service sur le bureau. Yoakum l'imita à contrecœur. Il observait les deux policiers parfaitement stoïques, le regard morne.

— Et maintenant ?

Le patron s'empara des pistolets qu'il porta sur la desserte contre le mur. Un moment révélateur. Les armes étaient hors de portée. Quand il se retourna, il avait l'air de méchante humeur.

— Nous avons pris connaissance de vos rapports, reprit-il. Convenus au possible. Y'a rien à dire. Mais j'ai besoin de savoir si c'était vraiment légitime.

Il planta son regard dans celui de Hunt.

— Je veux l'entendre de votre bouche.

Hunt sentit Yoakum se crisper. Un silence pesant régnait dans la pièce.

— Tout cela est des plus inhabituels. (Son regard passa des deux agents spéciaux au patron.) Ce n'est pas comme ça qu'on procède en principe.

— S'il vous plaît, insista son chef d'une voix étonnamment douce.

Hunt s'efforça de réfléchir posément, de se remémorer chaque détail de la scène : comment ça s'était passé, pourquoi. Mais des pensées relatives à John Yoakum s'interposèrent. Plus de trente ans de carrière. Quatre années de travail en équipe. Ils étaient partenaires, amis, collègues.

*Et Meechum méritait de mourir.*

Le patron attendait, l'air pitoyable, tandis que Yoakum fixait obstinément un point sur le mur.

— C'était légitime, dit finalement Hunt.

Yoakum se détendit comme une marionnette soudain privée de ses fils. Un petit sourire effleura ses lèvres.

— Vous en êtes certain ? insista le patron. Vous n'avez pas le moindre doute ?

— De l'endroit où Yoakum se tenait, tout portait à croire que Meechum s'apprêtait à se jeter sur moi avec sa hache. John a pris sa décision au quart de tour. C'était la bonne.

— Il n'empêche qu'on n'a pas d'autre solution, intervint l'agent spécial Barfield.

— De quoi parle-t-il ? s'enquit Hunt.

Le patron ferma les yeux un bref instant en secouant la tête. Quoi que l'autre ait voulu dire, il était évident que le patron abondait dans son sens.

— Inspecteur Yoakum, je me vois dans l'obligation de vous demander de suivre ces messieurs.

— Quoi ? explosa Yoakum, soudain hors de ses gonds.

— À Raleigh. Ils ont quelques questions à vous poser. Il est préférable que ça se passe là-bas plutôt qu'ici.

Yoakum recula d'un pas.

— Ne comptez pas sur moi pour aller là-bas.

Barfield leva les deux mains en déployant les doigts.

— Il n'y a pas de raison qu'on ne fasse pas ça tranquillement. En toute discrétion.

— Discrétion, mon cul ! s'exclama Yoakum. Je n'irai nulle part tant qu'on ne m'aura pas dit ce qui se passe.

— Ces questions doivent vous être posées par quelqu'un qui n'est pas affilié à notre service. C'est pourquoi j'ai sollicité l'appui du SBI.

— Vous avez peur de la presse, commenta Hunt d'un ton écœuré.

Le patron se borna à secouer la tête tandis que Barfield posait la main sur l'épaule de Yoakum. Son geste n'avait rien de menaçant ni d'agressif, mais Yoakum se libéra d'une secousse.

— Ne me touchez pas.

— Personne ne vous arrête.

— M'arrêter ! Qu'est-ce que...

— Calme-toi, John.

— Va te faire foutre, Clyde. Qu'est-ce que c'est que ces questions ?

Barfield tendit à nouveau la main mais s'abstint de toucher l'épaule. Il s'inclina en direction de la porte. Yoakum envoya balader sa main.

— Pas tant que je ne saurai pas de quoi il retourne.

— Votre arme personnelle est un Colt .45, répondit Barfield en baissant le bras.

Ce n'était pas une question.

— Et alors ?

— Où se trouve-t-elle à l'heure qu'il est ?

— Ça ne vous regarde pas.

— L'inspecteur Hunt a trouvé une douille de ce calibre dans la voiture de David Wilson.

— Et alors ?

Hunt risqua un coup d'œil dans la direction de son chef. En voyant son expression, il en eut l'estomac retourné.

— Il y avait votre empreinte dessus. Nous aimerions avoir un petit entretien avec vous à ce sujet, enchaîna froidement Barfield en levant le bras à nouveau pour inciter Yoakum à le précéder hors de la pièce. Tout cela peut rester entre nous.

Cette fois-ci, Yoakum repoussa sa main d'une tape retentissante. Et soudain, tout se mit en mouvement.

— Ça suffit comme ça, s'exclama Barfield.

Oliver et lui agirent à l'unisson. Ils saisirent Yoakum à bras-le-corps et le plaquèrent sur le bureau en lui coinçant le bras droit derrière le dos. Hunt s'élança, mains levées, et agrippa la veste d'Oliver. Un geste purement instinctif.

— Ne vous mêlez pas de ça, Hunt.

Une voix forte, impérieuse.

Hunt se tourna vers son chef et se figea en mesurant la rage qui émanait de sa personne. Barfield avait sorti les menottes et tordait le bras de Yoakum tandis que son collègue pesait de tout son poids sur ses omoplates. Un bracelet se referma autour d'un poignet et Yoakum se débattit, une goutte de sang sur sa lèvre supérieure.

— Patron !

— La ferme, Hunt ! ordonna-t-il avant de se tourner vers les agents du SBI. Est-ce vraiment nécessaire ?

— Il a pris à parti un policier de l'État.

Ils forcèrent un Yoakum menotté à se redresser. Hunt s'interposa entre eux et la porte.

— Quelle que soit la situation, il doit y avoir une explication. Ne l'emmenez pas comme ça. Ce sont ses collègues dans la pièce à côté. Il y a une meute de journalistes dans la rue.

— Écartez-vous, inspecteur.

Barfield était rouge écarlate. Oliver, l'image même du sang-froid.

— Nous faisons notre travail, c'est tout. C'est votre chef qui nous a demandé de venir.

Yoakum se tenait entre les deux agents, la chemise sortie du pantalon, un bouton arraché. Sa fureur était palpable.

— Retirez vos sales pattes de là, rugit-il.

Hunt chercha le regard de son chef.

— Vous allez les laisser le traîner dehors comme ça, menotté ?

— Vous avez arrêté Ken Holloway pour moins que ça.

— Ça n'a rien à voir.

— Vraiment ?

Il ne lèverait pas le petit doigt pour les aider.

— On a de la place pour deux, lança Oliver.

Une menace implicite.

— C'est de la connerie, Clyde, dit Yoakum.

— Laissez-nous passer, inspecteur. Je ne vous le demanderai pas deux fois.

— Patron. Nom d'un chien !

— Ils font leur boulot. Comme nous.

Hunt ne broncha pas.

— Je ne laisserai pas faire ça.

— Écartez-vous, Hunt, reprit le patron. Ou je vous fais embarquer aussi, je le jure devant Dieu.

— Vous ne feriez pas ça.

— Tirez-vous de là.

Hunt regarda son ami secouer sa tignasse et cracher de la salive rosée sur le sol du bureau de son chef.

— T'emmerde pas, Clyde.

Hunt n'avait toujours pas bougé.

— Allez, écarte-toi.

— John...

— C'est une belle journée pour faire une balade, ajouta Yoakum et, presque sans s'en apercevoir, Hunt fit un pas vers la gauche. La porte s'ouvrit et ils traînèrent son co-équipier dehors, menottes aux poignets.

À travers la grande salle.

Devant le poste de police.

# 44.

Johnny regarda le soleil se lever depuis la petite fenêtre
à l'étage dans la grange. Ses jambes pendaient au-dessus
d'un abîme obscur qui sentait la boue et l'herbe piétinée.
Il avait soif, et mal partout. Les autres dormaient, le feu
était mort depuis longtemps. Le soleil apparut d'abord
sous l'aspect d'une ligne rose, puis d'un bandeau jaune qui
se déploya au-dessus des arbres. Johnny se pencha aussi
loin que possible et regarda en bas.

— Saute pas.

C'était Jack, derrière lui.

Johnny se retourna.

— Ah ah !

Jack traversa la plate-forme et vint s'asseoir à côté de
lui. Il avait de la paille dans les cheveux. Ses talons cognè-
rent le bois et il se pencha à son tour.

— Je t'ai sauvé la vie. Tu m'en dois une.

— Voilà ce que je te dois, répondit Johnny en lui flanquant son poing dans l'épaule.

— Connard !

Jack tourna son regard vers le champ abandonné. La
forêt était encore noire sous son dais de feuillage. Les
rumeurs du marécage montaient dans la brise qui venait
de se lever.

— J'ai la dalle.

— Moi je crève de faim.

— On devrait rentrer.

Johnny jeta un coup d'œil en direction de la trappe, à l'échelle pour descendre.

— Tu penses toujours qu'il parle avec Dieu ?

— Je pense surtout qu'il est en train de mourir.

— Vraiment ?

— Ouais. Vraiment.

Johnny se leva et s'essuya les mains sur son jean.

— Je devrais lui parler.

Jack se mit debout à son tour.

— Ça pue en bas.

Il avait raison. Freemantle était étendu sur le côté, les genoux blottis contre sa poitrine. Il empestait la mort. Son bras mal en point gisait dans la poussière. Johnny lui toucha le front. On aurait dit du papier sec, brûlant. Son regard passa de la plaie sur le flanc à la main enflée. La peau du doigt avait éclaté.

— Je l'ai juste mordu.

— La bouche, c'est dégoûtant. Plein de microbes.

— Tu as bien embrassé Machine.

— C'est différent. En plus, tu l'as mordu jusqu'à l'os, et ça fait plusieurs jours. Il a transporté un corps dans les bois. Et il a mis un remède pour les bêtes dessus. C'était con.

— Je ne pense pas qu'il soit con.

— Non ?

— Ce n'est pas le mot qu'il faut.

Jack soupira.

— Il faut qu'on se tire d'ici, genre maintenant, avant que ce type se réveille et nous tue.

Comme s'il l'avait entendu, Freemantle ouvrit brusquement de grands yeux sombres, féroces. Une main jaillit et saisit Jack à la gorge. Il le tira vers lui.

— Dieu sait, croassa-t-il.

Sentant la force de ces mots, Johnny lui saisit le bras. La peau était brûlante de fièvre, et les doigts s'enfoncèrent dans le cou fragile de Jack.

— Dieu sait, répéta-t-il et puis il écarta sa main et Jack recula en titubant.

— Empêche-le d'approcher, hurla-t-il. Nom de Dieu !
Empêche ce cinglé de s'approcher de moi !

Johnny s'était figé. Il regarda fixement Freemantle
jusqu'à ce que la folie s'efface de son visage.

— Qu'est-ce qui s'est passé ? demanda ce dernier, visiblement désorienté, les yeux écarquillés de peur, le souffle
rauque.

Il leva sa mauvaise main et l'examina comme s'il la
voyait pour la première fois. Puis il la posa sur ses genoux
et roula sur le côté. Ignorant les deux garçons, il replia les
genoux contre sa poitrine.

— Où suis-je ?

En jetant un coup d'œil par-dessus son épaule, Johnny
s'aperçut que Jack était déjà à l'autre bout de la grange,
dos au mur, sa main atrophiée plaquée sur son cou, tandis
que, de l'autre, il faisait le signe de croix. Ses lèvres étaient
blêmes, son regard luisait.

— Il faut qu'on foute le camp et tout de suite.

— Ça va, Jack ?

Mais Jack n'en pouvait plus, il clignait des paupières.
Les mots refusaient de sortir. Il ouvrit la bouche, la
referma, et les deux garçons dévisagèrent Freemantle qui
grelottait sur la pierre froide en retenant ses larmes. Ses
lèvres remuaient sans cesse, laissant filtrer des sons secs,
sans qu'il dise quoi que ce soit de sensé.

Jack se signa à nouveau.

Il avait des marques rouges dans le cou.

# 45.

En regagnant le bureau du patron, Hunt tremblait de rage au point qu'il n'était pas certain de pouvoir se contenir. Il avait encore à l'esprit la frénésie des journalistes et la manière dont Yoakum leur avait tenu tête sans se laisser démonter quand ils avaient fondu sur lui. Il poussa la porte qui heurta le mur, mais sa colère ne fut pas du goût de son chef. Ce dernier s'enfonça dans son siège, tendit la main derrière lui pour prendre l'arme de service dont il l'avait obligé à se délester et la posa sur le bureau avant de la pousser dans sa direction.

— Ça aurait pu mieux se passer.

Hunt regarda fixement le pistolet.

— Je devrais vous descendre avec ça.

— N'en rajoutez pas, Hunt. Vous auriez fait la même chose à ma place.

Hunt récupéra son arme et la glissa dans son étui.

— C'était carrément une embuscade.

Le patron agita la main.

— N'est-ce pas vous qui m'aviez laissé entendre qu'un flic était sans doute impliqué ?

— Impliqué dans quoi ?

— Jarvis. Meechum.

Hunt pointa le pouce dans la direction de la porte.

— C'est ça qu'ils pensent ? C'est de ça dont ils veulent lui parler ?

— Il faut qu'on se protège. Qu'on protège l'enquête et la réputation de ce service. Pour ce faire, nous devions impérativement faire intervenir quelqu'un de l'extérieur, quelqu'un d'impartial. Ça ne me plaît pas plus qu'à vous, mais voilà. C'est comme ça que ça se fait.

— Qui essayez-vous de convaincre ? Vous ou moi ?

— Ne me parlez pas sur ce ton, espèce de moralisateur de mes deux ! Rien de tout cela n'aurait été nécessaire si vous aviez maintenu la presse en dehors du coup. Si vos hommes l'avaient bouclée.

— Aucun de mes hommes n'a cafté.

— Vous êtes responsable de cette affaire, Hunt. Toute personne impliquée est sous votre responsabilité.

— Vous racontez n'importe quoi !

— N'est-ce pas vous qui soutenez depuis le départ que Burton Jarvis avait un flic comme complice ? C'est ce que le gosse a vu, pas vrai ? C'était marqué dans ses notes. Il y avait un flic chez Jarvis.

— Un garde de la sécurité. Pas un flic. Nous l'avons établi hier, à la seconde où nous avons réglé son compte à Meechum.

— Vraiment ?

— Vraiment *quoi* ?

— Avez-vous établi que c'était un garde de la sécurité qui se trouvait chez Jarvis ?

— Évidemment.

Le patron se pencha en arrière dans son fauteuil.

— Qui a eu l'idée d'aller au centre commercial ?

— Yoakum.

— Qui a suggéré qu'un garde de la sécurité pouvait se confondre avec un policier ?

— Yoakum. Nous deux.

Le chef tambourina de ses gros doigts la surface éraflée de son bureau.

— Katherine Merrimon a vu une voiture garée dans la rue près de chez elle. Elle a pensé que quelqu'un surveillait la maison. Elle a cru que ça pouvait être une voiture de patrouille.

— Ça devait être Meechum. Il avait une berline.

— Mais pas une voiture de police. Yoakum, lui, roule dans une voiture de police.

— Elle a eu cette impression, c'est tout.

Le patron se leva, les yeux las, cernés de ridules.

— Vous n'auriez jamais débusqué Meechum sans les déductions de Yoakum. Pas vrai ? C'est lui qui vous a conduit au centre commercial.

— Il mérite une médaille.

— Sauf s'il ne s'agissait pas de déductions. Pour la bonne raison qu'il *savait*.

— Qu'il savait quoi ?

— Et s'il était lui-même impliqué avec Jarvis et Meechum depuis le début ? Pas seulement deux hommes opérant ensemble, mais trois.

— C'est absurde, protesta Hunt.

— Vous n'arrêtez pas de le répéter.

— Il faut que nous trouvions Johnny Merrimon. Il résoudra le problème en un clin d'œil.

— Si tant est qu'il accepte de vous parler.

— Il parlera, répondit Hunt. Cette fois-ci, il le fera.

— Dénichez-le-moi alors et appelez-moi quand vous aurez mis la main dessus. Téléphonez-moi la seconde où vous l'aurez. Dès qu'il vous aura dit que ce n'est pas Yoakum qu'il a vu chez Jarvis, je saute sur mon téléphone pour appeler le SBI. En attendant, votre copain est sur un siège éjectable.

Hunt secoua la tête.

— Il n'empêche que c'est une erreur.

— Réfléchissez une seconde. Burton Jarvis est mort. Meechum savait qu'on était sur sa piste pour la bonne raison qu'Holloway l'a appelé pour le lui dire. Il a eu les chocottes. Si nous avions cueilli Meechum vivant, il se serait mis à table. Dénoncer un flic corrompu lui aurait valu une certaine indulgence de la part du procureur. Yoakum le savait. Raison de plus pour vouloir la mort de Meechum.

Le patron finit par se lever.

— À présent, je vous repose la question. Le tir était-il légitime ?

— Je connais bien Yoakum.

— Qu'est-ce que je vous ai dit à propos des implications personnelles ?

— Je connais bien John.

— Vous le connaissez ? Vraiment ? douta le patron avant de marquer un temps de pause. Que fait-il le week-end ? Où part-il en vacances ?

— Je n'en sais rien, reconnut Hunt. Il ne parle jamais de ça.

— Il ne s'est jamais marié. Comment ça se fait ?

— Quel est le rapport ?

— Vous le savez. Nom de Dieu, nous le savons tous ! Il l'a assez souvent répété.

Hunt connaissait la formule. Yoakum la proférait chaque fois qu'ils avaient affaire à un crime particulièrement crapuleux, à une trahison des plus ignobles.

*Le mal ronge le cœur de l'homme.*

— C'est un cynique. Et alors ! C'est le cas de la plupart des flics.

Le patron haussa les épaules.

— Il parlait peut-être de lui.


La grande salle vibrait de chuchotements qui se turent instantanément quand Hunt sortit en trombe du bureau du patron. La porte claqua contre le mur en ébranlant un tableau qui se mit de guingois. Il sentit les regards braqués sur lui, les lourdes présomptions, mais personne ne pipa mot, personne ne posa de questions. Alors il résolut de prendre sur lui. Il se planta au milieu de la pièce, leva les deux bras.

— Ce qui vient de se passer est de la connerie pure. Si quelqu'un vous interroge – les journalistes, vos familles, qui que ce soit, c'est ce qu'il faut leur dire. (Il pivota sur lui-même en répétant d'une voix forte :) De la connerie !

Le mot resta suspendu en l'air. Personne n'osa croiser son regard, hormis Cross qui secouait la tête. Hunt ravala d'autres propos rageurs. Yoakum n'avait jamais cherché à se faire des amis dans le service, il ne s'était pas donné

cette peine. C'était un solitaire, un pro. Et alors ? Où était
le problème ? Il faisait son boulot. Il vivait sa vie.

Hunt quitta les lieux par la porte de derrière.

Le macadam humide fumait déjà sous la chaleur tout
comme les larges feuilles tombantes d'un arbre isolé près
de la route. De l'autre côté de la clôture, les machines
lourdes frémissaient en crachant de la fumée. Des odeurs
de diesel, de boue, de métal chaud flottaient vers le parking. Hunt se glissa dans sa voiture, démarra et mit la
climatisation à fond. Les mains cramponnées au volant,
tandis que l'air frais chassait la sueur de son visage, il revit
Yoakum emmené de force, menottes aux mains. Puis
Johnny et sa mère lui apparurent. Il pensa à l'expression
de Yoakum devant cette cuvette froide et détrempée près
de la rivière d'où on avait exhumé les corps. À sa fureur.
À son dégoût.

*Impossible qu'il ait pu être impliqué dans cette affaire.*
*C'est inimaginable.*

Il passa la marche arrière pour sortir de son emplacement, puis enclencha en première. Il devait y avoir une
raison pour que cette douille trouvée dans la Land Cruiser
accidentée de David Wilson porte l'empreinte de Yoakum.
La solution de cette énigme se trouvait forcément chez
Yoakum. Hunt s'efforça de ne pas penser au revers de la
médaille, à savoir que si John avait effectivement quelque
chose à voir avec la disparition de ces enfants, ce serait
là-bas que les preuves se matérialiseraient. Il n'avait ni
mandat de perquisition ni clés, mais il s'en fichait. Une
pierre lancée dans une vitre ferait parfaitement l'affaire.
Un pied-de-biche. Cela n'avait rien à voir avec son métier
de flic. C'était une question d'amitié. De foi, de confiance.
Cela tenait aussi à la rage qui couvait en lui à la pensée
de la trahison du patron. Il avait vendu Yoakum pour
sauver la réputation du service, pour qu'on ne puisse rien
leur reprocher alors que la situation sentait de plus en
plus mauvais. Des conneries, marmonna-t-il entre ses
dents.

*Mais l'empreinte digitale...*

Il secoua la tête.

*C'était du lourd.*

Il s'engagea dans la circulation, bifurqua à gauche sur la route à quatre voies qui traversait la ville de part en part. Yoakum vivait dans un vieux quartier, peuplé de bungalows surplombant les trottoirs en béton déformés par des racines de l'épaisseur d'une jambe. Le voisinage était transitoire, mais bien entretenu, ombragé et tranquille.

Il opta pour le pied-de-biche.

Il tourna rapidement à droite, puis à gauche, trois pâtés de maisons plus loin. Yoakum occupait un pavillon de plain-pied au toit pointu et aux bardeaux en cèdre d'un gris argenté. Les parterres de fleurs s'ornaient de couleurs vives. Les buissons étaient taillés, les arbres élagués.

Il aperçut une camionnette bleue dans l'allée. Des lettres blanches se détachaient sur la carrosserie.

SBI.

Il se gara le long du trottoir, à un demi-pâté de maisons de là. Les voisins étaient dans leurs jardins : des femmes fanées en robes de chambre criardes, des vieillards, quelques gamins aux cheveux longs qui devaient avoir mieux à faire. Les visages exprimaient tous la même chose : surprise, inquiétude. Des hommes en cirés marqués au pochoir allaient et venaient à l'entrée de chez Yoakum. Hunt ne vit ni Oliver ni Barfield, mais ça ne changeait rien.

Le SBI était chez Yoakum.

Ils avaient un mandat de perquisition.

# 46.

— Il a essayé de me tuer, s'exclama Jack. Tu l'as vu, nom de Dieu ! Ce salopard a essayé de me faire la peau.

— S'il avait voulu te tuer, tu serais mort, répondit Johnny en s'agenouillant près de Levi. T'es une vraie gonzesse.

— Le touche pas. Qu'est-ce que tu fous ?

— Je le touche pas. Calme-toi. (Johnny se pencha sur le géant.) Il est malade, c'est tout.

Les lèvres de Freemantle bougeaient, il marmonnait. Johnny se rapprocha encore.

— ... maison en feu... maman en feu...

Johnny avait compris.

— ... maison en feu... maman en feu...

Les mots s'évaporèrent. Johnny releva la tête.

— T'as entendu ?

— Non.

— Viens m'aider.

— Et puis quoi encore !

— Il a besoin de médicaments ou d'un hôpital.

— Très bien. On va rentrer et on appellera une ambulance. Qu'ils s'en occupent.

— Si on fait ça, ils préviendront la police et je ne saurai jamais ce qu'il sait.

— Laisse les flics l'interroger. C'est leur boulot.

— Ils le recherchent pour meurtre. Ils pensent qu'Alyssa est morte. Ils ne lui demanderont rien du tout. Pas assez vite en tout cas.

Johnny secoua un peu l'épaule de Levi. Pas de réaction.

— Qu'est-ce qu'on fait alors ?

— J'en sais rien, mon vieux. J'improvise au fur et à mesure. D'accord ? Je veux tenter ma chance encore un coup. J'ai juste besoin d'un peu de temps. C'est tout. Nom de Dieu, Jack, file-moi un coup de main !

— Qu'est-ce que tu veux que je fasse ?

— Surveille-le. Je vais chercher le pick-up.

— Y'en a au moins pour vingt minutes.

Mais Johnny était déjà parti. Jack porta son regard sur les lèvres gercées de Levi, sur ses yeux qui roulaient sous ses paupières parcheminées.

— C'est la merde, fit-il en s'emparant du pistolet qu'il braqua sur Freemantle avant de s'asseoir dans la poussière.

*Levi était en train de brûler vif dans un feu noir. Il le savait parce que ce n'était pas la première fois que ça lui arrivait. Il avait déjà brûlé dans un incendie avec sa mère dans les bras, dont les cheveux s'étaient enflammés comme une torche. Il ne savait pas pourquoi la maison brûlait ni ce qu'il faisait là. Il avait l'impression que ça s'était déjà passé, il y a longtemps.*

*Mais il était en train de brûler vif.*

*La douleur, si aiguë qu'elle s'insinuait sous sa peau.*

*Il entendit des voix, au loin, et essaya de le leur dire.*

*— ... la maison en feu... maman en feu...*

*Mais eux ne pouvaient pas l'entendre. Et personne ne venait à son secours.*

*Personne ne venait.*

*Sa peau si chaude.*

*Brûlante...*

Johnny courut tout le long du chemin. Il était à bout de souffle quand il atteignit le pick-up. Il y grimpa, ferma la portière. La clé glissait entre ses doigts, mais le moteur démarra. De la fumée bleue monta dans l'air immobile. Un gospel à la radio. Il roula jusqu'à la grange et laissa le moteur tourner. Jack l'attendait sur le seuil, l'air pitoyable.

— Comment on va faire pour le lever ?

Johnny ne répondit pas. Il entra dans la grange et s'agenouilla près de Levi. Il l'appela, lui toucha le bras puis releva les yeux.

— Il est brûlant.

— Sans blague !

— Non. Ça empire. Il est en feu.

— ... maman en feu... maison en feu...

— Ma parole ! s'écria Jack en se rapprochant. T'as entendu ?

Johnny désigna les vestiges calcinés de la maison.

— Sa mère a dû mourir dans l'incendie.

Johnny donna un dernier petit coup dans l'épaule du géant, le secoua sans ménagements. Il se remit à genoux.

— On n'arrivera jamais à le porter dans le pick-up tout seuls.

— Il est revenu à lui à un moment.

— On devrait lui flanquer de l'eau sur la figure.

— Ça marche seulement dans les films.

— Merde !

— Je suggère qu'on le laisse là et qu'on fiche le camp en quatrième vitesse.

Johnny secoua la tête.

— On attend.

— Ça suffit maintenant, Johnny.

— J'ai volé le pick-up. C'est moi qui décide.

Alors ils attendirent, tandis que de la fumée bleue s'élevait dans les airs et que la radio beuglait du gospel.

# 47.

Hunt fit le tour du quartier à deux reprises, mais chaque fois qu'il repassait devant chez Yoakum, la camionnette du SBI était toujours dans l'allée, si bien qu'il finit par laisser tomber. Il appela Cross pour savoir comment ça se passait chez Jarvis. Cross décrocha au bout de quatre sonneries.

— Le médecin légiste est là. On devrait exhumer le premier corps d'ici une heure. Il pense qu'on les récupérera tous aujourd'hui. Peut-être vers le milieu de l'après-midi. D'ici le coucher du soleil, sans aucun doute.

— Qu'en est-il de la presse ?

— À peu près ce à quoi on pouvait s'attendre. Vous venez ?

— Il y a quelque chose à voir ?

Cross marqua un temps d'arrêt. Hunt entendit des voix étouffées en fond sonore.

— Pas encore.

— Appelez-moi quand ce sera le cas.

Hunt raccrocha. Il était à un croisement dans le coin le plus miséreux de la ville. Au milieu de vieilles bicoques aux bardeaux fissurés. Des maillots de corps grisâtres pendaient sur les cordes à linge. Des citernes rouillées, des fondations en blocs de granite destinés à maintenir les planchers à l'écart de la terre humide. Des années de décombres s'amoncelaient sous la maison la plus proche. Hunt repéra un passage dans la poussière où les chiens entraient et sortaient à plat ventre. Un siècle de métayers en faillite s'étaient succédé dans ce quartier, et ça se voyait. Il se trouvait à un kilomètre du cimetière des esclaves affranchis, cerné par la pauvreté, le désespoir, l'ombre persistante d'injustices passées.

Le feu passa au vert.

Il ne bougea pas.

Quelque chose fit tilt dans son esprit. Une voiture klaxonna derrière lui. Il franchit l'intersection avant de se ranger le long du trottoir tandis que le conducteur derrière lui le dépassait en trombe en faisant rugir son moteur. Hunt entrevit un néon sous le châssis, des tourniquets sur les enjoliveurs et la bannière d'un gang pendue au rétroviseur. Des yeux méfiants sur un visage fermé. Des sons de basse retentissants faisaient vibrer les haut-parleurs. Hunt chassa toutes ces images de son esprit. Il avait replongé dans le passé.

*Des métayers. Des vêtements humides.*

*La langue rose d'un chien bâtard dans l'ombre...*

Il revécut mentalement la minute qui venait de s'écouler.

Brusquement il eut le sentiment d'avoir pigé.

Au moment d'attraper son portable pour appeler Yoakum, il se rappela que ce dernier se trouvait sur la banquette arrière d'une voiture de police de l'État en route pour Raleigh. À la place il composa le numéro de Katherine Merrimon. Elle répondit d'une voix pleine d'espoir, mais paraissait lasse.

— J'avais besoin de savoir si vous étiez chez vous, dit-il.

Elle reprit vie tout à coup.

— Johnny ?

— Pas encore. Je passe vous voir.

Il lui fallut vingt-trois minutes compte tenu de la circulation.

Elle portait un jean délavé, coupé court, des sandales et une chemise froissée qui pendait de ses épaules osseuses.

— Vous avez l'air fatiguée.

C'était vrai. Les yeux enfoncés dans les orbites, elle était encore plus pâle que d'habitude.

— Ken a débarqué à 3 heures du matin. Je n'ai pas pu me rendormir.

— Ici ? Il est venu ici ?

— Je ne l'ai pas laissé rentrer. Il a tapé sur la porte en hurlant des obscénités. Il était ivre. Il avait juste besoin de se défouler.

La colère incendia le regard de Hunt. Il savait à quoi ressemblait une femme maltraitée qui se mentait à elle-même.

— Ne vous avisez pas de le défendre.

— Je sais m'y prendre avec lui.

Hunt se força à se calmer. Il la sentait sur la défensive ; il y avait de meilleurs moyens de faire face au problème.

— Il faut que j'aille dans la chambre de Johnny.

— D'accord.

Elle le précéda à l'intérieur ; ils s'enfilèrent dans le couloir obscur qui menait à la chambre. Hunt actionna l'interrupteur et son regard se posa sur le lit. Faute d'y voir ce qu'il cherchait, il se dirigea vers la rangée de livres posés sur la commode. Il passa les titres en revue.

— Il n'est pas là.

— Quoi donc ?

— Johnny avait un livre d'histoire sur le comté de Raven. À peu près de cette taille-là, ajouta-t-il en lui montrant la forme du livre. Il était sur le lit il y a quelques jours. Ça vous dit quelque chose ?

— Non. Rien. Est-ce important ?

— Je n'en sais rien. Peut-être, répondit-il avant de s'élancer en direction du couloir.

— Vous partez ?

— Je vous tiens au courant.

À la porte, elle posa la main sur son bras.

— À propos de Ken, je suis consciente que vous cherchez à me protéger. S'il devient agressif, s'il profère des menaces ou quoi que ce soit de ce genre, je vous appelle. D'accord ? (Elle lui pressa légèrement le bras.) Je vous le promets.

— Entendu, dit-il, mais les mécanismes de son cerveau s'étaient déjà mis en marche.

Elle s'attarda sur le seuil tandis qu'il s'éloignait et ne rentra pas avant qu'il soit sur la route. Sa maison apparaissait encore dans le rétroviseur quand Hunt eut l'officier Taylor au bout du fil.

— Je suis chez Katherine Merrimon, dit-il.

— Ça ne me surprend pas vraiment, je ne sais pas pourquoi.

— J'ai besoin d'un service.

— Vous manquez de fanions.

— C'est au sujet de Ken Holloway. Allez voir dans son bureau. Chez lui. Je veux que vous me le trouviez et que vous l'arrêtiez.

Un long silence s'ensuivit. Hunt savait qu'elle revivait mentalement l'épisode précédent, qu'elle pensait au procès à venir et à la manière d'éviter que son nom figure sur le prochain dossier déposé sur le bureau du clerc.

— Pour quel motif ?

— Obstruction à l'action de la police. Il a informé Meechum de notre venue. Je m'occuperai de la paperasserie cet après-midi, mais je veux que vous le boucliez sur-le-champ. Sans perdre une seconde. Si ça fait des étincelles, pas de souci, je m'en charge. Mais je veux ce salopard derrière les barreaux.

— Est-ce légitime ?

— Il y a une semaine, vous ne m'auriez jamais posé la question.

— Il y a une semaine, je n'en aurais pas éprouvé le besoin.

— Faites ce que je vous dis.

Après avoir raccroché, il appela les renseignements pour obtenir le numéro de la bibliothèque du comté de Raven. L'opératrice le lui donna avant de le mettre en relation.

— Bureau des prêts.

Une voix d'homme. Hunt lui expliqua ce qu'il voulait ; il entendit le cliquetis des touches d'un clavier.

— Ce livre est sorti.

— Je sais. En avez-vous un autre exemplaire ?

— Je vérifie. Oui, nous en avons un autre.

— Gardez-le-moi au chaud, dit Hunt. Comment vous appelez-vous ?

Dès qu'il eut raccroché, il prit le chemin de la bibliothèque. Le destin de Yoakum n'était plus de son ressort. Le site Jarvis était en bonnes mains. Il ne lui restait plus que Johnny. Un gosse perturbé. Un fugitif armé d'un pistolet volé.

*Des esclaves libérés.*

*Freemantle.*

Hunt connaissait ce nom pour l'avoir lu dans le livre de Johnny. Il l'avait juste entrevu, mais il en mesurait la portée à présent : « John Pendleton Merrimon, médecin et abolitionniste. » Il y avait une photographie en regard. Il l'avait à peine remarquée sur le moment, mais elle lui revenait à cet instant.

*Isaac Freemantle.*

Il y avait aussi une carte.

Hunt accéléra, le dos calé contre le cuir brûlant du siège. Johnny savait où trouver Freemantle, un prisonnier évadé, un tueur.

Hunt mit son gyrophare. Il dévala Main Street à cent à l'heure et se gara dans le parking de la bibliothèque en laissant tourner le moteur. Deux minutes plus tard, il était de retour, le livre à la main. Il le feuilleta jusqu'à ce qu'il trouve la bonne. Il examina la photo de John Pendleton Merrimon : le front large, les traits lourds, virils. Il ne ressemblait pas du tout à Johnny dans son costume noir austère, à part les yeux peut-être.

Hunt lut le passage sur Isaac qui avait choisi de se faire appeler Freemantle pour marquer son affranchissement. On le voyait aussi sur une photo. Un homme imposant vêtu d'habits grossiers, coiffé d'un chapeau mou. Il avait de grosses mains et une barbe clairsemée striée de blanc. Johnny avait précisé que Freemantle était un nom mustee ; Hunt eut l'impression de discerner des traces de sang indien dans les traits d'Isaac Freemantle. Quelque chose dans les yeux. Ou dans la forme des pommettes.

Sur la carte figuraient la rivière, le marécage, une longue langue de terre bordée d'eau sur trois côtés.

*Hush Arbor.*

Hunt compara la carte du livre avec la carte routière qu'il avait sortie de la boîte à gants. Le site en question se situait dans la zone la plus déserte du comté. Il n'y avait rien là-bas à part des bois, les marais, la rivière. Pas d'abonnement téléphonique ni de factures d'électricité au nom de Freemantle dans le comté de Raven, de sorte que cette information qui datait d'un siècle et demi n'avait peut-être aucun sens, mais Hunt avait besoin du gosse. Pour une foule de raisons, il avait besoin de lui.

Il enclencha la première.

Hush Arbor se trouvait au nord-ouest de la ville.

# 48.

L'officier Taylor commença par se rendre au bureau de Ken Holloway. Elle pénétra dans le grand parking qui encadrait l'immeuble. Elle prit son temps, cherchant des yeux une Escalade blanche ornée de lettres dorées. Qu'elle ne trouva pas. Pour finir elle laissa sa voiture devant le bâtiment. Avant de se décider à franchir les grandes portes vitrées, elle vérifia l'attirail pendu à sa ceinture. Elle aimait bien la sensation de ce poids sur ses hanches. De l'équipement lourd. Elle adorait être flic. L'autorité que conférait le port d'un insigne. L'uniforme bleu infroissable. Elle aimait bien rouler vite. Appréhender les méchants.

Ses chaussures faisaient des petits bruits de succion sur le sol en marbre ciré.

Une femme élégante trônait derrière l'imposant bureau de la réception. Dès qu'elle entra dans le hall, Taylor sentit son regard soupçonneux braqué sur elle.

— Oui ? fit-elle d'un ton hautain, et Taylor la prit aussitôt en grippe.

— Je souhaiterais m'entretenir avec Ken Holloway, dit-elle de sa voix de policière, celle qui sous-entendait : *Ne m'obligez pas à me répéter.*

La réceptionniste leva un sourcil. Ses lèvres bougèrent à peine.

— C'est à quel sujet ?

— Ça ne vous regarde pas.

— Je vois, répliqua l'autre d'un air pincé. M. Holloway n'est pas là aujourd'hui.

Taylor sortit un calepin et un stylo.

— Vous vous appelez... ?

Les gens avaient horreur du calepin et du stylo. Ils n'aimaient pas donner leur identité à la police. À contre-cœur, la réceptionniste indiqua le sien que Taylor nota consciencieusement.

— Et vous dites que M. Holloway n'est pas là ?

— Oui. Je veux dire, non. Il n'est pas là.

La femme avait baissé sa garde, mais Taylor ne souriait jamais quand elle faisait usage de son autorité. Elle employait un minimum de mots et son visage ne trahissait pas la moindre émotion.

— Quand l'avez-vous vu pour la dernière fois ?

— Hier, je ne sais plus très bien à quelle heure.

— Et d'autres personnes dans ce bâtiment seraient disposées à le confirmer ?

— Je pense que oui.

Taylor inspecta le hall en prenant tout son temps : les toiles aux murs, le panneau d'information, les ascenseurs. Puis elle posa sa carte sur le comptoir.

— Quand vous verrez M. Holloway, ayez la gentillesse de lui demander de m'appeler à ce numéro.

— Entendu, madame.

Taylor soutint son regard avant de s'en retourner à pas comptés, une main posée sur sa ceinture en vinyle. De retour dans sa voiture, elle alluma son ordinateur portable et vérifia les données concernant les véhicules appartenant à Holloway dans les registres des services d'immatriculation. En plus de l'Escalade, il possédait une Porsche 911, une Land Rover ainsi qu'une Harley Davidson. Elle parcourut une nouvelle fois le parking du regard. En vain. Elle griffonna une note dans son calepin, à côté du nom de la réceptionniste : *Dit probablement la vérité*.

La demeure d'Holloway se situait dans le périmètre d'un des vastes clubs de golf qui se trouvaient dans le quartier cossu de la ville. Un terrain privé, construit autour d'un grandiose club-house tapissé de lierre. Pas une seule résidence dans la rue à moins de deux millions de dollars, et la sienne, un bloc blanc immaculé trônant au milieu de huit hectares de pelouse manucurée, était la plus imposante. En remontant l'allée, Taylor passa devant la statue d'un Noir en livrée brandissant une lanterne, un sourire jusqu'aux oreilles.

Elle gravit les larges marches qui conduisaient à la terrasse toute en longueur. La porte d'entrée ouverte laissait entrevoir un sol en ardoise laquée. Dedans, le silence régnait. Un oiseau chanta. Puis l'officier Taylor entendit quelqu'un pleurer.

Une femme.

À l'intérieur.

Elle porta la main sur le canon de son arme de service, défit la lanière en cuir d'une chiquenaude et s'approcha de la porte. Elle avisa une hache par terre près d'un piano, dont le couvercle était fendu de part en part. D'autres coups avaient anéanti le clavier ; des touches en ivoire jonchaient le tapis. Le reste du mobilier paraissait intact.

Taylor alluma sa radio pour appeler le central. Elle demanda du renfort en précisant où elle se trouvait. Après quoi elle dégaina et franchit le seuil en s'annonçant. Une odeur d'alcool flottait dans l'air. Elle vit des bouteilles ouvertes sur une table basse, l'une vide, l'autre à moitié pleine.

Les pleurs venaient de quelque part au fond de la maison. De la cuisine peut-être. Ou d'une chambre. Elle passa sous l'arche qui donnait sur le salon. Sur sa droite, elle aperçut des lignes qui ressemblaient à de la coke disposées en rangées bien nettes sur une glace posée à plat sur le canapé.

Un faisceau de cordes jaillissait du piano éventré.

— Police ! répéta-t-elle. Je suis armée.

Elle trouva la source des sanglots dans un petit couloir au-delà du salon. Elle était très jeune, à peine vingt ans, les cheveux décolorés, foncés aux racines. Une peau parfaite. Des dents de guingois, mais blanches, des mains rêches, rougies. Assise par terre, elle pleurait. Taylor remarqua qu'elle avait les yeux très bleus.

— Ça va, il n'a rien fait, dit-elle avec un fort accent du Sud.

Parmi les collines sablonneuses qui couvraient le bas de la Caroline du Nord où elle avait grandi dans la pauvreté, Taylor avait connu des dizaines de filles comme elle, jolies mais incultes, avides de se trouver un cadre de vie plus rose.

— Pouvez-vous vous lever ? demanda-t-elle en tendant la main.

La fille portait un uniforme de domestique déchiré à l'épaule droite. Il manquait des boutons à son chemisier. Elle avait une joue en feu et des vilaines marques de doigts sur le haut du bras.

— Vous êtes seule ?

Pas de réponse.

— C'est Holloway qui vous a fait ça ?

Elle hocha la tête.

— Il m'a appelé Katherine. C'est pas comme ça que je m'appelle.

— Quel est votre nom ?

— Janee. Avec deux E.

— Bon, Janee. Ça va aller, mais il faut que vous me disiez ce qui s'est passé. (Taylor inspecta de plus près le chemisier déchiré, les boutons arrachés.) Vous a-t-il violée ? demanda-t-elle d'une voix adoucie.

— Non.

Elle perçut quelque chose dans la manière dont elle l'avait dit. Une hésitation. Une dissimulation.

— Avez-vous une relation avec M. Holloway ?

— Vous voulez dire... ?

Elle hocha la tête sans que Taylor ajoute quoi que ce soit.

— De temps en temps. Il peut être gentil, vous savez. Et puis il est super riche.

— Vous avez couché avec lui tout à l'heure ?

Elle hocha à nouveau la tête, se remit à pleurer.

— Et il vous a frappée ?

— Après, oui.

— Continuez.

— Il me fait des cadeaux quelquefois. Et il parle bien. Vous voyez ce que je veux dire ? ajouta-t-elle en reniflant. Comme un gentleman. (Elle secoua la tête, s'essuya un œil.) Je n'aurais pas dû lui dire qu'il lui arrivait de m'appeler autrement que par mon prénom. Il n'a pas voulu me croire soi-disant, mais je pense surtout que ça lui a pas plu que je le prenne sur le fait comme ça. Il voulait pas que je sache.

— Il vous a appelée Katherine. A-t-il prononcé un nom de famille ?

— Je n'ai pas entendu en tout cas. Vous avez vu le piano ?

— Oui.

— C'est pour vous dire à quel point il était en colère. On aurait dit que ce nom le mettait dans tous ses états. Il m'a prévenue que si j'en parlais à qui que ce soit, je serais la prochaine.

Elle serra les lèvres et une mèche de cheveux décolorés lui tomba sur les yeux.

— Il m'a donné un iPod une fois.

— Janee...

— Il est très méchant.

# 49.

*Levi était en train de brûler vif. Les cheveux de sa maman étaient en feu et quand il se rua vers la porte en la portant dans ses bras, les flammes plantèrent leurs abominables griffes sur sa figure. Ça faisait mal et il hurla en fonçant à travers la moustiquaire. Il tomba du porche alors que la maison s'effondrait derrière eux. Tout était noir, ce qui n'était pas en feu. Levi pensa qu'il brûlait peut-être en enfer ! Il savait qu'il avait fait quelque chose de mal, mais ça, c'était plus tard. Non ? Pas là, pas quand le brasier dévorait sa maman aussi. Il n'y comprenait rien et il avait peur.*

*Torride comme l'enfer.*

*Immense comme l'infini.*

*Mais c'était bien la maison qui brûlait, et Levi savait où il était, le seul endroit où il était jamais allé. Il y avait passé toute sa vie sans jamais partir. Sa mère disait qu'il n'y avait rien au-delà hormis la souffrance, pas d'endroit pour quelqu'un comme lui. Alors il était resté. Il s'y trouvait toujours. Chez lui. Il était en train de cramer dans le jardin.*

*... de mourir.*

*Il ouvrit les yeux pour voir s'il y avait des corbeaux.*

*Et vit la clarté du soleil dans la grange.*

— Il revient à lui.

Johnny se pencha sur Freemantle alors qu'il clignait les yeux. Il y vit de la confusion, de la peur.

— Ça va aller, le rassura-t-il. Il faut juste que je vous emmène au camion. Vous pouvez vous lever ?

Freemantle cilla. Les crevasses de son visage défiguré étaient incrustées de boue. Il leva les yeux vers les poutres du plafond, la porte ouverte.

— Ça va aller, répéta Johnny en saisissant le bon bras du géant pour essayer de l'aider à se mettre debout.

*Les mots se mêlaient les uns aux autres, ça ne voulait rien dire, mais le petit Blanc avait de bons yeux. Levi y plongea son regard et se demanda pourquoi il se sentait mieux du coup. Comme s'il l'avait déjà vu avant, comme s'il devait lui faire confiance. Il se redressa, et la chaleur le traversa de part en part, la douleur. Il se sentait toujours aussi perdu, il continuait à avoir peur. Soudain une spirale d'air frais descendit sur lui d'un endroit élevé, glacial, et il l'entendit à nouveau.*

*La voix.*

*La voix de Dieu.*

*Si nette, si forte qu'il faillit éclater en sanglots.*

— Pourquoi il sourit comme ça ?

Freemantle avait les yeux fermés, les lèvres si étirées qu'on avait l'impression que la peau craquelée allait se mettre à saigner.

Jack recula.

— Il aime peut-être le gospel. Va savoir ? Emmenons-le dans la camionnette.

Mais Jack resta à l'écart pendant que Johnny aidait Levi à se lever. Quand ce dernier baissa le hayon, le géant s'assit dessus, roula en arrière.

— Jusqu'au fond, dit Johnny.

— Jusqu'au fond.

Un chuchotement, un écho.

— Il est bizarre, son sourire, marmonna Jack.

Couché sur le dos, Freemantle avait plié les genoux, croisé les bras sur sa poitrine. Il affichait un grand sourire joyeux. *Innocent.* Ce mot vint à l'esprit de Johnny. *Pur.*

— Monte, ordonna-t-il, et Jack s'exécuta.

Il ferma la portière et cala son dos contre la poignée en se tournant de manière à surveiller Freemantle à travers la vitre arrière de la cabine. Johnny se glissa derrière le volant.

— Il remue les lèvres, dit Jack.

— Qu'est-ce qu'il dit ?

Jack déverrouilla la vitre arrière et l'entrouvrit. Il baissa le son de la radio et la voix de Levi leur parvint, étouffée.

— Corb...

— Ferme la fenêtre, lança Johnny, mais ils l'entendaient encore.

— Corb...

# 50.

Hunt était à des kilomètres au nord de la ville quand Cross appela. Il répondit à la deuxième sonnerie.

— Quoi de neuf ?

Il y eut un moment de silence, des parasites sur la ligne avant que Cross réponde :

— Vous feriez bien de ramener votre fraise par ici.

Une autre pause, de vagues voix en fond sonore.

— Qu'est-ce qui se passe ?

— On vient d'exhumer le premier corps.

— Ne me dites pas que c'est Alyssa.

Hunt sentit les ténèbres autour de lui s'épaissir.

— Pas elle.

— Alors...

— C'est son père.

Un soupir.

— Le père d'Alyssa. De Johnny.

Hunt se rangea sur le bas-côté de la route. Les pneus quittèrent le macadam et le monde bascula.

— Vous en êtes sûr ?

Cross ne répondit pas. Hunt entendit des cris au bout du fil, puis Cross s'époumona lui aussi.

— Pas de journalistes, pas de journalistes. Sortez-le de là tout de suite. Sortez-le de là.

— Cross ?

— Vous avez entendu ?

— Ouais.

— Je vous conseille de venir.

Hunt porta son regard sur la chaussée étroite devant lui. Des ondes chatoyantes s'élevaient au loin, pareilles à un mirage. Il aperçut un pick-up tout défoncé qui venait de déboucher d'une petite route. À demi englouti par ces reflets changeants, il donnait l'impression de faire du sur-place.

— Hunt...

*Le père de Johnny.*

— Inspecteur ?

— Bouclez le périmètre, lança Hunt. J'arrive.

Il regagna la route en braquant à fond. Ce qu'il venait d'entendre était absurde.

Spencer Merrimon était mort.

*Le mari de Katherine.*

*Mort.*

Hunt plissa les yeux dans le soleil. Rien de tout cela n'avait de sens, et puis soudain, tout fut clair. Il comprit, et il sentit la pitié lui serrer la gorge, le chagrin, la certitude. Il secoua la tête tandis que derrière lui, l'asphalte se changeait en métal jusqu'à cette nappe argentée luisante dans laquelle le pick-up déjà loin avait l'air de flotter.

# 51.

Levi parlait toujours. Sa voix couvrait le vent et le bruit du moteur. Toujours les mêmes mots. Encore et encore.

— Ce type me fout les boules !

Jack monta le son de la radio et se mit à enfoncer les touches. Toutes les stations sur lesquelles il tombait passaient du gospel ou des prédications en boucle. Il tourna le bouton en bougonnant.

— Tu vas la fermer, oui !

Il avait l'air en colère, mais surtout terrifié. Il tripota le tuner en faisant faire un tour complet à l'aiguille sur le cadran.

— On capte rien ici, ma parole !

Il éteignit la radio et s'adossa au moment où Johnny bifurqua sur un chemin. Ils le suivirent jusqu'à ce qu'il débouche sur une route où Jack alla ouvrir le portail avant de le refermer derrière eux. Il surveillait Freemantle du coin de l'œil, mais le géant avait fini par se taire.

— Il est de nouveau dans le coaltar.

Johnny jeta un coup d'œil derrière lui, puis il passa la vitesse. Ils roulèrent sur un serpent de macadam coupé en deux par une bande jaune usée. Un peu plus loin, une voiture était garée sur le bord de la route, presque invisible dans la chaleur, mais Johnny la vit faire demi-tour et s'éloigner rapidement.

— Tu veux que je te dépose quelque part ?

Jack paraissait tenté, aussi Johnny s'efforça-t-il d'ignorer la grimace qui tordait les traits de son ami, sa main
droite qui battait un rythme marqué sur la portière. Jack
avait peur. S'il voulait le laisser tomber, il n'avait qu'à le
faire.

— Il est encore tôt, répondit finalement Jack en une
sorte de haussement d'épaules verbal.

Et ce fut tout.

Il avait décidé de rester.

Ils s'acheminèrent vers la ville, laissant derrière eux le
vide, les vieilles demeures, les clubs de golf, pour gagner
un autre *no man's land* derrière la maison de Johnny. Une
fois franchie la trouée dans la longue rangée de pins, ils
se retrouvèrent sur un chemin de terre. Jack ouvrit un
autre portail, qu'il referma, et ils pénétrèrent dans la plantation de tabac abandonnée. Ils dépassèrent la mince rangée d'arbres et prirent à gauche à la bifurcation. La route
descendait à pic, puis remontait vers la droite pour aboutir
à l'endroit où la grange se dressait au milieu des taillis.
Johnny s'arrêta juste après le tournant.

Un unique corbeau était perché sur le faîte du toit. Il
ouvrit son bec, et trois autres se posèrent à côté de lui.
Johnny sentit Jack se raidir, il vit ses doigts effleurer sa
chemise à l'endroit où la croix d'argent reposait sur sa
peau.

— Relax !

Jack se pencha en avant pour regarder à travers le pare-
brise. À cet instant, un cinquième corbeau s'abattit sur le
toit en un claquement d'ailes.

— Y'a du maïs sauvage dans les champs, déclara
Johnny. Des mûres aussi. Plein. Ça veut rien dire.

— Tu en as déjà vus ici ? Plantés là comme ça ?

Johnny observa les corbeaux. Il n'en avait jamais vus à
la grange, pas autant en tout cas. Ils étaient tellement
immobiles avec ces yeux de marbre rivés sur le pick-up,
leurs plumes étincelant comme du verre noir.

— C'est rien que des oiseaux, fit-il en ouvrant sa portière.

Il ramassa un caillou et l'expédia sur le toit. Il atterrit
avec fracas à quelques mètres des volatiles. Ils gardèrent

le regard fixe quelques secondes de plus, mais quand il se pencha pour prendre une autre pierre, ils s'envolèrent pour aller se poser dans les arbres au loin.

— Tu vois.

Jack sortit de la voiture à son tour. Ils baissèrent le hayon et soulevèrent Freemantle juste assez pour le tirer hors de la camionnette et le traîner à la grange. Il leur fallut un bout de temps, mais ils réussirent à l'allonger par terre.

— Il sent encore pire, dit Jack.

— La fièvre continue à monter.

— Et maintenant, on fait quoi ?

Ils étaient dehors au milieu des fourrés et des arbres agités par le vent, près du cercle de terre noircie où ils avaient fait un feu deux soirs plus tôt.

— La maison est derrière ce gros rocher, entre ces arbres, dit Johnny en pointant le doigt. Enjambe le ruisseau et tu verras.

La voix de Freemantle leur parvint de l'intérieur de la grange.

— Enjambe le ruisseau et tu verras...

Les garçons dressèrent l'oreille mais le géant n'ajouta rien. Il gisait inerte dans l'obscurité.

— Tu vas parler à ta mère ?

Johnny jeta un coup d'œil dans la direction de Freemantle.

— Je ne vois pas ce que je peux faire d'autre. Elle pourra peut-être en toucher un mot à l'inspecteur Hunt. J'en sais rien, mec. Si elle n'est pas là, je rapporterai de l'eau et de la nourriture au moins. Des médicaments aussi, si on en a. J'ai juste besoin d'une minute. Une minute où il est assez lucide pour me causer.

— Pas génial comme plan.

— Si je trouve pas d'autre solution, on appellera une ambulance, les flics, quelque chose, répondit Johnny en haussant les épaules.

Jack enfonça la pointe de sa basket dans la terre humide.

— Et s'il meurt ? C'est du lourd, mec !

Johnny fixa l'intérieur sombre de la grange, sans piper mot.

— Et moi ? s'enquit Jack. Qu'est-ce que je fais pendant ce temps-là ?

— Il faut que quelqu'un reste ici.

— Je veux aller avec toi.

— Pas question.

— Il dort de toute façon, Johnny. Et s'il y a du grabuge ? Tu auras personne pour t'aider.

Il n'avait pas tort, mais Johnny savait qu'en vérité, son ami avait la trouille de rester tout seul. Il alla chercher le pistolet dans le pick-up et le tendit à Jack.

— Reste hors de sa portée, c'est tout.

Jack avala sa salive en se tournant vers la grange.

— Tu me revaudras ça un jour, lança-t-il. T'as intérêt à pas oublier.

Mais Johnny avait déjà filé. Jack le vit se glisser entre les arbres et disparaître. Alors il se détourna et se força à entrer dans la grange.

Deux minutes plus tard, un corbeau solitaire se posa sur le toit.

Puis un autre.

# 52.

Hunt réussit à franchir la rangée de reporters sans incident majeur. Cela tenait peut-être à quelque chose dans son expression. Ou au rempart de flics qui se mirent au garde-à-vous quand il passa à côté. Un journaliste avait déjà dépassé la ligne, et ça n'allait pas du tout. Un de plus, et quelqu'un allait se faire virer. Ça ne ferait pas un pli. Il y veillerait personnellement.

De rares rais de lumière effleuraient le sol spongieux de la forêt. L'humidité de l'air vous collait à la peau. Hunt descendit la pente à grandes enjambées.

Parvenu au bord de la cuvette, il sentit une différence dans l'atmosphère. Ils ne s'étaient pas attendus à trouver une victime adulte. Personne ne savait qu'en penser. Le fait qu'il s'agisse du père de Johnny aggravait encore les choses.

Tout le monde s'activait.

Il aperçut deux médecins légistes du bureau de Chapel Hill penchés sur une tombe fraîchement creusée. On en exhumerait le prochain corps. À droite, un groupe d'individus nerveux se pressaient près d'une table de camping longue de deux mètres qui penchait légèrement sur le sol pentu. Cross. Le patron. Trenton Moore, le médecin légiste du comté de Raven. Ils avaient tous les trois le regard braqué sur lui et attendaient qu'il les rejoigne.

Le sac mortuaire par terre semblait plus long que les autres.

Plus plein.

Hunt s'approcha. Il s'arrêta à un mètre cinquante du sac et s'accroupit en s'asseyant sur ses talons. Il se rappelait de Spencer Merrimon qui avait su rester fort pour sa femme, de la manière dont il avait réprimé la culpabilité qui le rongeait en faisant comme si elle ne le tuait pas intérieurement. Il donnait l'impression d'avoir une main en permanence sur l'épaule de son fils, un mot de remerciement discret pour chaque bénévole lancé à la recherche de sa fille. Hunt avait apprécié cet homme, peut-être même le respectait-il.

— C'est lui ?

Tous les yeux se tournèrent vers le sac.

— C'est ce qu'on croit.

— Comment pouvez-vous le savoir ?

— Par ici, fit le patron.

Hunt se redressa. Ils se dirigèrent tous vers la table. Elle était en métal brossé avec une charnière au milieu. On y avait disposé tout un attirail : des ordinateurs portables, un sac à appareil photo et un trépied, quelques carnets, une boîte de gants en latex. Plusieurs objets étaient rangés dans des sacs en plastique scellés.

— C'était dans sa poche, expliqua le patron en désignant un portefeuille taché. Il est en nylon avec une fermeture en Velcro. Du coup, le contenu a été relativement préservé.

À côté du portefeuille, le contenu en question était déployé dans des sacs scellés distincts. Permis de conduire. Cartes de crédit. Quelques billets crasseux, des reçus. Un ticket de blanchisserie. Des papiers qu'on avait dépliés. Hunt avisa une photo de Katherine et des enfants. Elle était tachée aussi, mais les visages étaient reconnaissables. Johnny avait l'air timide, mais Katherine rayonnait. Alyssa aussi.

— Seigneur ! murmura-t-il.

— Nous demanderons au médecin légiste de confirmer, mais je ne vois aucune raison de douter que ce soit lui.

— Docteur ?

Hunt se tourna vers Trenton Moore.

— C'est un homme et l'âge correspond.

Hunt porta son regard vers les fanions restants, les hommes penchés sur la dépouille à demi exhumée d'une âme sans nom. Il y avait de fortes chances qu'un de ces corps soit celui d'Alyssa Merrimon. Il pivota vers la table et examina de plus près les objets provenant du portefeuille. Il passa en revue les reçus, sans intérêt, avant d'inspecter deux bouts de papier pliés tant de fois qu'ils étaient tout usés. Un dessin d'enfant – des silhouettes en bâtonnets représentant un homme tenant un enfant par la main. « J'aime mon papa » était écrit d'une main maladroite. Et dans le coin du bas : « Alyssa, six ans. »

Hunt se tourna vers la deuxième feuille.

— Des adresses, dit Cross. On les contrôlera quand on sera de retour au poste.

Il y en avait neuf. C'était mal écrit, mais lisible. Il n'y avait ni noms, ni numéros de téléphone. Juste des adresses. Mais Hunt sentit des picotements glacials au creux de sa nuque lui confirmant qu'il ne s'était pas trompé à propos de Spencer Merrimon. Lui confirmant aussi la raison de la présence de son cadavre parmi les autres. Ainsi que le motif de sa mort, même s'il n'aurait pas su dire exactement comment ça s'était produit. Parce qu'il connaissait aussi ces adresses. Et les noms qui allaient avec.

*Des délinquants sexuels reconnus.*

*Les pires.*

Mal rasé, la bouche amère, Cross désigna le sac mortuaire.

— Je pensais que Merrimon avait pris la fuite.

— Pas du tout.

Hunt reposa la feuille sur la table.

— Je croyais que sa femme lui en voulait tellement qu'il avait quitté la ville.

Hunt reporta son attention sur le champ de tombes. Il

brandit le dessin de l'enfant. Il était au crayon rouge. Des cœurs de guingois occupaient les espaces libres.

— Pas du tout, répéta-t-il. Le malheureux a frappé à la mauvaise porte.

Silence total. Hunt sentit son cœur se gonfler de respect.

— Il est mort en cherchant sa fille.

# 53.

Dès qu'il s'engouffra dans le bois, la fatigue s'abattit sur Johnny. Le changement se produisit en quelques secondes. Il se sentait sûr de lui, attentif et puis à la minute où Jack et la grange disparurent de sa vue, il se rendit compte qu'il était affamé, à bout de forces, bizarrement désorienté. Le sentier tournait à des endroits inattendus ; il grimpait alors qu'il aurait dû être plat. Il ne s'était pas trompé de chemin pourtant. Il grelottait et crevait de chaud tour à tour. Les branches le fouettaient ; le ruisseau filait à toute vitesse. Il glissa à deux reprises dans la boue, puis s'accroupit au bord de l'eau. Il y plongea les mains et se mouilla la figure.

Il se sentit mieux en se relevant.

La maison délabrée lui faisait des clins d'œil à travers les arbres.

L'inspecteur Hunt était à mi-chemin de la pente quand son portable sonna. C'était l'agent Taylor. Il se remit en route. Elle lui parla de Ken Holloway, des dommages subis par le piano, des sévices infligés à la femme de ménage.

— C'est le piano sur lequel Johnny a balancé une pierre ?

— Exact.

— Eh bien, il est fichu pour le coup.

Il respirait fort. L'air humide mettait ses poumons à mal.

— Qu'en est-il de cette femme de ménage ? Est-elle grièvement blessée ?

— Non, répondit Taylor. Et c'est un miracle. Vous devriez voir la baraque.

— C'est le bordel ?

— Ce type est dingue. De l'alcool, de la coke, d'après ce que je vois. Il appelle sa femme de ménage Katherine.

— Et alors ?

— Ce n'est pas son nom.

— Oh, merde !

— Je ne vous le fais pas dire !

— Ajoutez coups et blessures aux autres chefs d'accusation et faites circuler l'information le plus vite possible. Trouvons-le avant qu'il s'en prenne à quelqu'un d'autre. Et puis rendez-moi un service, contactez Katherine Merrimon et dites-lui de foutre le camp de chez elle. Dites-lui d'aller au commissariat. Je la retrouverai là-bas. Précisez-lui que j'ai besoin de lui parler. Que c'est important.

— Tout le problème est là.

— Quoi ?

— J'ai déjà essayé.

Hunt sentit ce qui allait suivre.

— Ça ne répond pas chez elle.

En sortant du bois, Johnny grimpa sur le vieux morceau de tôle qui gisait dans le jardin. Le métal était brûlant au point qu'il le sentait à travers ses semelles en caoutchouc. La tôle émit un son mat quand il s'en écarta. Il approcha de la maison par l'arrière et jeta un coup d'œil par les fenêtres. Sa chambre était vide, la fenêtre fermée. Idem chez sa mère. Pas de lumière, le lit, un enchevêtrement de draps. Il apercevait le couloir à travers la porte ouverte, une vague lueur, le parpaing défoncé. Il contourna l'angle de la maison, s'avança vers l'entrée.

L'Escalade de Ken était dans le jardin. Pas dans l'allée, dans le jardin. Elle avait écrasé la rangée de buissons taillés, éraflé l'unique arbre du jardin. Enjoliveur avant enfoncé, peinture écaillée sur cinquante centimètres sur tout le côté. La portière côté conducteur était ouverte, le pneu droit à cheval sur la première marche du porche.

Johnny posa la main sur le capot. Encore chaud.

La porte était verrouillée, mais il l'entendit clairement : un cri.

Sa mère.

Il monta les marches quatre à quatre.

Jack avait sa petite main atrophiée sur le canon, la bonne sur la crosse. Il surveillait Freemantle étalé par terre de tout son long, qui s'agitait dans son sommeil en marmonnant entre ses dents. Une masse sombre dans une atmosphère confinée.

Un tueur, qui avait peur des corbeaux.

Un fou, qui parlait dans son sommeil.

*Dieu sait.*

Même endormi, il n'arrêtait pas de le répéter.

Jack pressa l'acier chaud contre sa joue. Où était passé Johnny ? Pourquoi n'était-il pas revenu ?

*Dieu sait.*

Il le répétait encore et encore.

Johnny était en train de tourner la poignée quand la porte s'ouvrit brusquement de l'intérieur. Avec une force considérable, inattendue. Elle l'entraîna sur le seuil, dans la pièce. Il vit sa mère à terre, les mains attachées derrière le dos avec des bouts de fil de fer. Elle cria son nom, puis Holloway le saisit à la gorge. Il avait une grande main, des doigts épais. Johnny n'arrivait plus à respirer. Impossible de parler.

Holloway referma la porte d'un coup de pied, puis il traîna Johnny à travers la pièce tout en fermant brutalement les rideaux. Johnny tiraillait sur ses doigts. Il avait chaud à la figure, et la pression montait dans ses orbites. Sa mère l'appela à nouveau. Holloway le souleva de terre et Johnny vit la haine.

— Je te tiens, petit merdeux.

La grande main s'écarta, puis revint à la charge, et le monde de Johnny s'éclipsa. Quand sa vision s'éclaircit, Holloway le lâcha. Johnny roula sur le ventre, entrevit un pan de moquette, des chaussures impeccablement cirées.

Sa mère hurla.

*Levi était au bord de la rivière. Sa maman venait d'être enterrée, il avait encore de la terre sous les ongles et dans les sillons profonds, calleux, qui creusaient ses paumes. Il ruisselait de sueur, il avait terriblement chaud à cause des efforts qu'il avait fournis, du chagrin, des brûlures sous la gaze qui lui couvrait le visage. Il s'était rendu en ville à pied la veille pour commander la pierre tombale.*

*On y lirait : Creola Freemantle.*

*Dieu connaît la beauté de son âme.*

*Levi examina la terre qu'il avait sur les mains. La terre de Dieu, noire et riche. La Terre de Hush Arbor. De sa famille. Il se frotta les doigts avant d'entrer dans l'eau. Elle monta, toute fraîche, jusqu'à ses genoux, sa poitrine.*

*Dieu sait, dit-il.*

*Et l'eau le porta.*

Levi s'assit dans la grange. Le pistolet était braqué sur sa figure ; et le gosse derrière l'arme avait peur. Son visage lui rappelait quelque chose, mais Levi ne voyait pas très bien. Le monde était flou, de travers. Il discernait de la peau blanche, des cheveux hirsutes. Des yeux terrifiés.

Il ne savait pas où il était, mais il perçut le changement comme s'il l'avait prévu. Il sentit l'air s'amasser au-dessus de lui, sa fraîcheur faisant pression sur lui. Et puis la voix l'emplit. *Une dernière chose*, dit-elle. Et les dents de Levi étincelèrent dans les ténèbres.

Il se leva et la douleur ne fut plus qu'un souvenir.

Jack planta ses pieds dans le sol, se cala contre le mur. Les yeux du géant brillaient d'un éclat dément, et Jack ne pensait plus qu'aux deux personnes qu'il avait tuées. Du sang, comme de la peinture, avait dit Johnny.

Comme de la peinture.

Le garçon brandissait le pistolet en tremblant. Il ne pouvait pas s'en empêcher. Il marmonnait une prière : *Ne m'obligez pas à le tuer, ne m'obligez pas à le tuer...*

Mais Freemantle ne fit même pas mine de l'attaquer.

— Au-delà de ce gros rocher, entre ces arbres. (Les mots sortaient lentement de sa bouche, indistincts.) Enjambe le ruisseau et tu verras.

Il ouvrit grand ses yeux couleur ivoire, injectés de sang, puis sortit en boitillant. Il s'adossa à la porte au passage, lança une dernière chose à l'adresse de Jack, puis il n'y eut plus personne sur le seuil.

Pendant de longues secondes, Jack resta sans bouger, trop abasourdi et terrifié pour penser. Quand il se précipita dehors à son tour, il eut juste le temps de voir Freemantle s'arrêter à l'orée de la forêt. Debout en biais, il ne portait ni chaussures ni chemise ; ses muscles tressaillaient et roulaient sous sa peau maculée de sang et de crasse. Il avait une main monstrueusement enflée, et un bout de bois noirci, déchiqueté, jaillissait de la plaie à vif sur son flanc. Mais le géant n'avait pas l'air de s'en rendre compte. Il se retourna, inclina la tête, son bon œil orienté vers le haut, fixe. En suivant son regard, Jack sentit comme une porte s'ouvrir sur un endroit glacial au fond de sa poitrine.

Le soleil brûlait haut dans un ciel limpide.

Le toit était noir de corbeaux.

La voix de sa mère résonnait encore dans les oreilles de Johnny quand la pointe de cuir ciré entra en action. Il sentit l'impact du pied d'Holloway dans le bas de son dos, puis sur son bras. Il se roula en boule pour essayer de se protéger, mais Holloway continua à le rouer de coups tout en s'époumonant.

— Personne ne fait chier Ken Holloway, hurla-t-il en saisissant l'enfant par les cheveux. Ne bouge pas de là.

Il le plaqua au sol avant de disparaître dans le couloir, vers la chambre de l'enfant. Il y eut un bruit de raclement, quelque chose de lourd, et quand il revint, il tenait le tuyau en plomb que Johnny cachait sous son lit.

— Tu crois que je n'étais pas au courant ? C'est ma maison.

Le tuyau s'abattit sur la jambe.

— Ma maison, répéta-t-il. Personne ne vient me faire chier dans ma maison.

Quand Ken se redressa, Johnny ne le quitta pas des yeux. Il traversa la pièce, s'empara du rouleau de ruban adhésif argenté posé sur la table dont il arracha un morceau de vingt centimètres. Puis il saisit Katherine par les cheveux ; elle se débattit pendant qu'il lui collait la bande sur la bouche.

— J'aurais dû faire ça il y a une semaine, beugla-t-il.

Après quoi il parut oublier son existence. La glace était à plat sur la télévision. Il s'empara d'un billet roulé, se pinça une narine et sniffa deux lignes. Quand il fit volte-face, ses yeux étaient noirs, immenses.

— Où est ton père à l'heure qu'il est ?

Il franchit la pièce en sens inverse, le tuyau à la main. Johnny lui flanqua un coup dans le tibia, puis dans le genou.

Sa mère recommença à s'agiter quand Ken brandit le tuyau.

Johnny hurla.

Puis la porte d'entrée explosa. Fragile sur ses gonds, elle tapa contre le mur, et Levi Freemantle s'encadra dans l'ouverture. Les yeux jaunes injectés de sang, il soufflait bruyamment. Les épaules si larges qu'elles touchaient le bois de part et d'autre. Il posa son regard sur le tuyau brandi avant de franchir le seuil. Holloway rétrécit dans son ombre, il recula, et une de ses chaussures impeccables effleura les côtes de Johnny.

L'odeur de Freemantle emplit l'air quand il s'avança dans la pièce. Il ne boitait plus, marchait sans hésitation.

— Les enfants sont un don du ciel, dit-il.

Holloway s'apprêtait à frapper quand le géant s'abattit sur lui. Il avait beau être grand, ce n'était qu'un enfant aux yeux de Freemantle.

Rien qu'un enfant.

Freemantle attrapa le tuyau d'une main, l'écarta en le tordant et le réexpédia depuis sa hanche en un revers qui balança quatre kilos de plomb dans la gorge d'Holloway. Ce dernier vacilla et tomba à genoux devant Johnny. Il porta ses mains à son cou et, quand il s'effondra, ses prunelles n'étaient qu'à quelques centimètres de celles de Johnny. Conscient de ce qu'il ressentait, le garçon le regarda essayer de respirer. Il vit poindre la prise de conscience, la certitude, et puis la terreur. Holloway se cramponnait à son cou anéanti. Ses talons martelèrent le mur, le sol, et puis il se figea. La dernière lumière s'arracha à ses yeux, et à sa place surgit une ombre, un vacillement, un reflet d'ailes.

# 54.

Hunt freina, braqua à droite et sentit les roues arrière chasser. Encore à pleine vitesse, la voiture était lourde. Elle dérapa sur le gravier, puis cahota sur la terre détrempée. Il avisa l'Escalade avec son amortisseur défoncé, la portière avant ouverte, sur fond de ténèbres. Après avoir malmené le levier de vitesses, il s'élança, l'arme au poing, dans le jardin. À trois mètres de la porte, un souffle chaud lui frôla le visage. Des ombres voletaient sur le sol.

Il fit voler la porte en éclats et entrevit Katherine, ligotée à terre. Muselée avec du ruban adhésif argenté, elle respirait péniblement par le nez. Johnny gisait lui aussi sur le plancher. Blême, couvert de crasse. Il saignait, meurtri de partout, et une terreur pure figeait ses traits. Holloway n'était plus qu'un sac d'os à côté de lui, mort ou sur le point de rendre l'âme. Freemantle se dressait au-dessus d'eux, un tuyau métallique de soixante centimètres dans la main. Farouche, ensanglanté, il avait l'air d'un désespéré, d'un tueur. Pour Hunt, le calcul était simple.

*Tuyau en plomb. Bloc de parpaing.*

*Même combat.*

Le pistolet oscilla vers la droite.

— Ne faites pas ça ! s'écria Johnny.

Mais Hunt visa. Il tira une seule balle qui monta haut et fit mouche. Il ne cherchait pas à tuer. Il le voulait neutralisé, mais vivant.

La balle ébranla Freemantle. Elle le fit reculer, mais il resta debout. Hunt s'approcha de lui en brandissant son arme, mais le géant n'eut aucun geste agressif envers lui. Une étrange émotion passa sur son visage, de la confusion et puis quelque chose qui ressemblait à de la joie – un éclat de soleil, si tant est qu'une telle chose fût possible. Il leva la main, les doigts écartés. Son regard se porta derrière l'inspecteur, vers le ciel bleu clair et le soleil haut dans le ciel. Il resta debout suffisamment longtemps pour prononcer un unique mot.

*Sofia.*

Puis ses genoux cédèrent sous lui. Il rendit l'âme avant d'avoir atteint le sol.

# 55.

Quand Hunt appela le commissariat pour faire son rapport, il savait qu'il serait impossible de faire taire les rumeurs, mais il avait besoin de renforts, d'auxiliaires médicaux, du médecin légiste. Le bruit se répandit comme un feu de brousse, et les journalistes procédèrent à un exode massif depuis la route devant chez Jarvis. Un prisonnier évadé était mort, ainsi que l'homme le plus riche de la ville. Les corps se trouvaient sous le toit de Johnny Merrimon.

*Johnny Merrimon.*

*Une fois de plus.*

Hunt fut contraint de bloquer l'accès à la rue. Il s'octroya cinq cents mètres de part et d'autre de la maison et posta des voitures de patrouille en travers de l'étroite chaussée. Il fit dresser des barricades. L'après-midi était déjà bien avancé.

Il posa les questions indispensables avant de confier Katherine et Johnny, tous les deux à bout de forces, aux soins des auxiliaires médicaux. Johnny arrivait à peine à tenir debout, mais l'équipe médicale estimait qu'ils s'en remettraient l'un et l'autre. Ils souffriraient pendant longtemps, mais ils s'en remettraient. Hunt réprima ses sentiments : son inquiétude, son soulagement, des émotions plus fortes qu'il n'était pas prêt à affronter. Il s'assura de l'efficacité du cordon de sécurité avant de retourner dans la maison.

Holloway était mort.

Freemantle aussi.

Hunt pensa à Yoakum. Il eut envie de demander à Johnny si c'était bien l'homme qu'il avait vu chez Jarvis, mais il n'avait pas de photo de John, et l'enfant était encore sous le choc. Aussi résolut-il de le laisser tranquille. Il coordonna les missions des photographes, des experts des scènes de crime et, pour la première fois de sa carrière, il se sentit dépassé. Ronda Jeffries, Clinton Rhodes, David Wilson. Les enfants enterrés sur le terrain de Jarvis. Jarvis lui-même. Meechum. Et maintenant Freemantle et Holloway. Tant de morts, tant de questions. Quand le patron arriva, il examina d'abord Holloway, dont les lèvres s'étiraient sous des yeux écartés, vitreux, puis Freemantle, qui, même dans la mort, semblait colossal, invincible.

— Encore un tir fatal, commenta-t-il.

— Je ne l'ai pas blessé grièvement. Il ne devrait pas être mort.

— Il l'est pourtant.

— Vous n'avez qu'à me virer.

Son chef resta planté là une longue minute.

— Un détenu de moins.

— Et Holloway ?

Le patron inspecta les traits enflés du mort.

— Il tapait sur le gosse ?

— Et sur sa mère.

La tristesse envahit son visage. La déception.

— Yoakum avait peut-être raison.

— Comment ça ?

— Le mal ronge sans doute le cœur des hommes.

— Pas toujours, répondit Hunt. Ce n'est pas le cas de tout le monde.

— Peut-être, répondit le patron en se détournant. Mais allez savoir.

Une heure plus tard, Hunt annonça la nouvelle à propos de Merrimon. Il en informa d'abord Katherine, parce qu'il estima que c'était la chose à faire. Elle avait besoin d'assimiler sa disparition afin de pouvoir aider son fils à en faire autant. Il fallait qu'elle puisse le soutenir. Il le lui dit dans le jardin, au milieu du tourbillon des policiers et de l'équipe médicale. Elle le prit bien. Pas de larmes ni de plaintes. Un silence qui se prolongea cinq bonnes minutes, et puis une question. Sa voix était si faible qu'il l'entendit à peine.

— Portait-il son alliance ?

Hunt l'ignorait. Il fit venir le médecin légiste et lui parla à voix basse tandis que Katherine regardait son fils qui recevait encore des soins à l'arrière de l'ambulance. Lorsqu'il s'approcha d'elle à nouveau, elle se tourna vers lui. Elle était mince comme une feuille.

— Oui, lui dit-il, et il la vit s'affaisser.

Une fois que Johnny eut repris un peu de forces, Katherine et lui l'emmenèrent dans un coin tranquille du jardin à l'abri des regards. Elle s'assit à côté de l'enfant sur le gazon clairsemé et lui tint la main pendant que Hunt lui expliquait ce qu'ils avaient trouvé dans les bois derrière la maison de Jarvis.

— Il cherchait Alyssa, dit-il avant de marquer une pause lourde de sens. Comme toi.

Johnny resta silencieux, ses grands yeux noirs fixant un point.

— C'était un homme courageux, ajouta Hunt.

— C'est Jarvis qui l'a tué ?

— Nous le pensons. (Le regard de Hunt passa de la mère à l'enfant. Ils se ressemblaient tellement.) Si je peux faire quelque chose...

— Pouvez-vous nous accorder une minute ? demanda-t-elle.

— Bien sûr, répondit-il avant de s'éclipser.

Ils le regardèrent disparaître à l'angle de la maison, puis Katherine se rapprocha de son fils. Johnny fixait toujours un point quelque part. Elle passa la main dans ses cheveux sales ; il mit une minute à se rendre compte qu'elle pleurait. Il pensait comprendre, mais il se trompait.

— Il ne nous a pas quittés, chuchota-t-elle.

Elle s'essuya les yeux, répéta la même chose et là, Johnny comprit.

*Il ne nous a pas quittés.*

Quelque chose de profond passa tacitement entre eux, et ils communièrent en silence jusqu'à ce que des bruits de pas réveillent le bois. Jack apparut au bout du sentier. Il était couvert de boue, à croire qu'il était tombé dans le ruisseau. Il paraissait tout petit, et son regard passa rapidement de la maison au ciel avant qu'il les apercoive, assis immobiles, dans l'ombre. Il s'élança alors en trébuchant pour s'arrêter à deux mètres d'eux. Johnny ouvrit la bouche, mais Jack leva la main.

— Je sais où elle est, dit-il.

Personne ne broncha. Jack déglutit avec peine.

— Je sais où elle est.

## 56.

Hunt n'était pas convaincu, mais Jack ne voulait pas en démordre.

— C'est la dernière chose qu'a dite Freemantle.

— Redis-moi ça, fit Hunt en croisant les bras.

Ils étaient toujours près du bois, loin des regards. Katherine en état de choc. Johnny tendu comme une corde de violon, les joues en feu.

— Il dormait dans la grange et puis il s'est réveillé et il est sorti. Je l'ai suivi. (Jack regarda Johnny, puis il détourna rapidement les yeux.) Je l'ai suivi.

— Mais pas jusqu'à la maison, intervint Hunt.

— J'avais trop peur.

Jack ne mentionna pas les oiseaux qui couvraient le toit de la grange, à l'affût, immobiles. Sa terreur des corbeaux était trop forte, trop personnelle.

Hunt secoua la tête.

— Il parlait peut-être d'autre chose.

Katherine voulut serrer son fils contre elle, mais Johnny se débattit.

— Il avait une étiquette à son nom sur lui quand on l'a trouvé. Ça venait de la chemise qu'elle portait quand elle a disparu. Il y avait son nom dessus.

— Tu m'as déjà tout raconté, répondit Hunt. C'est à Jack que je m'adresse. Il fit signe au garçon. A-t-il prononcé le nom d'Alyssa ?

— Non.

— Répète-moi précisément ses paroles.

Le regard de Jack passa de Hunt à Johnny, puis dans le sens inverse. Il avala sa salive.

— Le puits de North Corbet. C'est ça qu'il a dit.

— Mot pour mot, Jack. Je veux que tu me le répètes mot pour mot.

Jack bafouilla, puis il parvint à le prononcer :

— Elle est dans le puits de North Corbet.

— Et tu es certain...

— Il parlait d'Alyssa, coupa Johnny. On lui avait posé des questions à son sujet. C'est ce qu'il a voulu dire. Forcément.

Hunt fronça les sourcils.

— Tu m'as raconté aussi qu'il entendait la voix de Dieu dans sa tête. Tu comprends mon problème.

— Il faut tenter le coup.

Hunt connaissait l'existence du puits de North Corbet. Tout le monde en avait entendu parler. Il s'agissait de la dernière grande mine d'or du comté de Raven, la plus riche jamais exploitée. Creusé au début du XIX<sup>e</sup> siècle par un Français du nom de Jean Corbet, ce puits descendait à la verticale sur vingt mètres avant de bifurquer pour suivre l'orientation de la veine. Il se situait sur un terrain boisé, isolé, à l'extrémité nord du comté. Hunt avait exploré la zone une fois. Il avait gardé le souvenir de grands arbres, d'affleurements de granite, de salles creusées à la dynamite, à flanc de colline, et de puits, quantité de puits. Parmi tous ces puits – il y en avait des dizaines –, le North Corbet était le plus profond et le plus étagé. Durant ses vingt années d'exploitation ininterrompue, il avait coûté la vie à quatre hommes et produit les plus grandes richesses jamais extraites du sol de Caroline du Nord. Jean Corbet était une légende dans le comté. On avait donné son nom à des rues, ainsi qu'à une aile de la bibliothèque.

Jadis la région était ouverte au public en tant que site historique, mais trois ans plus tôt, un géologue de Chapel Hill ayant déclaré toute cette zone dangereuse, les autorités de l'État l'avaient fermée avant que les puits ne commencent à s'effondrer. Le puits de North Corbet se situait à proximité de l'endroit où on avait trouvé le corps de David Wilson. Depuis le pont, une bonne dizaine de minutes suffisait pour s'y rendre en roulant vite. Un quart d'heure tout au plus. Hunt leva les yeux vers le ciel. Dans quatre heures, le soleil serait couché.

— Il est tard, commença-t-il.

Mais Katherine posa une main sur son bras.

— S'il vous plaît.

Il hésita.

— Je vous en supplie.

En détournant les yeux de ce regard désespéré, il vit le médecin légiste sortir de la maison.

— Attendez-moi ici.

Il coinça Trenton Moore dans un carré de soleil sur le côté de la maison.

— David Wilson. Vous m'avez bien dit qu'il était alpiniste ?

Moore plissa les yeux, passant mentalement d'une affaire à l'autre.

— Tout tendait à l'indiquer.

— Aurait-il pu présenter les mêmes caractéristiques s'il était spéléologue ? Les cals sur les doigts ? La musculature ?

— La spéléo ? Bien sûr. Nombreux sont les alpinistes qui s'adonnent à ce sport. C'est un autre univers, un autre défi. (Il haussa les épaules.) Les uns grimpent, les autres descendent. Mais ça revient au même.

Hunt rejoignit le petit groupe qui attendait anxieusement près des arbres. Il consulta le ciel, puis sa montre. Katherine se retenait de l'implorer, ça sautait aux yeux. Johnny donnait l'impression qu'il foncerait dans les bois s'il disait non.

— Un coup d'œil rapide, concéda-t-il. Je ne peux pas vous en promettre davantage.

— Et moi ? demanda Jack.

— J'ai appelé ton père. Il est en route.

— Je ne veux pas le voir.

— Je te comprends, répondit Hunt. Il est très en colère. Ta mère était dans tous ses états.

— Vous ne comprenez pas du tout.

— Je t'enfermerai dans une voiture de patrouille en attendant s'il le faut. Faut-il que je fasse ça ?

— Non, abdiqua Jack.

— Alors reste là.

Il avait dit ça comme s'il parlait à un chien.

Jack les regarda partir. Johnny lui jeta un dernier coup d'œil par-dessus son épaule en levant la main. Jack lui répondit. Puis Hunt les fit monter à l'arrière de sa voiture. Il se pencha vers eux pour leur indiquer quelque chose, et Jack les vit se coucher à plat sur la banquette, probablement pour passer sans être vus devant les journalistes. La voiture se dirigea vers une des barricades qu'elle franchit avant de disparaître. Jack vit l'autre barricade s'ouvrir peu après, livrant passage à la voiture de son père. Le soleil faisait briller la carrosserie tandis qu'elle avançait avec une lente détermination. Jack entr'aperçut son père à travers la vitre avant de se volatiliser dans les bois.

Il savait pertinemment ce qui l'attendait et il ne pouvait pas faire face.

Pas tout de suite.

Pas tant qu'il était sobre.

Johnny était sur la banquette arrière avec sa mère. Crispée, elle se tenait le dos bien droit, ses mains exsangues sur ses genoux. Hunt avait pris la direction du nord avant de bifurquer légèrement vers l'ouest. De l'air frais soufflait des ventilateurs. Il observait Katherine quand il le pouvait. Il voyait de l'espoir dans son regard, mais pas beaucoup. Jack avait-il raison ? En tout état de cause, le puits faisait deux cents mètres de profondeur et une eau noire, glaciale, en remplissait le fond.

Peu de chances que les choses se finissent bien.

Il ralentit en traversant le pont où David Wilson avait trouvé la mort. Johnny regarda par la fenêtre, mais il fut le seul. La rivière reflétait le ciel limpide ; les berges luxuriantes étaient boueuses. Un kilomètre plus loin, la route commençait à monter ; elle faisait une boucle à l'écart de la rivière, parmi les collines où les champs cédaient peu à peu le pas à des bois de plus en plus denses. Il n'y avait guère de pins dans cette partie du comté. La forêt au sol rocailleux, inexploité, était peuplée de feuillus. Cela ne manquait pas de beauté. En attendant, les nappes phréatiques gisaient en profondeur sous le granite, et cela coûtait cher de creuser des puits. Une poignée de gens vivaient tout de même dans le coin. Ils passèrent devant un hameau en retrait dans les bois, quelques caravanes, qui bientôt se firent rares aussi.

Un peu plus loin, Hunt s'engagea sur une route étroite et franchit un pont à voie unique qui enjambait un petit ruisseau. Plus en profondeur dans la forêt, le ciel se réduisit à une étroite bande. Il était près de 5 heures. Le soleil serait couché dans trois heures.

— On y est presque, les informa-t-il.

Katherine étreignit son fils.

Ils passèrent devant un écriteau esquinté où on pouvait lire : « Site historique des mines du comté de Raven. » Quelqu'un avait écrit le mot « Fermé » à la bombe aérosol dessus. Des marques d'impact criblaient la surface.

La route traversait un autre petit pont avant de se changer en chemin de terre. Sur la droite, sous les arbres, ils aperçurent une vieille caravane en piteux état posée sur des blocs. Un camion délabré était garé en biais près de la porte. On avait accroché une citerne de propane à l'avant de la caravane. Sur un endroit plat près du ruisseau, des chaises de jardin. Un jeune homme était adossé au hayon du camion. Âgé d'une vingtaine d'années, mal rasé, il était mince et brûlé par le soleil. Il tenait une canette de bière ; un monceau de canettes vides remplissait la plate-forme du camion. Johnny leva la main au moment où ils passaient et l'homme lui rendit son salut, les yeux plissés mais doux. Une jeune femme apparut sur le porche derrière lui. Grosse, la mine revêche. Johnny lui fit aussi un signe, qu'elle ignora. Elle les suivit du regard jusqu'à ce qu'un tournant l'expédie à nouveau dans les bois.

— Il y a des gens qui n'aiment pas les étrangers, dit Hunt. Ils ont rarement de la visite dans le coin. Ne te fais pas de souci.

Un kilomètre plus loin, ils atteignirent le parking abandonné. Des mauvaises herbes avaient envahi le gravier. Il y avait une grande carte sous un abri. Johnny focalisa dessus.

— Je sais où se trouve le puits, reprit Hunt. Le sentier principal y mène directement.

Ils marchèrent une dizaine de minutes à pas lents et passèrent devant une série de panneaux d'avertissement avant que le sol ne s'ouvre brusquement devant eux. Le puits devait faire cinq mètres d'envergure. Une voie ferrée désaffectée s'enfonçait dans les bois. Des rails étroits, tout rouillés, envahis de mauvaises herbes. Ils reposaient sur des traverses pourries qui empestaient encore la créosote et l'huile de graissage.

Johnny s'approcha du puits. Des pans de terre s'étaient effondrés au bord. Le sol était caillouteux et meuble sous ses pieds.

— Attention.

Il se tourna vers sa mère avant de se pencher. Un souffle frais, humide, lui fouetta le visage. Les parois rocheuses disparaissaient dans les ténèbres.

— On est venus ici avec l'école. Il y avait des cordes à l'époque. Pour empêcher les enfants d'avancer.

Les poteaux étaient toujours là, fichés dans du béton, mais les cordes avaient disparu, volées ou désagrégées. Il se souvenait du jour de la visite. Le temps était couvert. Il faisait frais. Les profs avaient obligé les élèves à se tenir par la main, et les filles ne voulaient pas se retrouver à côté de Jack. Johnny revoyait la scène. Les gosses penchés par-dessus la corde de sécurité, attendant l'instant où l'enseignant regarderait ailleurs pour jeter des cailloux dans le puits.

*Jack était juste là.*

— Johnny.

Il perçut l'inquiétude dans la voix de sa mère. Elle serrait les bras autour d'elle.

Il recula un peu en portant son regard vers l'endroit où Jack s'était tenu alors, près de la lisière de la forêt, à l'écart des autres. Comme prostré. Le dos tourné, il fixait obstinément un petit carré de fer rouillé fixé par des rivets sur la roche nue. Il regardait l'écriteau en feignant de ne pas pleurer.

Hunt se rapprocha du puits alors que Johnny se dirigeait vers la pancarte. Elle datait de l'époque où on exploitait la mine. Les lettres avaient été creusées dans le métal. Jack les avait tracées du bout du doigt. Johnny se souvenait qu'en revenant, il avait le doigt rouge de rouille.

— J'aperçois des pitons.

Quand Hunt se pencha un peu plus, Johnny se rendit compte qu'il les avait vus lui aussi : à une dizaine de mètres de profondeur, rendus brillants par les coups de marteau. Mais cette réalité était lointaine dans son esprit, comme la voix de l'inspecteur.

Johnny fixait l'écriteau à son tour. Il vit les lettres gravées dans le métal, la rouille, le doigt rabougri de Jack, taché au bout. Il sentit le vent dans son dos. Hunt était au téléphone.

— C'est ça ! s'exclama Johnny, mais personne ne l'entendit.

Incapable de détourner les yeux de l'écriteau, il tendit le doigt lui aussi. L'écriteau indiquait le puits.

— Elle est là.

On avait abrégé le nom du puits. Johnny traça les lettres encore une fois.

*Corb.*

Son doigt était tout rouge.

Corb... Le mot répété par Levi.

# 57.

Hunt fit appel aux bonnes volontés en priant tout le monde de ne pas ébruiter l'affaire. Moins d'une heure plus tard, deux pompiers en repos arrivèrent au volant de leurs voitures bourrées d'équipement. Trenton Moore aussi se débrouilla pour venir par ses propres moyens. Hunt retourna au parking chercher les cisailles qu'il avait dans son coffre pour couper le câble qui bloquait le chemin. Le premier pompier avait une Dodge Ram bleu foncé. Il monta tant bien que mal jusqu'au puits sans se soucier des branches qui raclaient sa carrosserie, fit un demi-tour et se rapprocha du bord en marche arrière. Son collègue roulait en Jeep. Ils étaient en train de décharger des cordes quand le médecin légiste sortit d'un break suffisamment étroit pour épargner la carrosserie. Hunt se tourna vers Katherine pour voir l'effet que la présence du médecin légiste avait sur elle, mais elle avait dépassé le stade de l'angoisse. Elle regarda les robustes pompiers enfiler leurs harnais et dérouler de gros rouleaux de corde au-dessus du rebord du puits. Puis elle alla s'asseoir à côté de son fils.

Hunt resta près des pompiers. Ils étaient jeunes, costauds, mais la lumière faiblissait rapidement.

— Vous descendez et vous remontez aussitôt, ordonna-t-il. On ne connaît pas la situation, alors pas la peine de jouer les héros !

Le plus âgé des deux devait avoir une trentaine d'années. Il accrocha un ultime piton à son harnais. Il portait une lampe frontale ; une deuxième lampe était fixée à son harnais. Ils avaient arrimé les cordes à l'arrière de la Dodge. Il s'inclina en arrière en tirant dessus pour s'assurer qu'elles tenaient bien.

— Une petite promenade de santé, inspecteur !

— Le puits fait vingt mètres de profondeur.

— J'ai compris.

— Le fond est inondé.

L'homme hocha la tête.

— Une balade de rien du tout.

Hunt s'écarta et les deux hommes sautèrent dans le puits. Ils s'interpellaient tout en descendant. Leurs voix s'estompèrent peu à peu pour se taire bientôt complètement. Hunt vit l'éclat de leurs lampes décliner ; elles jetaient des arcs sur les parois, qui se resserraient à mesure que les ténèbres les engloutissaient.

Hunt se tourna vers Johnny qui se balançait sur son séant. Il avait le regard vitreux et sa mère pleurait. Il les observa pendant que les cordes s'agitaient.

Il ne fallut pas longtemps.

Hunt entendit crépiter sa radio. Il baissa le volume, tourna le dos.

— Oui.

— On a quelque chose.

C'était le plus âgé des deux hommes. Hunt jeta un rapide coup d'œil dans la direction de Katherine.

— Continuez.

— Un corps, apparemment.

Johnny suivait des yeux un nuage tandis que Hunt, debout dans l'obscurité de plus en plus dense, parlait de ce que les pompiers avaient trouvé. Le nuage, orange à la base, avait une forme de sous-marin. L'orange vira au rouge. Le vent étira le nuage en quelque chose de plat, informe.

— Johnny ?

Hunt. Mais Johnny n'arrivait pas à le regarder. Il secoua la tête. Hunt ajouta quelque chose. Johnny regarda le nuage se tordre. Il était question d'un éboulement à trente-cinq mètres de profondeur, de goulots d'étranglement, de glissements de roche. C'était instable. Ça, il le comprit. Johnny releva la tête quand l'inspecteur parla d'un corps coincé au-dessus du goulot. Ils envisageaient de le remonter.

Ça ne pouvait pas être Alyssa. Ça ne pouvait pas se passer comme ça. Comme pour son père. Ça n'était pas censé finir de cette façon.

— On n'a pas encore identifié la victime, ajouta Hunt.

Tant mieux. C'était bon signe.

Mais Johnny savait.

Sa mère aussi.

Il détourna son regard du nuage. Sa mère pressa sa main dans la sienne. Johnny se leva et regarda les cordes sur lesquelles pesait un poids provenant des profondeurs de la terre. Le treuil dans la camionnette tournait lentement en faisant un petit bruit de moteur électrique. Hunt essaya de les convaincre d'attendre dans sa voiture, de laisser quelqu'un les reconduire chez eux. Sa main était terriblement chaude sur le bras de Johnny, mais ce dernier refusa de bouger. Il écoutait grincer le treuil et la voix de Hunt lui faisait le même effet. Un vrombissement, un fredonnement. Sa mère avait dû avoir la même impression parce qu'ils étaient encore là quand ça se produisit.

Tous les deux.

Ensemble.

Le corps apparut alors que la dernière tranche de soleil glissait sous l'arbre le plus haut. Dans un sac en vinyle noir, trop vide semblait-il pour contenir un être humain. Hunt les laissa s'approcher, mais quand on le chargea à l'arrière du break, il s'interposa. Un petit homme au regard expressif jeta un coup d'œil dans leur direction, puis il ferma le hayon et démarra le moteur pour maintenir la fraîcheur à l'intérieur.

Johnny avait le vertige, mal au cœur. Les ombres s'allongèrent. Sa mère laissa Hunt l'installer dans une autre voiture, et Johnny comprit qu'elle ne pouvait rien pour lui. Elle luttait pour respirer.

Pas lui. Sonné, il fixait le trou alors que la lourde corde replongeait dedans. Elle se déroula depuis le treuil, et puis elle s'arrêta net. Hunt était toujours près de la voiture où se trouvait sa mère quand le vélo apparut. Il était rouillé, tout tordu, mais Johnny le reconnut. Il était jaune avec un siège banane. S'il l'avait examiné de plus près, il aurait vu qu'il avait trois vitesses. Mais il n'avait pas besoin de vérifier ; il le connaissait.

Le vélo de Jack.

Qu'on lui avait soi-disant volé.

# 58.

Le corps de Johnny tomba en panne. Sa poitrine oublia de bouger et tout vira au noir à la périphérie de sa vision. En regardant fixement la bicyclette, il se souvint de toutes les fois où il avait vu Jack dessus, de ses plaintes à propos du fait qu'elle n'avait que trois vitesses, de la manière dont il s'asseyait en travers sur la selle pour compenser son petit bras. Il l'appelait le vélo pipi à cause de sa couleur. Mais il l'adorait.

Hunt avait rejoint les autres près des voitures. Personne ne regardait, alors Johnny toucha le petit vélo. Il sentit la rouille sous ses doigts, le métal froid, le caoutchouc des pneus craquelés par la pourriture.

Le vélo était bien réel.

Johnny se retourna brusquement et vomit dans les herbes.

*Tout était réel.*


Hunt écoutait un des pompiers.

— Le vélo est passé par-dessus bord en premier ; il est resté coincé dans le goulot. Je dirais que le corps est tombé après. Sans la bicyclette, il aurait pu descendre jusqu'au fond. Deux cents mètres plus bas, toute cette eau. (L'homme secoua la tête.) On l'aurait jamais retrouvé.

— Est-ce Alyssa ? demanda Hunt à l'adresse du médecin légiste.

— C'est une fille, répondit Moore. L'âge correspond approximativement. Je vérifierai les archives dentaires ce soir en arrivant.

— Vous m'appellerez quand vous serez fixé ?

— Oui.

Hunt hocha la tête. Il chercha Johnny du regard, ne le vit pas tout de suite. Il était à genoux dans les broussailles.

— Oh, non !

Il le nettoya et l'installa dans la voiture. Il fit partir le médecin avec le corps et pria les pompiers d'envelopper le vélo dans une bâche et de le mettre dans son coffre. C'est là qu'il était maintenant. Un bruit de ferraille quand le véhicule passait sur une ornière, une question au fond de son esprit. Il secoua la tête en conduisant.

— Je n'aurais pas dû vous laisser venir.

Personne ne lui répondit. Il savait pourquoi il l'avait fait ; il savait aussi que c'était une erreur. Il était trop proche. Trop impliqué émotionnellement. Il secoua à nouveau la tête.

— Je n'aurais pas dû vous laisser venir.

Ils couvrirent la moitié du trajet avant que Johnny retrouve l'usage de la parole. Il écoutait le vent, le bruit des pneus sur la chaussée lisse.

— C'est le vélo de Jack, articula-t-il.

Hunt tourna la tête vers lui tout en continuant à rouler. Johnny et Katherine étaient des ombres à l'arrière de la voiture. Personne sur la route.

— Qu'est-ce que tu dis, Johnny ?

Johnny regardait par la fenêtre. Un champ qui s'étendait sous un semis de petites étoiles pâles. Les herbes immobiles paraissaient violettes. Il ne comprenait plus rien.

— Le vélo, il est à Jack.

Hunt se rangea sur le bas-côté. Il mit la vitesse au point mort et coupa le moteur. Johnny tendit la main vers la poignée, mais il n'y en avait pas.

— Ouvrez-moi la porte, demanda-t-il avant d'avoir un nouveau haut-le-cœur.

Mais il n'avait plus rien dans l'estomac. Il se sentait vide, à bout de forces. Hunt l'aida à sortir et le fit marcher au bord de la route.

— Respire, dit-il. Respire simplement.

Au bout d'une minute, Johnny se redressa.

— Ça va aller, le réconforta Hunt, puis il le fit encore marcher le long de la route, une main sur son bras, l'autre sur sa nuque. Ça va aller. D'accord ? Ça va aller.

Johnny tremblait de tous ses membres, mais il hocha la tête.

— C'est bon.

Ils remontèrent dans la voiture et Hunt mit la climatisation. Johnny rapprocha son visage du ventilateur.

— Ça va mieux ?

— Oui, monsieur.

— Parle-moi du vélo.

Assis sous le plafonnier, Johnny suivait des yeux les ombres qui glissaient sur le visage de Hunt. L'éclairage était cru, mais restreint, les ombres marquées.

— Jack l'avait depuis une éternité. Il l'avait eu d'occasion, c'était un vieux clou. Il a disparu à peu près en même temps qu'Alyssa. Jack a prétendu qu'on lui avait volé. J'y ai pas pensé, qu'il pouvait y avoir un rapport, je veux dire.

— Tu es sûr que c'est le sien ?

— J'en suis certain.

Le regard de Hunt passa de Johnny à sa mère.

— C'est Jack qui a vu quelqu'un tirer Alyssa de force dans une camionnette, affirma-t-il. Il est le seul témoin de l'enlèvement. Et maintenant on a son vélo...

— Que sous-entendez-vous ?

Katherine était tendue à se briser. Johnny sentit la chaleur de son bras quand il l'effleura.

— Que ce n'était peut-être pas un enlèvement.

Un coup de vent s'engouffra par la fenêtre ouverte.

— Que Jack a peut-être menti.

Hunt éteignit le plafonnier et reprit la route. Il remonta sa vitre et cela produisit le même bruit de moteur électrique que le treuil. Quand son portable sonna, il regarda l'écran pendant de longues secondes, le pied enfoncé sur l'accélérateur.

— C'est l'inspecteur Cross, indiqua-t-il en baissant le téléphone tandis que son regard se portait sur le rétroviseur. Le père de Jack.

— Qu'est-ce que vous allez faire ? demanda Katherine.

— Mon boulot.

Il décrocha. Écouta quelques secondes.

— Non. Je règle les derniers problèmes. Rien d'important.

Johnny voyait ses yeux dans le rétroviseur. Il fixait la route. Calmement.

— Non, ajouta Hunt. Je n'ai pas d'information là-dessus. Non. La dernière fois que je l'ai vu, il était chez les Merrimon.

Un temps d'arrêt. Johnny entendait vaguement la voix de Cross au bout du fil. Un bourdonnement.

— Oui, fit Hunt. Je vous le ferai savoir, pas de problème.

Il raccrocha. Les yeux rivés sur le rétroviseur. Des lumières fugaces sur le côté de son visage. Il surprit le regard de Johnny.

— Il cherche Jack, expliqua-t-il. Ton pote a disparu, apparemment.

Katherine releva brusquement la tête, posa une main sur le siège avant.

— Qu'est-ce que ça veut dire ? Je ne comprends pas.

— Je ne sais pas encore, mais on ne va pas tarder à le savoir.

Elle se radossa. Ils roulèrent un long moment en silence. Johnny essaya de se faire à cette nouvelle idée, que Jack ait pu mentir, qu'il savait quelque chose. Il se sentait trahi. La colère l'envahit, et puis le doute. Pas possible, pensa-t-il. Jack était bizarre ces derniers temps, il avait les boules à cause de Freemantle et du comportement de son copain ces derniers temps, des corbeaux. Mais Jack était Jack, nom de Dieu ! Il se mettait du gel dans les cheveux, il volait des cigarettes. C'était son meilleur ami, d'une loyauté à toute épreuve, meurtri, pétri de hontes secrètes, mais un ami qui comprenait le sens du mot amitié. Il l'avait aidé à chercher Alyssa des centaines de fois. En séchant l'école. En sortant de chez lui la nuit en douce. Ce n'était pas possible.

Mais le vélo.

Putain, le vélo !

Johnny scruta le visage de l'inspecteur. Un type bien, certes, mais il était flic. Et Johnny lui aussi savait ce qu'amitié voulait dire. Alors il résolut de faire l'impasse sur la grange et la camionnette garée devant. Il fallait d'abord qu'il parle à Jack.

Ils arrivaient dans les faubourgs. Les étoiles pâlissaient à mesure que l'éclairage de ville s'allumait. La circulation se densifia.

— C'est pas par là pour aller chez nous, constata Johnny.

— C'est une scène de crime. Elle est sous scellés.

La chaussée s'élargit et Hunt s'engagea sur la route à quatre voies qui faisait une boucle autour de l'agglomération. Un peu plus loin, il pénétra dans le parking d'un motel bon marché. Johnny vit le break de sa mère garé près de l'entrée.

— J'ai demandé qu'on aille la récupérer à la fourrière, expliqua Hunt. Les clés sont à la réception. La chambre est payée. (Il se dirigea vers les portes vitrées. Une enseigne au néon rouge indiquait CHAMBRES LIBRES.) Vous retournerez chez vous dans quelques jours.

— Je ne veux pas y retourner. Pas même une fois. Jamais.

— Je trouverai une solution, promit Hunt.

— Et les services sociaux dans tout ça ? demanda Katherine d'une voix blanche.

Hunt coupa le moteur. L'enseigne enflamma les vitres, mais c'était tranquille dans la voiture. Il pivota dans son siège, regarda la mère de Johnny.

— On s'inquiétera de ça demain.

Elle hocha la tête.

— Ça va aller pour vous ?

Le regard de Hunt passa de l'un à l'autre, et Johnny éprouva une émotion qui le surprit. Il n'avait pas envie qu'il s'en aille. Ni de loger dans cet hôtel pourri. Il voulait rentrer chez lui. Pas dans la maison de Ken. Chez lui. Il voulait que Hunt dise encore une fois que tout irait bien.

— Qu'est-ce qui va se passer maintenant ? demanda-t-il.

— Je ne sais pas encore très bien. Je passerai demain. J'en saurai plus.

— D'accord.

Johnny tendit la main vers la portière.

Hunt l'arrêta.

— Il me faut le pistolet, Johnny.

— Quel pistolet ? répliqua-t-il, instinctivement.

— Celui de ton oncle, répondit Hunt à voix basse. Celui que tu as pris dans sa camionnette. Tu ne l'as pas sur toi, sinon je te l'aurai demandé plus tôt. Il faut qu'on sache où il est.

Johnny faillit mentir, mais il se ravisa.

— C'est Jack qui l'a.

— Tu en es sûr ?

— Oui.

— C'est regrettable.

— Il ne fera pas de bêtises.

Hunt hocha la tête, mais ça n'avait rien d'encourageant.

— Bonne nuit, Johnny. Bonne nuit, Katherine.

Ils sortirent de la voiture, seuls sous le néon.

# 59.

Le poste de police était presque désert quand Hunt arriva. Les équipes de nuit patrouillaient dans la rue. On avait réduit le personnel en faction au minimum. Le gars à la réception était un homme relativement âgé, usé, du nom de Shields, au chômage partiel. Il s'abstint de poser les questions qu'un autre policier ne se serait pas privé de lui poser vu qu'il n'en avait rien à faire de ce qui s'était passé plus tôt dans la journée. Hunt lui demanda le relevé des appels.

Il passa une demi-heure à les éplucher sans trouver ce qu'il cherchait. Il était à sa table, sur le point de partir, quand Yoakum fit son apparition. Habillé comme la veille, il avait l'air crevé.

— Ben ça alors ! s'exclama Hunt.

John s'assit en face de lui et décapsula une canette de Pepsi.

— Ils ont laissé tomber l'inculpation.

— Tu m'en vois ravi.

— C'était de la connerie, de toute façon.

— Ils ont perquisitionné chez toi, lui apprit Hunt. Ils ont fait venir toute une équipe. Six gars, voire plus.

— Ils ont rangé avant de partir ?

— Faut espérer.

Yoakum haussa les épaules.

— Y'a pas grand-chose à voir chez moi.

Hunt pensa à ce que Yoakum avait enduré : emmené de force, menottes aux mains, interrogé. Son pote. Un flic.

— Comment ça s'est passé après ?

Yoakum but une gorgée en prenant tout son temps.

— Raleigh est une ville charmante.

— Je devrais y aller plus souvent.

— Des jolies filles.

— Je n'en doute pas.

— Bon alors, ajouta Yoakum en regardant autour de lui. Qu'est-ce que j'ai raté ?

— Pas grand-chose.

Yoakum ne fut pas dupe.

— Ah ouais ?

— Je crois que je sais comment ton empreinte a atterri sur la douille retrouvée dans la voiture de David Wilson.

— Tu crois ?

— Appelons ça une théorie.

— Ça tomberait à point nommé.

— Je ne te le fais pas dire.

— Tu te fous de moi ou quoi ?

Hunt se leva.

— Allons faire un tour.

Yoakum l'imita.

— Ça me donne la chair de poule quand tu dis ça.

Tout dans la chambre d'hôtel manquait de fraîcheur : les draps, les rideaux, l'air qui s'engouffrait par la fenêtre. La moquette à motifs était sombre et portait l'odeur d'autres gens. Ils n'avaient pas échangé un mot après avoir rempli la fiche. Il y avait trop à dire, ou pas assez. Elle l'avait embrassé une fois sur le front avant de s'enfermer dans la salle de bains.

Il entendait couler la douche.

Les clés de voiture étaient sur la table.

Johnny se tenait dans le faisceau de lumière rouge qui filtrait entre les rideaux. Il regardait fixement les clés en pensant à Jack. Il songea aux choses qu'ils avaient partagées, et puis au vélo. Métal froid, rouille. Caoutchouc pourri.

Il jeta un coup d'œil dehors. Un croissant de lune était suspendu dans le ciel clair. La lumière rouge vacilla. Que ferait son père à sa place ? Et Hunt ?

S'ils savaient où trouver Jack ?

Un ami.

Un menteur.

La douche coulait toujours. Il écrivit un mot à sa mère, puis se glissa dehors et verrouilla la porte.

Les clés pesaient lourd dans sa main.

Hunt parlait tout en conduisant. À mesure que la ville s'éloignait derrière eux, l'obscurité s'intensifia. Ils avaient pris la direction des puits. Il raconta tout à Yoakum, qui enregistra chaque mot. Ce qui s'était passé chez Johnny. Le corps trouvé dans le puits. La bicyclette de Jack. Tout. Après quoi il énonça sa théorie.

— Il y a des lacunes dans ton récit, déclara Yoakum quand il eut fini.

— Pas beaucoup, et pas pour longtemps.

— Ce sont de pures conjectures.

— Mais elles sont faciles à vérifier.

Ils franchirent le même fleuve, le même pont.

— J'en ai ma claque de tout ça.

Yoakum fronça les sourcils.

— Cross est un bon flic. C'est difficile à croire.

Ils continuèrent leur route en silence.

— Quand on a découvert le corps de David Wilson, c'est Cross qui a éveillé mon attention sur Levi Freemantle. Sous ce pont, une carte à la main, il m'a montré exactement ce qu'il voulait que je voie. Il m'a orienté sur une fausse piste sur les traces d'un prisonnier évadé qui n'avait strictement rien à voir avec tout ça.

— Tu es sûr que Freemantle n'y était pour rien dans cette affaire ? C'est lui qui a dit à Jack où trouver le corps. Il lui a parlé du puits de mine.

Hunt lui jeta un coup d'œil à l'oblique.

— Va savoir ! Nous ignorons ce qui s'est passé entre eux deux.

— Tu veux dire que Jack *savait* ?

Les pneus heurtèrent une ornière.

— Le vélo, reprit Hunt. Je crois qu'il savait.

— Mais pourquoi aurait-il lâché le morceau ? Il s'est trahi !

Hunt n'avait pas de réponse à donner à cela.

— Tu penses que Cross a tué David Wilson ? demanda Yoakum. Tu crois vraiment qu'il l'a expédié contre la butée ? Par-dessus le parapet, après quoi il lui aurait écrasé la gorge ? C'est du sérieux, Clyde. Meurtre avec préméditation. Je ne porte pas Cross dans mon cœur, mais tout de même, il est flic.

— Wilson avait emporté son équipement de varappe et un vélo tout-terrain. Il a dû passer la journée sur les chemins de randonnée à explorer différents sites miniers. Il aura gardé le puits principal, le plus profond pour la fin. Je présume qu'il a trouvé le corps d'Alyssa et c'est ce qui lui a coûté la vie.

— C'est léger, Clyde.

— Qui a trouvé la Land Cruiser de Wilson ?

— Cross.

— Précisément. Il a raconté que l'info venait d'un ivrogne en train de faire du braconnage. Le gars en question aurait appelé d'une cabine publique et il serait tombé sur lui. On n'a pas son identité. Cabine publique. Commode, tu ne trouves pas ?

— Les flics ont parfois de la chance. Ça marche comme ça la moitié du temps. Tu râles pas que je sache quand c'est toi qui décroches la timbale.

— Tu as déjà vu Cross au centre de tir ?

— Bien sûr.

— Ça t'arrive de tirer avec ton arme personnelle là-bas ?

— Oh, merde !

— Se pourrait-il qu'il ait ramassé une de tes douilles ?

Yoakum ne savait pas quoi répondre. Il songea à la manière dont les choses se passaient au centre de tir : le casque, les vitres blindées, la concentration extrême, la cible, et rien d'autre.

— La rumeur a circulé que je cherchais un flic, poursuivit Hunt d'un ton âpre. Cross m'en a fourni un. Il m'a désigné la voiture de David Wilson et une douille portant ton empreinte. C'est toi qu'il m'a désigné en fait.

Yoakum garda le silence. C'est ainsi qu'il réagissait parfois quand ça devenait personnel.

— On se rapproche.

Yoakum regardait fixement par la fenêtre.

— Que sais-tu sur ces gens que nous allons voir ?

Hunt tourna à droite et la chaussée se rétrécit. Un peu plus loin, ils tombèrent sur la pancarte sur laquelle on avait écrit « Fermé » à la bombe aérosol.

— Nous les avons dépassés plus tôt. Un homme et une femme. Il aime la bière. Elle est moche comme un pou. Ils vivent dans une caravane défoncée près de l'entrée des mines. Il y avait un véhicule tout à l'heure. À mon avis, ils sont les seuls à habiter aux abords de la mine. En dehors de ça, je ne sais rien.

— Rien ?

— Pas même leurs noms.

— Qu'est-ce qu'on fait là dans ce cas ?

— On joue sur la proximité.

Hunt s'engagea sur le pont étroit qui enjambait le ruisseau.

— Ça semble logique. Je ne vois pas autre chose.

La route se changea en chemin de terre. Des cailloux cliquetaient sous le châssis de la voiture.

— On arrive, dit Hunt.

— Le patron ne m'a pas rendu mon arme.

— Boîte à gants.

Yoakum l'ouvrit et en sortit l'arme personnelle de Hunt. Il vérifia qu'elle était chargée.

— Sympa.

— Tâche de ne tuer personne cette fois-ci.

Hunt aperçut la vieille caravane, la camionnette pleine de canettes vides. La lumière brillait derrière les vitres crasseuses. Quelqu'un bougea à l'intérieur de la caravane. Il éteignit ses phares et approcha lentement avant de s'arrêter derrière le camion. Sans perdre de vue la caravane, il tapa le numéro d'immatriculation de la camionnette sur le clavier de son ordinateur. Enregistré au nom de Patricia Defries. Quelques infractions. Miction en public. État d'ivresse.

— Charmant !

— Deux mises en examen pour escroquerie.

— Quel genre ?

— Vol de chéquiers et fraude. Un écart de plus, et elle va le payer cher. La troisième fois sera la bonne. Cela pourrait donner à Cross une certaine prise sur elle s'il l'a surprise en train de faire une connerie ?

— On joue ça comment ?

— Fastoche ! répondit Hunt en ouvrant sa portière. On baratine.

Yoakum rangea son calibre alors qu'ils gravissaient les petites marches. Par la fenêtre, ils aperçurent un long canapé bas, un homme allongé dessus, les pieds en l'air. Hunt le reconnut. Décharné, mal rasé. Crasseux. Il avait la poitrine creuse, des jambes maigres, à la main ce qui pouvait être la même bière. La télévision jetait des reflets bleus sur son visage. La femme aussi était telle qu'elle était restée dans son souvenir. Jupe courte. Mine revêche. À en juger par son attitude, elle était en rogne. Les mains sur les hanches. Blablatant. Elle se planta devant l'écran et l'homme se pencha vers la gauche.

— Le bonheur conjugal, commenta Yoakum.

Hunt frappa. On éteignit la télé. Il recula tandis que les pas lourds de la femme faisaient vibrer la structure bon marché. Son visage s'encadra dans la petite fenêtre : dents noires, vilaine peau.

— Tiens-toi à carreau, ma poupée, murmura Yoakum.

Hunt colla son insigne contre la vitre. Des verroux glissèrent à l'intérieur et la femme apparut derrière la moustiquaire déchirée.

— Vous pouvez me remontrer ça, dit-elle.

Hunt brandit son insigne.

— C'est l'inspecteur Cross qui nous envoie.

Elle alluma une cigarette, cracha la fumée. Elle toisa Hunt de la tête aux pieds, puis Yoakum des pieds à la tête et vice versa.

— Qu'est-ce qu'il veut encore ?

— On peut entrer ?

Elle les examina une fois de plus, tira une autre taffe.

— Essuyez-vous les pieds.

La camionnette n'était plus devant la grange. Pas de Jack non plus dans les parages. Sous l'éclairage faiblard de l'unique plafonnier de la voiture, Johnny distinguait une unique tache de couleur, son sac à dos bleu. Il était sale, toujours taché à la base. Jack l'avait soigneusement posé au centre de la porte de la grange. Johnny sortit de la voiture en laissant le moteur tourner. La lune, basse dans le ciel, était immense, blanc argenté. Des relents d'essence et d'huile brûlée flottaient dans l'air.

Il ramassa son sac, qui lui parut vide. Une odeur d'oiseau mort s'en échappa quand il l'ouvrit. Au fond, il découvrit un petit mot griffonné au dos d'un reçu sur lequel figurait le nom de l'oncle Steve. C'était l'écriture de Jack.

*Retrouve-moi là-bas.*

Ces dernières années, ils avaient eu des tas de lieux de rencontre, mais Johnny savait à quoi s'en tenir. Jack parlait de l'endroit où ils allaient pour s'échapper, boire de la bière, se raconter des histoires. Là où David Wilson était mort dans la poussière. Là où tout avait commencé.

Il se remit au volant et s'enfonça dans les broussailles.

En direction de la rivière.

Il croisa peu de voitures. Il était tard. De gros insectes venaient s'écraser contre le pare-brise et sa vision se brouilla plus d'une fois. Il était tellement au bout du rouleau qu'il faillit rater le tournant. Des mauvaises herbes, encore pliées après le passage des voitures de police venues pour David Wilson, couvraient le sentier plein de nids-de-poule qui descendait à pic vers la rivière. Le pont se dressait sur sa gauche. Les ornières malmenaient de plus en plus ses mains cramponnées au volant à mesure qu'il s'éloignait de la route. Il aperçut la camionnette à vingt mètres, un fantôme parmi les taillis. Personne dans la cabine obscure. Johnny éteignit ses phares et sortit de la voiture. Il dépassa la camionnette et inspecta la rive.

Le clair de lune se reflétait sur l'eau, et les rocs faisaient comme des plaques gris argenté. L'obscurité régnait sous le pont.

Il se laissa glisser le long de la berge, atterrit sur un banc de sable, puis il se hissa sur une des grandes pierres plates. L'eau remua, et quelque chose de sombre passa sur les flots. Le saule était à sa droite, le pont à sa gauche. Pas de Jack.

— Je suis là, Johnny.

La voix dériva le long de la rive. La voix de Jack. Bourré. Une fois sous le pont, Johnny le vit, assis au bord de l'eau, assis sur l'étroit rebord en béton à la base d'une des piles du pont, les pieds dans l'eau. Johnny s'arrêta à cinq mètres de lui. Il discernait à peine le visage de Jack qui leva une bouteille. Des glouglous.

— T'en veux ?

— Qu'est-ce qui se passe, Jack, nom de Dieu ?

Johnny était déterminé à garder son calme, mais il commençait déjà à perdre patience. Alyssa était morte et Jack s'enfilait du bourbon. Jack se laissa tomber du rebord. Il pataugea au bord de l'eau, trébucha et tomba sur un genou.

— Viens par ici que je puisse te voir.

Johnny sortit de dessous le pont. Il voulait parler. En même temps, il crevait d'envie de flanquer son poing dans la figure de son seul et unique ami.

— Je suis désolé, mec.

Il bafouillait tellement que Johnny arrivait à peine à le comprendre. Jack apparut sous le clair de lune. Il portait la veste empruntée à son ami. Son pantalon était mouillé jusqu'à la taille. Il trébucha à nouveau et lâcha sa bouteille qui se brisa en éclats sur les rochers, laissant échapper des vapeurs d'alcool. Jack s'assit à côté des bris de verre.

— Je suis vraiment, vraiment désolé.

— À cause de quoi ? (Johnny se retourna.) Dis-moi pourquoi t'es désolé ?

Jack secoua la tête, prit son visage à deux mains.

— La lâcheté est un péché, bredouilla-t-il d'une voix chevrotante.

Johnny le regardait fixement.

— Tu dirais des trucs gentils sur moi si on te demandait ? fit Jack en s'essuyant le nez sur sa manche. C'est juste une question, Johnny. Si on te demandait ? Dirais-tu que je suis un bon copain ? J'ai essayé, tu sais. Toutes ces nuits à traîner avec toi. À chercher. Je surveillais tes arrières parce que je savais que t'arrêterais pas. J'ai fait ce que j'ai pu pour éviter que t'ailles dans les mauvaises maisons, les vraiment mauvaises. J'en serais mort s'il t'était arrivé quelque chose. La culpabilité m'aurait tué, Johnny. Ça m'aurait carrément tué.

— Et le reste, Jack ? Et Alyssa ? Tu savais où elle était ? Depuis le début ?

— Les mensonges, la faiblesse. C'est des péchés aussi.

— Jack.

— Dieu pardonne les petits péchés.

— Pendant tout ce temps.

— J'ai essayé de te protéger. (Il se balançait d'avant en arrière sur la pierre.) Elle était morte. Elle était déjà morte.

— Qu'est-il arrivé à ma sœur ?

Johnny s'était planté devant Jack, les poings serrés. Il était en train de perdre le contrôle de lui-même. Il allait péter une durite.

— Que s'est-il passé, Jack ?

Les yeux fixés sur l'eau, Jack prit une grande respiration saccadée.

— Je lui ai prêté mon vélo. C'est tout ce que j'ai fait. Je voulais aider. Faut que tu me croies.

— Raconte-moi.

— On était plusieurs à la bibliothèque. On devait faire un exposé, tu te rappelles ? (Comme Johnny ne répondait pas, Jack hocha la tête.) On était dans le même groupe, Alyssa et moi. Les volcans. On faisait un exposé sur les volcans. Il était tard, la nuit commençait à tomber. Tout le monde a dit qu'il était temps d'y aller. (Il marqua une pause.) Je lui ai prêté mon vélo vu que ton père avait oublié de venir la chercher. Il avait oublié et il faisait nuit. Gerald avait sa nouvelle camionnette, il cherchait des prétextes pour conduire, alors j'ai passé mon vélo à Alyssa et j'ai appelé mon frère pour qu'il vienne me chercher. C'est tout ce que j'ai fait, Johnny. Il n'aurait rien dû se passer de grave, tu vois ? J'essayais d'être sympa. Ça compte, pas vrai ? Ça compte.

Jack se frotta les yeux. Main atrophiée. Main normale. En boule toutes les deux et tremblantes.

— Il a dit qu'il voulait lui faire peur.

— Qui ça ?

— C'était censé être une blague.

— Gerald ?

— Elle pédalait tellement vite.

— Oh non !

— Juste au bord du trottoir. Un temps d'arrêt. Il voulait juste lui faire peur.

— Qu'est-ce qui s'est passé, Jack ?

— Il avait un coup dans le nez.

Johnny l'attrapa par sa chemise, tira dessus, la déchira.

— Qu'est-ce qui s'est passé, bordel de merde ?

— Elle a regardé derrière elle. Je suppose que c'étaient les phares, la proximité. J'en sais rien. Elle a perdu le contrôle. Elle est tombée. Elle est passée sous le camion. Gerald a paniqué. Il a appelé mon père.

Jack pleurait à chaudes larmes maintenant.

— Elle était morte, Johnny.

— Je ne comprends pas.

— Morte. Je voulais le dire, mais Gerald était déjà dans le collimateur des pros.

— Je vois pas le rapport.

— Papa a soutenu que si ça se savait, il pouvait tirer un trait sur sa carrière.

— Tu as menti à cause de la carrière de base-ball de Gerald ! hurla Johnny, tandis que Jack secouait la tête. Et après ? Qu'est-ce qui s'est passé après ?

— Je voulais le dire.

— Mais tu ne l'as pas fait.

Jack sanglotait doucement.

— Johnny.

— Pendant tout ce temps.

Jack se leva en chancelant. Il tendit une main, mais Johnny l'écarta d'une tape.

— J'ai essayé.

— Comment ça, t'as essayé ?

— Tu te rappelles quand je t'ai raconté que Gerald m'avait cassé le bras ? (Jack tremblait, le regard implorant.) C'était pas lui, c'était mon père, Johnny. Je lui ai dit que j'allais tout raconter, alors il m'a cassé le bras. À quatre endroits. Il m'a plaqué à terre et m'a fait jurer. (Jack posa une main sur le bras de Johnny.) Il m'a fait jurer.

— À cause de la carrière de Gerald.

— Ils ne parlent que de ça. (Johnny le dévisagea.) Gerald et mon père.

Johnny sentit son estomac se serrer. Il se plia en deux et se détourna. Sa main rencontra une branche ; il prit appui dessus.

— T'as dit que Levi Freemantle t'avait révélé où elle était.

— Encore un mensonge.

— Alors pourquoi maintenant, Jack ? Pourquoi tu te mets à table maintenant ?

— Parce que Freemantle a été envoyé ici pour une raison.

— Quelle raison ?

Jack avait l'air terrifié.

— Dieu sait.

*Corb*, pensa Johnny. *Dieu sait.*

— Il n'arrêtait pas de le répéter. Même dans son sommeil. Corb... Dieu sait. Tu te souviens du nom du puits de mine ? Corb. Je n'arrive pas à me le sortir de la tête, Johnny. Dieu sait, tu piges ? Dieu sait ce que j'ai fait. Jack s'interrompit. La dernière chose que Freemantle m'a dite... la dernière chose qu'il a prononcée... Oh, merde !

— Quoi ?

Jack s'assit sur la pierre.

— Dieu connaît la beauté de son âme. (Il leva sa petite main.) Je vais brûler en enfer, Johnny. Si on te demande, est-ce que tu dirais un truc gentil sur moi ? ajouta Jack d'un ton implorant.

Il pleurnichait.

— Johnny ?

Johnny tourna les talons et remonta la berge. La voix de Jack le suivit, de plus en plus faible.

— Johnny ?

Rien. Le vent dans les herbes.

— Johnny ?

# 60.

Hunt conduisait vite, ses phares brillant d'un bleu intense derrière la grille du pare-chocs. Yoakum, à côté de lui, avait la mâchoire serrée. L'horloge du tableau de bord indiquait 1 h 10 du matin. Hunt avait organisé une réunion d'urgence avec le district attorney et le juge. Il lui avait fallu une heure pour obtenir un mandat d'arrêt, mais il l'avait dans la poche, et deux policiers triés sur le volet allaient venir en renfort. Personne d'autre n'était au courant. Ni le patron. Ni les collègues. Ils géraient cette affaire sous le manteau, au cas où Cross aurait des amis prêts à monter au créneau.

— Cinq minutes, dit Hunt.

Yoakum vérifia son chargeur pour la troisième fois.

Le portable de Hunt sonna. Il répondit après avoir jeté un coup d'œil à l'écran. L'appel fut rapide. À la fin, il évita de regarder Yoakum.

— Le médecin légiste, déclara-t-il. Les archives dentaires correspondent. C'est Alyssa.

Silence. Frottement des pneus sur la chaussée.

— Je suis désolé, Clyde.

— Quatre minutes.

Trente secondes plus tard, son téléphone sonna à nouveau. Il ne reconnut pas le numéro sur l'écran, mais décrocha.

— Où es-tu, Johnny ? Calme-toi. Je suis là. Non. Non. Prends ton temps.

Il écouta toute une minute en silence. Quand l'enfant eut fini, le dernier fragment du puzzle s'imbriqua et Hunt eut une vision d'ensemble. Complète. Tout collait.

— Très bien, Johnny. J'ai compris. Je m'en charge. Non, ce soir. Au plus vite. Où es-tu ? (Un temps d'arrêt.) Non. Je ne veux pas que tu sois dans le lobby. Va dans la chambre. Tout de suite. Je m'occupe de tout. On parlera demain.

Quand il raccrocha, Yoakum attendit dix secondes.

— Qu'est-ce qu'il y a ?

Hunt lui expliqua la situation en petites phrases sèches. La manière dont Alyssa avait péri. Comment elle s'était retrouvée dans ce puits.

Yoakum mit une minute à tout assimiler.

— Elle est morte dans un accident ?

— Gerald était ivre. Cross a caché le corps pour protéger son fils. Il est allé la jeter dans ce puits. Toute seule. Doux Jésus ! s'exclama-t-il en inspirant à fond.

— Ça va ?

— On chope Gerald aussi.

— On n'a pas de mandat d'arrêt contre lui.

— Il est soupçonné de meurtre. Ça suffit pour l'interroger.

— Drôlement costaud, ce Johnny ! commenta Yoakum.

— Ouais.

— Cross va le payer.

— Une minute.

Ils venaient de pénétrer dans le quartier de Cross.

En ouvrant la porte du motel avec la carte magnétique, Johnny vit les deux lampes allumées. Sa mère était assise au bord du lit le plus proche. Elle avait les traits tirés, mais le regard clair.

— Je ne pouvais pas appeler Hunt, affirma-t-elle en se levant. Il ne m'aurait jamais laissée te récupérer.

Jack entra et ferma la porte derrière lui.

— Tu m'as laissée toute seule, ajouta-t-elle, et Johnny vit à quel point elle était crispée.

— Je le ferai plus.

— Comment tu veux que je te croie ?

— Je te le promets.

Elle s'approcha de lui et le serra dans ses bras.

— Promets-le-moi de nouveau.

Elle sentait le savon, le shampooing.

— Je te le jure.

Elle l'étreignit à nouveau, et quand elle s'écarta de lui, Johnny lui raconta ce qu'il avait appris. Ce ne fut pas facile, et il fallut du temps. Alyssa était morte, mais c'était un accident. Il l'expliqua à deux reprises, et elle le répéta. *Un accident.*

Ils restèrent un long moment en silence après cela.

En silence, mais ensemble.

Hunt reçut le coup de fil à propos du tapage nocturne alors qu'ils étaient à deux pâtés de maisons.

— Les voisins font état de la présence d'une arme sur les lieux, sachez-le.

— Merde !

Hunt mit la sirène ; la voiture de patrouille qui le suivait l'imita. Deux tournants rapides. La maison de Cross était un peu plus loin, sur la droite. Des lumières brillaient le long du toit. De gros projecteurs aux angles de la maison, des éclairages fichés sur des poteaux près du trottoir. La camionnette blanche était garée en biais, contre le flanc de la maison ; elle avait arraché le gazon, écrasé les buissons. L'un des phares arrière clignotait. Rouge. Rouge. Rouge. Il aperçut l'inspecteur Cross dans le jardin ; ainsi que sa femme et Gerald. Cross hurlait. Sa femme était à genoux, une bible à la main, abîmée dans la prière.

Jack tenait le pistolet.

Il le braquait sur son père.

Hunt et Yoakum bondirent hors de la voiture en même temps que les policiers en renfort. Qui dégainèrent.

— Ne tirez pas, cria Hunt. Je connais le gosse. Je ne veux pas qu'il soit blessé.

Les autres policiers l'entendirent, mais ils n'abaissèrent pas leurs armes pour autant. Hunt garda la sienne dans son étui. Il avança sur la pelouse, les bras le long du corps.

Jack était tout rouge, il tremblait. Les larmes inondaient son visage. Cross se donnait des airs de père sévère.

— Donne-moi ce pistolet, Jack, tout de suite. Je ne te le dirai pas deux fois.

En voyant Hunt approcher, il leva la main.

— C'est bon, lança-t-il. Je maîtrise la situation. Tu as vu ça, Jack ? Quelqu'un a appelé la police. Il est temps que ça se termine. Donne-moi cette arme !

Derrière lui, la mère de Jack se balançait sur les genoux. Jack se tourna vers elle et sa main se porta sur la petite croix en argent qui pendait à son cou. Elle haussa la voix, énonçant du charabia.

— Arrête, maman. (Les traits de l'enfant se tordirent.) Arrête.

Il arracha la croix et la lui jeta.

— Donne-moi cette arme, Jack.

Jack détourna son regard de sa mère. Son père s'était rapproché. À trois mètres. Deux.

— C'est de ta faute.

La voix de Jack n'était plus qu'un chuchotement.

— Allez, fiston.

Il braqua le pistolet sur la poitrine de son père.

— Je vais aller en enfer, et c'est de ta faute.

Il se rapprocha. Sa mère se mit à gémir. Cross leva les deux mains.

— Fiston...

— Dieu pardonne les petits péchés.

Hunt vit le percuteur bouger, mais il était trop loin.

— Non !

Il s'élança vers Jack. Le percuteur monta, retomba avec un claquement sec. Cross hurla. Jack appuya à nouveau sur la détente, mais il ne se passa rien.

Hunt se jeta sur l'enfant qui laissa échapper le pistolet. Cross tendit le bras pour l'attraper.

— Ne touchez pas à ça, s'écria Hunt, à plat ventre dans l'herbe, Jack cloué sous lui. N'y touchez pas, ne bougez pas.

— Comment ça ?

— Que personne ne bouge !

Hunt aida Jack à se relever et le confia à Yoakum.

— Vas-y doucement, recommanda-t-il, et John entraîna l'enfant en pleurs, le visage maculé de morve.

— Je veux parler à Johnny.

Parvenu à la voiture, Jack se débattit.

— Je veux parler à Johnny, hurla-t-il en ruant alors que Yoakum posait une main sur sa tête. Johnny ! Je veux parler à Johnny !

La portière se referma, lui coupant la parole. À quatre reprises, il se tapa la tête contre la vitre. Hunt ramassa le pistolet, ouvrit le barillet. Vide. Il glissa l'arme dans la poche de sa veste. Cross risqua un pas, les mains tendues.

— Il a bu. Il a un problème. On va le faire aider.

— Il faut que vous veniez avec moi, le somma Hunt. Au commissariat.

— C'est mon fils, Hunt. Je ne vais pas engager de poursuites, fit Cross en essayant faiblement de sourire.

Hunt ne réagit pas, ce qui ne lui fut guère facile.

— Gerald et vous, reprit-il, la main à proximité de son étui. C'est par courtoisie que je vous le demande.

Il fit un geste vers les jardins environnants d'où plusieurs personnes les observaient puis se rapprocha sans baisser la voix pour autant.

— Je sais tout. Jack a parlé. Ce qui est arrivé à Alyssa. Le rôle joué par Gerald. Tout.

Il lui laissa le temps d'un battement de cœur pour souffler.

— Nous avons retrouvé son corps il y a deux heures.

Cross porta son regard sur son fils, sur sa femme agitée de sanglots.

— Faisons les choses comme il faut, acheva Hunt.

Quand Cross se retourna, le masque avait glissé. Sa fourberie se lisait sur son visage.

— Je ne vois pas de quoi vous voulez parler.

— David Wilson a trouvé le corps d'Alyssa. Au début, j'ai pensé qu'il avait dû appeler le commissariat et tomber sur vous par hasard, mais il n'y avait aucune fiche correspondante dans le registre des appels, et puis une chance pareille, ça n'existe pas.

— Vous vous trompez.

— Ne gaspillez pas votre salive. J'ai parlé à Patricia Defries tout à l'heure. Elle m'a tout expliqué.

C'était effectivement ce qui s'était passé. Cross l'avait coincée sur une nouvelle affaire de chéquiers volés. La troisième escroquerie, le coup fatal. En cas d'inculpation, elle aurait pris pour douze ans minimum. Aussi lui avait-il facilité les choses. Il avait besoin de savoir si quelqu'un venait traîner aux abords des mines. Qui que ce soit. À n'importe quel moment. Elle avait assuré ignorer pourquoi Cross s'intéressait aux mines, et Hunt l'avait crue. Même s'il s'était abstenu de le lui préciser. Il préférait qu'elle parle, qu'elle ait peur.

— Je lui ai expliqué qu'une histoire de chéquiers volés était moins pénalisante qu'être complice d'un meurtre prémédité. Je lui ai fait comprendre que je ne plaisantais pas et qu'elle plongerait avec vous. Elle s'est mise à table et elle est prête à témoigner. Elle racontera que vous vous êtes pointé à la mine tout de suite après son coup de fil, que cinq minutes plus tard, Wilson est passé en trombe sur son vélo tout-terrain avec vous dans son sillage. Elle a noté l'heure. Un quart d'heure plus tard, Johnny Merrimon a vu Wilson passer par-dessus le parapet du pont.

— C'est une arnaqueuse, une ivrogne. Pas un témoin digne de ce nom.

Hunt passa ostensiblement en revue les voitures garées dans l'allée.

— Où est votre caisse ? demanda-t-il. Une Dodge Charger, c'est bien ça ? Combien de carrossiers va-t-il falloir que j'appelle avant de mettre la main dessus ? Ce ne sera pas dans le coin, évidemment. À Wilmington peut-être ? Raleigh ? L'une des agglomérations voisines, je dirais. Mais on la trouvera. Avec le pare-chocs avant endommagé. La peinture correspondra à ce que nous avons trouvé sur le pont.

— Je veux un avocat.

Hunt fit signe aux policiers.

— Vous êtes en état d'arrestation pour le meurtre de David Wilson. Vous avez le droit de garder le silence...

— Je connais mes droits.

— Tout ce que vous dites peut et sera utilisé contre vous.

— Attendez une minute. Attendez. (Cross se lécha les lèvres.) J'ai besoin de vous parler. Rien qu'à vous. Juste une seconde.

Hunt hésita.

— Vous voulez faire les choses bien, n'est-ce pas ? Vous êtes comme ça, non ? Un foutu boy-scout.

Hunt leva la main et les policiers reculèrent.

— Vous devriez réfléchir à ce que vous faites. Vraiment réfléchir.

— Je n'ai pas besoin de réfléchir. J'ai un mandat d'arrêt.

Cross se pencha vers lui, tandis que son regard glissait sur les flics derrière son épaule, et un souffle chaud effleura l'oreille de Hunt quand il chuchota :

— Votre fils aussi était dans la voiture.

Hunt recula.

— Pas du tout.

— Il était sur le siège avant quand Alyssa est passée sous les roues.

— Je ne vous crois pas.

— Comment s'est-il comporté cette année ? Votre fils. Normalement ? Était-il le même que l'année d'avant ? Euh, laissez-moi deviner ? Ronchon ? Sur les nerfs ? Plutôt flippé, hein ? Attention à ce que vous faites, Hunt. Il n'y a rien de plus important que la famille. C'est de ça qu'il est question.

Hunt jeta des coups d'œil alentour. Jack n'était qu'une tache rouge à l'arrière d'une voiture de police. Gerald paraissait au bord des larmes. La femme de Cross se balançait, les yeux fermés, en implorant le ciel et en geignant.

— Je n'ai pas l'impression que votre famille aille très bien non plus, Cross.

— C'est votre fils unique, n'est-ce pas ?

Hunt soutint son regard trois secondes.

— Fais ce qu'il faut, reprit Cross.

Hunt recula encore et adressa un nouveau signe aux policiers.

— Vous avez droit à un avocat.

Les menottes firent leur apparition.

Cross se débattit, puis il s'écroula en vociférant. Pendant qu'on le traînait vers la voiture, il perdit ses pantoufles.

Il était près de 6 heures quand Hunt quitta le commissariat. Cross refusait de parler, mais les mots avaient jailli de la bouche de Gerald comme une fontaine. C'était la culpabilité. Aussi simple que ça.

Elle l'avait rongé trop longtemps.

Le soleil enveloppait la colline d'une faible rougeur, mais la maison de Hunt était encore dans une poche sombre. Il entra et s'installa tranquillement dans la cuisine. Le réfrigérateur vrombissait. Une porte de garage s'ouvrit quelque part dans la rue.

Il posa son arme et son insigne sur le plan de travail. Les marches soupirèrent sous ses pieds quand il monta ; il sentit un souffle d'air chaud en ouvrant la porte de la chambre de son fils. Un fatras de couvertures, de cheveux blonds et d'innocence perdue.

Le passé.

Si doux dans son souvenir.

Il tira une chaise près du lit et s'assit. Il pressa le bout de ses doigts sur ses paupières et revit les mêmes folles étincelles. Il n'était pas nécessaire que cela s'achève ainsi. Le choix sous-entendait une certaine puissance. Il en avait la conviction. Il n'était jamais trop tard pour bien faire.

Ses lèvres remuèrent en silence.

*Jamais trop tard.*

Il regarda son fils dormir, et ses lèvres s'animèrent à nouveau.

Répétant la même chose.

Une prière qui lui était propre.

Allen mit vingt minutes à se réveiller, et ce furent les vingt minutes les plus longues de la vie de son père. À deux reprises, il se leva pour partir, mais se ravisa chaque fois et attendit qu'une lumière rosée effleure le visage endormi. Finalement le garçon ouvrit des yeux parfaitement innocents.

— Salut, papa. Qu'est-ce qui se passe ?

Il se frotta la figure et s'adossa aux oreillers.

— Tu sais que je t'aime, n'est-ce pas ?

— Ouais, bien sûr. Qu'est-ce que...

— Si tu avais des ennuis, je ferais tout ce qui est en mon pouvoir pour t'aider. Tu le sais aussi. Même si les choses devaient mal tourner, je suis ton père. Je t'aiderai. Tu le sais, n'est-ce pas, Allen ?

— Évidemment.

Hunt resta sans bouger.

— As-tu des ennuis, fiston ?

— Quoi ? Non.

— Aurais-tu quelque chose à me dire ? demanda Hunt en se rapprochant. Quoi que ce soit. Je suis de ton côté. Toi et moi. D'accord ?

— Non, papa. Rien. Qu'est-ce qui se passe à la fin ?

Hunt se mourait à l'intérieur. Il posa une main sur le bras de son fils.

— Je vais me reposer un peu. (Il se leva, baissa les yeux.) C'est un grand jour, Allen.

— Pourquoi tu dis ça ?

Hunt s'arrêta sur le seuil.

— Je serai réveillé si tu as besoin de moi.

Il traversa le couloir et alla s'allonger sur son lit. L'espace d'un instant, la pièce tourna, mais il lutta.

Les coups à la porte vinrent plus tôt qu'il n'avait osé l'espérer.

# 61.

Johnny dormit sept heures d'affilée, se réveilla brièvement pour manger avant d'aller se recoucher. À un moment, il entendit sa mère parler avec Hunt, mais cela lui fit l'effet d'un rêve. Des intonations courroucées, un bruit de casse. Il était question d'Alyssa, du fils de Hunt.

— Je ne sais pas quoi dire, Katherine.

C'était Hunt.

Un long silence.

— J'ai besoin d'aller prendre l'air.

— Katherine...

— Vous voulez bien rester avec Johnny ?

Quand la porte se ferma, Johnny se réveilla pour de bon. Il n'avait pas rêvé. À la fenêtre, Hunt la regardait s'éloigner. Johnny se mit sur son séant et la conversation lui revint.

— Allen était-il vraiment dans la voiture avec Gerald ?

— Tu nous as entendus ?

— Est-ce vrai ?

— Ce n'était pas lui qui conduisait.

— Mais il savait et il n'a rien dit.

— Le père de Gerald était flic et je comprends qu'Allen ait eu peur, mais je ne peux pas l'excuser, Johnny. Il a eu tort. (Un temps d'arrêt.) Il s'est rendu de son plein gré. Il est en garde à vue. Il sera puni. Tout comme Jack.

— Puni, comment ?

— C'est le tribunal pour enfants qui en décidera. Ils risquent de s'absenter pendant quelque temps.

— En prison ?

— Ce n'est pas comme ça que ça se passe.

Johnny se leva.

— Je vais prendre une douche.

— D'accord.

L'eau coulait faiblement mais elle était chaude. Johnny se lava deux fois, puis il examina ses points de suture. Il avait la peau rouge, toute ridée autour ; les cicatrices ne s'en iraient jamais. Il se servit du peigne de sa mère pour se coiffer. Hunt était planté au milieu de la chambre quand il sortit de la salle de bains.

— Ça va mieux ?

— Elle est toujours pas revenue ?

— Elle est en train de décider si elle me déteste ou pas.

Johnny hocha la tête. C'était un commentaire très adulte de la part de l'inspecteur.

— Je peux vous poser une question ?

— Oui.

Ils s'assirent côte à côte au bord du lit. Johnny avait les doigts tout plissés après sa longue douche. Sa paume pelait à l'endroit où une ampoule avait éclaté.

— Jack pense que les choses se produisent pour une raison.

— Est-ce à propos d'Alyssa que tu t'interroges ?

Johnny n'était pas certain d'être en mesure d'expliquer pourquoi il avait dit ça, alors il haussa les épaules. Il sentit Hunt se crisper, et puis se détendre tout à coup, comme s'il avait pris une décision.

— Nous avons trouvé sept corps enfouis dans les bois derrière chez Jarvis. Des enfants. Tu étais au courant ?

— Maman me l'a dit.

Hunt hésita à nouveau, puis il sortit une photo de sa poche. C'était le cliché d'autopsie de Meechum. On le voyait jusqu'à la taille, nu sur une table métallique.

— Est-ce l'homme que tu as vu en compagnie de Jarvis ?

Son visage s'était creusé dans la mort et il était blême, mais Johnny le reconnut. Il hocha la tête.

— Pourquoi as-tu pensé qu'il était flic ?

— Il avait des menottes et un pistolet à la ceinture.

Hunt rangea la photo.

— C'était un des gardes de la sécurité du centre commercial. Jarvis et lui ont fait la guerre du Vietnam ensemble. Ils ont été exclus de l'armée en même temps pour conduite déshonorante. Des rumeurs ont circulé...

— Quels genres de rumeurs ?

— Je préfère ne pas te dire.

Johnny haussa les épaules. Il connaissait déjà ces histoires.

— Ce n'étaient pas des gars bien, Johnny. Ils ont fait des choses terribles pour les mauvaises raisons et ils auraient continué si tu n'étais pas intervenu quand tu l'as fait.

— Je n'ai pas sauvé Tiffany. Je vous l'ai déjà dit.

Hunt regardait fixement par la fenêtre.

— Si Jarvis n'avait pas été occupé avec toi dans la rue, elle n'aurait jamais pu aller plus loin que la maison. Il l'aurait attrapée et tuée. On l'aurait retrouvée dans les bois avec les autres. Jarvis et Meechum auraient continué à tuer. Ils en auraient sans doute éliminé quelques-uns de plus. Ou un grand nombre. Ce dont je suis sûr, c'est que si tout cela s'est arrêté, c'est parce que tu t'es trouvé dans cette rue à ce moment-là.

Johnny sentait le regard de Hunt posé sur le sommet de son crâne, mais il n'arrivait pas à lever les yeux.

— Tu ne te serais pas trouvé là si Alyssa n'était pas morte. (Hunt posa une main sur son épaule.) C'est peut-être ça la raison, Johnny. Il a peut-être fallu qu'Alyssa meure pour que d'autres enfants aient la vie sauve.

— Jack a cru que c'était Dieu qui avait envoyé Freemantle.

— Jack a des problèmes qu'aucun enfant ne devrait avoir.

— Il pensait que Dieu avait envoyé des corbeaux pour lui faire peur et Freemantle pour le forcer à voir en face ce qu'il avait fait.

— J'ignore tout de ces choses-là, Johnny.

— La dernière fois que j'ai prié, j'ai demandé trois choses au Seigneur. Je lui ai demandé d'arrêter les médicaments et de faire revenir ma famille. C'est arrivé.

— Ça n'en fait que deux.

Quand Johnny releva la tête, son visage était de marbre.

— J'ai prié pour que Ken Holloway meure. J'ai prié pour qu'il connaisse une mort lente et douloureuse. (Il marqua une pause, les yeux brillants.) J'ai prié pour qu'il meure dans la peur.

Hunt ouvrit la bouche, mais Johnny poursuivit avant qu'il ait le temps de dire quoi que ce soit. Il revit les yeux de Ken Holloway au moment où la lumière s'y était éteinte, les ombres des corbeaux monter vers le firmament vacillant.

— Levi Freemantle me l'a accordé, dit Johnny. Je pense que c'est pour ça que Dieu me l'a envoyé.

Hunt avait un rendez-vous tardif avec l'avocat de son fils, après quoi il se retrouva garé devant la prison, un bâtiment disgracieux qui occupait tout un pâté de maisons à proximité du tribunal. Allen était dedans, quelque part. Il avait plutôt bien encaissé, en larmes quand il avait avoué à son père – regret, honte, culpabilité –, la tête haute sur le chemin du commissariat où ils s'étaient rendus ensemble. Hunt avait gardé le souvenir de son visage au moment où la porte en acier s'était fermée entre eux.

Il coupa le moteur et se dirigea vers l'entrée principale de la prison. Il remit son calibre au planton ; on lui ouvrit. Il connaissait les gardiens, et les gardiens le connaissaient. Il eut droit à une tape dans le dos, à quelques hochements de tête compatissants, à un coup d'œil glacial.

— J'ai besoin de le voir.

L'homme derrière le bureau était costaud.

— Vous savez très bien que je ne peux pas faire ça, répondit-il d'une voix douce.

Hunt le savait, effectivement.

— Pouvez-vous lui transmettre un message ?

— Bien sûr.

— Voudriez-vous lui dire que je suis là ?

L'homme s'adossa à sa chaise.

— Je ferai en sorte qu'il ait le message.

— Dites-le-lui maintenant. Pas que j'étais là. Que je *suis* là.

— C'est si important ?

— Ça fait une différence. Je vais attendre.

En sortant de la prison, il s'assit sur un banc un peu plus loin. Pas une étoile dans le ciel. Il n'avait pas particulièrement envie de rentrer. Au bout de quelques minutes, son portable sonna. C'était Trenton Moore.

— Je vous réveille ? demanda-t-il.

— Ça ne risque pas.

Un temps d'arrêt.

— J'ai appris pour votre fils. Je suis désolé.

— Merci, doc. C'est gentil de votre part. M'appelez-vous pour une autre raison ?

— À vrai dire, oui.

Il s'éclaircit la voix, bizarrement hésitant.

— Hum. Pourriez-vous passer juste une minute ?

Les locaux du médecin légiste se trouvaient dans le sous-sol de l'hôpital. Hunt n'aimait guère s'y rendre, surtout la nuit. On n'y voyait goutte dans le long couloir qui menait à la salle. On aurait dit que le béton transpirait. Il passa devant la salle des visites, les armoires réfrigérées, des salles désertes, des morts silencieux. Le docteur Moore était dans son bureau en train de dicter quand il tapota sur le chambranle de la porte. Il leva les yeux, et une lueur d'excitation anima son regard.

— Entrez, entrez.

Il posa son dictaphone et tendit le bras vers la cafetière posée sur la desserte derrière lui.

— Un café ?

— Volontiers. Noir. Merci.

Il versa le breuvage dans des petits gobelets en polystyrène, en tendit un à Hunt.

— Avant toute chose, commença Moore, il faut que je vous donne ceci.

Il sortit d'un tiroir un sac en plastique qu'il jeta sur le bureau ; il atterrit lourdement et du métal étincela.

Hunt s'en saisit. Il vit qu'il était scellé, daté et signé par le médecin. En le faisant rouler au creux de sa main, il dénombra six balles avec des douilles en acier inoxydable maculées de terre au bout.

— Laissez-moi deviner. Des pointes creuses calibre .32.

— Provenant de la poche avant droite de M. Freemantle. En dehors de ses vêtements, c'était le seul bien qu'il avait sur lui au moment de son décès.

— Eh bien, cela résout une énigme.

— Laquelle ?

— Pourquoi un certain ex-flic respire encore, et, plus important peut-être, pourquoi son fils de treize ans n'a pas été inculpé de meurtre.

Hunt glissa le sac dans sa poche.

— Merci.

— De rien.

Ils sirotèrent leurs cafés en silence.

— À propos d'énigmes.

Moore roula en avant sur son siège. Il était petit et compact, tellement plein d'énergie qu'il arrivait à peine à rester assis immobile.

— Les mystères sont rares dans mon domaine d'activité, inspecteur. Les questions sans réponse abondent. Mais pas les mystères. Le corps humain, hélas ! est un instrument très prévisible. Suivez les dommages perpétrés, ils vous conduisent à des conclusions et permettent d'élucider causes et effets. (L'énergie resurgit dans les yeux de Moore, l'excitation.) Avez-vous la moindre idée du nombre d'autopsies que j'ai effectuées ?

— Non.

— Moi non plus, mais un grand nombre. Des centaines. Peut-être plus. Je devrais les compter un jour.

Hunt but une gorgée. En temps normal, cette conversation l'aurait agacé, mais il n'avait rien de particulier à faire.

Le regard pétillant, les joues en feu, Moore se mit à tambouriner sur le bureau du bout des doigts.

— Croyez-vous aux mystères, inspecteur ? (Hunt ouvrit la bouche, mais Moore agita la main pour l'interrompre.) Pas le genre de mystères auxquels vous avez affaire chaque jour.

Il se pencha sur la table et mit ses mains en coupe comme s'il tenait un petit monde.

— De grands mystères, inspecteur. Des vrais. D'immenses mystères.

— Je ne suis pas sûr de comprendre.

— J'aimerais vous montrer quelque chose.

Moore prit une chemise et se leva. Il traversa la pièce et actionna l'interrupteur d'un écran à rayons X. La lumière clignota, puis se fixa.

— J'ai hésité à partager ceci avec qui que ce soit au-delà d'une note rapide dans le rapport, avoua le médecin en riant nerveusement. Il faut que je pense à ma réputation.

Il sortit une radio de la chemise et l'arrima à l'écran. Hunt reconnut la forme d'un torse humain. Les os donnaient l'impression d'étinceler. Des formes amorphes d'organes.

— Levi Freemantle, précisa Moore. Adulte de sexe masculin. Quarante-trois ans. Musculature très développée. Infection importante. Proche de la malnutrition. Vous voyez ça ? ajouta-t-il en effleurant l'image. C'est là que vous lui avez tiré dessus. La balle est entrée par là. Fracture de l'omoplate au point de sortie. Vous voyez ?

— Je n'avais pas l'intention de le tuer.

— Vous ne l'avez pas tué.

— Comment ça ?

Moore ignora la question.

— Ceci est une branche d'arbre, un feuillu quelconque, poursuivit-il en suivant du bout de son petit doigt une ligne blanche irrégulière. Du chêne, de l'érable. Ce n'est pas mon domaine. Le sujet s'est empalé d'une manière ou d'une autre. La branche était sèche, pas pourrie. En dents de scie. Vous voyez ces pointes. Ici et ici. Il est difficile d'en juger d'après cette image, mais elle fait approximativement deux fois le diamètre de votre index. Peut-être quatre centimètres. Elle a pénétré par là, juste en dessous de la dernière côte, du côté droit, puis s'est orientée de telle manière qu'elle a transpercé le foie. Elle a endommagé plusieurs organes et occasionné une perforation de trois centimètres du gros intestin.

— Je ne comprends pas.

— Il s'agit de graves traumatismes, inspecteur.

— Oui.

Moore s'éloigna un peu, puis revint sur ses pas. Il leva les deux bras, et Hunt perçut sa frustration.

— Nous avons affaire à des lésions létales, reprit-il en passant les mains devant la radio. Faute d'une intervention chirurgicale immédiate, c'est la mort. Le sujet aurait dû rendre l'âme des jours avant que vous l'abattiez. Je n'arrive pas à me l'expliquer, acheva-t-il en brandissant à nouveau les mains.

Hunt sentit comme une paume glacée se poser entre ses omoplates. L'atmosphère de l'hôpital lui parut soudain irrespirable. Il revit le regard avide de Moore, repensa à ses questions sur les grands mystères.

— Vous voulez dire que c'est un miracle ?

Quand Moore se tourna à nouveau vers la radio, l'éclairage baigna son visage d'un éclat blafard. Il posa trois doigts sur la ligne déchiquetée du bois qui avait transpercé le flanc de Freemantle.

— Je veux dire que je n'arrive pas à me l'expliquer.

# 62.

Les services sociaux vinrent chercher Johnny le lendemain. Sa mère lui tenait la main tandis que deux auxiliaires attendaient près de la portière ouverte de la voiture. La chaleur montait du parking. Un flot de voitures sillonnait la route à quatre voies.

— Tu me fais mal, chuchota Johnny.

Katherine desserra les doigts.

— Il n'y a vraiment pas d'autre moyen ? demanda-t-elle à Hunt, qui était tout aussi accablé.

— Avec tout ce qui s'est passé, la violence, la presse, ils n'ont pas le choix. (Il se pencha pour regarder Johnny dans les yeux.) Ça ne durera pas longtemps. J'intercéderai en faveur de ta mère. On arrangera ça.

— Promis ?

— Promis.

Quand Johnny se tourna vers la voiture, l'une des dames le gratifia d'un sourire. Il serra sa mère dans ses bras.

— Ça va aller, dit-il. Ça sera comme un petit séjour en prison.

Il en fut ainsi pendant le mois suivant. Une sorte de passage derrière les barreaux. Les gens à qui on le confia étaient gentils, mais indifférents. Ils lui parlaient avec douceur à croire qu'un mot de travers l'aurait brisé, tout en faisant comme si la situation n'avait rien d'inhabituel. Ils étaient on ne peut plus polis, mais quand il les épiait le soir pendant qu'ils regardaient les nouvelles ou lisaient le journal, il les voyait secouer la tête en s'interrogeant l'un l'autre sur l'effet qu'une histoire pareille pouvait avoir sur un enfant. Johnny les soupçonnait de fermer la porte de leur chambre à coucher à clé avant de dormir. Il pensait aux regards qu'ils lui décocheraient si, juste une fois, tard dans la nuit, il allait secouer la poignée.

Le tribunal ordonna qu'il voie un psychologue, et il s'y conforma, mais il n'était pas idiot. Il lui raconta ce qu'il voulait entendre, décrivant des rêves fabriqués de toutes pièces et prétendant qu'il dormait parfaitement bien la nuit. Il jura qu'il ne croyait plus au pouvoir des choses invisibles, ni aux totems ni à la magie ni aux oiseaux noirs qui volaient l'âme des défunts. Il n'avait aucun désir de tuer quelqu'un, ni de se faire du mal ni d'en faire à autrui. Il manifesta une émotion sincère concernant les décès de son père et de sa sœur. C'était un vrai chagrin, une perte ravageuse. Il aimait sa mère. Ça aussi, c'était la vérité. Johnny regardait le psy hocher la tête en prenant des notes. Un beau jour, il n'eut plus besoin d'y aller.

Ils l'autorisaient à voir sa mère une fois par semaine, sous surveillance. Ils allaient au parc, s'asseyaient à l'ombre. Chaque fois, elle lui apportait des lettres de Jack. Il lui écrivait au moins une fois par jour, parfois plus. Il n'évoquait jamais l'endroit horrible où on l'avait envoyé. Ni ses journées. Il parlait surtout de ses regrets, de sa honte, du fait que Johnny était le seul élément positif dans sa vie. Il revenait sur les choses qu'ils avaient faites ensemble, les projets qu'ils avaient eus. Il le suppliait de le pardonner. Toutes ses lettres s'achevaient de cette manière.

*Johnny, s'il te plaît.*

*Dis-moi qu'on est encore amis.*

Johnny lisait les lettres, mais n'y répondait jamais. Elles remplissaient une boîte à chaussures rangée sous le lit qu'il occupait dans sa famille d'adoption.

— Tu devrais lui répondre, lui suggéra un jour sa mère.

— Après ce qui s'est passé ? Après ce qu'il a fait ?

— C'est ton meilleur ami. Son père lui a cassé le bras. Penses-y.

Johnny secoua la tête.

— Il a eu des millions d'occasions de tout me déballer. Des millions.

— Il est jeune, Johnny. Vous êtes tellement jeunes tous les deux.

Tout en cogitant cette idée, Johnny fixa la femme qui les surveillait conformément aux ordres du tribunal.

— As-tu pardonné au fils de l'inspecteur Hunt ?

Elle suivit le regard de son fils. La femme était assise à une table de pique-nique voisine. Elle avait chaud dans son tailleur bleu trop épais pour la saison.

— Le fils de Hunt ? demanda-t-elle d'une voix distante. Il paraît très jeune, lui aussi.

— Tu le vois, l'inspecteur Hunt ?

— L'enterrement de ton père a lieu demain, Johnny. Comment veux-tu que je voie qui que ce soit ?

— Tu pourrais, je pense.

Sa mère lui pressa le bras et se leva.

— Il est temps que j'y aille. (La surveillante approchait.) Tu as le costume ? demanda-t-elle. La cravate ?

— Oui.

— Ils te plaisent ?

— Oui.

Il leur restait quelques secondes. La prochaine fois qu'ils se verraient, ce serait pour mettre en terre les êtres qu'ils aimaient le plus au monde. La femme s'arrêta à quelques mètres d'eux. Quand elle désigna sa montre, son visage refléta quelque chose qui ressemblait à du regret.

Les yeux embués de larmes, Katherine se détourna.

— Je viendrai te chercher de bonne heure.

Johnny lui prit la main et la serra dans la sienne.

— Je serai prêt.

Ce fut un double enterrement. Père et fille, côte à côte. Hunt demanda des renforts pour mettre en place un cordon de sécurité autour du cimetière afin de protéger la famille des curieux et de la presse. À la différence du prêtre corpulent au visage rougeaud dont Johnny avait gardé un mauvais souvenir, l'officiant était jeune, grave, élancé comme une lame dans son aube blanche comme neige. Il parla de choix et du pouvoir de l'amour de Dieu.

*Pouvoir.*

Il fit chanter le mot, de sorte que Johnny hocha la tête quand il le prononça.

Le *pouvoir* de l'amour divin.

Johnny hocha la tête, mais il garda les yeux rivés sur les cercueils et sur le ciel limpide.

Limpide, vide.

Trois semaines après l'enterrement, Katherine déambulait dans le jardin d'un pavillon bien entretenu. Il y avait une véranda, deux chambres, deux salles de bains, et le terrain le plus grand et le plus verdoyant qu'elle avait pu trouver. La cuisine avait été refaite à neuf. La maison où Johnny avait vécu toute sa vie, sauf la dernière année, se trouvait dans la même rue. Elle avait espéré l'acheter, mais il fallait qu'elle fasse durer l'assurance-vie de son défunt mari jusqu'à ce qu'elle sache ce qu'elle ferait de sa vie et comment elle gagnerait de l'argent pour eux deux.

Elle regarda l'autre maison dans la rue, puis se résigna. Celle-ci avait une cabane perchée dans un arbre, un ruisseau au fond du jardin.

Ça ferait l'affaire.

Hunt apparut sur le seuil, la chemise trempée de sueur, une gerbe d'isolant en fibre de verre coincée sous son col. Il se retourna et contempla la maison.

— Elle est solide, commenta-t-il. C'est sympa.

— Vous pensez qu'elle plaira à Johnny ?

— J'imagine que oui.

Katherine baissa la tête.

— Il revient demain. Il va nous falloir un peu de temps, vous savez ? Rien que nous deux. Pour trouver un rythme.

— Bien sûr.

— Mais dans un mois ou deux, vous pourriez peut-être venir dîner.

— Ça aussi ce serait sympa.

Katherine hocha nerveusement la tête, apeurée, incertaine. Elle fit volte-face pour considérer la façade à son tour.

— Elle est vraiment pas mal, hein ?

— Parfaite, répondit Hunt sans la quitter des yeux.

# *Épilogue*

La chaleur de l'été n'était plus qu'un souvenir le jour où Johnny et sa mère se rendirent à Hush Arbor. C'était un samedi, en fin d'après-midi. Des arbres imposants défilaient sur leur passage. La clarté du soleil s'infiltrait dans la forêt devant eux, leur laissant entrevoir des poteaux en granite, des mûriers.

— J'ai peine à croire que tu sois venu ici comme tu l'as fait.

— Relax, maman !

— Il aurait pu se passer n'importe quoi.

— Le cimetière est par là, indiqua Johnny en pointant l'index.

Katherine roula aussi loin que possible, puis ils abandonnèrent la voiture. Johnny conduisit sa mère à la trouée dans les bois.

— L'inspecteur Hunt a dit qu'on l'avait enterré là la semaine dernière. C'est une amie de sa mère qui a payé.

Ils continuèrent leur chemin. La peinture de la barrière était toujours blanche. Les longues herbes avaient germé.

— Il faudrait que je vienne tondre un de ces jours.

— Ne fais pas ça, s'il te plaît, protesta-t-elle, mais Johnny y pensait déjà.

Ils s'approchèrent de la tombe de Levi Freemantle. La terre était toute fraîche. Sa fille reposait près de lui, sous une stèle flambant neuve.

— Sofia, murmura Johnny. Elle s'appelait comme ça.

Ils contemplèrent la pierre tombale de Freemantle qui indiquait ses dates de naissance et de décès. L'inscription était simple.

*Levi Freemantle.*

*Dernier enfant d'Isaac.*

— J'ai compté les tombes, reprit Johnny. La nuit que j'ai passée ici. Il y en a trois pour ceux qu'on a pendus. (Il désigna les petites pierres irrégulières au pied du chêne géant.) Plus quarante-trois descendants d'Isaac Freemantle. Quarante-cinq, maintenant.

Ils parcoururent des yeux les rangées de tombes usées par le temps.

— Si Isaac avait été tué, pendu comme les autres, aucun de ces gens-là n'aurait vécu ni péri.

— Ton arrière-grand-père était un homme exceptionnel. (Un temps d'arrêt.) Ton père aussi.

La gorge serrée, Johnny se borna à hocher la tête.

— Ken Holloway était déchaîné ce jour-là. Je ne l'avais jamais vu comme ça, ajouta-t-elle.

Elle se frotta les poignets où la morsure profonde des cordes de piano avait laissé des marques.

— On serait sans doute morts sans Levi Freemantle.

Silence. Le soleil jouait sur le marbre fraîchement taillé.

— Il m'a dit que la vie était un cercle.

Sa mère regarda les arbres, les rangées de stèles. Elle passa un bras autour des épaules de Johnny.

— C'est peut-être vrai.

Ce soir-là, Johnny écrivit à Jack. Il lui raconta tout ce qui s'était passé durant les mois de son absence. Il lui fallut dix pages pour le faire. Il l'adressa à Jack Cross, mon Ami.

# Remerciements

Beaucoup de gens ont contribué à la rédaction de cet ouvrage. Pour leur précieuse contribution – poser le ton, organiser la documentation en s'engageant pleinement dans cette entreprise –, je voudrais exprimer ma reconnaissance à Sally Richardson, Matthew Shear, Andrew Martin et Thomas Dunne. Pour la remarquable commercialisation de ce livre, je suis redevable à Matt Balcaddi et aux gens merveilleux qui travaillent avec lui : Tara Cibelli, Kim Ludlam et Nancy Trypuc. La couverture, magnifique, capte parfaitement l'esprit de l'ouvrage et pour cela, je dois remercier David Rotstein et Ervin Serrona. Pour ce qui est de la fabrication, ma gratitude va à Kenneth J. Silver, Cathy Turiano et Nina Frieman, ainsi qu'à Jonathan Bennett, responsable du design. Comme toujours, un grand merci aux pros si zélés de l'équipe des ventes de St. Martin – vous êtes les meilleurs ! Rares sont les ouvrages qui ont du succès sans une bonne publicité. Aussi mes remerciements s'adressent-ils également à mon équipe publicitaire, Hector DeJean et Tammy Richards-LeSure. J'ai également la chance de bénéficier des meilleurs éditeurs du secteur de l'édition – Pete Wolveron et Katie Gilligan, qui savent à quel point j'apprécie leur travail. Ce qui ne m'empêchera pas de leur témoigner ma reconnaissance ici même : Merci, vous deux. Vous êtes géniaux. Merci aussi, comme toujours, à mon agent, Mickey Choate. À mes premiers lecteurs, Clint Robins, Mark Witte, James Randolph et Debbie Bernhardt. Vous continuez à jouer un rôle essentiel dans ce processus, alors merci à vous. Des remerciements tout spéciaux aussi à Clyde Hunt et John Yoakum qui ont accepté que j'utilise leur nom tout en sachant pertinemment que je risquais de les malmener. Merci à Mark Stanback et Bill Stanback qui m'ont renseigné sur les aigles. Pour finir, merci surtout à Katie, ma femme, qui demeure ma meilleure amie et l'amour de ma vie, à mes filles, Saylor et Sophie, reines ébahies de joies perpétuelles et d'enthousiasme innocent.

*Ce volume a été composé*
*par PCA*

*Impression réalisée par*
*CPI BRODARD ET TAUPIN*
*La Flèche*
*en août 2010*

N° d'édition : 07 – N° d'impression : 59575
Dépôt légal : août 2010
*Imprimé en France*